KB077216

노인이 폼나게 사는

사회를 만들자

노인이 폼나게 사는 사회를 만들자

발 행 | 2023년 12월 01일
저 자 | 김용수
펴낸이 | 한건희
펴낸곳 | 주식회사 부크크
출판사등록 | 2014.07.15.(제2014-16호)
주 소 | 서울특별시 금천구 가산디지털1로 119 SK트윈타워 A동 305호
전 화 | (02) 1670-8316
이메일 | info@bookk.co.kr

ISBN | 979-11-410-5682-7

www.bookk.co.kr
ⓒ 김용수 2023
본 책은 저작자의 지적 재산으로서 무단 전재와 복제를 금합니다.

노인이 폼나게 사는 사회를 만들자

海東 김용수 지음

노인을 춤추게 하라

　노인(老人)은 나이가 많이 들어 늙은 사람이며, 노년(老年)은 나이가 들어 늙은 때 또는 늙은 나이이다.

　노년하면 떠오르는 이미지를 물었을 때 가장 많이 나온 답이 '지저분하다. 냄새가 난다. 앉으면 존다' 였다고 한다. 그럼, 이번에는 노년하면 연상하는 색을 스스로에게 한 번 물어보자. 아마도 거의 회색, 검은색, 흰색 같은 무채색을 꼽지 않을까. 물론 일본에서 사용하기 시작해 우리나라에서도 널리 쓰이고 있는 실버(Silver), 즉 은색을 떠올리는 사람도 많을 것이다. 그러고 보면 우리나라, 노인의 흰머리를 미화시켜 은발로 표현하고 그것을 노인을 지칭하는 단어 Silver(실버)로 사용하는 일본이나, 'Gray Panthers(회색표범)' 라 하여 노인 권익운동단체 이름에 회색이 들어가는 미국이나, 자의든 타의든 노년의 색을 연상하는 범주는 놀랄만큼 닮아 있다.[1]

　이 땅의 노인들에게 전원 정부 표창을 줘도 이상할 것이 없다. 일제 치하에서 태어나 6·25의 참상을 몸소 겪었고 국민소득이 몇 백 달러도 되지 않던 1960·70년대의 보릿고개를 견디며 피땀 흘려 일했던 우리의 아버지, 어머니들이다. 자식을 대여섯씩 나아서 전후 인구 감소 문제를 해결해 주었고, 헐벗고 살면서도 뜨거운 교육열로 그들을 경제중흥의 일꾼으로 길러냈다.

　그런 노인들의 현실은 참담하다. 남은 건 표창장이 아니라 가난과 외로움, 냉대뿐이다. 자식들을 위해 모든 것을 쏟아 붓고 자신을 위해서는 모은 돈 한 푼 없어 당장 내일 먹을 것을 걱정해야 하는 비참한 여생을 살고 있는 노인들이 대다수다. 어렵게 살면서도 부모를 봉양했건만 정작 자신들은 자식들과 떨어져서 고독한 황혼을 보내고 있다.

　이런 노인들을 존경하기는커녕 배척하기 일쑤다. 동방예의지국이란 말조차 생소한 젊은이들은 노인들에게 예의를 갖추지 않는다. 자칫 훈계하려 들다가 봉변당하기 십상이다. 우리의 노인 빈곤율은 세계 1위, 그것도 압도적 1위다. 연금과 노인빈곤율 등을 반영한 노인 소득 분야 지수 순위는 90위로 꼴찌나 다름없다. 경제 대국 대한민국의 부끄러운 통계다. 노후를 생각할 겨를도 없이 몸 바쳐 일해 온 결과가 이것이다. 자신의 미래를 조금이라도 염두에 뒀더라면 이런 안타까운 상황은 오지 않았을지 모른다.

수명이 늘어난 것이 가난한 노인에게는 결코 축복일 수 없다. 병마와 싸우며 죽지 못해 연명하는 삶은 고통일 뿐이다. 평생을 해로하다 둘만 남은 부부의 한쪽이 중병에라도 걸리면 삶의 질은 극도로 악화된다. 가족의 힘으로 버티는 것도 한계가 있어 종국에는 '간병 살인'이라는 비극적인 선택을 하고 마는 경우도 적잖다.

자식들에게도 외면 받는 노인들이 할 수 있는 호구지책이란 종이 줍는 일 외엔 없다. 일생 나라와 자식을 위해 일한 대가가 넝마주이 신세인 것이다. 서울의 한 구에 종이 줍는 노인이 1,000명 넘는다고 한다. 자식들 또한 만만찮은 생을 살고 있기에 노인들은 자신들이 부모에게 했던 봉양이란 말을 잊고 산다. 부담을 주기 싫은 것도 어쩌면 자식들에게 마지막 남기는 사랑일 것이다.

빠른 속도로 늘어가는 노인들을 받들기엔 국가도, 젊은 세대도 힘에 부친다. 기초노령연금 몇 만원을 더 줄 형편이 못돼 결국 공약을 파기할 수밖에 없는 현실이다. 공짜로 타고 다니던 대중교통도 적자의 원인이라며 줄이겠단다.

선택의 여지가 없다. 자식 세대가 고통을 분담하는 길밖에 무슨 다른 방도가 있겠는가. 10만~20만원 세금을 더 내면 된다. 교통 요금도 십시일반 보태면 되지 않겠는가. 생활이 조금 궁색해지더라도 견뎌야 한다. 부모 세대도 견뎠다. 그러다 가난의 구렁텅이에 빠진 그들을 위해 감수하는 게 마땅한 도리다.

예산을 늘려서 노인 복지체계를 세심하게 손봐야 한다. 주위엔 굶주리고 추위에 떠는 노인들이 적지 않다. 중병에 걸려도 병원 한 번 가지 못하는 노인을 위한 사회 안전망도 시급하다.

노인이라고 일할 힘이 없지 않다. 노인의 일자리를 대폭 늘려야 한다. 취로사업을 헛돈 쓴다고 생각하지 말라. 줄줄 새는 낭비성 예산은 따로 있다. 민간도 적극적으로 나서라. 시간제라도 노인들에게 일자리를 제공해야 한다.

가난보다 힘든 건 고독이다. 돈보다도 벗이 더 절실하다. 노인들이 쉽게 참여할 수 있는 여가 문화 프로그램을 많이 만들어야 한다. 빈곤율과 더불어 노인 자살률 또한 한국은 세계 1위다. 우리만 지난 10년 동안 두 배 넘게 뛰었다. 질병과 가난도 원인이지만 고독이 첫째 이유다. 서울보다 농어촌의 노인 자살률이 높은 것도 그런 연유다.

늙지 않고 죽지 않는 사람은 없다. 누구라도 노인이라 불리는 날이 온다. 미래의 우리를 보는 마음으로 노인을 봐야 한다. 그래서 노인이 춤추는 세상을 만들어야 한다.[2]

사람은 인생의 처 20년 동안 부모를 비롯한 많은 사람들에게 의존하고, 그후

40년에서 50년 정도 지나면 다시 누군가에게 의존하는 삶을 살게 된다. 노인이라고 해서 다 같은 노년이 아니라 65세에서 74세까지를 전기고령자(연소노인, young-old)라고 하고, 75세부터를 후기고령자(고령노인, old-old)로 구분히는데, 후기고령자 쪽으로 가면 갈수록 건강 문제가 심각하게 나타난다.

아무나 노인이 되는 것은 아니다. 질병과 전쟁의 사고에서 일단 살아남아야 노년을 맞을 수 있다. 같은 중년을 보내고 있는 배우자와 친구들, 선후배들 가운데 과연 몇 사람이 살아남아 노년을 함께 보낼 수 있을지 생각하면 나이 듦 자체가 얼마나 무겁고 엄숙한 일인지 깨닫게 된다.

http://blog.naver.com/sendex/220100348470(2014. 08. 22)

노인들의 기분이 상하지 않게 하기 위해 '어르신', '시니어', '실버', '연장자' 같은 말로 완곡하게 말하는 경우가 많다. 늙었는데 가난하기까지 하다면 노궁이라는 말을 쓰기도 한다. 속되게 표현할 때는 '노인네', '노친네', '노땅'[3], 틀딱 등의 용어를 쓴다. 당하는 입장에선 굉장히 불쾌해 할 수도 있으니 주의해야 한다.

그러나 다른 비하명칭들처럼 격의없이 친한 사이에서 쓰거나 같은 노인끼리 쓰면 친근감의 표현으로 쓰이기도 한다. 이것은 외국도 예외는 아니어서, 미국에서는 old man[4] 대신 senior citizen을 쓰고, 일본에서는 老人 대신에 한국의 '어르신'에 대응하는 말인 年寄としより라는 단어를 쓴다.[5] 영국에서는 설령 노인이라고 해도 타인에게 old라고 하면 굉장히 무례한 것이라, elderly라는 표현을 대신 쓴다.

차례

고칠 수 있는 인생

나태주 시인

책이 나온 뒤 오류 발견 때 가장 난감
다음 번에 찍을 땐 고칠 수 있어 다행

인생은 최선을 다해도 후회는 남아
반성하고 고쳐가면서 사는 것이 중요

한 해를 마무리하면서 미련 많아도
내년엔 보다 좋은 인생을 생각하자

　글을 쓰고 책을 내는 사람으로서 난감할 때가 있다. 내가 낸 책을 내가 읽어
보는데 오류가 나타날 때이다. 그것도 한두 군데가 아니고 아주 많은 부분에서
분명한 오류가 발견될 때이다. 그럴 때마다 가슴이 답답해지고 몸이 옴찔옴찔한
다. 이 일을 어찌할꼬?

당장 고쳤으면 좋겠는데, 그것이 한 권의 책이 아니고 1000권, 2000권이라는 데에 또다시 막막한 심정과 맞닥뜨리게 된다. 이럴 때 가장 좋은 방법은 출판사에서 책을 다시 찍는 것이다. 이런 걸 옛날엔 재판, 삼판 한다고 했는데 요즘엔 2쇄, 3쇄 그렇게들 말을 한다. 물론 책이 잘 팔렸을 때의 일이다. 어쨌든 좋다. 문제는 고친다는 점이다. 오류가 있고 오류가 발견되었을 때 고칠 수만 있다면 그것은 다행스러운 일이고 고마운 일이다. 세상만사가 다 그렇다. 정말로 글을 쓰고 교정을 볼 때는 나름대로 최선을 다했던 것이다. 두 눈을 부릅뜨고 활자를 들여다보고 또 들여다보았을 것이다, 그때는.

그런데 거기에서도 오류가 있다는 것이다. 그러니까 최선 속에서도 잘못이 있었다는 얘기다. 이는 우리네 인생살이에서도 그렇다. 젊은 시절 우리는 얼마나 죽을 둥 살 둥 인생을 살았나? 최선에 최선을 다한 날들이었다. 그런데 그 열심과 최선 속에도 오류가 있고 결정적인 후회가 있을 수 있다는 것! 거기에 절망이 있고 후회스러움이 있다. 정말로 인생을 책처럼 2쇄, 3쇄 하면서 고칠 수 있다면 얼마나 좋을까? 그런 관점에서 우리는 좀 인생을 멀리 살 필요가 있다. 장수하는 인생이면 좋겠고 반성하는 인생이면 좋겠고 고쳐서 사는 인생이라면 더욱 좋겠다.

내가 시를 쓰는 사람이니까, 선배 시인들을 예로 들어 보자면 김소월 선생이나 윤동주 선생 같은 경우에는 워낙 인생의 길이가 짧아서 고쳐서 살 기회가 없었다. 애석한 일이다. 하지만 요즘의 우리는 특별한 경우를 제외하고는 장수하는 인생이 허락된 사람들이다. 나만 해도 70을 훨씬 넘긴 사람이 되고 말았다.

실상 나는 나 자신 일흔 살까지 살 것이라고는 짐작하지 못했다. 멕시멈으로 보아서 40이나 50쯤으로 보았던 나다. 그런데 이렇게 되고 말았다. 어쨌든 오래 사는 인생으로서 생각해본다. 인생을 오래 산다는 것은 축복이고 하나의 기회다. 젊은 시절 잘못 판단했거나 잘못 산 인생을 고칠 수 있다면 얼마나 좋을까?

큰 갈래로 보아 가정생활과 사회생활, 문필생활을 고치고 싶다. 고쳐서 살고 싶다. 우리 집 아이들이 어렸던 시절, 그들을 기르면서 잘못한 일들이 태산 같다. 억지와 패악을 저질렀다.

그때는 그것이 최선인 줄 알았는데, 지금 와서 보니 그게 아니었다는 데에 절망감이 따른다. 깡그리 소급 적용할 수는 없겠지만, 지금이라도 부모로서 아이들에게 잘해주고 싶다.

아이들을 기를 때 '낳아주고 길러주고 가르쳐주고'만 있는 줄 알았는데, 거기에 더해 '기다려주고 참아주고 져주고'가 더 있다는 걸 안 것은 최근의 일이다. 아, 그러고 보니 그 시절 그때 나의 아버지가 그렇게 하신 것이 나한테 져주신 일이었구나. 할머니, 어머니, 외할머니는 또 끝없이 나를 기다리신 분들이었구나….

지금 내가 아이들에게 할 수 있는 일은 '기다려주고 참아주고 져주는' 일이다. 가능한 대로 그렇게 많이 하고 싶다. 그래서 내가 세상에 없는 날 나의 아이들이 나를 좋은 아버지 수준은 아니지만, 평균 수준의 아버지 정도로 생각해주었으면 하는 바람이다. 그러기 위해서는 또 아이들한테 내가 더 많이 용서를 받아야 한다.

누군가를 용서하기 위해서는 먼저 그 사람을 이해해야 한다. 그리고 그 사람의 입장에 서 보아야 한다. 내가 그였다면 어찌했을까, 역지사지(易地思之)가 있어야 한다. 아이들이 나를 이해하고 나의 입장에 서기 위해서는 나 자신 아이들에게 또한 기회를 주어야 한다. 기다림이 필요하고 시간이 필요하다. 아내에게 이해받는 남편이 되는 일은 또 선행의 일이다.

날마다 나는 두 가지 생활신조로 세상을 살고 있다. 밥 안 얻어먹기이고, 욕 안 얻어먹기이다. 그 두 가지만 제대로 실천할 수 있어도 나의 하루하루 인생은 비교적 덜 후회스럽고 덜 부끄러운 인생이 되리라고 생각한다. 나이 들어가는 사람이 밥과 욕을 얻어먹는다는 것은 그 인생이 이미 실패했다는 것을 의미한다.

그다음은 글쓰기, 문필생활이다. 말할 것도 없이 열심히 글을 쓰고 최선을 다해서 글을 쓰고 이미 책으로 낸 글들도 다듬고 정리하는 정성이 필요하겠다. 그렇다고 과도하게 과거에 쓴 글에 손을 대는 일은 금물. 산문의 경우, 잘못 쓰였다 싶으면 그 부분의 글을 다시금 쓴다. 그것이 고치는 것보다는 나은 방법이다.

오늘은 지난 1월에 낸 나의 책 '혼자서도 꽃인 너에게'를 다시 한 번 찍고, 지지난해에 낸 '꿈꾸는 시인'이란 책이 4쇄를 했다면서 우편으로 배달되어 온 날이다. 책을 다시 찍기 전에 꼼꼼히 읽고 여러 군데 바로잡았으므로 더욱 완벽한 책이 되었으리라고 믿는다. 고마운 일이다.

이처럼 우리네 인생도 고쳐서 다시 살 수만 있다면 얼마나 좋을까? 혹여 올 한 해를 살면서 스스로 잘못 살았다든지, 후회스러운 일이 있다든지 그런 분이 계신다면 책을 고치는 마음으로 내년엔 더 좋은 인생을 생각하시길 바란다. 하기는 이것은 내가 나한테 부탁하는 말. 시 한 편을 붙이며 모두에게 위로와 축복의 마음을 전한다.

'그럼요/ 날마다 새날이고/ 봄마다 새봄이구요/ 사람마다 새사람// 그중에서도 당신은/ 새봄에 새로 그리운/ 사람 중에서도 첫 번째/ 새사람입니다.' (나태주, '새사람' 전문)

나는 꽃

봄, 세상의 기운이 피어나는 봄
내 마음에는 예쁜 꽃망울이 피어
내 가슴에 예쁜 꽃을 피우네

여름, 뜨거운 여름
내 마음에도 솟구치는 열정 하나
그 열정 나는 뜨겁게 즐겼구나

가을, 포도나무에 매달린 가을
달콤함처럼 많은 얼굴과 사연
그 꽃들이 모여 풍요로웠구나

겨울, 하얀 눈 덮힌 포근한 겨울
세상은 이토록 아름다웠구나
눈 속 맨살들은 눈꽃송이들로 따뜻하여라

다시 봄은 시작되고
나는 또 꽃을 피우리
아름다운 나의 꽃을

https://blog.daum.net/sang7981/51?category=3990(2021. 03. 30)

I. 들어가는 글

　현대인의 삶의 질에 대한 논의는 "얼마나 오래 사느냐 보다는 얼마나 건강한 삶을 사느냐"가 중요하다는 인식을 같이 하고 있다. 삶의 질을 향상시킨다는 것은 궁극적으로 인간의 행복한 삶을 추구하는 것이라 하겠다.

　산업의 발달과 경제 성장은 소득 수준의 증가, 물질의 풍요, 교육 여건 및 여가의 증대와 더불어 스포츠 과학화 및 대중화를 촉진시키는 요인으로 작용하였으며, 사회구조 각 분야에서의 급속한 변화와 발전은 스포츠가 사회 전체의 가치를 반영하고 있는 축소판이라는 점에서 스포츠 참여의 대중화와 보편화에 커다란 역할을 끼쳐왔다.

　이러한 가운데 스포츠활동을 통하여 자신의 건강을 유지하고 신체를 단련하려는 국민들의 의식이 높아지고 있으며, 지역이나 직장을 중심으로 한 자발적인 스포츠 애호가 단체가 늘어나는 한편, 유아에서 노인에 이르기까지 모든 연령층에서 운동에 참여하고 있다.

　한국사회는 이미 초고령 사회로 빠르게 진입하고 있으며, 노인의 육체적 기능 저하와 질병 이외에도 은퇴 후 시작되는 역할상실과 무료함은 더욱 큰 사회문제로 대두되고 있다. 노인체육은 노인문제의 근본적 해결을 위한 적극적 복지정책으로 인식되고 있으며, 다른 체육 분야보다도 급속히 발전하고 있다.

　노인 학대가 사회문제로 처음 등장한 것은 1975년 영국에서 '매 맞는 할머니'라는 보고서가 쟁점이 되면서부터라고 한다. 그러나 노인 학대의 심각성을 인식하게 된 것은 최근의 일이다.

우리나라는 2004년 노인복지법을 개정하면서 노인 학대의 예방과 조치에 관한 법 조항을 신설했을 정도다. 유엔이 6월 15일을 '세계 노인 학대 인식의 날'로 정한 것도 불과 10년 전의 일이다.

우리 사회는 핵가족화가 진행되면서 전통적인 노인 공경 사상과 부모 부양에 대한 의무감이 약화되고 있다. 여기에 사회안전망까지 부실해 노인 학대가 사회적인 문제로 급부상하고 있다.

전체 인구 가운데 65세 이상 고령인구가 차지하는 비율이 20% 이상인 나라를 초고령사회, 14~20% 미만인 사회를 고령사회, 7~14% 미만인 사회를 고령화사회라고 한다. 우리나라는 고령인구가 13.1%로 고령사회 진입을 눈앞에 두고 있다. 세계적으로 초고령사회에 진입한 나라는 일본·독일·이탈리아 3개국이다. 경제협력개발기구(OECD)에 따르면 우리나라는 2030년 고령인구가 24.3%로 초고령사회에 진입할 것으로 전망된다. 2060년이 되면 고령인구가 인구의 절반에 가까운 40.1%에 이른다고 한다.

보건복지부가 '세계 노인 학대 인식의 날'을 맞아 발표한 '2015 노인 학대 보고서'에 따르면 노인 학대의 유형은 물리적인 힘을 가하는 신체적 학대, 모욕을 주는 정서적인 학대, 성적 수치심을 유발하는 성적 학대, 재산을 빼앗는 경제적 학대, 부양 의무자로서 책임을 다하지 않는 방임적 학대 등 다양하다. 이 밖에 노인 스스로 자신을 돌보지 않고 자살에 이를 정도로 생명을 위협받는 자기 방임도 노인 학대의 한 유형이다. 노인 학대 신고 건수는 지난해 1만 1,905건으로 2014년에 비해 12.6%나 증가했다.

충격적인 것은 노인 학대의 85.8%가 가정에서 이뤄지고, 아들과 딸, 며느리와 사위, 손자와 손녀 등에 의해 행해지는 패륜 범죄라는 점이다. 대부분의 학대 행위자가 노인에게 경제적으로 의존하고, 약물이나 알코올 남용, 정신장애 등의 증상이 많은 사회적 약자들이다. 노인 역시 비슷한 처지에 있다는 점에서 이들에 대한 사회적 관심이 요구된다.

노인을 학대하는 사회에서 밝은 미래를 기대할 수는 없을 것이다. 우리나라는 OECD 국가 중 노인 자살률 1위, 노인 빈곤율 1위라는 불명예를 갖고 있다. 노인 학대 문제를 더 방치해서는 안 된다. 노인 학대의 실태를 조사하고, 노인들의 취업 확대와 복지증진 등 사회안전망을 더 촘촘히 만들어야 한다. 나아가 전문 상담원 확보와 노인보호 전문기관 및 자활기관과의 연계를 강화해야 할 것이다.

초고령사회(超高齡社會, super-aged society)인 독일이 노인들의 취업을 확대해 각종 노인 문제를 극복하고 있는 점을 참고할 필요가 있다.[6]

총인구 중에 65세 이상의 인구가 총인구를 차지하는 비율이 14% 이상인 사회이다. 65세 이상 인구가 총인구를 차지하는 비율이 7% 이상이면 고령화사회(Aging Society), 65세 이상 인구가 총인구를 차지하는 비율이 14% 이상이면 고령사회(Aged Society)라고 하고, 65세 이상 인구가 총인구를 차지하는 비율이 20% 이상이면 후기고령사회(post-aged society) 혹은 초고령사회라고 한다.

고령화 현상의 원인은 경제 성장에 따른 생활수준의 향상, 의학 발달로 인해 사망률의 감소 등이 있다. 이로 인한 고령화 현상이 지속된다면 노령화 지수와 노년 인구 부양비가 증가될 것이다. 또한 생산 가능 인구가 감소하여 노동력이 부족해지고, 노동력이 고령화될 것으로 예상된다. 더불어 사회 복지 수요가 증대되어 청장년층의 사회적 부담이 증가하게 되고 세대 간의 갈등이 증가하는 등의 많은 영향을 미치게 될 것이다.

고령화 시대 속에서 지속적인 사회 발전을 이루기 위해서는 퇴직 이후의 경제적 안정 및 재취업, 정년연장, 연금 확대, 고령 친화적 제품의 개발, 건강과 관련된 정책 확대 등이 필요하다.

고령이란 용어에 대한 정의는 보편적으로 일정한 것은 아니다. 한국의 「고용상 연령차별금지 및 고령자고용촉진법에 관한 법률 시행령」에서는 55세 이상을 고령자, 50~54세를 준고령자로 규정하고 있으나 UN은 65세 이상의 인구가 총인구에서 차지하는 비율이 7% 이상일 때 고령화 사회라고 보고 있다. 인구의 고령화 요인은 출생률의 저하와 사망률의 저하에 있다. 평균수명이 긴 나라가 선진국이고 평화롭고 안정된 사회를 상징하는 의미에서 장수(長壽)는 인간의 소망이기도 하지만, 반면 고령에 따르는 질병·빈곤·고독·무직업 등에 대응하는 사회경제적 대책이 고령화 사회의 당면 과제이다.

한국사회는 이미 초고령사회로 빠르게 진입하고 있으며, 노인의 육체적 기능 저하와 질병 이외에도 은퇴 후 시작되는 역할상실과 무료함은 더욱 큰 사회문제로 대두되고 있다. 노인체육은 노인문제의 근본적 해결을 위한 적극적 복지정책으로 인식되고 있으며, 다른 체육 분야보다도 급속히 발전하고 있다.

그러나 아직도 실제적인 노인체육의 환경이나 정책은 매우 수동적이며 탐색적인 수준에 머물고 있다. 이러한 원인은 다음과 같이 정리할 수 있다.

첫째, 증가하는 노인체육 활동인구에 비해 노인체육 전문시설의 수요가 절대적으로 부족하다. 둘째, 기존의 체육 활동 프로그램이 노인의 수준에 맞게 제공되지 못했다는 점이다. 셋째, 정부 노인체육 담당부서의 부재 및 정책 부재이다.

II. 노인에 대한 담론(談論)

인생의 최종 단계로, 중년 다음에 해당되는 일련의 단계다. 나이가 들어 늙은 사람. 다소 부정적인 인상을 주는 '늙은이'에 비해 '노인'은 비교적 중립에 가까운 표현이다.

반대로 젊은이는 전혀 그렇지 않은데 그러나 사람마다 노인이건 늙은이건 당사자들이 이런 말을 싫어하는 경우도 있기 때문에 요즘은 상대방에게 직접 말할 때는 주로 '어르신'이라고 부르는 편이다. 대한민국에서는 노인의 기준을 명문화하지 않고, 노인 복지에 대한 정책마다 제시하는 연령 기준이 상이하다.[7]

노인들의 기분이 상하지 않게 하기 위해 '어르신', '시니어', '실버', '연장자' 같은 말로 완곡하게 말하는 경우가 많다. 늙었는데 가난하기까지 하다면 노궁이라는 말을 쓰기도 한다.

속되게 표현할 때는 '노인네', '노친네', '노땅',[8] 틀딱 등의 용어를 쓴다. 당하는 입장에선 굉장히 불쾌해 할 수도 있으니 주의. 그러나 다른 비하명칭들처럼 격의없이 친한 사이에서 쓰거나 같은 노인끼리 쓰면 친근감의 표현으로 쓰이기도 한다. 이것은 외국도 예외는 아니어서, 미국에서는 old man[9] 대신 senior citizen을 쓰고, 일본에서는 老人 대신에 한국의 '어르신'에 대응하는 말인 年寄としより라는 단어를 쓴다.[10] 영국에서는 설령 노인이라고 해도 타인에게 old라고 하면 굉장히 무례한 것이라, elderly라는 표현을 대신 쓴다.

최근에 법적 정년을 57세로 연장하고 또 60세로 연장했지만 몇몇 소급적용해준 대기업을 제외하고 소급법칙에 의해 막상 급한 50대 초중반의 사람들은 혜택을 받지 못 한다. 이럴 경우 기업에 다니던 평범한 회사원이 55세에 정년퇴직을 했다고 치면 퇴직금 2억정도로 65세까지는 마땅한 벌이 없이 10년 동안 세금을 내기만 해야 하는 상황이 벌어진다. 대기업에서 정년퇴직을 한 사람도 이정도인데 일반기업은 어떻겠는가? 노인 1인당 복지예산 130만원···청년 예산의 5배 그래서 현 복지 시스템을 여러모로 크게 손봐야 한다는 의견도 많다.

지금까지 쓰이던 복지 시스템은 고령화 사회에 젊은 세대에게 역사상 유례없던 부담을 줄 것이 확실시되며 여기에 신자유주의로 인한 고용 없는 성장으로 인한 고실업까지 겹쳐 베이비 부머의 자녀와 손자 세대는 기대수명이 큰 폭으로 줄어들 것이 확실시되고 있다. 특히 한국의 경우는 수출대기업 위주의 사회 구조 특성상 청년층 대다수가 일자리를 구할 수 없는 처지에 놓여 있기 때문에 아마 베이비 부머의 후손들이 처할 상황은 더 열악할 것이다.

노인층은 취업에 큰 어려움을 겪는다. 젊은층에 비해 체력과 뇌 기능이 부족하여 원활하게 일하기 어려우므로 사람들이 잘 뽑아주지 않기 때문이다. 하지만 외국 기업 중에는 노인을 뽑는 곳도 있다. '의욕 있는 사람을 구합니다. 단, 60세 이상인 분만 가능합니다.' 일본의 금속부품 생산회사 가토제작소의 구인 광고 카피다. 주말에 일을 하려는 생산직 젊은 층이 없는 반면, 주말에 일을 시켜야 납기 내에 주문을 맞출 수 있다는 고충이 있었다. 이를 해결하기 위해 이 회사는 노인을 고용해 주말에 일을 시킨다. 노인 직원은 주말에 단순 지원 업무를 하도록 하고 주중에는 현역 직원들이 근무하는 '능력별 워크 셰어링'을 실시했다. 이로써 365일 공장을 가동할 수 있었고, 매출도 3배 가량 늘어났다.

노인이 심한 질병을 앓은 경우에는 질병에서 회복된 후에 기력이 없는 상태로 지내다가 사망하거나, 평소처럼 생활하다 갑자기 사망(돌연사)하는 경우도 있다.[11] 질병을 앓으면서 체력이 소진되어 신체기능이 떨어지기 때문이다.

흔히 노인들을 상징하는 물건으로 홍삼, 캔디가 꼽히는데, 이것도 노인의 건강과 관련이 깊다. 나이가 들수록 미각 장애를 겪는 경우가 많다. 장애 수준까지는 아니더라도 시력과 청력이 둔감해지는 것처럼 미각도 크게 둔화되는 것이 필연적이다. 같은 10Brix짜리 귤을 먹어도 젊은이가 느끼는 단맛과 노인이 느끼는 단맛은 확연한 차이가 있다는 것이다. 그래서 나이가 들면 같은 음식도 밍밍하게 느끼고, 할머니들의 음식맛이 가면 갈수록 자극적이 되는 것도 이 때문이다.

질병에 걸린 상태가 아니더라도 노인이 되면 신체기능과 뇌기능이 떨어져(노환) 불편한 점이 많아지므로 젊은층에 비해 삶의 질이 낮다. 그래서 삶의 의욕을 잃거나 정신건강이 나빠지는 경우가 많다.

신체적·정신적 건강을 유지하고 젊게 살기 위해서는 자기관리가 매우 중요하다. 시대가 흐를수록 노화가 늦어지고 평균수명이 늘어나는 것은 의학 발달의 영향도 크지만, 나이에 비해 젊게 사는 것이 대세가 되면서 자기관리를 열심히 하는 사람들이 증가한 영향도 크다.

기본적으로는 중년기가 끝나고 노년기에 처음으로 접어드는 60세 이상부터 노인이 되어가는 과정이라고 할 수 있으나[12] 경로우대상으로는 65세 이상부터 적용되는 편이다.[13] 법률상으로도 65세 이상을 노인으로 규정한 경우가 많다. 다만, '피고인의 나이가 너무 많아서 반드시 국선변호인을 선정해 주는 연령'은 70세부터이다(형사소송법 제33조 제1항 제3호). 완전한 노인은 70세부터이다.[14]

1. 상대가 어떤 사람인지를 알려면

우리는 집, 학교, 직장, 사회, 그 어느 곳에서든 타인과 긴밀하게 관계를 맺으며 살아간다. 정서적인 교류뿐 아니라 함께 팀을 이뤄 구체적인 일들을 해나간다. 어떤 사람을 만났느냐가 나의 성공과 실패에 큰 영향을 주기도 한다. 그러니 나 자신을 위해서라도 사람을 파악하는 일이 정말 중요할 수밖에 없다. 좋은 사람을 가까이에 두고 나쁜 사람은 멀리 해야 하니 말이다.

문제는 상대가 어떤 사람인지를 어떻게 아느냐는 것이다. 사람을 파악하는 일이 쉬웠다면 상대방 때문에 골머리를 앓는 일은 드물었을 것이다. 상대방 때문에 당황하는 일도, 실망하거나 배신당하는 일도 별로 없었을 것이다. 하지만 현실은 그렇지 못하다. 그래서 심리학에서는 사람을 살피는 다양한 방법을 제시해 왔다. 동양에서도 오래전부터 이와 관련한 가르침이 전해오는데 논어 '위정(爲政)' 편에 나오는 공자의 말을 보자. "그 하는 것을 보고, 그 말미암은 이유를 살피며, 그 편안히 여기는 바를 살펴본다면 사람이 어찌 자신을 숨길 수 있겠는가(子曰, 視其所以, 觀其所由, 察其所安, 人焉廋哉?)."

먼저 '그 하는 것을 본다' 란 외부로 드러난 그 사람의 행동을 확인하라는 것이다. 행동이 올바른지 아닌지를 보면 어느 정도 사람됨을 파악할 수 있다. 그런데 속마음과 행동이 다른 사람이 있을 것이다. 위선자여서, 혹은 이해타산을 따져서 착한 척 행동할 수 있다. 반대로 선한 사람이 어떤 이유가 있어 나쁜 행동을 할 수도 있다. 공자가 '그 말미암은 이유를 살피라' 라고 말하는 것은 그래서다. '저 사람이 저렇게 행동한 이유는 무엇일까?', '무엇이 저 사람을 움직이게 하는가?', '저 사람의 가치관과 삶의 기준은 무엇일까?' 를 면밀하게 살피다 보면 그 사람을 더욱 잘 이해할 수 있게 된다.

여기에 공자는 한 가지를 더 추가한다. '편안히 여기는 바를 살펴보라' 다. 어떤 사람을 친구로 두는가, 어떤 사람과 있을 때 편안함을 느끼는가, 무엇을 할 때 즐거워하는가를 보면 그 사람의 성향을 알 수 있다. 그가 무엇을 갈구하고, 무엇을 욕망하는지를 보면, 또 어떤 것을 충족했을 때 가장 만족감을 느끼는지를 보면 그 사람이 추구하는 바를 알 수 있을 것이다.

물론 이 세 가지를 다 했다고 해서 내가 저 사람을 다 알았다고 자신해서는 안 된다. 일찍이 중국 당나라 때 시인 백거이(白居易)는 "옥은 사흘만 불에 넣어 보아도 품질을 알 수 있지만 사람은 7년은 족히 기다려야 가릴 수 있다"고 했다. 아니, 7년도 부족할 수 있다. 20년 넘게 믿고 의지하던 사람에게 뒤통수 맞는 일도 있으니 말이다. 그 사람과 오랫동안 지내오며 잘 안다고 생각했는데, 나의 예상을 깨뜨리는 일들이 얼마나 많은가. 그러므로 공자의 이 가르침은 한 번에 판단하고 결론을 내라는 것이 아니라 꾸준히 계속 이렇게 상대를 살펴보라는 당부로 봐야 한다.

더욱이 공자의 이 말은 그 사람이 좋은 사람인지 나쁜 사람인지를 판가름할 때만 쓰이는 것이 아니다. 누군가와 친해지고 싶다면 그 사람의 성향을 파악하고 그 사람의 스타일에 맞춰줘야 한다. 그럴 때 그가 어떻게 행동하는지, 그렇게 행동하는 이유는 무엇인지, 그가 편안하게 생각하고 즐기는 것은 무엇인지를 파악하는 것만큼 효과적인 방법은 없지 않을까?[15]

벨빈 진단 기반 팀장 리더십교육과정(naraechuu@gmail.com)

2. 나이듦의 기술

어릴 때, 이웃집 할머니 자매 두 분 중 일곱 살 연상의 언니가 훨씬 더 젊어 보이는 게 늘 신기하게 느껴졌다. 한 분은 자전거를 탈 정도로 건강했고, 다른 분은 기운이 없어 늘 집에 누워 계셨다. 어째서 이런 차이가 생기는 걸까.

엘렌 랭어의 책 '늙는다는 착각'에는 '시간 거꾸로 돌리기 연구'라는 실험이 등장한다. 이것은 70~80대의 노인들을 20년 전의 시간으로 되돌려 일주일간 독립적으로 생활하도록 한 실험이다. 그 시절의 뉴스와 영화를 보고, 그때의 생활을 그대로 재현하는 것이다. 일주일 만에 놀라운 결과가 도출됐다. 실험 전까지 글자가 보이지 않아 포기했던 독서나 관절이 아파서 하지 않았던 설거지와 청소는 물론 강아지를 산책시키는 일까지 노인들은 '스스로' 그 모든 일을 해냈다.

청력, 기억력, 악력, 유연성, 자세나 걸음걸이까지 현저히 '젊어진 것'이다. 저자는 "노인들의 발목을 잡는 것은 신체가 아닌 신체적 한계를 믿는 사고방식"이라고 강조한다.

흥미로운 건 아이를 늦게 낳은 여성이 아이를 일찍 낳은 여성보다 평균수명이 길다는 것이다. 상대적으로 아이와 생활하며 젊고 건강한 신호에 더 자주 노출되기 때문이다. 연상 연하의 배우자의 경우도 그렇다. 우리가 움직일 때마다 무의식 중에 내뱉는 "아이고, 허리야~" "이제 늙었나봐!" 같은 말 역시 우리 뇌에 쌓여 고스란히 각인된다.

우리 사회는 사회적 시계를 중시한 탓에 20대에는 취업, 30대에는 결혼, 40대에는 내 집 마련 같은 과업에 집착한다. 하지만 신체 나이에 맞는 올바른 생활방식과 태도가 있다고 믿으면 60대와 70대에 남는 건 은퇴와 노화뿐이다. 그러나 노화와 퇴화는 다르다. 기억력 퇴화 역시 그동안 쌓인 데이터가 젊은 시절에 비해 많아서 생긴 정체 현상으로도 설명할 수 있다. 잊지 말아야 할 건 결국 태도다. 노년의 기억력이 좋아지려면 늘 먹던 것, 가던 곳을 갈 때가 아니라 새로운 음식을 먹고, 가보지 않은 곳을 갈 때다. 구부정해지려는 마음을 한 번 더 펴는 것 말이다.[16)]

사람이 나이를 먹는 것은 어쩔수 없다. 사람의 능력으로 막을수 없기 때문이다. 그러니 자연스러운 현상으로 받아들이되 잘(?) 늙는 방법을 강구해야 한다. 모든 기능이 현저히 퇴화한다 할지라도 '노망'에 걸렸다든가 남에게 피해를 주는 일은 하지 말아야 한다. 그러려면 몸 관리도 중요하지만 정신건강이 무엇보다 중요하다.

인간의 뇌는 쓰지 않으면 퇴화한다. 쓰면 쓸수록 발달하는 것이 인간의 신체적인 능력이다. 그런면에서 책읽기는 최고의 정신건강 처방이다. 가만히 놔두면 퇴화해 버릴수밖에 없는 뇌에 책읽기는 신선한 산소와 영향제를 공급하는것과 같다. 노년의 삶을 풍요롭게 한다.

지금까지 살아온대로 살아가면 안전한 삶은 유지되지만 몸과 정신은 시들어버린다. 시들은 꽃이 볼품 없는 것처럼 정신도 영혼도 빈껍데기라면 그의 노년의 삶은 육체의 욕망대로 사는 삶으로 지배당한다. 나이를 먹되 고상하고 품위있게, 예쁘게 나이를 먹는 노력을 해야한다(백영옥의 말과 글).

우리 사회는 사회적 시계를 중시한 탓에 20대에는 취업, 30대에는 결혼, 40대에는 내 집 마련 같은 과업에 집착한다. 하지만 신체 나이에 맞는 올바른 생활방식과 태도가 있다고 믿으면 60대와 70대에 남는 건 은퇴와 노화뿐이다. 그러나 노화와 퇴화는 다르다. 기억력 퇴화 역시 그동안 쌓인 데이터가 젊은 시절에 비해 많아서 생긴 정체 현상으로도 설명할 수 있다. 잊지 말아야 할 건 결국 태도다. 노년의 기억력이 좋아지려면 늘 먹던 것, 가던 곳을 갈 때가 아니라 새로운 음식을 먹고, 가보지 않은 곳을 갈 때다. 구부정해지려는 마음을 한 번 더 펴는 것 말이다.[17]

3. 행복의 조건

새해에 가장 많이 듣는 말은 "새해 복 많이 받으세요"와 "해피 뉴 이어(happy new year)"이다. 개인적으로 "해피 뉴 이어" 쪽이 조금 더 마음에 든다. '복'이 물질적 만족에 가깝게 느껴지는 반면 '행복'은 좀 더 심리적 만족으로 느껴지기 때문이다. 근거는 없다. 내가 그렇게 느낀다는 것이다.

2022년을 돌이켜보면 마음이 고달팠다. 직접 불행을 당한 건 아니지만 가족과 친구의 불행과 생로병사에 괴로웠다. 친밀한 사람의 불행은 침습적이라 우리들의 행복은 나뿐만 아니라 친밀한 타인들의 행복에 철저히 빚지고 있다. 게다가 행복은 바랄수록 멀어지는 경향이 있다. 그래서 언젠가부터 나는 행복을 '다행'이라 바꿔 불렀고, 행복한 삶의 조건을 걱정이 적은 삶이라 정의했다. '좋은 일'이 많은 삶보다는 '나쁜 일'이 적은 삶 말이다. 그래서 내가 좋아하는 담담한 말 중에 '낫 배드(not bad)'가 있다.

행복해지기 위해 우리가 먼저 알아야 할 것은 불행이다. 행복은 불행과 멀리 동떨어진 것 같지만 실은 짝패처럼 붙어 찾아올 때가 많다. 그래서 나는 가능한 한 불행을 피하기 위해 골몰한다. 술과 담배를 피하고 운동을 하며 적당한 체중을 유지하는 것이다. 행복학의 대가 조지 베일런트 박사에 의하면 행복해지는 조건 중 으뜸은 '고난에 대처하는 자세'다. 시인 잭 길버트는 이 지혜를 자신의 시에서

'고집스러운 기쁨'이라고 표현했다.

회화는 '창작의 예술'이고, 사진은 '발견의 예술'에 가깝다. 흰 캔버스에 새로운 무언가를 채워넣는 창작이 회화 작업이라면, 사진은 이미 존재하는 무언가를 발견해 프레임에 담는 것이다.

행복은 사진 작업과 닮아 있다. 진정한 행복은 이미 우리 주위에 있는 행복을 발견해 내 프레임에 담아 나의 것으로 만드는 작업이다. 생텍쥐페리의 '어린왕자'에 "네가 오후 네시에 온다면 나는 세시부터 행복해질 거야"라는 유명한 구절이 있다. 기다리는 한 시간이 불행이 될지 행복이 될지는 전적으로 자신의 선택에 달려 있다.[18]

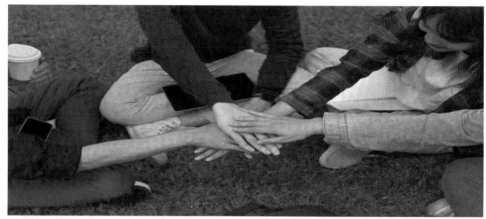

'하버드 성인 발달 연구'는 85년 동안 사람들에게 수천 개의 질문을 던지고 수백 가지를 측정해서 그들이 건강하고 행복한 삶을 유지하도록 해 주는 게 뭔지 알아냈다. 지속적으로 광범위한 중요성을 증명한 단 한 가지 요소는 바로 '좋은 관계'였다.[19]

4. 지혜의 눈이 곧 그의 삶

사람이 살고 있는 한, 산다는 그 자체가 전쟁이다. 총칼만 들지 않았을 뿐 불특정다수 수 많은 적들과 어느 한순간도 예외 없이 보이지 않은 싸움을 하고 있다. 그것이 곧 삶이다. 그 삶을 위한 지혜의 눈이 너나없이 한결같을 순 없다. 하는 일에 따라, 하는 시기에 따라 다르다.

대통령이 가져야 할 지혜의 눈, 정부부처장관이 가져야 할 지혜의 눈, 국회의원이 가져야 할 지혜의 눈, 검사나 판사가 가져야 할 지혜의 눈, 시도지사 시장·군수가 가져야 할 지혜의 눈, 바다를 항해하는 선박의 선장이 가져야 할 지혜의 눈, 대학교수가 가져야 할 지혜의 눈, 농사꾼이 가져야 할 지혜의 눈, 사냥꾼이 가져야 할 눈, 그 모두가 달라야 한다. 그렇듯 하는 일에 따라 또 똑같은 일이라도 하는 시기에 따라 지혜의 눈이 달라야 한다.

일국의 대통령이, 국회의원이, 시간이 있을 때마다 초등학생이 즐겨 읽는 만화책이나 들여다보며 히죽히죽 웃는다면 초등학생이 갖는 지혜의 눈과 무엇이 다르겠는가? 그래서는 안 된다.

대통령은 대통령이 되기 전, 국회의원은 국회의원이 되기 전, 무엇을 했던 대통령이 국회의원이 된 이상 대통령이 해야 할 지혜의 눈을, 국회의원이 해야 할 지혜의 눈을 갖고, 생각을 하고 그에 맞는 언행을 해야 한다. 대통령으로서, 국회의원으로서, 그에 맞는 말과 행동은 물론 보다 수준 높은 지혜로운 눈을 가져야 한다.

데모를 하다 대통령이, 국회의원이 됐다 해도 데모를 했던 당시 가졌던 지혜의 눈을, 데모하던 그 시절 지혜의 눈으로 보고 생각해선 안 된다.

그 사람 대통령이 되더니 국회의원이 되더니 많이 변했다. 매사를 보는 지혜의 눈이 달라졌다. 그런 말 나오게 해야 한다.

대통령은 국회의원은 읽는 책도 달라져 한다. 신문을 읽는 지혜의 눈도 달라져야 한다. 데모할 때 또는 공직생활을 할 때, 사업할 때, 했던 언행이나 또 그때 읽는 책이 아닌 세계사적 훌륭한 지도자에 대한 이야기가 쓰인 책을 읽어야 한다. 하다못해 기침을 하고 침을 뱉고 소변을 보는 태도도 달라져야 한다. 바로 그런 것이 지혜의 눈이다.

대통령이, 국회의장이, 대법원장이, 국무총리, 보통 사람이 갖는 눈 또는 거지가 갖는 지혜의 눈을 가져서는 안 된다.

세계적인 선박왕 네덜란드의 오나시스는 지혜의 눈을 두고 이렇게 말했다. 그는 돈이 없어 남에게 돈을 빌릴 때 100원이 필요하면 1000원을 빌려 100원을 쓰고 나머지 900원은 보관해 두고 열흘 후에 갚을 수 있더라도 이십일 후에 갚겠다 약속을 했다. 10일 후 돈이 생기면 약속일보다 먼저 갚는다. 이는 곧 뜻을 보다 크게 갖되 신용을 중시하라는 말이며 또한 남의 집에 세를 얻어 살더라도 대궐 같은 부잣집 또는 남다른 권력가 집에 세를 얻어 살라고 했다.

그런 사람 집에 세를 얻어 살면서 그들이 사는 것을 가까이서 보고 그들이 가진 지혜의 눈을 보고 배우라 했다.

사람의 삶은 천차만별하지만 크게 다르지 않다. 그래서 삶의 지혜가 더욱더 중요하다. 지혜의 눈, 그 지혜의 눈이 곧 그의 삶이다. 지혜의 눈도 보고 듣고 그런 가운데 뜨인다.[20]

5. 사람의 격을 높여라

1960년 이후 전 세계 평균 출산율은 여성 한 명당 2.5명으로 낮아지고 있다고 한다. 2022년 대한민국의 출산율은 0.81명으로 OECD 국가 중 꼴찌라고 한다.

우리나라는 이제 사람의 양보다는 질을 생각할 때가 도래했다.

과거에 인구가 많을 때는 너무 많이 낳아서 둘만 낳기 운동 등 인구를 축소하는 방향으로 정부의 정책이 이뤄졌다. 그때 인구를 축소하는 정책을 쓰지 말았어야 했을까? 아이도 낳아놓기만 하면 어떻게든 자신의 밥그릇을 챙긴다는 옛말이 있는데 말이다. 어쨌든 인구축소정책은 성공했고 지금은 아이를 한 명 낳는 사람도 많아지고, 아예 안 낳는 사람도 있는 것 같다.

지금은 출산장려정책을 지자체마다 진행하는 것을 보니 출산율이 저조해서 인구가 감소하고 있는 것을 사실인 것 같다. 원인은 한둘이 아닐 것이다.

시대적 흐름일 수도 있고, 편하게 살고 싶은 개인주의적 성향일 수도 있고, 코로나19로 인해 대면할 기회가 적어서일 수도 있고, 집값이 비싸서 결혼할 엄두가 안 나서일 수도 있고, 성적인 억압 분위기일 수도 있다.

원인을 찾다 보면 100가지 이유가 있을 수 있겠지만 유독 우리나라의 출산율이 낮은 것에 대한 분석은 필요할 것으로 생각된다. 그 분석이 끝나야 대책도 나올 것이다. 하여튼 현실은 결혼하면 아이를 한 명도 안 낳는 사람도 있고, 결혼을 아예 안 해서 출산할 가능성이 아예 없는 사람도 있다는 것이다.

지혜로운 자는 현실을 직시하는 자다. 지혜로운 나라는 현실을 직시하는 나라일 것이다.

가족들도 자녀를 많이 낳는 경우는, 어느 한 명이 죽거나 신체적 질병에 걸리거나 정신적인 문제가 생겨도 그 자리를 대체할 다른 자녀가 있었다. 그렇지만 한 두명 낳는 이 시대에는 부모가 온갖 공을 들여 아이를 키울 수밖에 없다.

국가도 마찬가지가 돼야 한다. 이제는 양보다 질이다.

태어난 사람, 살고 있는 사람을 잘 먹이고, 잘 입히고, 심신이 건강하고 행복하게 살 수 있도록 해줘야 한다. 그래야 그들이 또 아이를 낳고 싶을 것 아닌가?

몇 년 전 국회의사당에서 열린 정신보건교육에서 사람의 질이 중요하다는 주제로 이름을 알만한 명사들이 강연했다. 정말 그렇다고 공감한다.

필자가 10여 년 전 정신병원에서 임상심리사로 근무할 때도 생각난다. 100명의 환자가 정신과 폐쇄 병동에 입원해있다면 약 50%는 조현병 환자였으며 약 50%는 알코올중독 환자였다. 조현병 환자도 안타까웠지만 알코올중독 환자인 경우는 더욱 안타까웠는데, 그들이 외모, 학벌, 지능, 언변 별로 빠지는 것이 없었다. 그런데 그들은 알코올 중독자라는 이름으로 아무런 사회에 도움이 되는 행동을 하지 않으면서, 의료보험의 혜택을 받으며 병원을 집 삼아 들락날락하는 것이었다. 우리가 낸 그 의료보험과 세금들이 그들의 의·식·주에 쓰이는 것이었다.

그들의 가장 큰 문제는 무엇일까?

바로 정신이다. 그런데 그들은 자신의 정신건강에는 관심을 두지 않고 나라 탓, 사회 탓, 아내 탓을 하며 불평불만을 일삼으며 살아가고 있었다.

인구가 감소하고 있는 이 시대, 그 어느 때보다 마음 건강이 이 사회를 살아가는 모든 사람에게 화두가 돼야 한다.

그래야 5천 년의 역사를 이어온 우리나라, 대한민국이 지구에서 사라지지 않고 불멸할 수 있다.

이제는, 사람의 격이다.[21]

☞ 배려와 존중의 말로 자신의 격을 높여라

6. 투덜이 스머프

남들과 함께 지내는 공간에서는 자신만을 생각해서는 안된다. 대인관계, 업무효율, 규정, 분위기를 생각해야 본인도 좋고, 모두에게 좋다. 한 마디로 요약하면 사회생활에는 사회성이 필요하다. '선 넘네~'라는 유행어가 보여주듯 어디에서건 지켜야 할 도리와 질서가 있다. 교과서에는 안 나오는, 사회적 경험으로 터득해야 하는 인성이라 할 수 있기 때문에 어떤 측면에선 불문율이라고 표현할 수 있다.

음력 설을 쇠면서 다시한번 새해의 새로운 각오를 다져보게 되는데 그 중 하나가 '투덜이 스머프가 되지 말자'이다. 투덜이 스머프는 늘 인상을 쓰며 불만을 내뱉는 만화 속 캐릭터다. 투덜이 스머프는 만화니까 귀엽기라도 하지, 현실에서 그랬다가는 곤란하다. 어떤 누군가에게 투덜이 스머프로 비쳐진 적은 없는지 지난 한해를 되돌아 보고 올해는 더 긍정적인 생각과 표정으로 주변을 환하게 하는 사람이 되고 싶다.

불만 자체가 잘못된 게 아니다. 누구에게나 고통을 벗어나려는 욕구는 자연스러운 것이다. 그러나 매사 불만을 표현하면 문제가 된다. 사사건건 트집을 잡는 사람, 매사 투덜대는 사람, 비속어를 자주 사용하는 사람, 이미 결정난 사항에 계속 토 다는 사람, 싫은 티를 팍팍 내는 사람이 있다. 직장에 저런 특징을 하나씩 가진 사람이 여럿 있다기 보다는 한 사람이 저 습관을 싹 다 갖춘 경우가 많다. 그들을 우리는 투덜이 스머프, 프로 불편러, 불만 클럽 정회원 등으로 부른다.

옆에서 계속 투덜거리는 사람이 있으면 어떻게 될까? 첫째, 모두가 단합해서 일하는데 일할 의욕이 없어진다. 남의 불평이 계속 들려오면 일의 흐름이 끊기고, 업무 효율에 지장이 생긴다. 불평도 한 두 번이어야지, 입에 달고 사는 건 주변을 맥 빠지게 한다. 그런 사람이 많은 조직은 발전이 없다.

둘째, 대인관계가 악화된다. 주변 사람들이 싫어한다는 것을 본인이 모른다. 자기 입장만 투덜대다가 그만두면 되겠지만, 공감을 못받으면 화를 내면서 분위기를 흐린다. 불평꾼과 같이 지내고 싶은 사람이 없기에 결국 편 들어주는 사람이 없는 쓸쓸한 상황이 생긴다. 어차피 할 일을 투덜거리면서 해봤자 평가자로부터 좋은 소리를 듣기도 어렵다. 기왕 하는 일, 긍정적인 마음으로 즐겁게 하면 스스로 능률도 오르고 주변으로부터 도움의 손길도 늘어난다.

셋째, 불평꾼 본인이 발전 못한다. 상대방의 입장을 생각하는 것 또한 지능이다. 그래서 배려를 잘하는 사람은 지능이 높고, 사회성도 좋은 것이다. 역으로 매사 불평꾼은 눈치가 없고, 지능이 낮다고 볼 수 있다. 일을 잘하지 못하고, 거기서 불만이 생기고, 계속 남탓 하느라 발전을 못하는 악순환이 반복된다. 일 못하고, 불만만 많은데 누가 좋아할까. 조직 내 중요한 일에서 배제될 수밖에 없다.

그렇다고 불평을 아예 하지말자는 얘기는 아니다. 세상을 긍정적으로 바꾼 발전의 시작점은 불편 호소였다. 불평을 모두에게 도움이 되게끔 하는 방법도 있다. 내 감정에만 충실한 일회성 불만 표출을 자제하는 것이 우선이다. 불편했던 점을 근거를 대면서 조리있게 말하고, 해결책을 제시하면 더 좋다. 괴로운 점을 함께 해결하려는 성의 있는 모습이 관건이다. 본인이 제기한 해결책을 솔선수범하는 것도 중요하다. 말로만 이렇게 해라 저렇게 해라고 하는 것은 투덜대기만 하는 것과 다름없는 일이다. 불평·불만을 문제해결 능력으로, 긍정적 전환점으로 삼으면 모두에게 사랑받는 투덜이 스머프가 될 것이다.[22]

7. 파멸의 위험

　지금 우리 삶에 닥친 위험은 과거의 그 어느 때 보다도 전환적이다. 이 위험은 개인적이며 사회적일 뿐 아니라, 위험을 감지하지 못함으로써 치명적이기까지 하다. 파멸을 내버려 둘 수는 없다. 그럴 때 우리 사회는 해체될 것이며, 이 안에 사는 우리의 삶은 급격히 퇴행해 야만의 상태로 돌아갈 것이기 때문이다. 그 결과는 치명적이며 전면적일 것이다. 파멸을 막기 위해서는 그 원인을 정확히 이해해야 하며, 이제까지의 관행적 태도에서 벗어나 새로운 행위 규범을 찾아야 한다. 위험은 어디에서 오는가? 위험은 무지와 탐욕, 성찰하지 않음에서 온다. 또한 이 위험은 해방 이후 우리가 거둔 한 줌의 성공이 초래한 결과이기도 하다. 과거의 성공에 안주함으로써, 그 성취의 경로가 지금 우리를 파멸의 위험으로 몰아가고 있다. 험난한 파도를 이겨내는데 성공한 뒤 이제 산을 넘어, 가야 할 그 곳을 향해 새롭게 출발해야 한다. 그런데 여전히 한 줌의 성공에 들떠 과거의 행동을 바꾸려 하지 않는다. 그 사이 이 성과를 독점하려는 세력이 위험을 증폭시키고 있다. 어쩌면 위험이 파멸을 초래할지도 모른다. 그런데 우리는 여전히 이런 현실을 보려 하지 않는다.

　우리 사회는 해방 이후 실로 어려운 경로를 거쳐 경제적 성장과 함께 일정 부분 민주주의를 달성하는 데 성공했다. 그런데 지금 한 줌의 정치권력이 전 사회를 맹목적으로 퇴행시킴으로써 파멸의 위험으로 치닫고 있다. 법치주의의 허점을 이용해 기회적으로 권력을 장악한 법 기술자들, 그들과 결탁하여 한 줌의 이익에 탐닉하는 무리들이 독점과 특권을 남용하고 있다. 이를 경고해야 할 민중은 한 줌의 경제적 성취에 현혹되어 맹목적으로 추종할 뿐이다. 매몰찬 추위 속에 지금의 곁불이 너무도 달콤하다. 그러니 생각을 버리고 가야 할 그곳을 보지 않은 채, 벗어나야 할 맹목에 안주한다.

사람은 개인적이며 실존적인 영역에서 자신의 삶을 이끌어 가지만 그 삶은 철저히 공동체적 특성 안에 자리한다. 구체적 삶을 살아가는 것은 개체이지만, 그 개체는 공동체 없이 결코 가능하지 않다. 인간은 철저히 개인적이면서 공동체적이다. 공동체가 무너지면 개인도 부서진다. 우리 삶을 지키기 위해 사회를 지켜야 한다. 공산주의와 사회주의가 개체의 실존을 보지 않음으로써 실패했다면, 자유주의는 공동체와 사회를 외면함으로써 개인의 삶조차 파멸로 몰아간다. 혹독한 빈곤과 야만의 시대를 벗어나는데 성공했다면, 이제는 그것을 지켜내야 할 때가 되었다. 성공은 험난하지만 파멸은 한 순간이다. 삶의 경로와 행동 규범을 바꾸지 않으면 위험은 증폭될 뿐이다. 더불어 살아가는 삶의 원리를 찾지 못하면 모두가 파멸할 것이다. 파멸을 막기 위해서는 위기의 원인을 알아야 하고, 그를 벗어나기 위해 삶과 행동을 바꿔야 한다. 다른 길은 없다. 괴롭고 힘들지라도 이 길을 포기하면 지난날의 야만으로 돌아갈 것이다. 자신이 초래한 파멸 앞에서는 신조차 위로마저 거부한다.

우리 사회가 이룩한 경제적 성장과 민주화의 성취를 지켜내려면 공동선의 원리를 찾아야 하며, 그것을 실천하는 행동 규범을 정착시켜야 한다. 그 길은 정치권력의 전환만으로는 불가능하다. 이른바 보수 진보라는 허상에 갇혀 다른 정권을 선택한들 달라질 것은 없다. 이미 촛불 집회와 그 결과를 보면서 학습하지 않았는가. 법치를 넘어서는 정당한 정치의 회복이 필요하다. 기득권을 독점한 자본과 관료, 전문가 집단의 특권에 맞서야 한다. 그 논리를 확대 재생산하는 지식인과 독점 언론을 해체해야 한다. 민중이 깨어나고 시민정신을 회복해야 한다. 공동선을 알지 못하면 실존적 지평은 무너지며, 공동체를 살리지 못하면 개인의 삶도 사라진다. 괴롭지만 가야 할 길을 가지 않으면 위험은 파멸로 귀결된다. 지금 이 위기가 우리에게 외치고 있다. 평화를 원한다면 행동을 바꿔야 한다. 더불어 살아가지 않으면 함께 죽어간다. 한 줌의 특권과 이익에 탐닉할 때 그 끝은 오직 파멸뿐이다.

20세기의 성공은 21세기의 위기를 넘지 못한다. 해방 이후의 성취는 민주화 이후의 삶을 보증하지 못한다. 지금 알아야 하고 생각해야 하고 행동해야 한다.[23]

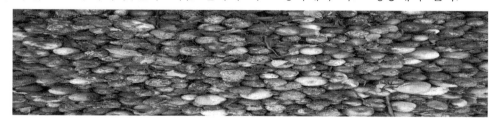

8. 내 인생 사용법

가끔 인생 뭐 별거 있나, 하는 생각이 스쳐간다. 이런 생각은 주로 잠 안 오는 밤에 찾아온다. 물거품처럼 사라진 소규모 인생 계획들, 커피 삼천사백스물세 잔, 후추와 소금 약간, 대통령 여럿, 쓰라렸던 백수 시절, 21그램도 채 안 되는 키스와 연애, 그리고 무수한 실패. 그게 특별할 것 없던 내 인생사용법이었다. 아들이 생기면 아이에게 야구 글로브를 사주고 둘이 캐치볼을 해야지, 했지만 그 소망을 이루지 못했다. 사느라 바빴던 탓이라는 변명은 비겁하다. 거위처럼 어기적거리며 변명이나 늘어놓는 인생은 비루하다.

나이 드니, 그토록 혼란에 감싸였던 인생의 전모가 또렷하게 보인다. 시간이 완전함을 가늠하는 인생의 시험이라는 걸 부정할 수가 없다. 인생 처음의 시련은 벌에 쏘인 것이다. 설마 여섯 살에 통렬한 아픔 속에서 인생이 녹록지 않음을 깨달았다는 것은 아니다. 벌 쏘인 턱이 금세 부풀고, 마치 불에 덴 듯 따끔거렸다. 외손자를 들쳐 업은 외할머니는 찐 옥수수를 물려 주며 달랬다. 벌에 쏘인 그 선연한 통증이 어떻게 사라졌는지는 가물가물하다. 요즘 들어 내가 여섯 살이었을 때 엄마라고 알았던 외할머니 얼굴을 자주 떠올린다.

평생 시 쓰기에 매달렸다. 열다섯 살 때 김소월 시집을 읽고 그 운율을 흉내 내어 시를 적었다. 학생 잡지 '학원'에 뽑혀서 활자화된 시를 길거리에서 여러 번 읽었다. 그 어린 시절 내가 쉰 해 동안이나 시를 미련스럽게 붙잡고 있으리고 어찌 상상이나 했을까? 시를 환대하고 정중하게 대했다. 시를 아는 것은 우주를 아는 것이라 여기고, 급류 같은 사나운 세월을 시라는 난간을 붙잡은 채 건너왔다. 시가 아니라 다른 일을 그토록 열심히 팠더라면 삶은 지금보다 더 나았을까? 그건 알 수 없는 일이다.

스물일곱 살에 출판사에 사표를 내고 창업을 했다. 1인 출판사였다. 혼자 책상에 엎드려 코를 박고 기획과 원고 교정, 표지 디자인을 다 처리하고 인쇄소며 제본소를 쫓아다니며 제작 감리를 봤다. 운 좋게도 창업 직후에 낸 책이 기적 같은 성공을 거두며 직원을 두어 명 뽑고 사무실을 넓혀 이사를 했다. 내가 만들고 싶은 책들을 맘껏 펴내는 동안 출판사는 번창해서 직원이 서른 명으로 늘고, 창업 십 년 만에 강남에 사옥을 지었다. 그게 내가 일군 사업의 정점이자 전성기였다. 필화 사건으로 구속되고, 두 달 만에 집행유예로 풀려나서 출판사 폐업을 결심했다. 열다섯 해 동안 출판 편집자로 책 만들며 보낸 세월을 후회하지는 않는다.

인생 후반부엔 제주도에서 작은 서점이나 꾸리며 살고 싶었다. 은둔 거사로 살며 먼 데서 온 젊은 벗들과 담소하고 오후엔 바닷가나 걷고 싶었다. 그 꿈은 이루지 못했다. 차선으로 시골에서 영농 후계자로 살려는 야무진 꿈을 꾸며 경기도 남단에 집을 지었다. 봄, 가을마다 물안개가 집과 마당을 삼키는 시골에서 나는 처절하게 외로웠다. 낮엔 나무시장에서 사온 유실수와 관상수를 부지런히 심고, 밤엔 안성시립도서관에서 빌려온 책을 읽으며 물안개와 고독을 견뎠다. 가끔 벗들이 들고 온 붉은 포도주나 동네 슈퍼에서 사온 좁쌀막걸리를 한잔씩 마셨다. 어둠 속에서 고라니나 너구리가 집 마당을 서성거리다 기척 없이 사라졌다. 그 동물들은 야생이었다. 십오 년 뒤 영농 후계자라는 난망한 꿈을 접고 시골을 떴다.

　돌아보니 인생이란 미친 엄마가 품고 다니는 태아 같다. 우연이라는 날개를 달고 붕붕거리는 애처로운 인생아! 잘사는 일이란 무엇인가? 곰곰 생각해 보니 진실의 환한 빛 속에서 사랑하고 슬퍼하며 사는 것, 바람에 펄럭이며 마르는 빨래를 지켜보는 시간을 갖는 것, '일하는 육체와 창조하는 정신'으로 사는 것이다. 평생 읽는 자이자 쓰는 자로 살았다. 내 인생 사용법에 실수와 오류가 없었다고 우길 수는 없다. 그러나 엉터리로 살지 않았다는 자부심조차 없는 건 아니다. 내 귀는 바흐를 듣고, 내 눈은 권진규의 '붉은 가사를 걸친 자소상'을 보았다. 청년 시절 추앙하던 작가 니코스 카잔차키스의 고향인 지중해 크레타섬을 찾아가 그의 돌무덤 위에 붉은 꽃 몇 송이를 바쳤다. 내 인생 추는 갈망과 현실 사이 한가운데에서 어느 쪽으로도 기울지 않고 균형을 이룬다. 그게 내 인생 사용법이 아주 나쁘지는 않았다, 라고 스스로를 위로하는 근거다.[24]

9. 퇴행성 무릎 관절염

우리나라 국민 중 50세가 넘을 경우 무릎통증을 경험할 확률이 20%가 넘는다고 한다. 그만큼 무릎의 유병률은 높다. 무릎은 무게하중을 견디는 상태로 움직여야하기 때문에 충격이 가기 쉽다.

그래서 주로 많이 호소하는 질환이 퇴행성무릎관절염이다. 퇴행성무릎관절염이란 노화, 체중부하, 심한 운동으로 무릎연골이 닳는 질환이다. 퇴행성질환이기 때문에 시간이 경과함에 따라 계속 진행되는 경향이 있다. 심한 경우 무릎관절 치환술을 해야 하는데 모두 할 수 있는 수술도 아니라서 더 악화되기 전에 무릎치료를 꾸준히 받는 것이 좋다.

내가 퇴행성관절염인지 어떻게 알 수 있을까. 사실 엑스레이를 찍어도 무릎이 얼마나 좁아져있는지 정도만 알 수 있기 때문에 결국 여러 정황을 두루 고려해야 한다.

다음과 같은 조건을 많이 만족할수록 퇴행성관절염일 확률이 높다.

만50세이상, 여성, 비만, 무릎외상경력, 무릎을 많이 쓰는 직업, 지속적인 무릎통증, 아침에 강직, 움직임 제한, 골비대 등이다. 퇴행성무릎관절염을 예방하고 진행을 멈추기 위해서는 쪼그려 앉는 자세를 자주 취하면 안된다. 또한 무릎 주변의 근육의 균형이 맞아야하기 때문에 운동을 꾸준히 해주는 것이 좋다.

예를 들어 나이가 들수록 무릎 위를 지나가는 대퇴사두근의 근육이 약해지는데 이는 무릎연골을 닳게 하는 힘의 압력이 가중되게 한다. 또한 등산 등 무릎에 충격을 주는 운동은 조심해야 한다. 연골이 손상될 경우 치료가 더 어려워지기 때문이다.

치료는 침치료, 약침치료, 물리치료, 추나치료등 다양한 방법이 있고 보존적 치료로 효과가 검증된 만큼 무릎통증이 있다면 초기에 치료할 것을 권한다.[25]

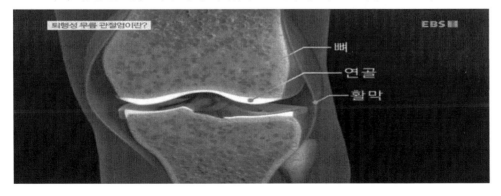

10. 삶의 질을 떨어뜨리는 허리 통증

허리 통증은 척추의 퇴행성 변화와 관련되는 경우가 많아, 나이가 들수록 발병률과 유병률이 올라간다. 디스크 환자이거나 척추관협착증 환자 등이 주로 호소하는 증상이 허리 통증이나, 70~90%의 많은 사람들이 평생을 살면서 경험하는 증상이기도 하다. 허리 질환을 앓고 있는 환자만이 허리 통증을 호소하는 것이 아닌 누구나 겪을 수 있다.

평소 잘못된 생활 습관 또는 나쁜 자세로 인해 특정 부위의 허리 근육과 인대가 과다한 하중이나 압력을 받게 되면서 발생하는 경우도 적지 않다. 과도한 신체 운동, 흡연, 규칙적으로 운동을 하지않는 경우도 포함된다.

디스크 환자는 의자에 앉거나 숙이는 자세에서 디스크에 압력이 가해져 증상이 심해지고, 척추관협착증 환자는 걸을 때에 허리 통증과 다리 저림으로 나타난다. 척추 근육의 피로로 인한 허리 통증은 여러 부위 관련 근육의 뻐근함 등과 같이 나타날 수 있다. 허리 통증은 허리에만 국한되는 것이 아니라 골반, 꼬리뼈, 엉덩이, 허벅지, 다리에서도 느낄 수 있다.

방치할 경우에는 신체 기능 저하, 운동 부족으로 인한 허리 통증 악화, 다리 근력 저하 등이 있고, 심할 경우에는 대소변 장애, 앉는 자세에서 심한 통증을 느낄 수 있다.

한방 치료와 더불어 척추기립근, 골반, 허벅지 등의 근력 운동과 유산소 운동을 규칙적으로 병행해야 한다.과도한 신체 노동을 피하며, 척추의 부담을 줄여주는 의자나 기구 등을 활용하면 도움이 된다. 허리 통증을 위한 별도의 식이요법은 없으나, 갑자기 체중이 늘지 않도록 식사량은 조절해야 한다.[26]

척추관협착증이란 척추에 신경이 지나가는 통로인 척추관이 어떠한 원인에 의해 좁아지면서 지나가는 신경을 눌러 통증을 유발하는 척추 질환인데요. 주로 퇴행성 변화로 발생하는 경우가 많아 중장년층 또는 노년층에서 발병률이 높습니다. 다만 그 외에도 스포츠 활동, 잘못된 자세와 습관 등이 원인이 되어 나타날 수도 있기 때문에 젊은 층에서도 안심할 수는 없습니다.

11. 다시 건강을 위하여

70세가 넘고 보면 건강을 지킨 사람이 참으로 부럽다. 가만히 있어도 건강이 지켜지지 않았을 것이다.

대부분은 여기저기가 아파서, 70세면 건강하던 사람도 병원출입이 잦아지게 마련이다. 웬 병명이 그렇게 많은지도 모른다. 3만6000의 병명이 사람에게 있다던 가.

나도 이전에는 비교적 건강했는데, 지금은 악성변비에다 치과 임플란트, 청력악화에다 우울증을 달고 산다. 특별히 관리하지 않음에도 시력이 정상으로 유지될 수 있음은 천만다행이다.

며칠 전에는 갑자기 통증으로 걷지를 못해서 정형외과를 들렀더니, 허리관절염이라면서 별 치료방법이 없다는 선고를 받았다. 걷지를 못하는데 어떻게 운동을 한단 말인가. 참으로 난감한 일이다. 어머니는 4년째 요양원에 계신다. 모자가 요양원에 있는 건 안 될 말이다. 요양원 비용도 한 달에 수십만 원이 들어간다. 형제간에 분담해서 내고 있다.

아내가 발만 올려 놓으면 무릎관절운동이 된다는 실내운동기구를 구입했다. 사용해 보니 꽤 괜찮다. 실내운동기구하면 실내자전거를 우선 떠올리게 되는데, 대부분의 사람들이 금방 싫증을 내고 만다. 이번에 구입한 관절운동기구는 텔레비전을 보면서도 기계에 발을 올려놓으면 자동적으로 운동이 되니, 의학적인 효과는 모르겠지만 그런대로 쓸 만하다.

세월의 변화란 무서운 것이어서 이젠 운동을 하지 않는 중년이후의 사람을 보면 무신경한 사람, 건강에 취미가 없는 사람쯤으로 보는 세상이 되었다.

건강에 대한 글을 쓰면서 옛 시절을 더듬어 보니 감회가 새롭다. 지금50대 이상의 사람들은 어렵지 않게 기억이 되살아날 것이다. 잘 먹는 것이 곧 건강이라 생각했고, 잘 먹는 것은 왜 그렇게 힘들었던지 푸지게 한 번 먹고 싶었다. 지금은 조금 여유 있는 사람들은 먹고 싶은 것을 지나치게 먹어서 그 욕망을 자제할 수 있어야 하게 됐다.

문득 어느 사람이 쓴 책의 제목이 떠오른다. '누우면 죽고 걸으면 산다.' 였다. 사실 서 있으면 앉고 싶고, 앉으면 눕고 싶은 것이 보통사람이 아니던가. 라면 국물은 버리는 것이 건강에 좋지만 그렇지 못하고, 여타 인스턴트식품도 맛있다고 아무런 생각 없이 먹는다.

건강을 위하여 어떻게 해야 될지를 모르는 사람은 없으면서도 지키기는 무지 어렵다. 운동, 금연, 규칙적 생활, 스트레스 관리 등은 쉽게 할 수 있는 것 같으면서도 대부분의 사람에게 어느 것 하나 쉽지 않다. 운동을 하지 않는 사람들에겐 꼭 그럴 듯한 핑계가 따르기 마련이다. 시간이 없어서라든가 업무상 술 마실 경우라든가 등 진짜 운동을 하려고 해도 시간이 없어서인 것처럼 얘기한다.

건강을 위하여 관심도를 높이는 사람들이 점점 많아지고 있다. 의학상식도 해박하다. 그런데 이건 심장에 해롭고, 이건 발암유전인자, 이건 콜레스테롤 등 해박한 지식으로 먹는 것의 선택에 지나치게 신경을 쓰는 친구들이 늘고 있다. 콜레스테롤이 겁나서 식당의 계란반찬은 아예 집지도 못한다. 너무 따지면 음식 맛이 다 도망간다.

운동선수도 늘 운동이 재미있어서 하지 않는다. 보통사람이야 더 말해 무엇 하겠는가. 운동에 스스로 길들여져서 운동을 계속할 수 있는 것뿐이다. 새로운 운동으로 쉽게 바꾸지 못하는 이유다. 건강을 위하여 할 일이 많지만, 운동만은 하고 볼 일이다. 건강100세는 거저 오지 않는다.

'누우면 죽고 걸으면 산다.'고 하지 않았던가.[27]

12. 치매(癡呆)

'치매'라는 용어는 부정적이고 차별적 의미가 크다. 'dementia'(정신이상)라는 라틴어 의학용어의 어원을 반영해 '어리석을 치(癡)'와 '어리석을 매(呆)'라는 한자로 옮긴 것이다.

일본에서 쓰이던 용어를 들여와 해당 한자어를 우리 발음으로 읽어 사용하게 됐다.

치매에 걸리는 것이 본인이 삶을 잘못 살아서 걸리는 것도 아니고, 나이가 들고 신체가 힘들어지면 누구에게나 올 수 있는 질환임에도 우리는 어리석다고만 치부해왔다.

어리석고 바보 같다는 뜻 자체에서 오는 차별감은 물론 기억력이 나쁜 사람에게 '치매 걸렸냐'는 식으로 비하하는 등 부정적 어감이 너무 강하다.

결국 치매라는 용어가 환자들은 물론 그 가족들에게 편견과 차별을 겪도록 조장해왔다.

고령화가 가속화하면서 우리나라 치매 환자 수는 2020년 기준 약 84만명에 달할 정도로 흔한 질병이 됐다. 중앙치매센터의 보고서에 따르면 치매 환자 수는 지속적으로 증가해 2024년에는 100만명, 2039년에는 200만명, 2050년에는 300만명을 넘을 것으로 예측됐다.

지난 2021년 보건복지부가 성인 1200명을 대상으로 설문 조사한 결과 응답자의 43.8%가 '치매'라는 용어에 대해 '거부감이 든다'고 답했다.

거부감이 드는 이유는 '치매라는 질병의 두려움 때문', '치매라는 질병에 대한 사회적 편견 때문', '환자를 비하하는 느낌이 들어서' 등의 순으로 나타났다.

치매를 대체할 용어로는 '인지저하증'(31.3%)을 꼽은 경우가 가장 많았다.

마침 정부가 '치매'라는 용어를 다른 말로 바꾸기 위한 개정 작업에 착수했다. 보건복지부와 의료계, 돌봄·복지 전문가, 치매 환자 가족 단체 등이 참여하는 '치매용어 개정 협의체'를 구성하고, 용어 개정과 인식 개선 방안을 논의하기로 했다. 늦었지만 참으로 다행스러운 일이다.

치매를 앓고 있다는 것은 과거를 잊은 것이 아니라 미래를 잃어버린 것이며 무엇을 해야 할지, 무엇을 하려고 했는지를 모르는 채 영원히 낯선 곳에 던져지는 것이다.

치매환자를 세상에서 제외할 존재가 아니라 모두가 뒤따라 가야 할 존재로 보고, 그들과 함께 살아갈 방법을 찾아야 한다는 사회적 인식이 절실하다.[28]

치매와 건망증은 다르다. 건망증은 일반적으로 기억력의 저하를 호소하지만, 지남력이나 판단력 등은 정상이어서 일상적인 생활에 지장을 주지 않는다. 건망증 환자는 기억력 장애에 대한 주관적인 호소를 하며 지나친 걱정을 하기도 하지만, 잊어버렸던 내용을 곧 기억해 낸다거나 힌트를 들으면 금방 기억해 낸다. 치매는 기억력 감퇴뿐 아니라 언어 능력, 시공간 파악 능력, 인격 등 다양한 정신 능력에 장애가 발생함으로써 지적인 기능의 지속적 감퇴가 초래된다.

13. 나이 듦의 미학

중국을 최초로 통일한 진시황제는 중앙집권체제를 확립하고, 문자와 도량형을 통일하는 등 업적도 많았지만, 극악무도한 짓을 많이 한 폭군으로도 유명하다. 강력한 권력을 얻고 아방궁을 지어 영원히 살 것만 같았던 진시황은 50세의 나이에 갑자기 죽게 된다. 죽음이 두려워 부하들에게 불로불사의 명약을 만들라고 명령했지만, 이들이 만든 환약에 포함된 맹독성 수은은 오히려 그의 수명을 단축했다.

진시황은 만리장성 축조에 150만여 명을 동원해 백성들을 고통에 빠트렸고, 학자들의 비판을 막기 위해 진나라의 기록을 제외한 모든 책을 불태우고 유학자들을 생매장하는 일을 저질렀다. 그는 또한 자기 말을 발설한 사람을 색출하지 못하자 주위의 신하를 모두 죽였으며, 땅에 떨어진 운석에 진시황이 죽고 땅이 나뉜다는 글귀를 새겨놓은 사람을 찾다가 여의치 않자 그 지역 주민들을 모두 죽여버렸다.

천하를 다 얻은 진시황은 무엇이 두려워서 세상의 이목에서 벗어나려 했나? 이룬 것, 가진 것이 너무 많아서 지킬 것도 많았으리라. 다른 이들을 못 믿으니 직접 처리할 일이 쌓여 건강이 악화됐고 나라가 넓으니 1년 내내 전국을 시찰하다가 결국은 순행 길에서 죽음을 맞는다. 자신이 만든 지하궁전 여산에 수만의 병마용과 함께 묻혔으나, 황제의 위엄은 측근들이 그의 죽음을 숨기려고 썩은 생선과 함께 시신을 운반할 때 이미 땅에 떨어졌다. 그가 그토록 지키려 했던 중국 최초의 통일 왕국은 그의 사후 4년 만에 역사에서 사라진다.

모든 생물체는 늙어서 죽음에 이른다는 자연의 법칙에서 인간도 예외는 아니다. 그런데 현대 과학은 이러한 법칙을 거스르는 도전을 서슴지 않는다. 최근 과학계에서는 '세포 再프로그래밍'이라는 방식을 통해 늙은 생쥐의 수명을 2배로 연장하는 실험에 성공해 노화를 극복할 기술로 주목받았다. 영생이 가능하다고 주장하는 불멸주의자들은 생명공학의 수명 연장 속도가 노화 속도보다 빨라지는 "탈출 속도"에 도달하면 사람은 不死할 것이라고 말한다.

그런데 이렇게 사람의 수명이 늘어난다고 모두가 행복해지고 사회가 발전하는 것은 아니다. 고령화 사회로 접어든 일본은 물론 출산율이 OECD에서 꼴찌인 한국도 역동성이 떨어져 미래가 밝지 않다.

베이비부머(baby boomer)는 미국에서, 제이 차 세계 대전이 끝난 1946년부터 1965년 사이의 베이비붐 시대에 태어난 사람들이며, 우리나라에서, 육이오 전쟁이 끝난 1955년부터 베트남 전쟁 참전 전까지인 1963년 사이의 베이비붐 시대에 태어난 사람들이다. 베이비부머 중에는 아직 사회에서 자리 잡지 못한 자식과 연로한 부모 걱정으로 수명이 늘어나는 것이 반갑지만은 않은 이가 많다. 60세 이상의 고용률이 40%에 이르고 계속 높아가고 있는 것이 이를 방증한다.

사람들이 나이가 들면서 불안해하는 건 다가올 미래가 불확실하기 때문이다. 그동안은 학교와 직장에서 배운 지식과 경험으로 버텨왔는데, 얼마가 될지도 모르는 남은 생은 각자 알아서 견뎌내야 할 몫이다. 영국의 언론인 피터 워드는 저서 『불멸의 대가』에서 많은 과학자는 노화 방지보다는 사람들이 마지막 날까지 만족스럽고 활동적인 삶을 살도록 돕는 데 관심이 있다고 하였다. 신체의 노화를 멈추는 것보다 정신의 노화 방지와 사고의 유연성을 기르는 것이 중요하다. 행복은 쫓는 것이 아니라 지금 누리는 것이다.

그러나 신체가 늙어 가고 사회적 위치는 주류에서 밀려나고 있는데, 계속 버티며 연연하는 건 보기에 좋지 않다. 나이 듦은 추하기보다는 아름다울 수 있다. 어떻게 늙느냐에 달렸다. 이를 위해서는 과거에 집착하기보다는 나이가 들어감을 인정하고 정신적 나이도 이에 맞게 동기화하는 것이 필요하다.

그러나 요즈음 나이는 신체적으로나 정신적으로나 예전에 비해 상당히 더디게 가고 있어서 통상적인 나이에 맞춰 생활하기보다는 더 젊은 날의 시계에 맞춰 사는 것이 건강에 좋다. 한참 연하의 배우자와 사는 사람과 늦둥이를 둔 부모는 젊은 신호에 더 자주 노출되고 긴장하게 되므로 더 오래 산다는 연구 결과도 있다.

흐르는 강물을 거슬러 오르는 연어처럼 우리에게는 태어난 곳으로 헤엄쳐 돌아갈 수천km의 여정이 아직 남아 있다. 자갈돌을 헤쳐 산란하고 나면 결국 지쳐서 죽게 될 운명이지만, 이렇게 태어난 새 생명은 바다로 향한 힘찬 여정을 새롭게 시작할 것이다. 강의 생태계도 건강하게 살아 숨 쉴 것이다.[29]

14. 왜 늙지 않는가?

많은 분이 육체적 나이는 숫자에 불과하다고 합니다. 70세부터 인생의 시작이라고 합니다.

은사님을 뵙고 이런저런 이야기를 나눴습니다. 늙어가지 않는 사람의 특징에 대한 질문이 있었습니다.

꿈과 목표를 이야기합니다.

100세까지 하고 싶은 버킷리스크, 가장 바람직한 모습, 매년 새로운 목표가 있으면 늙지 않는다고 합니다. 비록 외워지지 않고, 금방 본 것을 잊지만, 배우려고 노력을 하면 늙지 않는다고 합니다. 젊은이들을 만나 이런저런 이야기를 경청하며 그들과의 만남이 즐거우면 늙지 않는다고 합니다. 목표가 있고, 배움이 있고, 젊은이와 어울리면 되는구나.

나이가 많아도 젊은 사람이 있고, 나이가 적어도 늙은 사람이 있겠지요. 육체적 건강과 정신적 몰입은 비례 관계가 아니라고 생각했습니다. 늦은 시간 어르신이 지하철에 타기에 일어나 자리에 앉도록 했습니다.

다리가 조금 불편한 어르신은 고맙다고 하며 저 보며 젊은이 어디 가느냐 묻습니다. 웃으며 있으니, 아프니까 매사 귀찮은데 친구와 만남은 모든 것을 잊게 한다고 합니다. 그 순간, 매사가 귀찮아 안주하는 사람은 육체적 힘듦이 정신적 빈곤을 초래하며, 귀찮아도 만남과 가치를 추구하는 분들은 다가설 줄 알며 성장을 이어감을 느끼네요.

어떻게 늙어갈 것인가? 가장 안 좋은 모습은 자식에게 아쉬운 소리 하며 힘들게 하는 삶이겠지요. 할 일, 만날 사람이 없어 거실을 벗어나지 못하고 의미 없이 시간을 보내는 것이겠지요. 잘해준 사람이 전화도 하지 않는다고 불평하며 과거 영광 속에 머물러 사는 모습은 슬프지요.

갈 곳, 할 일, 만날 사람이 없어도 손에 책 한 권 들고, 사랑하는 사람과 벤치에 앉아 석양을 바라보다 어깨에 기댄 아내에게 미소 짓는 저를 생각해 봅니다.[30]

15. 건강관리 습관 10가지 목표 세우자

심신의 건강관리 목표를 어떻게 할까? 현실적이고, 지속가능하며, 반복적인 행동으로 습관화 하는 것이다. 전문가들이 밝힌 10가지 건강습관은 스트레스와 불안을 줄이는 데 도움이 되며, 이는 전반적인 건강에도 큰 도움이 된다.

△ 현재에 집중하여 생각하고 행동하는 연습을 한다.

미국의 심리학자 레베카 레슬리(Rebecca Leslie)에 따르면 현재의 순간에 집중하는 연습은 스트레스와 불안 수준을 줄여서, 전반적인 건강에 큰 도움이 된다고 한다. 가령, 하루를 시작하기 전 휴식을 취할 수 있는 명상이나 오늘 할 일을 적어보는 활동 등이다.

△ 사색의 시간을 통해 에너지 수준에 집중한다.

피로감을 느낄 때 신나는 노래를 듣거나 산책 또는 15분간 낮잠을 자는 등 에너지를 재충전하는 시간이 중요하다. 책을 읽으며 생각을 어루만지고, 음악을 들으며 마음을 부드럽게, 자연을 가깝게 하여 가슴을 풍요롭고 마음의 고요함을 찾는다.

△ 매일 운동량을 증가시킨다.

매일 헬스장에 가는 대신 걷기, 달리기, 수영, 탁구, 요가와 같이 즐기는 활동에 더 많은 시간을 투자한다. 이러한 활동은 뇌의 "기분 좋은 호르몬"인 세로토닌(serotonin)을 증가시켜 신체 및 정신건강을 개선하는 데 도움이 된다.

△ 양질의 휴식을 가진다.

매일 밤 충분한 수면을 취하는 것은 뇌와 기분에 중요하다. 만카오(Alyssa Mancao)씨는 자기 전에 산만함을 줄이고 제한하여 수면 관리 루틴을 구축하는 것이 중요하다고 한다. 특히 수면에 방해가 되는 휴대폰 등 전자 제품 사용은 피하도록 한다. 또 적당한 운동을 습관화하면 질 좋은 수면에 효과적이다.

△ 물을 더 많이 마신다.

뉴욕의 영양 전문가인 서프라이야 랄(Supriya Lal)씨는 충분한 물이 식욕을 조절하는데 도움이 될 뿐만 아니라 건강한 피부, 면역력, 소화력, 그리고 신체의 다른 기능을 지원한다고 말한다. 사람마다 다르지만 1일 최소 2리터를 목표로 한다.

△ SNS 경계를 설정한다.

과도한 SNS 이용은 정신건강에 좋지 않다. 소셜 미디어 사용에 대한 건전한 제한을 설정하면 정신건강이 향상된다. 그러나 세상을 위한 좋은 내용과 일을 하거나 닮고 싶은 인물을 찾아 긍정적인 영향을 미치는 계정은 이어가도 좋을 것이다.

△ 피부관리 루틴을 만든다.

피부과 전문의 후사인(Zain Husain)은 보습 클렌저를 사용하고, 1년 내내 자외선 차단제를 바르며, 피부타입에 맞는 보습제를 사용해야 한다고 한다. 피부를 돌보는 것은 건강을 돌보는 것 중에 하나다. 물론 피부에 새로운 점이 생기거나 발진이 일어나는 등의 경우는 의사 진찰을 권한다.

△ 감사하는 마음을 실천한다.

심리 치료사 크리스틴 미호프(Kristin Meekhof)는 감사할 수 있는 것을 깨닫는 것은 스트레스와 불안을 크게 줄일 수 있다고 한다. 또한 함몬드(Hammond)씨는 당신이 무엇을 감사하게 생각하는지, 매일 약간의 시간을 가진 다음 일기에 적어 보며, 기분 개선이 필요 시 언제나 목록을 읽는다고 권한다. 결국 감사함은 스트레스와 불안을 줄이는 데 도움이 된다.

△ 집에서 자주 건강식 요리를 한다.

우리가 먹는다는 것이 반드시 체중 감량과 관련 있는 것만은 아니다. 칼로리만을 계산하는 대신 집에서 맛있고, 영양가 있는 식사를 더 자주 요리하는 데 집중하면 좋다. 다양한 재료와 레시피로 실험해 보면 장기적으로 돈을 절약할 수 있을 뿐만 아니라 다이어트 없이도 창의적이고 재미있는 방법으로 몸에 에너지를 공급하는 데 도움이 된다.

△ 다른 사람에게 행복전도사가 된다.

한 가지 습관은 사랑하는 사람을 최소 20초 동안 포옹하며, 이를 자주 반복하는 것이다. 미국 정신건강 재단의 의료 책임자인 네하 초드하리(Neha Chaudhary) 박사는 긴 포옹이 뇌에서 기분 좋은 화학물질 방출과 스트레스 호르몬을 감소시킨다고 말한다. 다른 사람들에게 기쁨과 행복을 전하는 행복전도사는 자신에게도 기쁨과 행복을 준다.[31]

16. 우린 몇 살까지 살까

기대수명은 출생자가 출생 직후부터 생존할 것으로 기대되는 평균 생존 기간으로 자살이나 교통사고 등으로 인한 생존 기간은 평균치 계산에 포함하지 않는다. 건강수명이란 WHO(세계보건기구)의 건강지표로 일상생활에 제한받지 않는 기간으로 일상생활을 스스로 하는 건강하게 지낼 수 있는 기간이다.

◇ 남자 80.5세, 여자 86.5세, 남녀 차이 6년

2021년 12월 1일 통계청이 발표한 '2020년 생명표'에 의하면 2020년 출생아의 기대수명 83.5세로 2019년(83.3세) 대비 0.2세 증가했다. 남녀 간 기대수명 차이는 6년이다. 즉 남자가 80.5세, 여자는 86.5세다. 1980년 8.5년을 정점으로 남녀 간 수명 간격이 줄어드는 추세이다.

◇ OECD 38개국 중 일본에 이어 2위

한국의 기대수명은 83.5세다. OECD 38개국 평균 기대수명 80.5세보다 3세가 높다. 2020년 기준 2위를 차지하였다. 2020년 일본이 84.7세로 가장 높았고, 우리나라가 2위, 노르웨이 3위, 83.3세, 스위스 4위, 83.2세 순이다. 물론 한국 남자 기대수명 80.5세는 OECD 평균 77.9세보다 2.6년 길고, 한국 여자 86.5세는 OECD 평균 83.2세보다 3.3년 높다. 평균 기대수명이 높아짐에 따라서 '고령화 추세'는 더욱 심화될 것으로 예상된다.

◇ 한국인 건강수명은 평균 73세

기대수명의 증가와 함께 건강수명도 꾸준히 늘고 있다. 단순히 오래 사는 것뿐만 아니라 건강의 질적인 측면도 향상되고 있다. 한국인의 건강수명은 2000년 67.4세에서 2010년 70.9세, 2019년 73.1세로 증가 추세다. 기대수명과 마찬가지로 건강수명도 2019년 기준 여자 74.7세가 남자 71.3세보다 3.4세 높다. OECD 국가별 건강수명을 살펴보면, 한국은 73.1세로 기대수명과 동일하게 일본 74.1세에 이어 2위이다. 한국의 건강수명은 OECD 평균 70.3세보다 2.8세 높다.

◇ 현재 60세 남자와 여자의 기대수명은?

현재 60세 남자는 83세까지, 여자는 88세까지 산다. 연령별 기대수명을 살펴보면 현재 60세 남자는 앞으로 23년 더 생존하여 83세까지, 여자는 28년 더 생존하여 88세까지 살 것으로 예상된다.(2022년 5월 17일 목회데이터연구소 주간 리포트, '넘버즈' 제144호 '한국인의 기대수명·건강수명' 설문조사 참고)

◇ 가령, 건강수명 위한 치매예방 수칙 333법칙

· 3가지를 권한다 ①운동 : 일주일에 3회 이상 걷기, ②식사 : 생선, 채소 골고루 먹기 ③ 독서 : 부지런히 읽고 쓰기다.

· 3가지를 피한다. ①절주 : 술은 3잔 이하로 적게 마시기, ②금연 : 담배를 피우지 않고 간접흡연도 피하기, ③뇌 손상 예방 : 머리를 다치지 않게 조심하기다.

· 3가지를 챙긴다. ①건강검진 : 혈압, 혈당, 콜레스테롤 정기적으로 체크하기, ②소통 : 가족, 친구들과 자주 소통하기, ③치매 조기 발견 : 매년 치매 조기 검진 받기 등이다.

◇ 건강수명 연장 계획이 꼭 필요하다

현재 한국은 세계에서 일본에 이어 건강수명이 긴 편이다. 해마다 기대수명과 건강수명의 차이가 커져간다는 점이 매우 우려된다. 기대수명과 건강수명의 차이가 커지면 커질수록 간병 기간이 길어진다는 점이다.

개인 삶의 질이 떨어지고, 동시에 의료비나 간병비 등 국가의 사회보장 부담도 커진다. 그러므로 국가는 우리가 보다 길고 건강하게 활약할 수 있도록 '건강수명 연장 계획' 실현이 필요하다. 이제 모두가 건강 100세 시대를 잘 준비해야 한다.[32]

18. 모호하고 선명한 사랑의 지리, "헤어질 결심"

오래된 중국의 경전인 '산해경'은 영화의 진정한 부제가 아닐까 싶다. '산해경'은 '산과 물(바다)의 경전'이라는 이름을 가진 책이다. 지리서인지, 신화서인지, 무서(巫書)인지 지금까지도 의견이 분분한 이 책은 '헤어질 결심' 전체를 관통한다.

이 영화가 '산해경'을 차용했다는 것은 개봉된 이후 출판된 두 권의 책(각본집, 스토리북)의 표지에도 드러난다. 스토리북의 표지는 송서래 방의 벽지인데, 산과 바다가 반복되는 그야말로 '산해'경이다. 영화 각본집의 표지는 무수한 '길'이 있는 사이로 발자국처럼 글이 찍힌 지도이다. 각본집 표지의 지도는 산처럼 보이지만 멀리서 보면 바다 같다. 한 마리의 거대한 해파리가 유영하는 바다. 산과 물은 합쳐져서 기이한 지도를 만들어 낸다.

'산해경'은 단순하지만 좀처럼 이해하기 어렵고, 그래서 무척이나 매력적인 책이다. 어디에서 어디를 가면 어떤 동물이 있고, 어떤 식물이 살며, 그들이 이런저런 특징이 있다는 지루한 서술이 반복된다. 이를테면, "다시 동쪽으로 300리를 가면 기산이라는 곳이다 …… 이곳의 어떤 짐승은 생김새가 양 같은데, 아홉 개의 꼬리와 네 개의 귀를 갖고 있고, 눈은 등 뒤에 붙어 있다."('산해경')는 식이다. 매우 현실적인 지리적 감각을 요구하지만, 반면에 매우 신화적인 해석을 요구한다. 영화 '헤어질 결심'도 크게 다르지 않다. 여기에는 부산과 이포라는 두 도시가 분명하게 나타나고, 이 두 도시 사이는 해파리, 길, 바다, 안개와 같은 상징들로 가득하다.

'산해경'은 '산경(山經)'에서 시작해서 '해경(海經)'으로 끝나는데, '헤어질 결심'의 구조도 책과같다. 한 남성이 산에서 사망하면서 시작되고('산경'), 한 여성이 바다에서 죽으면서 영화가 끝난다('해경').

영화 헤어질 결심 스토리북 표지. 영화가 중국 경전 '산해경'을 차용한 것을 표지를 보면 알 수 있다.

영화 헤어질 결심 스토리북 표지. 영화가 중국 경전 '산해경'을 차용한 것을 표지를 보면 알 수 있다.

"산경(山經)". 한 남자가 죽었다. 산(山)에서.

그 남자의 아내, 남편의 가정폭력에 시달리던 불법체류자 송서래는 유력한 살해 용의자가 된다. 나름대로 치밀한 알리바이를 짰던 서래의 계획은 잘 들어맞아, 그 남자의 죽음은 결국 자살로 처리된다. 그 사이, 서래는 남편의 죽음을 수사하던 형사인 해준에게 반한다. 현대인치고는 품위가 있어서, 서래가 반한 이유다. ("첨부터 좋았습니다. 날 책임진 형사가 품위 있어서.") 해준도 사극 톤의 서래에게 호감을 갖지만, 해준과 서래가 서로를 향해가는 지리는 낯설고 모호하여, 오독으로 이어지기도 한다.

"정말 내 심장이 갖고 싶어요? 그걸로 뭐 하게요?"(해준)

"마음이라고 했습니다. 심장이 아니라."(서래)

서래는 중국어로 '심'(心)이라고 말했다. 이 언어는 마음으로도, 심장으로도 번역될 수 있다. 기계를 경유한 오독은 살아있는 사람의 '숨(호흡)' 속에서 섞이며 풀어진다. 불면증으로 시달리던 해준은 서래의 말과 숨 속에서 금세 잠 속으로 빠져든다. 그들은 서로에게 더 이상 낯선 나라가 아니다.

그러나 이 길은 곧 막히고 만다. 해준은 서래의 알리바이를 알아챈다. 서래는 원래의 경전에 새로운 이야기들을 덧붙였는데, 서래의 '산해경'에 새로 삽입된 문장들은 마치 일기처럼 자백처럼, 모호하지만 선명하다.

"다시 동쪽으로 이백오십 리를 가면 기름산이 있는데, 이 산의 봉우리는 깊이 감추어져, 보려고하지 않는 사람에겐 보이지 않는다. 여기 사는 구더기는 길이가 백 년 자란 소나무와 같고, 뱃바닥에서 끈적끈적한 것이 나와 미끄러지지 않고 산을 오른다. …… 구더기가 사람을 만나면 기다란 몸으로 휘감고 대롱을 꽂아 피와 골을 빨아 먹으므로 반드시 피해야 한다. 그 벌레가 죽으면 터진 머리에서 이만 마리 황금색 파리떼가 날아올라 비로소 세상을 향해 나아간다." 머리가 터져버린 구더기, 거기에서 날아오른 황금색 파리떼.

서래의 '산경'은 매우 뚜렷한 흔적을 제시하고 있었다. 살인 사건을 자살로 종결해버린, 자부심으로 만들어진 품위 있는 형사 해준은 '붕괴'된다. 이로써 이들의 '산경'은 끝이 난다.

"해경(海經)". 한 여자가 죽었다. 바다(海)에서.

산경과 해경은 '해준의 말-서래의 해석'으로 연결된다. 서래는 해준이 했던 마지막 말, "우리 일, 무슨 일이요? 내가 당신 집 앞에서 밤마다 서성인 일이요? 당신 숨소리를 들으면서 깊이 잠든 일이요? 당신을 끌어안고 행복하다고 속삭인 일이요? …… 여자에 미쳐서 수사를 망쳤죠. 나는요…… 완전히 붕괴됐어요." 서래는 해준의 말을 '사랑한다'는 말로 이해한다.

수사를 망치고 붕괴된 해준은 안개가 자욱한 이포로 이주하고, 살인 사건을 계기로 다시 서래와 만나게 된다. 공교롭게도 살해된 사람은 서래의 남편이고, 서래는 다시 용의자가 된다. 서래를 의심하는 해준 앞에서도 그녀는 당당하다. "당신 만날 방법이 오로지 이거밖에 없는데 어떡해요……."

"날 사랑한다고 말하는 순간 당신의 사랑이 끝났고, 당신의 사랑이 끝나는 순간 내 사랑이 시작됐죠."(서래) 그들의 마지막 대화는 해준의 사랑이 끝나는 자리였고, 서래의 사랑이 시작된 자리였다. 녹음된 해준의 마지막 말이 너무 좋아서 듣고 또 들었던 서래는, "저 폰은 바다에 버려요. 깊은데 빠뜨려서 아무도 못 찾게 해요."라는 해준의 말을 실행한다.

서래는 스스로 바다의 모래를 파서 들어가고, 썰물은 모래를 밀어 아무런 흔적도 남지 않게 만든다. 해준은 서래를 덮어버린 그 모래 위에 서서 서래를 찾는다. 그 자리는 구체적이고 분명하면서도 '아무도 못 찾을' 장소가 된다. 서래는 영원히 사라지지 않는 땅과 물과 하나가 되었다. 그러니 서래의 용맹한 사랑은 영원히 죽지 않을 것이다.

'헤어질 결심'의 각본집 표지는 '산해경'을 닮았다. 그림 사이의 한글은 탕웨이가 직접 쓴 것이라고 한다. 산과 물의 경전, 현실과 상상의 모든 지리를 담은 그 지도는 눈과 귀가 없는 해파리의 모습으로 새로운 길을 만든다. (해준을 잠들게 했던 그 해파리) 당신을 향해 깊은 심연으로 나아간다. 이로써 서래의 사랑, 사랑의 지도는 완성되었다. '마침내'.[33]

19. 늙어도 늙지 않는 노년의 삶

스웨덴의 심리학자 라스톤스탐은 만족도가 높은 노인들을 대상으로 심층 면접을 진행하면서 그들의 심리적 특징을 조사해 보았다. 그에 따르면 삶의 만족도가 높은 노인들은 자기 자신과 인생에 대해 새로운 초월적 관점, 곧 '심리적 성숙'을 나타났다. 그것은 '물질주의적이고 합리적인 세계관'에서 '우주적이고 초월적인 세계관'으로의 전환이었다. 이러한 변화는 삶의 만족도를 증가시켜 줄 뿐만 아니라 죽음에 대한 불안도 완화시켜 준다고 했다.

이러한 노년 초월을 심리학자 권석민 교수는 그의 '노화의 심리적 의미'에서 세 가지의 심리적 변화로 요약하고 있다.

첫째, 자기 존재와 '늙어감'의 실존적 상황을 우주적 차원에서 바라보고 있다. 심리적으로 성숙해 가는 노년 초월을 경험하는 노인들은 자신이 우주 전체와 연결되어 있다는 느낌, 살아있는 모든 것 일부라는 느낌, 과거 세대뿐만 아니라 미래 세대와 밀접하게 연결되어 있다는 느낌, 그리고 자신이 과거와 미래의 연결 속에서 현재를 살아가고 있다는 느낌을 받는다.

둘째, 현재의 자신과 과거의 자신을 바라보는 관점이 변한다. 이기적 자기중심에서 벗어나 좀 더 유연한 모습을 지니게 된다. 뿐만 아니라 자신에게 좀 더 너그러운 태도를 보인다. 육체에 대한 집착과 자신의 욕구에 초점을 맞추는 이기적인 삶에서 타인을 배려하고 후원하는 이타적(利他的)인 삶으로의 변화를 보이며 삶에 대한 새로운 감각과의 조화를 꾀한다.

셋째, 대인관계를 비롯해 사회적 관계 전반에서 변화가 나타난다. 형식적이고 피상적인 관계에서 벗어나 진실하고 깊이 있는 관계로 나아가고, 사회적 역할과 타인의 인정으로부터 벗어나 좀 더 자유로운 태도를 지니게 된다. 과거 자신을 억압했던 불필요한 관습과 규범에서 벗어나 더 자유롭게 표현하고 행동한다.

젊은 시절에는 옳고 그름 또는 선과 악에 대해 확신했지만, 노년기가 되면 그런 판단이 절대적이지 않다는 걸 깨닫게 된다. 옳고 그름의 이분법을 초월해 너그러움과 유연함이 증가하고, 후속 세대의 행동에 섣부른 판단과 충고에 신중을 기한다.

나이가 많아짐에 따라 '초월적 사유'로 나아가지만 모든 노인들이 노년 초월에 이르는 건 아니다. 약 20%의 노인들만이 노년 초월의 상태에 이른다고 한다. 노인들이 우울과 불안의 고통에 시달리는 건 가난, 질병, 고독의 결과라기보다 노년기의 내면 성숙 과정이 지연되거나 정체된 결과라 본다.

인간은 쉽게 변하지 않기에 중년기에 지녔던 가치, 흥미, 활동이 노년기에 그대로 이어지며 노년 초월(성숙)로 나아가지 못하는 경우가 많다. 하지만 일부 사람들은 노년기에 이르러 그동안의 삶에서 고집했던 것들로부터 자유와 초월을 경험하는 마지막 성장을 하기도 한다. 인간의 발달과 성숙은 평생 이루어지기 때문에 '노년 초월'은 노년기에 이뤄지는 중요한 심리적 성숙 과정이 아닐 수 없다.

그러기 위해 어떤 이들은 여행과 독서 그리고 새로운 취미 생활을 권하기도 한다. 그것들의 진정한 의미는 지루한 일상의 탈출이다. 노인에게 여행과 독서는 항상 새로운 경험에서 오는 설렘이 있다. 나이가 들었다고 해서 쉽고 편하고 익숙한 것에만 매달리다 보면 삶이 무료하고 게을러지지만, 여행과 독서와 같은 낯섦과의 만남은 거기에서 새로운 자극과 생기를 얻을 수 있기 때문이다.

한 사람이 살아온 진정한 삶의 가치는 생의 마지막 단계에서 드러난다. 그러기에 편안하고 여유로운 노년기를 보내기 위해 이웃과 더불어 재미있게 살아야 좋은 죽음을 맞이할 수 있다. 생명의 불꽃이 꺼지는 순간까지 모든 것들을 담담하게 생각하며 행복과 기쁨을 정신적 차원에서 얻어야지 물질과 명예에서 찾으려드는 것은 바람직스럽지 못한 노년의 자세라고 본다. 오직 한번 밖에 누릴 수 없는 오늘의 삶을 소중하게 생각하며 사랑과 용서와 감사 그리고 너그러움으로 늙어도 늙지 않는 노년의 삶이 되었으면 한다.[34]

20. 주의력, 삶을 바꾸는 초능력

일하는 도중에 가끔 집중력을 잃거나 멍한 상태에 빠져든다. 스트레스가 쌓여 문서를 작성하다 철자를 틀리거나 단어를 반복하는 등 실수를 저지른다. 마감이 다가오는데도 뉴스와 소셜미디어 피드에서 눈을 떼지 못한다. 휴대전화를 만지작

대며 이 앱 저 앱을 열었다 닫았다 하는데, 애초에 무엇을 하려고 했는지 기억나지 않는다. 주의력 결핍의 징후들이다.

마이애미대 심리학과 교수인 아미시 자의 '주의력 연습'(어크로스 펴냄)에 따르면, 주의력이란 현재를 온전히 경험하고 즐기는 능력이다. 이 능력이 있을 때 우리는 지금 여기에서 무엇에 더 신경 써야 할지를 깨닫고, 삶의 과제들을 더 효과적으로 해결하며, 더 나은 미래를 향한 모험을 시작할 수 있다. 주의력은 삶을 바꾸는 초능력이다.

유한한 존재인 우리가 평생 이용할 수 있는 주의력은 정해져 있다. 주의력은 저장했다 나중에 꺼내 쓰지 못하고, 이 자리 이 순간에만 사용할 수 있는 까닭이다. 시시한 일에 주의가 고갈되면 정작 중요한 일엔 집중할 수 없기에 오래, 열심히 일해도 효율과 성과가 떨어진다.

주의력 없이는 누구도 자기 자신의 주인이 될 수 없다. 우리가 주의를 기울이는 것이 곧 우리 인생이다. 책을 읽었는데 아무것도 머리에 남지 않거나, 친구와 대화 중에 멍해지는 등 주의가 궤도를 이탈했을 때 우리는 살아도 산 게 아니다. 어떤 흔적도 안 남기 때문이다. 저자에 따르면, 우리 삶의 약 50%는 헛되이 사라진다. 유혹적이고 중독성 강한 콘텐츠를 미끼로 주의를 약탈하는 주목 경제는 오늘날 우리의 주의력 위기를 더욱 심화한다.

심리학에서 스트레스란 외부의 위협, 공격 등에 대항해 신체를 보호하려는 신체와 심리의 변화 과정, 생체에 가해지는 여러 상해 및 자극에 대하여 신체에서 일어나는 비특이적인 생물 반응을 통칭한다. 심한 스트레스가 심근경색, 뇌졸중 등 심뇌혈관 질환 위험 증가와 연관이 있다는 연구결과가 발표하기도 했다.

스트레스는 캐나다의 내분비학자 H. 셀리에가 처음으로 명명했는데, 스트레스를 처음으로 발견하게 된 계기가 좀 황당하다. 셀리에는 원래 난소 추출물이 쥐에게 미치는 영향을 알아보기 위해 대조군에 식염수를 주입하고 실험을 진행했다. 그런데 난소 추출물을 주입한 실험군과 식염수를 주입한 대조군이 별 차이를 보이지 않았고, 모두 비슷한 반응을 보였다. 그런데 사실 셀리에는 동물을 다루는 손재주가 부족했고, 실험 쥐들을 아무렇게나 다루는 바람에 실험군, 대조군 모두 스트레스를 받아 비슷한 반응을 보였던 것이다.

스트레스를 받거나 위협을 받으면 주의는 빠르게 고갈된다. 문제는 이럴 때야말로 문제 해결을 위해서 주의가 더욱 요구되는 순간이란 점이다. 공부를 잘해도 시험 때 주의를 집중하지 못하면 아무 소용 없다. 마음을 단련해 지금 여기, 눈앞의 문제에 붙잡아 두는 연습, 즉 주의력 훈련이 필요한 이유이다.

인류의 오랜 지혜인 마음 챙김(mindfulness)이 주의력 연습을 위한 최상의 수단이다. 마음 챙김의 요체는 우리 마음이 지금 어디에 쏠려 있는지, 그 일이 우리 삶에 도움이 되는지를 차분히 살피는 일이다. 저자는 매일 성실히 적어도 12분 이상 돌이켜 마음을 챙기면 주의의 질이 높아지면서 우리 행동과 목표가 어긋나지 않게 된다고 말한다. 불안정하고 불확실하며 복잡하고 모호한 세상에서 길 잃지 않고, 더 바람직한 쪽으로 삶을 이끌어갈 수 있다는 뜻이다. 스트레스와 불행 속에서도 마음의 수다, 저항, 지루함을 이기고 주의력과 평정을 되찾아 질 좋은 삶을 사는 데 하루 12분이면 충분하다.[35]

21. 한 번뿐인 인생, 어떻게 살 것인가?

영원히 사는 사람은 없다. 인생을 두 번 사는 사람도 없다. 그렇기 때문에 한 번뿐인 인생을 '어떻게 살 것인가'는 우리 삶의 중요한 화두가 될 수밖에 없다.

마치 선물(present)처럼 주어진 오늘 하루와 현재(present)를 즐겁게 사는 데 집중하는 사람, 어제보다 나은 오늘의 나와 오늘보다 나은 내일의 나를 위해 열정적으로 사는 사람, 종교적 신념이나 소명의식을 위해 헌신하고 이타적인 삶을 사는 사람 등 삶을 대하는 태도와 방법은 각양각색이다. 분명한 것은 '생각한 대로 사는 삶'과 '사는 대로 생각하는 삶'의 차이는 꽤 클 것이다.

필자는 새로운 것을 배우거나, 새로운 분야의 사람을 만나거나, 새로운 일에 도전할 때 '설렘'이라는 감정을 느낀다. '설렘'은 필자의 삶에 활력을 불어넣는 에너지의 원천이다. 설렘을 느끼면서 새로운 일에 하나씩 도전하다 보니 지금은 직장에서의 본 직업(본캐)과는 별도로 일곱 가지 부캐 활동을 하는 N잡러가 됐다.

필자의 부캐는 ①한국어 교원(일요일) ②다문화사회 전문가(틈틈이) ③아마추어 화가(월요일) ④프로 걷기러(토요일) ⑤브런치 작가(틈틈이) ⑥칼럼니스트(격주) ⑦강연자(틈틈이)이다. 다양한 부캐 활동으로 인해 바쁘게 살고 있지만, 전혀 힘들진 않다. 모두 다 내가 좋아서 하는 일이기 때문이다. 이 부캐 활동들은 늘 행복과 즐거움을 준다.

필자는 40대부터 봉사와 나눔 활동에 적극적이다. 매월 초록어린이재단, 유니세프, 다문화청소년협회, 꿈과 나눔 등 몇몇 단체에 후원도 하고 있고 여러 형태의 재능기부를 비롯한 봉사활동도 하고 있다. 넉넉하지는 않지만 조금 더 가진 것을 나보다 형편이 어려운 사람들과 나누면 기쁨도 늘고 내 삶이 풍요로워진다는 것을 몸소 느끼고 있다.

즐겁지 않으면 인생이 아니라는 말이 있다. 즐거운 인생을 추구하겠다는 데엔 전적으로 동의한다. 하지만 그것만으로는 무엇인가 조금 부족한 것 같은 느낌을 지울 수 없다. 유시민 작가의 말처럼 일과 놀이와 사랑만으로는 인생을 다 채우지 못한다.

〈어떻게 살 것인가〉에서 유 작가는 "일과 놀이와 사랑만으로는 삶의 의미를 온전하게 느끼지 못하며, 그것만으로는 누릴 가치가 있는 행복을 다 누릴 수 없다. 타인의 고통과 기쁨에 공명하면서 함께 사회적 선을 이루어나갈 때, 우리는 비로소 자연이 우리에게 준 모든 것을 남김없이 사용해 최고의 행복을 누릴 수 있다. 그런 인생이 가장 아름답고 품격 있는 인생이다"라고 역설한다. 이 문장은 필자의 삶의 좌우명이다.

영화 〈죽은 시인의 사회(1990년)〉와 〈굿 윌 헌팅(1998년)〉은 필사의 인생 영화다. 공교롭게도 명배우 '로빈 윌리엄스'가 각각 선생님과 교수의 역할을 맡았다. 20~30년이 지난 지금까지도 잊히지 않는 영화 속 대사는 각각 'Carpe diem(오늘을 즐겨라)'와 'It's not your fault(네 잘못이 아니야)'이다.

지나간 과거에 얽매여 오늘을 즐기지 못하는 삶도, 내일의 행복을 위한답시고 오늘을 힘들게만 사는 삶도 옳지 못하다. 안타까워한다고 해서 지나간 일이 바뀌지 않는다. 한 차례 아파하고 가슴에 묻고 잊자. 당신의 잘못이 아니다. 대개의 경우 그렇게 될 수밖에 없는 운명이었을 것이다.

오지도 않은 미래를 걱정하지 말자. 무슨 일이 어떻게 일어날지를 모르는데 도대체 무엇을 걱정한다는 것인가? 우리 인생에 코로나 19 같은 팬데믹을 겪을지, 100세 인생 시대가 열릴지 상상이나 했겠는가. 게다가 걱정한다고 해서 미래가 바뀌는 것도 아니다. 현재의 삶, 매 순간마다 충만한 인생의 의미를 온몸과 마음으로 느끼면서 살자.

100세 인생 시대의 삶에 대한 가치관도 도전적인 삶과 안정적인 삶이라는 키워드로 크게 두 부류로 나눠볼 수 있다. 하지만 도전하는 삶과 안정적인 삶이 반드시 트레이드 오프(Trade-Off) 관계는 아닐 것이다. 역설적으로 들릴 수 있으나, 필자는 100세 인생 시대와 함께 시작된 큰 변화의 시기에는 기존의 틀을 탈피하고 오히려 과감한 도전을 통해 삶의 새로운 길을 개척하는 것이 올바른 방법이라 믿는다.

게임엔 치트 키(cheat key)가 있지만, 인생엔 치트 키가 없다. 간혹 생각지 못한 은인이 나타나고, 꿈꾸지 않은 행운이 주어지기도 하지만 착각하면 안 된다. 내게 주어지는 하루하루를 소중하게 여기고 사랑하는 사람과 더불어 최선을 다해 성실하고 행복하게 사는 데 집중하자.[36]

이미지=최정문

22. 글쓰기는 가장 인간적인 행위다

지금이 책보다 영상물의 시대라고는 해도 막상 사람들이 글자를 보는 시간은 더 늘었다. 물론 메신저로 얘기를 나누거나 문자 메시지를 주고받는 것은 엄밀히 보자면 글말이라기보다는 입말을 글로 옮긴 것이라서 독서와 견주기는 어렵다. 그러나 다들 여전히 게시판이나 SNS에서 수많은 글을 읽으면서 정보를 주고받으며, 영상물을 보고 나면 댓글을 비롯한 여러 방식으로 의사소통도 한다. 그런 교류를 할 때는 누구나 적확한 문장을 구사하기를 원한다. 꼭 책을 내거나 기성 언론에 기고하지 않더라도 우리는 예전보다 글로써 스스로를 드러내고 남을 이해해야 할 때가 더욱 늘었다.

그래서 오히려 정보나 글의 공해라고까지 비판하는 이들도 있다. 그런 비판도 일견 일리가 있으나, 누구나 표현과 소통을 향한 갈망이 있으며 그것이 세상을 더욱 발전시켰다. 소수가 언어를 독점하는 시대로 되돌아갈 수는 없다. 따라서 변화된 시대에 맞게 말과 글을 어떻게 함께 가꾸느냐가 더 중요하다.

많이들 얘기하듯이 한국은 매우 높은 교육 수준에 비해 글이든 말이든 자국어를 잘 사용하는 사람이 생각보다 적다. 한국어를 외국어로 옮기는 번역가들이 특히 많이 느끼는데, 꼭 언어의 유형론적 차이 탓만이라기보다는 두서없는 문장이나 어설픈 어휘 선택이 자주 눈에 띄기 때문이다. 번역할 대상이라면 인터넷에

편하게 되는 대로 올리는 글보다는 여러 면에서 나아야 할 텐데도 그렇다.

　교육 수준과 견준다면 뜻밖이겠으나, 교육 내용을 비춰 보면 당연한 결과다. 지금이야 우리나라도 좀 나아졌다지만 20세기까지만 해도 말하기와 글쓰기 교육을 제대로 하지 않았다. 기존 지식의 습득이 급선무였고, 그걸 스스로 어떻게 언어로 드러내느냐는 부차적이었다. 게다가 훈민정음 창제 후에도 글말은 주로 한문이었듯 한국어는 온전한 언어 노릇을 한 역사가 짧고, 현대에는 영어, 일본어, 독일어, 프랑스어로 쓰인 지식을 따라가느라 바빠서 그런 주요 세계어보다 뭔가 매우 모자라는 느낌을 주는 것도 당연하다. 그러나 위 언어들도 원래는 초라했다. 예컨대 프랑스어는 라틴어보다 못했고, 영어는 프랑스어보다 못했는데, 다들 갈고닦음을 거쳤다. 언어는 얼마나 가꾸고 잘 쓰느냐에 따라 달라진다. 언어 사이에 내재적인 우열이 없다는 방증이다.

　다른 나라보다 한국 사람이 외국어를 못한다고 단정 짓긴 힘들지만 많은 한국인 스스로 그렇게 느낀다면 실은 모어를 썩 잘하지 못하기 때문도 아닐까 싶다. 모어 솜씨부터 가다듬지 않은 채 외국어를 발라봐야 똑바로 못 붙고 쉬이 떨어진다. 그래서 글쓰기를 배우는 이가 늘고 문해력에 관심이 높아지는 현상은 바람직하다. 한국어 화자가 이제 언어 문제를 구체적으로 인식하기 시작했다는 증표일 것이다. 연중행사로 겨레말과 나라말을 지키자고 추상적인 목소리를 드높이기보다는 글재주와 말재주가 훌륭한 개인이 늘면 한국어라는 개별 언어 체계도 야무지게 될 것이다. 바로 그런 차원에서 누구나 글을 쓰고, 더 잘 쓰려는 이 시대를 반길 만하다.

　이제 어떤 소재를 던져 주면 인공지능이 글도 쓴다. 아직 여러모로 개선의 여지가 있으나 기술 발전이 워낙 빠르니 놀랄 일만 남았을지도 모른다. 그 미래가 세상을 어떻게 바꾸든 우리가 인간으로서 생각하고 소통할 의지가 있다면 글쓰기라는 가장 인간적인 행위는 멈추지 않아야 할 것이다.[37]

23. 마법, 말의 비밀

　21세기는 '마음'과 '커뮤니케이션'의 시대이다. 인간관계에서 상대를 이해시키는 것 중 가장 기본적인 것은 말(言)이다. 말을 어떻게 사용하는가에 따라 상대방의 잣대가 될 수도 있다. 때로는 그날의 기분을 좌우하기도 한다.

　말이란? '자신이 말하고 싶은 의견이나 생각 또는 사상, 신념 등을 말이라는 매체를 통해 남에게 전달하여 설명이나 설득함으로써 목적을 달성하려고 하는 행위'를 말한다. 따라서 자신이 우선 말하고 싶은 것을 명확히 파악하는 것이 조건이 되어야 한다.

인간은 말없이는 하루라도 살아갈 수 없다. 밥을 먹는 것과 같기도 하다. 어느 무인도에서 고립되어 살아가는 사람을 보았다. 지난날 유창하던 모국어를 구사할 수 없는 것에 놀랐다. 모든 것은 사용하지 않으면 녹이 슬기 마련이다. 언어도 마찬가지인 것 같다. 다른 사람들과 유대 관계를 맺으면서 아름답고, 고운 말로 서로에게 밝은 하루하루가 되길 바라는 것이 말의 힘인지도 모른다.

텔레비전에 나오는 유명한 정치인이 지역구 유치원을 방문했다. 아이들은 밝은 미소를 지으면서 환영 인사를 했다.

"여러분, 내가 누군지 알아요?"

"네, 국회의원요"

유치원생마저 자신을 알아보는 것에 기뻐서 어깨가 으쓱했다. 대단한 인기라 여기며 또다시 물었다.

"그럼, 내 이름이 뭔지 알아요?"

하나같이 아이들이 큰소리로 외쳤다.

" 저 자식이요!"

정치만이 혼탁한 것이 아니다. 우리 사회의 언어가 혼탁하다는 것을 우리는 반성해야 할 일이다. 어른들이 TV를 보면서 무심코 쏟아내는 한 마디가 아이들에게 전염된다는 사실을 기억해야 할 것이다. 말도 일종의 무서운 바이러스임이 틀림없다.

'어이아이(於異阿異)'라는 말이 있다. '어 다르고, 아 다르다.' 라는 말이다. 이처럼 무심코 던진 말 한마디가 상대와 마음이 상할 수 있고, 징검다리가 될 수 있다. 우리가 하는 말은 자신이 누구라는 것을 세상에 알리는 신호이다.

'말이 입힌 상처는 칼로 입힌 상처보다 크다.' 라는 서양 속담도 있다. 말은 분쟁의 씨앗이 될 수 있고, 평화의 장이 될 수도 있다. 말이 곧 당신 자신이다. 곧 생명이다, 정체성이다. 그래서 개성과 맛, 자기 나름대로 색깔을 가져야 한다.

말의 힘은 대단하다. 어쩌면 사회생활은 '말의 다리' 를 오가는 여행이 아닌가 싶다. 하루가 즐겁고 서로가 밝은 모습으로 행복하고 활기찬 일상이 되기 위해 '말의 다리' 는 건강하게 걸어가야 한다. 한마디의 말도 몇 번 생각의 옷을 입혀서 하는 습관을 길러야 할 것이다. 때로는 남의 말을 귀담아 들어주는 지혜로움도 말을 잘하는 것이 아닐까 생각된다.[38]

24. 표정 관리가 중요해

지하철에서 몸이 한쪽 방향으로 기울어 몹시 불편해 보이는 노인을 보며, 위로의 말을 건네고 싶을 만큼 마음이 짠했다. 극도의 피로와 우울함으로 만사가 귀찮은 듯 지친 표정은 보는 사람의 얼굴에도 영향을 미칠 만큼 잔뜩 일그러져, 젊은이들이 슬금슬금 자리를 피할 정도로 주변을 썰렁하게 만들었다.

매서운 추위에 세찬 바람이 몰아치다가, 미세먼지가 기승을 부리다가… 이래저래 바깥나들이가 쉽지 않은 계절에, 저렇게 편치 않은 몸으로 노인은 대체 어디로 가시려는 것인지. 맞은편에 앉은 나는 수시로 노인의 동태를 살피며, 엉뚱한 상념에 빠져들고 있었다.

인생에도 계절이 있다면, 나는 지금 어디쯤 와 있을까? 그래, 몸을 옴츠리는 겨울은 아니기를. 추위에 어깨가 구부러지고, 싸늘한 손을 주머니에 넣고 느릿느릿 걷다보면 공연히 자신감마저 잃어버리는 눅눅한 기분이 된다. 다시 어깨를 활짝 펴고 자세를 고쳐본다. 을씨년스러운 겨울보다는 낙엽이 뒹구는 가을이 좋겠다. 잎이 떨어진 자리에는 다시 봄을 기다리는 인내와 끈기의 움이 트고 있으니 말이다.

경로우대 혜택을 받기 시작하는 예순의 중반. 꿈처럼 마냥 좋은 줄만 알았던 봄이 기억의 저편으로 물러났다. 아름다운 도전과 때로는 무모한 열정을 펼치고, 긴장과 투쟁으로 치열했던 젊음과 청춘의 여름을 보낸 것도 오래 전의 일이다. 이제 어느덧 단풍이 들어 마른 낙엽이 되고, 조용히 세상을 관조(觀照)하는 여유와 조금씩 받아들이고 또한 비우는 것에 뜻을 두어야할 시기가 된 것 같다.

어른을 공경하고 젊은 세대를 포용하며, 양보와 이해가 동반되는 나이. 어려운 일 앞에서는 침착하게 반응하고, 슬기로운 지혜와 융통성을 발휘할 수 있는 나이가 바로 지금이 아닌가 싶다. 이런 시기일수록 남은 시간을 떳떳하고 건강하게 보내기 위해 많은 준비가 필요하다. 신체적인 단련뿐만 아니라 정신적 근육을 단련하는 연습도 중요하다. 비슷한 연배에도 주변 상황이나 생각, 마음 상태 등에 따라 상당한 차이를 드러낼 수 있기에 하는 말이다.

'꿈을 가지고 노력하는 사람은 늙지 않는다' 는 사실을 주변에서 흔히 볼 수 있다. 호기심과 의욕이 있는 사람은 적당한 긴장과 열정으로 눈빛이 살아있고, 건전한 정신과 의지가 표정을 밝게 물들이기 때문일 것이다. 더불어 긍정적인 생각은 마음을 편안하게 하고, 식욕증진은 물론 숙면을 취하는데도 도움을 주는 등 건강관리에 큰 영향을 미친다.

사람의 첫 인상이 결정되는 시간은 6초 정도가 걸린다고 한다. 그중에도 외모와 표정, 몸짓이 89%, 목소리와 말하는 방법에서 13%, 나머지가 인격이라는 것이다. 얼굴은 정직하다. 내면의 감정과 겉으로 드러나는 표정이 다르지 않다는 말이다. 하지만 조금만 신경을 쓰면 표정은 관리할 수 있을 뿐 아니라, 습관이 될 수도 있다. 거울을 자주 보거나 사진을 찍어보는 것도 좋은 표정과 인상을 만드는 비결이 될 것이다.

시간이 지나면 누구나 늙는 법. 물리적 나이는 어쩔 수 없다지만, 신체적 나이는 관리하기에 따라 늘어나고 줄어드는 고무줄처럼 조절할 수 있다는 것은 중요한 일이다. 자기 나름의 건강관리 비법을 마련해두고 꾸준히 실천한다면, 건강하고 활기찬 노후를 보낼 수 있을 것이라 믿는다. 자주 햇볕을 쬐며 걷는 것이 무엇보다 좋다는 사실을 모르는 사람은 없다. 새로운 것을 배우거나 마음 맞는 이웃이나 친구를 만나 대화를 나누고, 많이 웃는 것도 좋다.

전체 인구 대비 노인인구의 비중이 점점 늘어나고 있다. '이왕이면 다홍치마'라는 말처럼, 노인들이 어둡고 우울한 표정으로 젊은이들의 동정과 연민의 눈길을 받는 것보다 밝고 따뜻한 표정으로 삶의 지혜를 공유할 수 있는 든든한 울타리가 될 수 있으면 좋겠다.

'행복해서 웃는 것이 아니라, 웃으니까 행복해진다'는 말처럼 마음먹기에 따라 표정은 충분히 달라질 수 있다. 즐겁고 건강한 노년을 보낼 수 있는 길은 멀리 있는 것이 아니라 우리들 마음속에 있음을 명심하자.[39]

25. 요양원 단상(斷想)

요양병원, 요양원은 늙고 병들어가는 우리들의 미래다. 수많은 노인이 창살 없는 감옥에서 의미 없는 삶을 연명하며 희망 없는 하루하루를 여기서 보내고 있다. 그들도 그리될 줄은 몰랐을 것이고 자신과 전혀 상관이 없는 남의 이야기로 알았지만, 이미 현실이 된 지 오래다.

자식 여럿 두었으면 무엇하며, 그 자식 유명인사 된들 무엇하겠는가! 이 한 몸 기댈 곳 없이 흘러 흘러 와서 호흡기 달고서야 세월이 가는지 오는지, 애지중지 처자식이 누군지도 못 알아보게 되더라. 유일한 낙이라고는 천진난만하게도 하루 세끼 밥과 간식이 전부더라.

요양병원에 가서 서 있는 가족의 위치를 보면 촌수가 훤히 보인다. 장기입원하고 있는 부모를 이따금 찾아와서 침대 옆에 바싹 붙어 눈물 흘리면서 준비해 온 죽을 떠먹이며 이것저것 챙기는 자식은 그래도 딸이다. 그 옆에 멀쩜 서 있는 남자는 사위, 문간에서 먼 산 보고 있는 사내는 보나 마나 아들이고 복도에서 휴대폰 만지작거리고 있는 여자는 며느리다. 무심한 아들은 침대 모서리에 걸터앉아 누가 사다 놓은 음료수 하나 따먹고 이내 사라진다.

우리 장손! 내 아들! 금지옥엽으로 키운 벌을 여기서 받는 거다. 빠듯한 살림살이에 딸아이 대학교육까지 포기하며 출세시킨 아들이다. 사업한답시고 은행 대출 보증까지 섰고 공무원 30년 연금까지 기꺼이 내준 당신의 희생을 헌신짝으로 버린 저 못난 아들놈을 어찌해야 하나!

긴 병에 효자 없다지만 요양원에 온 지 아직 두 달도 안 지났다. 건강과 재산 등 노후가 준비되어 있지 않은 상태에서 몽땅 줘버린 헌신이 곧바로 고통이요 고문이 될지는 꿈에도 없었을 것이다. 아직은 건강하신 노인분께 당부드린다.

얼마 남지 않은 인생이다. 가진 돈이 있거든 당신을 위해 다 써라. 먹고 싶은 거 먹고, 가고 싶은 곳 가고, 하고 싶은 것 하면서 세월 보내는 것이 최선의 여생이고 최고의 행복이니까.

죽으면 말 길이 끊어져서 산 자에게 죽음의 내용을 전할 수 없고, 죽은 자는 죽었기 때문에 죽음을 경험할 수 없고 인지할 수도 없다. 인간은 그저 죽을 뿐, 내생이 어디 있으며 영혼이 어디 있겠는가?

돈 들이지 말고 죽자, 주변 사람 힘들게 하지 말고 가자, 질척거리지 말고 가자, 지저분한 것들 남기지 말고 가자, 빌린 것 있으면 다 갚고 가자.

퇴계 선생은 죽음이 임박하자 이런 시문을 남겼다.

"조화를 따라서 사라짐이여 다시 또 무엇을 바라겠는가?" 40)

인간의 마지막 시간에는 치료와 보살핌이 필요하다. 편안하게 목욕하고, 맛있는 음식을 먹고, 휠체어에 타거나 부축받으며 산책도 하면서 친지와 대화를 나눌 수 있다면 요양원이 집보다 나을 것이다.

요양 서비스를 시범적으로 실시한 노인전문요양원

26. "잘못된 통증치료법 넘쳐나…더 큰 병 키워"

  퇴행성 질환(退行性疾患, degenerative disease)은 퇴행성 세포 변화에 기반한 지속적인 과정의 결과로, 조직이나 기관에 영향을 미치며 시간이 지남에 따라 점점 더 악화된다.

  신경퇴행성 질환에서는 중추신경계 세포가 신경퇴행을 통해 작동을 멈추거나 죽는다. 신경퇴행성 질환의 대표적인 예는 알츠하이머병이다.[2] 퇴행성 질환의 다른 두 가지 일반적인 부류는 순환계에 영향을 미치는 질환(예: 관상동맥 질환)과 종양성 질환(예: 암)이다.

  고령 사회로 진입하며 퇴행성질환이 급속도로 증가하고, 만성적인 신체 통증을 겪는 국민 비율이 매우 높아졌다. 전문가들은 고령 인구가 급격히 늘어나면서 의료의 화두가 '오래 사는 문제'에서 '아프지 않고 건강하게 사는 문제'로 전환되었다고 분석한다. 획일화된 치료가 아닌, 한 사람 한 사람의 특성에 따라 치료를 해야 하는 시대라는 뜻이다.

  이평복 대한통증학회장(55·분당서울대병원 통증센터장)은 3일 "통증 치료에 있어서 질환별, 시술별 근거중심의 가이드라인을 만들어 공유해 무분별하고 검증되지 않은 유사 의료행위와 구분할 수 있도록 학회의 책임을 다할 것"이라고 밝혔다. 이 회장은 "학회에서 운영하는 유튜브, 인스타그램과 같은 SNS 홍보를 강화해 국민과의 소통을 늘릴 계획"이라고 말했다.

  통증학회는 최근 통증 분야의 '현명한 선택' 목록을 공개했다. '방사통이 없는 요통·흉추통·경부통증에 대해서는 근전도와 신경전도 검사를 시행하지 않는다, 회전근개 손상 평가 시에 초음파 검사 전에 MRI를 우선 시행하지 않는다, 비암성의 급만성 통증 환자들에게 일차적으로 마약성 진통제를 처방하지 않는다' 등이 대표적이다.

  복합부위통증증후군(CRPS) 환자의 장애인정기준 개정이나 암성 및 비암성 통증 환자에 대한 약물처방 제한의 완화 등 법적·제도적 문제들에 대한 국회 토론회와 정책설명회도 준비 중이다. 치료 이전에 예방이 중요하다는 국민 캠페인이나 건강행사를 진행해 '통증을 알고 통증을 이겨내자'는 인식 확산에도 주력하고 있다.

  "그동안 코로나19 사태로 진행하지 못한 '통증의날' 행사를 올가을부터 재개할 계획을 하고 있습니다. 이 행사에서는 CRPS환우회 등과 같은 통증질환 환자 모임 및 일반인을 대상으로 의료상담, 공연, 걷기 대회, 기부 행사 등을 진행할 예정입니다."

통증 분야에서 해결해야 할 현안 중 하나가 통증을 '장애의 원인'으로 인정하게 하는 것이다. 현재까지 통증질환 중에서는 CRPS만 장애로 인정되고 있다. 이 또한 통증의 심한 정도보다는 질환의 부수적인 증상, 즉 관절의 가동 범위나 근력 약화 증상만으로 장애를 평가한다. 통증학회는 이에 대해 '상당히 불합리하고 의학적 근거도 부족하다'고 단정한다. 통증환자의 장애를 평가할 수 있는 합리적인 방법들을 연구하고, 도출된 연구 결과를 통해 새로운 사회적 합의를 만들어가는 과정이 중요해지는 이유이다.

"통증질환에 대한 관심이 커지면서 전문과목에 상관없이 통증을 치료한다는 병원이 많아지고, 인터넷상에는 잘못된 정보가 넘쳐나고 있습니다. 특히 아무런 의학적 근거 없이 시행되는 민간요법을 맹신하다가 더 큰 병을 만들어 오는 환자도 적지 않습니다. '시간이 지나면 낫겠지…' 방치하다가 병을 키워서 오는 경향이 있습니다."

대한척추통증학회 회장으로도 활동하고 있는 이 회장에 따르면, 통증이 만성으로 진행하면 인체의 신경계는 점점 예민하게 변해 통증의 원인이 없어졌음에도 불구하고 증상이 지속하는 경우가 흔하다. 따라서 어떤 통증이든 만성으로 가기 전에 적극적인 치료가 필요하다. 조기진단과 치료만큼이나 예방과 관리가 중요하다. 그리고 통증질환마다 예방과 관리법이 다르므로 통증전문의와의 상담이 필수이다.

"건강한 장수를 위해서는 작은 증상 변화에도 관심을 두고 병을 키우지 말아야 하며 평소 적절하고 규칙적인 운동, 건강한 식습관, 자세 교정 등은 아무리 강조해도 지나치지 않는 건강의 금과옥조입니다. 덧붙여 통증전문의를 주치의로 둔다면 아프지 않고 장수할 수 있는 충분조건이 될 것입니다." [41]

27. 발기부전치료제의 뜻밖의 변신

성인 남성이라면 한 번쯤 들어봤을 이름 '○○그라, ○○리스' 등은 발기부전 치료를 목적으로 개발되어 현재 이용할 수 있는 약이다. 1998년 개발되었고 2012년 약물특허가 만료되면서 비교적 저렴한 가격에 동등한 성능의 국내 복제약을 이용할 수 있다. 최근에는 이러한 기존의 경구복용 발기부전치료제가 본래 목적 이외에 다른 질환에서도 개선효과가 있다는 연구들이 발표되고 있다.

우선 배뇨장애의 치료효과다. 2011년 유럽과 미국에서 시행한 이중맹검 위약대조군 연구에서는 '저용량 발기부전치료제(타달라필)를 12주 복용하였더니 통계적으로 유의한 배뇨장애 개선효과가 있다'는 결과가 발표됐다. 후속 연구들에서도 동등한 효과가 있음이 계속 입증되면서 현재 배뇨장애와 발기부전 치료 목적으로 처방할 수 있는 약으로 자리 잡았다. 전립선비대증 및 과민성 방광치료제 약물과의 병합 시에도 효과가 있다는 연구도 인정받아 배뇨장애 약물과 같이 복용할 수도 있고, 두 성분이 합쳐진 약물도 개발되어 현재 처방이 이뤄진다.

다음은 불임환자에서의 치료효과다. 정자무력증에 의한 불임환자에게 발기부전치료제(실데나필)를 복용하게 하였고 정자 활동성을 증가시킬 수 있다는 가설이 2020년 멕시코에서 발표됐다. 정자의 미토콘드리아 기능 개선과 산소활성도를 증가시켜 정자의 활동성을 증가시킬 수 있다는 논리에 의해서 출발했고, 연구 결과 통계적 유의성은 없었으나 추가 연구 필요성은 있어 보인다.

또한 여성성기능장애 개선효과다. 2016년 발기부전치료제(실데나필)의 여성성기능장애 치료효과에 대한 메타분석 결과가 중국에서 나왔다. 수백 편의 관련 논문을 검색하여 이용 가능한 14편의 논문 결과를 최종적으로 분석하여 성욕, 성각성, 성오르가즘, 성만족도장애, 당뇨병 환자, 항우울제 복용 환자군으로 나눠서 그 결과를 정리했다. 발기부전치료제 복용이 여성성기능장애 선택적 치료방법이 될 수 있다고 주장한다.

발기부전치료제는 심장질환 및 당뇨병 환자에게도 긍정적인 영향을 준다. 발기부전의 위험인자들이 심장질환과 당뇨병 환자의 위험인자들과 대부분 겹치게 되면서 발기부전 환자들은 심장질환, 당뇨병, 대사증후군에 대한 검사를 시행하여야 한다는 연구 결과가 있었다. 이후 발기부전치료제(실데나필)가 심근허혈, 당뇨병성 심근병증, 심장비대질환에 대한 심장보호 효과가 있다는 연구가 2015년 미국에서 발표됐다. 급·만성 당뇨병성 혈관병증 환자에서 발기부전치료제(실데나필, 타달라필)가 혈관 내피세포 기능을 개선하였다는 유의한 결과도 2008년과 2012년 각각 이탈리아, 캐나다에서 보고되면서 당뇨병 환자의 합병증 치료에 도움을 줄 것으로 예상된다.

발기부전치료제(타달라필)는 기본적으로 혈관확장의 효과를 나타내기 때문에 대뇌의 혈관에 작용하여 혈류량을 증가시켜 혈관인성 치매에 효과를 보일 수 있다는 주장이 있다. 특히 대뇌 내의 작은 혈관의 문제는 열공성 뇌졸중과 치매를 유발하는 원인으로 알려져 있는데, '타달라필을 복용한 환자군은 투약 3시간 이후 대뇌 미세혈관의 혈류량이 증가해서 개선효과가 있을 수 있으므로 이에 관한 장

기간의 연구가 필요하다'고 주장한 연구가 2020년 덴마크에서 발표됐다.

앞에서 나온 결과들에 대해 좀 더 많은 연구가 이뤄지기를 기대해본다. 어떤 약이든 부작용을 조심해야 한다. 경구복용 발기부전치료제는 질산염 제제의 혈관확장제 성분과 함께 복용하는 것은 절대 금기이다. 반드시 의사와 상담한 후에 정품을 처방받아 복용해야 함을 잊지 말아야 할 것이다.[42]

28. 초고령사회 노인일자리와 시니어의 역할

"어르신~~~?". "내이름은 어르신이 아녀. 형님이라 불러~!" 화를 내신다. 60대 후반의 개인적으로 친분 있는 분의 말씀이다.

의료수준이 낮을 때는 환갑과 칠순잔치로 장수를 축복하였다. 돼지까지 잡는 경사스러운 마을잔치였다. 그런데 지금은 칠순잔치도 조촐하게 그친다. 과거 노인세대는 허리굽고 지팡이 짚은 모습이었으나, 현 노인세대는 외양만으로는 장년 정도이다. 한데 70세도 안된 분께 '어르신'이라 호칭했으니 타박은 당연지사다.

2020년 우리나라 만65세 이상은 812만명이었으나 5년후인 2025년에는 1천만명이 예상된다. 광주시는 올해 만60세 이상 포함 21%로 초고령사회를 눈앞에 두고 있고, 전남도는 그보다 심각해 만60세 이상 인구는 32.1% 이다. 심각한 수준이며 세계 어느 나라도 경험해 보지 못한 상황이다.

더불어 우리나라는 OECD 국가 대비 노인빈곤율과 노인자살율이 압도적으로 높다. 노인빈곤율은 2018년 기준 43.4%로 OECD국가 평균의 3배이며, 인구 10만명당 노인자살율은 2019년 기준 58.6명으로 OECD 평균 18.8명보다 높다. 이는 건강과 경제문제, 고독과 소외에서 비롯된다.

그래서 노인일자리는 '노년4苦'로 지칭되는 '病, 貧, 孤獨, 無爲'를 해결하는 중요한 정책수단이다. 일자리를 통해 건강과 소득보장, 소통하며 고독과 무위 해소로 '일자리는 곧 최고의 복지'인 것이다.

보건복지부는 2004년 2.5만 자리로 노인일자리사업을 시작하여 2021년 80만 자리까지 확대하였다. 노인일자리수가 급격하게 늘다 보니 일각에서는 '고용지표 왜곡', '생색내기'라고 폄하한다.

그러나 노인일자리사업의 정책목표는 명확하다.

70대 노인에게는 노년4고 해소에 집중하고, 60대 베이비부머에게는 퇴직전 경륜을 살려 사회와 기업에 도움이 되도록 하는 것이다.

전후 산업화세대인 베이비부머는 기존 노인세대와는 달리 건강한 신체와 학력, 전문성을 겸비한 세대다. 사무실에도 공직유관 경험 있는 시니어 컨설턴트들이 계시는데, 지난 시절 업무경험으로 쌓은 네트워크는 큰 도움이 되고 있다. 겸손함은 기본이고, 인터넷 활용, 컴퓨터 문서능력, 스마트워치 착용과 영상편집 등 디지털기기 활용도 독보적이다.

우리 본부에서는 코로나 확산에 따른 비대면 디지털 환경변화에 부응하는 노인일자리 모델을 위해, 공공기관들과 협업으로 베이비부머에 적합한 일자리를 개발하고 있다.

승강기안전공단과 승강기내 안전사고 발생시 긴급대처가 가능하도록 스마트폰앱을 통한 GPS기반 위치정보 수집을, 방송통신전파진흥원과는 어린이 등의 유해전자파 검출 및 컨설팅을 진행하고, TBN교통방송·국악방송과는 모니터링을 통해 공영방송의 품질향상을 위한 업무를 수행하고 있다. 소상공인시장진흥공단 등과 협업하여 전통시장내 상가를 촬영하여 유튜브에 홍보해주는 '시니어 전통시장 서포터즈'도 있으며, 가스안전공사와는 LP가스 가구의 가스안전점검 사업을 통해 가스누수를 사전 감지·조치하는 등 향후 전국적으로 확대할 예정이다.

코로나 비대면 디지털 환경과 생산인구 감소로 인한 위기상황에서 이제 시니어가 중요한 대안이다. 과거 세계대전 이후 여성의 사회적 역할이 강조된 것도 생산인구가 필요한 시점이었으며, 우리나라의 현실은 특히 그렇다. 전통적인 복지관점에서 노인이 보호의 대상이었던 과거와는 달리 은퇴 후 제2의 인생을 맞이할 능동적인 시니어의 역할을 기대하며 응원한다.[43]

29. 최근 중장년 취업자 늘며 수요 늘어

지난해 미래에셋투자와연금센터가 통계청 경제활동인구조사를 분석한 결과에 따르면 주된 일자리 퇴직 연령은 평균 49.3세로 나타났다. 같은 해 경기연구원 조사에서 60세 이상 노동자들은 평균 71세까지 일하기를 희망한다고 밝혔다. 즉, 중장년에겐 퇴직 후 20년 또는 그 이상을 책임질 제2의 직업을 찾는 것이 관건이다. 이에 본지는 지난 1월 취·창업 분야 전문가 20명을 대상으로 2023년 중장년 유망 직업에 대해 조사했다. 해당 결과를 토대로 시니어가 알아야 할 유망 직업을 하나씩 소개해나가려 한다. 그 첫 순서로 다수의 전문가가 언급한 '직업상담사'(전직지원전문가)에 대해 알아봤다.

◇ 직업상담사(전직지원전문가), 시니어에게 왜 유망할까?

2020년 5월부터 고용노동부의 '고령자고용법' 시행에 따라 1000명 이상 노동자를 고용하고 있는 기업은 50세 이상 퇴직자에게 재취업 지원 서비스를 의무적으로 진행해야 한다. 재취업지원서비스는 진로설계 및 상담, 재취업 알선, 취업 교육 등으로 구성되며, 전문적인 전직지원전문가에게 맡겨야 한다. 이에 따라 전직을 지원하는 전문가의 수요가 늘고 있다. 직업상담사, 커리어 컨설턴트 등 유사 분야 자격증이 있다면 입직과 업무 수행에 유리하다.

-서울시50플러스재단 정책연구팀 강소랑 박사

급변하는 직업 환경으로 중장년에게 매우 유망한 직업이다. 고용노동청이나 여타 공공기관에서 중장년을 대상으로 여러 일자리 사업을 한다. 신중년경력형 일자리사업이나 뉴딜인턴십, 보람일자리 사업 등이 있다. 이런 일자리 사업의 취지나 목적을 제대로 이해하고 구직 당사자인 중장년과의 상담 혹은 교육을 통해 그들의 제2인생 전환을 위한 생애설계 코디네이터 역할을 한다. 이러한 업무가 중장년에게 유리한 것은 당연하다.

-이진서 인생다모작연구소 소장

위 두 전문가를 비롯해 △이종근 디올연구소 대표 △문성식 창직교육협회 이사장 △김찬홍 국민은행 경력컨설팅센터 센터장 △김중진 한국고용정보원 미래직업연구팀 연구위원 등이 '직업상담사' 또는 '전직지원전문가'를 시니어 유망 직업으로 꼽았다. 한국고용정보원이 발간한 '함께할 미래, for 5060 신직업' 보고서에서도 "고용상 연령차별금지 및 고령자 고용촉진에 관한 법률에 따라 평생 경력개발의 일환으로 중장년 퇴직자뿐만 아니라 재취업 대상자를 대상으로 한 서비스 인프라가 확충될 전망"이라며 시니어 유망 신직업 중 하나로 전직지원전문가를 선정했다.

직업상담사란 구직자나 미취업자에게 직업 및 취업 정보를 제공하고, 직업 선택, 경력설계, 구직 활동 등에 대해 조언한다. 이와 유사한 전직지원전문가의 경우 퇴직 후 이직 또는 전직, 창업을 희망하는 이들에게 제2의 직업을 추천하고 이에 대한 상담을 진행한다. 최근 고령사회에 접어들며 정년 이후에도 일자리를 희망하는 이가 늘어났다. 지난해 경기연구원 자료에 따르면 60세 이상 노동자 중 97.6%는 가능한 계속 일하고 싶다는 입장을 밝혔다. 이러한 욕구에 따라 퇴직 후 다시 구직 활동을 해야 하는 중장년을 위한 상담 지원과 커리어 컨설팅 서비스 또한 확대될 전망이다. 중장년 구직자의 경우 동년배인 상담가와의 공감대와 유대, 신뢰 형성이 더욱 유리하다. 전문가들은 이러한 이유로 시니어 직업상담가의 수요의 증가와 필요성에 주목하고 있다.

◇ 나도 직업상담사가 될 수 있을까?

직업상담사는 주로 실내에서 활동성이 적은 형태로 근무하며, 구직자와 면담하거나 검사를 통해 취미, 적성, 흥미, 능력, 성격 등을 분석한다. 구직자에게 알맞은 취업 정보를 제공하고, 직업 선택에 관해 조언하며, 필요 시 강의 형태의 교육이나 프로그램 개발 및 운영을 담당하기도 한다. 한국고용정보원 '경력자 직무 활용 재취업 추천직업'(2021)에 따르면 업무환경 등 직업유사성을 고려했을 때 일반행정공무원, 심리상담 전문가, 노무사, 교육과학연구원, 사회복지사 등의 경력자에게 추천되는 직업이다.

직업상담사가 되기 위한 첫 관문은 '직업상담사' 자격증 취득이다. 국가공인 자격인 '직업상담사'는 1, 2급으로 나뉘며 검정형과 과정평가형 두 분야로 응시 가능하다. 지난해 검정시험형의 필기의 경우 전체 2명 중 1명꼴로 합격했는데, 합격률이 가장 높은 건 50대로 60.1%다. 60대는 57.3%로 다른 연령대에 비해 높은 수준이다. 실기 시험에서도 50대의 합격률(52.3%)이 가장 높으며, 60대는 42.8%다. 과정평가형의 경우 전 연령대 평균 55.3%의 합격률(외부평가 기준)을 나타냈다. 합격률은 크게 차이 나지 않지만, 전체 응시 인원을 살펴보면 검정형 2만3974명, 과정평가형 362명으로 아직까지는 검정형을 선호하는 추세다.

중장년의 합격률이 높은 것에서도 알 수 있듯, 노력여하에 따라 연령과 무관하게 취득이 가능한 분야이다. 다만 업계 전문가들과 응시생들은 합격 문턱이 마냥 낮은 편은 아니기에 사이버대학 등에서 관련학과를 전공하거나, 내일배움카드를 이용해 자격증 관련 교육 프로그램을 듣는 것을 추천한다. 중요한 건 자격증 취득 이후다. 상담사 관련 자격의 경우 취득 후 내담자를 만나며 경력을 쌓는 것이 중요하기 때문이다.

이가영 서울시어르신취업지원센터 사회복지사(직업교육 담당자, 직업상담사 자격 보유)는 "직업상담사를 희망하는 시니어들을 보면 자격증 정보는 이미 어느 정도 알고 있다. 어떤 자격증을 취득하고, 어떻게 준비해야 하는지에 대한 상담보다는 취득 이후 일자리로의 연계 방법에 대해 문의가 많은 편"이라며 "이미 직업상담사 자격증 취득 후 센터 문을 두드리는 경우가 적지 않다"고 말했다. 주로 민간기업에서 활동하는 직업상담사의 경우 청년층을 선호하는 경향이 있다. 때문에 시니어 직업상담사는 재정지원일자리나 공공일자리, 사회공헌일자리 쪽으로 추천하게 된다. 주로 이런 분야의 경우 지원서 작성에서부터 행정적인 절차가 많아 컴퓨터 활용 능력이 바탕이 된다고. 따라서 문서작성 능력 등이 부족하다면 이 부분을 보완돼야 추후 구직 활동도 원활해진다.

이가영 사회복지사는 자격증 취득 이후에도 꾸준한 학습이 필요한 분야라고 조언한다. 그는 "내담자들이 저마다 원하는 직종, 직업이 다르기 때문에 해당 분야에 대한 폭넓은 정보를 마련하고 알맞게 추천하기 위해서는 계속해서 직업이나 구직 동향을 살펴야 한다. 새로운 직업에 대한 연구도 지속적으로 이뤄진다"며 "직업상담사 일을 하다보면 내담자에게 필요한 자료를 준비하거나 상담 과정을 기록하는 등 컴퓨터 문서 작업이 기본이다"고 말했다. 이어 "시니어 특유의 편안함과 경험이 내담자들에게 긍정적인 요소로 작용한다. 그러나 자신도 모르게 내담자를(청년인 경우) 손주나 자식 대하듯 한다거나, 경험이나 가치관을 지나치게 강조할 우려가 있다. 늘 상담자로서 전문성을 갖고 객관성을 유지하려는 노력이 필요하다"고 덧붙였다.[44] 많은 사람들이 궁극적인 인생의 목표로 추구하는 것. 이것을 추구하는 것은 인간의 기본적 권리이다.

서양의 고대 철학자 아리스토텔레스가 '인생의 목표는 행복'이라고 말한 이후로 서양은 궁극적으로 행복을 추구하는, 즉 '인생의 목표를 행복에 두는' 가치관을 가지게 되었다. 하지만 아리스토텔레스의 '행복' 개념은 Arete(탁월성)의 개념으로, 각자가 자신의 타고난 능력을 토대로 하여 이를 가장 잘 발휘할 수 있는 직업을 갖는 것을 말하는 것이다.

예를 들면, 피리를 잘 부는 사람은 음악가를, 노래를 잘 부르는 사람은 가수를 하는 것으로 지금의 행복 개념과는 사뭇 다르다. 그러나 아리스토텔레스가 인생의 목표를 행복에 둔 이후로, 수많은 서양의 철학자들이 저마다 서로 다른 '행복 개념(인생의 목표나 목적)'을 들고 나와 말하기 시작했으며, 이를 이해하기 위해서는 '서양 문화의 공간적 시대적 맥락'을 파악해야 되는 것이다.[45]

30. "일하는 행복 선사하는 보람이 가장 커"

한때 영재교육원 등에서 아이들을 가르치던 윤영린 씨(펀디플드림협동조합 대표)는 53세 나이에 직업상담사 2급을 취득 후 직업상담사로 인생 2막을 열었다. 그는 현재 서울시50플러스재단 50+컨설턴트 겸 서울시어르신취업지원센터 강사로 활동 중이다. 직업상담사가 된 지도 8년차, 윤 씨는 직업에 대한 만족도가 높은 편이라고 말한다.

행복의 기준은 지극히 주관적이고 심리적인 영역이기에 사람들마다 다르다. 애초에 이건 자기 자신이 판단하는 것이지, 다른 사람이 객관적으로 이렇다저렇다 판단할 수 있는 것이 아니다. 획일화되고 몰개성적인 집단 중심의 한국 사회에서는 다수가 생각하는 행복의 기준에 부합하지 않는 다른 사람의 행복에 대해 부정하는 경향이 매우 심하다지만, 결국 행복은 남들이 대신 평가해 주는 게 아니다.

"노후 행복을 좌우하는 건 일이라고 생각해요. 일을 하면 경제적으로 소득 창출도 되겠지만, 활동성이 생기며 건강도 챙길 수 있고, 사회 활동을 하니 관계 형성에도 좋죠. 실제 저와의 상담을 통해 노후를 행복하게 할 일자리를 찾는 분들을 보면 참 뿌듯하고 즐겁습니다. 사실 중장년들은 이미 능력은 출중한데 정보력이 부족하거나 제도를 잘 몰라 헤매는 분도 많거든요. 그런 점에서 동년배로서 그들의 눈높이에 맞게 이해하기 쉽게 상담하려 노력하고 있어요."

윤 씨는 자격증 취득만을 목표로 너무나 쉽게 딸 수 있는 일부 민간자격증은 피하라 당부한다. 조금 오래 걸리더라도 제대로 배우고 익혀야만 추후 일을 하는 데도 도움이 된다고. 또, 시니어 직업상담사를 요구하는 기관들의 경우 대부분 국가자격인 '직업상담사'를 요건으로 하는 곳이 많은 점도 이유로 들었다.

"좀 힘들더라도 1~2년 정도는 자격증 공부를 하셨으면 해요. 강한 의지를 갖고 노력하면 충분히 취득할 수 있다고 봐요. 다만 가능하다면 늦어도 50세 초반에 도전하시길 바랍니다. 민간 기업을 희망한다면 보통 60세가 지원 커트라인인데, 몇 년밖에 일하지 못할 인력을 잘 뽑지 않으니까요. 물론 몇몇 보람·공공일자리 유형의 경우 반대로 65세 이상만 가능한 경우도 있지만, 채용 기관이 많지는 않은 상황입니다."

그동안은 청년구직자를 대상으로 한 기업들이 많아 젊은 직업상담사를 선호하는 분위기였지만, 고령화시대 흐름에 따라 시니어 직업상담사의 미래를 밝게 점치는 윤 씨다.

"퇴직 후 일자리를 찾는 중장년은 점점 늘어날 겁니다. 이들의 취업 문제를 해결하려면 시니어 직업상담사의 역할이 필요하다고 봐요. 제 경험으로는 젊은 세대들에 비해 중장년 세대가 구직 활동에 취약한 이유 중 하나는 디지털 격차예요. 이런 부분을 동년배의 입장에서 세심하게 헤아리고 설명할 수 있는 게 장점이자 강점이죠. 또 과거에 비해 심리, 정신 상담 등에 대한 이해와 관심이 높아진 만큼 직업에 대한 컨설팅, 상담 수요도 많아지리라 생각해요. 전문성과 진정성을 갖고 직업상담사에 도전해 많은 중장년에게 일하는 즐거움과 행복을 선사하시길 바랍니다." 46)

31. 중학교 교장에서 퇴임한 뒤 보디빌더 된 서영갑(75)씨

"우리가 알던 호랭이 쌤, 서영갑 쌤 맞아예? 아이고 마, 쌤이 이렇게 젊으시면 우리는 어캅니꺼."

지난해 경북고등학교 제자들이 마련해준 졸업 30주년 '은사의 밤' 행사 때였다. 그날따라 하필이면 경북 문경에서 전국보디빌딩대회가 열렸다. 하는 수 없이 문경에서 행사가 끝나고 땀이 채 마르기도 전에 대구로 향했다. 제자들은 한눈에 나를 알아보지 못했다. 왜소한 체구의 영어 선생님이 우락부락한 근육맨이 되리라곤 상상도 못했을 것이니 말이다. 잠시 정적이 흐르고 사회 보던 제자가 나를 소개했다.

"여러분, 전국보디빌딩대회에서 수차례 입상하시고 TV에도 출연하신 서영갑

쌤 입니다! 쌤, 함 벗어 보이소!" 사회자의 독려에 홀러덩 옷을 벗고 폼을 잡았다. 이두박근, 삼두박근…. 그동안 피땀 흘려 만든 근육이 제자들 앞에 공개됐다. 까까머리 고등학생이었던 녀석들은 어느덧 뱃살 두둑한 중년이 돼 있었다. "이 노마들아, 빨리 운동하래이. 운동 안 하믄 나보다 더 늙어 뵌다." 제자들의 뱃살을 툭툭 치며 농담을 건넸다.

그래, 나는 보디빌더다. 그것도 전직 영어교사 출신이다. 인생 전반부 40여년을 교단에서 보냈다. 사범학교를 졸업하고 1955년 교직 생활을 시작해 대구 달성고·경북고·경북여고·대구과학고 등을 거쳐 1999년 대구 덕화여중 교장으로 정년퇴임했다.

내 삶의 1막과 2막이 너무 동떨어져 있어 의아하실 테다. 하지만 사실 보디빌더의 씨앗은 교사 시절 뿌렸다고 할 수 있다. 고3 담임을 맡아 진학지도를 많이 했는데 그때마다 우리 반 급훈(級訓)은 '건강제일'이었다. "영어는 입으로 하지만 입은 몸의 일부데이. 몸이 튼튼해야 영어도 잘 하는기라. 운동 열심히 해야 된데이." 나만의 논리로 아이들에게 체력관리를 주문했다. 야자(야간자율학습) 시간, 틈나는 대로 운동장을 몇 바퀴씩 뛰게 하기도 했다.

하지만 40대가 되자 슬슬 내 체력도 바닥나기 시작했다. 안 그래도 깡 말랐는데 매일 자정까지 학생들과 함께 학교에 남아 있다 보니 몸이 남아나질 않았다. 궁여지책으로 3kg짜리 아령 두 개를 사서 아침저녁으로 재미삼아 운동하기 시작했다. 그때만 해도 나 자신을 위한 운동이었다기보다는 학생들을 지도하기 위한 도구였다.

그런데 늦게 배운 도둑질이 더 무섭다고 했던가. 아령을 까딱까딱하면서 시작했던 운동이 그렇게 재미있을 수 없었다. 하루도 빠짐없이 근육운동과 유산소운동을 병행했다. 나 자신도 인식하지 못하는 사이 약골(弱骨)이었던 내가 병원 문턱 근처도 안 가는 강골(强骨)로 변모하고 있었다. 어느새 책장엔 영어책만큼이나 많은 운동 관련 도서가 꽂히기 시작했다.

그러기를 20여 해, 정년을 5년 정도 앞둔 1990년대 중반 어느 날 대구시민회관에서 열리는 전국보디빌딩대회 공고 포스터를 봤다. 구경만 할 심사로 찾은 행사장에서 나는 새로운 세상을 만났다. 잘 가꾸어 탄력 있게 빛나는 근육들이 눈앞에 펼쳐졌다. 순간 황홀경에 빠졌다. 그 근육들이 얼마나 오랜 수련과 고통 끝에 나온 것인가를 알기에 경탄하지 않을 수 없었다. 그때 마음먹었다. 퇴직하면 꼭 저 무대의 일원이 되겠노라고.

내 계획을 털어놨을 때 아내는 기가 차다는 표정이었다. "뭐라고예? 삼각 빤쓰

입고 뭐하겠다고예. 영감이 노망들었나." 하지만 아내의 만류도 내 의지를 꺾지는 못했다. 퇴직 전 4~5년 동안 더 부지런히 운동을 했다. 그리고 1999년 10월, 정년 퇴직한 지 두 달 만에 꿈에 그리던 전국보디빌더대회에 처음 출전해 중년부(50대 이상) 우승을 차지했다. 예상치 못했던 수확에 용기를 얻어 본격적으로 대회에 참여하기 시작했다. 지금까지 12년간 40여 차례 대회에 출전해 꾸준히 입상했다. 방송에도 출연해 동네에선 스타가 됐다.

나는 요즘 강단에 있을 때보다 훨씬 바쁜 일상을 보낸다. 혼자 알고 있기엔 너무나 아까운 운동의 매력을 주위에 전파하느라 여념이 없다. 내 나름대로 운동교본을 만들어 노인학교와 복지관 등에서 강의하며 '건강 전도사' 로 활동한다.

몸의 행복은 마음의 행복을 가져왔다. 젊음은 덤으로 따라왔다. 동네에서 내 별명은 '총각'이다. 뒷모습만 보면 30·40대 같다고 이웃들이 붙여줬다. '일흔다섯 총각'은 오늘도 외친다. 브라보 마이 라이프![47]

행복전도사는 행복+전도사의 합성으로 다른 사람에게 행복을 전파하여 행복하게 만드는 사람을 지칭하는 단어이다. 일종의 카운셀러와 유사한 계열이지만 실제로 존재하는 직업이 아니라 힐링 멘토와 마찬가지로 자칭에 가까운 용어다. 그러나 단어 자체는 긍정적인 단어이고, 이들을 통해 행복과 신심 안정을 받았던 사람들이 많았던 만큼 나름 유명세를 탔던 용어와 인물들이었다.

이 행복전도사가 본격적으로 비판및 몰락을 겪은 이유는 이 용어를 유행시킨 인물들이 연이은 불미스러운 사건을 터트려 그들이 전파하던 행복이 결국 이기적인 쾌락주의다는게 밝혀진 것이었다.

인물에 대한 부분을 떠나 개념 자체에 대한 비판도 있다. 그건 행복에 대한 강요. 긍정적인 마인드와 행복을 전파하는것은 좋은 의도기는 하나, 이 행복전도사들의 전파 방식은 그런 부분을 억지로 강요해서 감정을 표출해야 할 상황마저 완전히 차단 시킨다는 점은 가스라이팅이란 신조어가 생겨난 요즘에 봐도 무리가 있다고 볼 수 있다.

또한 말로는 행복전도니 긍정적인 마인드니 거창하게 떠들어대면서 이를 끌어내는 방식은 억지 웃음이나 긍정적인 말을 반복하기 등의 흔한 방식이다보니 결과적으론 양산형에 가까우며, 이렇게 해놓고 자신에게만 붙어 있으면 행복해지고 긍정적이게 된다며 고도의 의존상태로 만드는 새뇌에 가까운 모습을 보인다는 점이 있다. 자기계발서가 비판받는 이유와 비슷하다.

이런 이유로 현재로서는 완전히 사어화 되었으며, 더 이상 행복전도사를 자저하는 강연가 역시 사라진지 오래다.[48]

잠깐! 쉬었다 갑시다

옹녀와 변강쇠, 그리고 19세기 하층민의 삶

판소리계 고전소설인 〈변강쇠전〉은 남녀 간의 욕망을 다룬 작품으로 널리 알려져 있다. 그러한 면이 있음은 분명 사실이지만, 소설이 집필된 19세기 조선이라는 배경을 고려하면 조금 다른 읽기도 가능하다. 당시 조선 사회는 계속되는 기근과 전염병으로 인해 피폐해졌다. 재해로 몇십만명씩 사망했던 참혹한 사회상은 여러 자료에서 확인된다. 〈변강쇠전〉은 통계로만은 쉽게 감이 오지 않는, 당대 하층민들 삶의 고통의 깊이가 어떠했는지 조금이나마 엿보게 해주는 소설이기도 하다.

〈변강쇠전〉의 별칭은 〈가루지기전〉 혹은 〈횡부가(橫負歌)〉이다. 가루지기나 횡부는 짊어진 송장을 의미하며, 이 별칭들은 이 이야기가 사랑이나 해학적 로맨스가 아닌 비극이라는 것을 암시한다. 실제로 〈변강쇠전〉은 죽음의 서사라 할 수 있는데, 그 전반부는 옹녀의 청상살로 인한 남자들의 죽음을, 후반부는 변강쇠의 죽음으로부터 시작되는 또 다른 죽음의 연쇄를 보여주기 때문이다.

비극은 청상살, 즉 그녀와 접촉하는 남자들은 다 죽을 것이라는 저주와 같은 옹녀의 운명으로부터 시작한다. 평안도 월경촌에 사는 옹녀는 "서시와 포사라도 따를 수가 없"는 미인이지만, 그녀와 만나는 남자는 모두 죽는다. 여섯 번의 결혼에서 얻은 남편들은 물론, 그녀와 접촉하기만 해도 남자들은 청상살을 맞아 죽음에 이르게 된다. 평안도와 황해도 남자들의 대부분이 죽어 나가면서 여자들은 옹녀를 쫓아내기로 결심한다. 〈변강쇠전〉의 이야기는 쫓겨난 옹녀가 동백기름을 머리에 바르고 산호 비녀 찔러 잔뜩 꾸민 뒤 꿋꿋하게 삼남을 향해 내려가면서 본격적으로 펼쳐진다.

옹녀는 개성에서 10여리 떨어진 골짜기인 청석관에서 또 다른 주인공인 변강쇠를 만난다. 두사람은 서로 과부와 홀아비인 걸 확인하고 같이 살 것을 약조한다. 둘의 시작은 좋았다. 옹녀의 청상살은 변강쇠와 맺어진 이후 끝나는 듯했다. 변강쇠는 물론, 이후 옹녀와 만나고 접촉하는 남자들도 죽지 않았기 때문이다. 하지만 우리는 변강쇠와 옹녀가 가진 것 없는 가난한 유랑민이라는 사실을 잊어서는 안 된다. 예나 지금이나 가난한 자들의 행복을 위해 주어진 시간은 길지 않기 때문이다.

옹녀는 결혼 후 생활을 위해 들병장사, 막장사, 안 해본 장사가 없지만, 변강쇠는 옹녀가 돈을 모으는 족족 "낮이면 잠을 자고 밤이면 배만 타"고, 도박, 싸움, 술먹기만 일삼으며 탕진한다. 왜 변강쇠는 옹녀가 모은 돈을 다 써버렸던 것일까. 조선의 19세기는 부익부 빈익빈 현상이 극심해진, 성실함이 대가로 돌아오지 않는 피폐한 시대였다. 〈변강쇠전〉의 배경이 19세기라고 가정한다면, 그의 불성실함은 절망의 세계에 살고 있는 독자들에게 당연한 것으로 받아들여졌을지도 모른다.

절망에 빠져 죽음을 맞이하는 변강쇠가 저주하는 대상은 국가도, 체제도 아닌, 바로 옹녀다. 그의 저주로 다시금 만나는 남자마다 죽어 나가게 된 옹녀는 작은 미래조차 꿈꿀 수 없게 된다. 옹녀는 미인임에도 기생이나 부자의 첩이 되지 않고 장사를 하며 자립하고자 하는 인물이다. 남편이라는 울타리가 없이 경제적으로 자립하고자 하는 하층민 여성이 겪어야 할 폭력을 상상해보면, 변강쇠의 유언은 무서운 저주라고 할 수 있다. 그리고 자신을 그러한 처지로 다시 밀어 넣은 사람이 다름 아닌 자신을 이해하는 유일한 사람이었다는 사실이야말로 이 이야기가 비극인 이유이다.

결말에서 옹녀는 다른 사람의 도움으로 간신히 저주를 풀어낸다. 하지만 그 이후 그녀가 어떤 삶을 살아가게 되었는지에 관해 〈변강쇠전〉은 침묵한다. 옹녀의 행방이 묘연해지는 것으로 끝나는 〈변강쇠전〉에는 신분상승에 성공했다는 판타지나 가족에 대한 해피엔딩이 없다. 처음부터 끝까지 이 이야기는 하층민들이 고통스러운 현실을 어떻게 견뎌 나갔는지에 대한 그로테스크한 보고서이다(경향신문, 옹녀와 변강쇠, 그리고 19세기 하층민의 삶, 2022. 03. 16, 소진형 서울대 인문학연구원).

▲ 변강쇠와 옹녀 영화 〈변강쇠〉(1986)의 두 주인공 이대근과 원미경.

32. 어느 60대 노부부의 병원 이야기

"곱고 희던 그 손으로 넥타이를 매이주던 때, 어렴풋이 생각나오. 여보 그때를 기억하오."

1990년대 인기 가수 김광석은 버스 안에서 들려오는 이 노래를 듣다가 갑자기 터져 나오는 눈물을 참을 수가 없었다고 했다. 훗날 그는 그 노래를, 겨우 '서른 즈음에' 세상을 다 살아본 느낌으로 다시 불러서 세상에 널리 알렸다. '어느 60대 노부부 이야기'라는 노래 이야기다. 원작자는 블루스 가수 김목경으로 원곡은 1984년에 만들었다. 이 노래는 남편이 아내와 함께 살아온 세월에 대해 따뜻하게 반추하는 내용으로 전개되다가, 마지막에 슬픈 반전을 숨기고 있는데, 몇 해 전 인기가수 임영웅이 또다시 세상에 널리 알려버렸다. 지금 들어보면, 60대의 '노부부'가 '여보, 안녕히 잘 가시게'라며 담담하게 작별을 받아들이는 상황이 잘 이해가 안 된다. 통계청 자료를 찾아보니 노래가 만들어질 당시, 우리나라의 기대 수명은 66.1세였다. 그런 시절이었으니 60대를 노부부라고 불러도 전혀 어색하지 않았다. 인생은 60부터라는 옛날 말은 시대를 많이 앞서간 거짓말이었다. 참고로 2021년 기준 우리나라의 기대수명은 83.6세다. 불과 40년 만에 무려 20세가 늘었다.

요즘 병원에서 만나는 분들을 보면, 과거보다 연령대가 많이 높아졌다. 60대 환자는 드물고, 70대가 흔하며, 80세 이상도 많다. 만성 질병으로 내과계 진료를 보는 분들뿐 아니라, 암 수술 같은 큰 수술을 견뎌야 하는 외과계 환자도 마찬가지다. 지금 보면 60대 환자는 수술 후 회복이 그다지 걱정되지 않는 건강한 '젊은이'로 보인다. 반면 신경이 많이 쓰이는 80·90대 초고령 환자들은 꾸준히 늘고 있다. 이분들의 주 보호자도 자연스럽게 고령이다. 배우자와 자녀 모두 그렇다. 자녀들도 많아서 수술이나 항암치료 등 치료에 대한 결정 과정도 복잡하다. 중요한 결정을 스스로 해왔던 '자기주도형'인 노년을 살고 계시는 분들은 결정이 명확한 편이지만, 자녀들과 이견이 있는 경우가 많다. '난 절대로 수술 같은 거 안 받을 거야!' 같은 말씀이 그렇다. 반면, 평소에 주요 결정을 자녀들에게 맡기는 '자녀 위임형'인 경우에는 의료적인 결정도 위임하는 경우가 많다. '제가 뭘 알겠어요. 우리 아이들과 상의하세요' 같은 말씀이 그렇다.

위의 두 경우 모두 충분한 정보에 바탕을 둔 의사결정 과정을 거치지 못한 경우가 많았다. 의사들도 치료 방침을 정할 때, '느낌적인 느낌'으로 판단하기도 한다. 이에 대한 반성으로 요즘 큰 병원에는 노년 내과와 노인암 다학제 클리닉이 개설되어 운용되는 곳이 있다. 노인 환자의 신체 상태와 예후를 영양평가, 인지기능 평가, 운동능력 평가 등 과학적인 노인포괄평가를 통해 계량화하고, 이에 기반한 합리적인 의사결정 과정을 거친다. 90대 노인이라도 포괄평가에서 건강한 것으로 평가되면 수술받고 회복하는 데 큰 걱정이 없고, 60대 '젊은' 노인이라도 평가 후에는 침습적 치료가 매우 위험한 것으로 판단될 수 있다. 환자와 보호자, 그리고 다양한 분야의 의료진이 한자리에서 심층적인 의논을 하여 치료를 결정하는 과정을 거치면, 막연한 두려움으로 치료를 피하던 분들이나 덮어놓고 수술부터 하자는 분들 모두 합리적인 결정을 할 수 있는 세상이다.[49]

33. 삶의 질

웰빙이란 밀을 우리 사회에서 애용하게 된 것은 그리 오래되지 않았다. 경제 형편이 나아져 생활의 여유가 생기면서부터다. 좋은 음식을 골라 먹고 건강관리 차원에서 걷기와 자전거 타기, 등산이 붐을 이룬 것도 이런 사회 흐름과 궤를 같이한다. 몇 년 전부터는 젊은 층을 중심으로 취미를 개발하는 등 삶의 질을 높이기 위한 투자가 늘면서 머추리얼리즘(maturialism)이란 신조어까지 생겼다.

삶은 태어나서 살아가는 일 또는 생명, 목숨 그 자체이다. 인생(人生, human life)이란, 인간의 삶, 인간이 생명으로서 생을 받고 희비의 과정을 거쳐 사로 마무리되는 것을 말한다.

삶의 질은 각자 느끼는 만족감의 정도에 따라 평가가 달라진다. 방글라데시와 같은 극빈국이 선진 부국보다 행복지수가 높은 이유다. 기쁘게 일하고 현재에 만족하는 것, 그것이 곧 행복이다. "행복의 비결은 필요한 것을 얼마나 갖고 있는가가 아니라/ 불필요한 것에서 얼마나 자유로워져 있는가에 있다/ 위에 견주면 모자라고/ 아래에 견주면 남는다는 말이 있듯/ 행복을 찾는 오묘한 방법은 내 안에 있다." 법정 스님의 행복 비결이다.

그러나 한국인 행복 잣대는 스스로가 아닌 남과의 비교에 있는 듯하다. 삼성경제연구소는 한국사회의 행복 수준은 소득 정도보다는 소득불평등에 좌우된다는 보고서를 냈다. 대체로 소득수준이 높을수록 삶의 만족도가 높지만 우리나라는 소득불균형에 대한 민감도가 매우 높다고 한다. 이런 상황에서 우리나라 소득양극화 속도가 경제협력개발기구(OECD) 국가 중 가장 빠른 것으로 조사됐다. 중산층 비중이 5.3%포인트 감소했다는 분석도 있다. 상대적 빈곤감이 폭발할 만도 하다. 유엔개발계획(UNDP)의 인간개발지수에서도 한국은 4년째 26위로 제자리걸음이다.

정부는 8 · 15 경축사 후속조치로 국민행복지수를 만들어 발표하겠다고 밝힌 바 있다. 서민생활 여건을 중시하겠다는 국정철학을 반영하고 있다는 점에서 긍정적이지만 자칫 수치놀음이 되지 않을까 우려가 앞선다. 교육과 의료 수준이 높아지고 여가활용 공간확대 등 삶의 여건은 향상됐다. 하지만 이런 혜택을 충분히 받지 못하는 서민의 고통은 또 다른 얘기다. 소득불평등 해소와 고용 증진이라는 쉽지 않은 과제가 앞에 가로놓여 있다. 피부에 와닿는 실적을 내놓을 것을 국민은 원한다. 행복은 마음먹기에 달렸다지만, 자본주의 시대에 그것은 최소한 기본 생계는 보장됐을 때의 얘기일 것이다.[50]

34. 노인의 나이

노인은 인생의 최종 단계로, 중년 다음에 해당되는 일련의 단계다. 나이가 들어 늙은 사람, 다소 부정적인 인상을 주는 '늙은이'에 비해 '노인'은 비교적 중립에 가까운 표현이다. 반대로 젊은이는 전혀 그러지 않은데 그러나 사람마다 노인이건 늙은이건 당사자들이 이런 말을 싫어하는 경우도 있기 때문에 요즘은 상대방에게 직접 말할 때는 주로 '어르신'이라고 부르는 편이다. 대한민국에서는 노인의 기준을 명문화하지 않고, 노인 복지에 대한 정책마다 제시하는 연령 기준이 상이하다.[51]

"카톡 카톡" 오늘도 나의 휴대폰은 각종 메시지 도착을 알리는 알람 소리로 분주하다. 이번 알쓸신잡의 주제는 '노인의 나이'이다. 계묘년(癸卯年) 새해가 밝았다. 계묘년은 검은 토끼의 해로 검은색은 지혜를, 토끼는 풍요와 생활력을 의미한다. 2023년은 베이비붐 세대(1955년~1963년생)를 상징하는 '58년 개띠'가 만 65세가 되면서 노인세대로 진입하는 해이기도 하다. '베이비붐 세대'란 한국전쟁 직후인 베이비붐의 사회적 상황에서 태어난 세대들을 말하고, 이 시대에 태어난 이들을 일반적으로 '베이비부머'라 지칭한다. 또한 58년 개띠가 65+클럽에 입성하면서부터 2024년이면 노인 인구 1천만명을 돌파하게 되고, 2년 후인 2025년이면 노인 인구가 20% 이상인 초고령사회에 진입하게 된다.

○ 세상에서 쉽고도 어려운 것이 나이 먹는 것

노인의 나이는 누가 정했을까? 일반적으로 노화시기를 규정하는 노인의 구분기준은 연령에 따른 신체 나이이다. 노인연령 기준은 1956년에 유엔이 65세부터 노인이라고 지칭한 이래 지금까지 특정 국가의 노령화를 가늠하는 척도가 되어왔다. 우리나라의 경우 기초연금, 장기요양보험, 지하철 경로우대 등 주요 복지 제도가 65세를 기준으로 운용되고 있기 때문에 65세 이상을 노인으로 규정하고 있다. 그러나 노화 시기는 사회적으로 규정한 객관적인 연령 기준과 별도로 생물학적 나이, 심리적 나이, 사회적 나이, 기능적 나이, 주관적 나이가 있다. 사회적으로 연령이 노인의 범주에 속하더라도 다양한 편차에 따라 사람들은 노화의 인식을 다르게 받아들이기 때문에, 자신이 노인연령이라는 사실을 부정하거나 망각하기도 한다.

그러나 안타깝게도 65세로 진입하면서부터 스스로 늙음의 덫에 가두는 사람들을 많이 본다. 올해로 65세가 된 한 지인이 하는 말이다. "내가 올해로 65세 노인이 되었으니 너희들이 나를 잘 돌봐줘야 해!" 65세의 나이 덫에 걸렸다. 노인이라는 덫에 자신의 존엄함과 자립 의지마저 가둔 것이다. 실제 노인복지관에서나 일상에서 많은 고령층을 대하면서 본인이 불리할 경우에 "그것은 나이 들어서 어렵다"면서 자포자기하는 분들이나 자연스런 노화에 대해서도 너무나 쉽게 나이 탓을 하거나, 나이를 벼슬로 사용하는 분들을 종종 본다. 또한 은연중에 나이를 부정하면서도 한편으로는 마음 깊은 구석에 "내 나이 들어봐"라는 이중적이거나 자기방어 기제를 가지고 살기도 한다. 이런 점에서 보면 세상에서 쉬운 것이 나이 먹는 것이자 가장 어려운 것도 나이 먹는 것이 아닐까?

○ 늙는다는 착각, 나이는 자신이 정한다

몸이 늙으면 마음도 따라 늙는 사람이 있는가 하면, 몸이 늙어도 마음이 청년인 사람이 있다. 과연 어떤 사람을 노인이라 해야 하는가? 노인은 나이가 들어 늙은 시기를 말하며, 나이를 먹어서 늙는다는 것은 한창때를 지나 쇠퇴하고 있다는 것을 말한다. 즉, 쇠퇴란 절정에 다다르고 나서야 이루어지는 것인데, 그렇다면 쇠퇴하기 전의 상태인 '그 절정의 위치'란 누가 정하는 것일까? 사무엘 울만은 '청춘'이라는 시에서 "청춘은 인생의 한 시기가 아니고 마음의 상태로서, 사람은 나이 때문에 늙지 않고, 이상을 버림으로써 늙는다"라고 했다. 일본 여류소설가 소노 아야코는 "받는 것을 요구하게 된 사람이 나이에 관계없이 노인이다"라면서, 진정한 성년이란 육체적 연령에 관계없이 베푸는 것이며, 누군가가 베풀어주기만 요구하는 사람, 베풀지 않고 받는 것에 익숙한 사람은 아무리 젊은 사람이라 하여도 노인이라는 것이다.

이처럼 늙었다는 것, 노인이라는 것은 자신이 정하는 것이고 마음먹기에 따라 달라진다. 노인의 나이라도 자신 속에 살고 있는 꿈·열정을 알아차릴 때 더 이상 늙지 않은 청춘이고, 베풀지 않고 요구하고 받는 것에 익숙해진다면 노인이 된다.

○ 마음엔 나이가 없고, 청춘엔 기준이 없다.

"정말 나도 마음부터 바꾸면 다른 노년의 삶을 살 수 있을까?" 우리의 머릿속에는 노화에 대한 편견-보호받고 도움을 받아야 한다는 생각 등-이야말로 사람들을 더 늙게 만드는 주범이기에 '늙는다는 착각'으로부터 깨어나야 한다(엘렌 랭어 '늙는다는 착각').

지인이 카톡으로 글 하나를 보내온다. "살아가는 매 순간이 개인의 삶에서는 늘 최초이자 돌아오지 않을 시간이다. 우리는 처음 살고 처음 늙고 처음 죽는다." 또한 지금이라는 현재도 순간순간 변해가고 있다. 지금 여기에 살도록 노력하지 않으면 안 된다. 마음엔 나이가 없다. 청춘에도 기준이 없다. 오늘 이 순간이 내 인생에 가장 젊은 날이다. 가수 김용임씨가 노래 부른다. "나이야 가라. 나이야 가라. 나이가 대수냐. 오늘이 가장 젊은 날!.....청춘엔 기준이 없는 거란 걸 지금도 한창 때란 걸 잊지는 말아요. 오늘 이 순간이 내 인생에 가장 젊은 날"[52]

35. 노인과 나이

모 신문사 시민 패널에 참석한 적이 있다. 10대부터 10살 단위로 각 연령대별 대표가 나왔다. 60대까지다. 나는 60대 이상 연령대의 대표였다. 이처럼 60세가 넘으면 그 이상의 나이는 뭉뚱그려서 다 포함되는 경향이 있다. 물론 20대부터는 10년씩 구분한 연령대가 20대 670만명, 30대 670만명, 40대 820만명, 50대 850만명, 60대 700만명을 보이다가 70대는 360만명으로 반감하고, 80대에 다시 반감하여 180만명, 90대는 불과 2만명 수준으로 미미한 숫자다.

그러나 10대도 470만명, 10세 이하는 380만명 수준이지만 사회 관련 활동에는 큰 영향을 주지 못하므로 무시한 것으로 보인다. 각종 표본조사에서도 연령대 표시란에 보면 60대 이하는 10년단위로 되어 있지만, 마지막은 이처럼 60대 이상으로 뭉뚱그려 표기하고 있다.

공공일자리 사업에 응모하면 65세를 넘으면 탈락하는 경우가 많다. 아무리 스펙이 좋아도 서류 심사에서 탈락이다. 응모 기준에는 분명히 나이 제한이 없으나 보이지 않게 65세에서 자르는 것이다. 그 이상 연령대 사람들에게는 기대하는 바가 없다는 얘기다. 민간 친목 모임에서도 마찬가지다. 다행히 65세 이하에 속하더라도 건강이 부실해 보이면 눈총을 받는다. 건강해보여도 고령이라고 하면 기피 대상이다. 이래저래 노인은 기피 대상이 되고 있다.

공원, 기념관, 전시장, 사적지 등 국가에서 운영하는 곳은 65세 이상이면 입장료에서 경로우대를 해준다. 전철 무임승차권도 65세에 나온다. 임플란트, 독감 예방 주사 등에도 65세 이상 노인에게는 의료혜택을 해준다. 그러므로 국가에서는 65세를 노인의 기준으로 보는 것이다. 민간인이 운영하는 사설 전시장이나 기념관, 위락 시설에서는 좀 차이가 있다. 경로대상을 65세가 아닌 70세로 하는 곳도 있고 75세를 기준으로 하는 곳도 있다. 동네 음식점도 70세 이상이면 음식값을 할인해 주는 곳도 있다. 100세 시대이다 보니 경로 나이의 기준이 올라간 것이다. 당구장도 손님이 없는 낮시간에는 경로우대를 해준다. 신분증 조사를 하지는 않으나 머리가 희끗하거나 얼굴이 노인이면 군말 없이 경로우대를 해준다. 각 민간 단체에서 하는 댄스대회에도 보면 노년부가 있다. 댄스도 스포츠이므로 아무래도 젊은 사람들과 경합하기에는 불리하다는 것을 고려한 것이다. 나이 기준이 엄격하지는 않으나 대개 60세 이상을 대상으로 한다.

몇 해전 노인 대상 모 방송 프로그램에 출연한 적이 있다. 60세 이상으로 출연자를 섭외했다. 그런데 모이고 보니 나만 60대 이고 나머지는 70대였다. 여러가지 게임을 했는데 내가 늘 승자 독식이 되자 70대 노인들이 관계자에게 불만을 표시했다. 노인이라고 다 같은 노인이 아니니 60대와 70대는 따로 분리해야 한다는 것이었다. 내가 봐도 체력이나 순발력 면에서 너무 큰 차이가 있었다. 그러나 70대 이상은 섭외가 쉽지 않아서 60대까지 범위를 넓혔다고 들었다.

유엔이 정한 연령 구분은 0~17세는 미성년자, 18~65세는 청년, 66~79세는 중년, 80~99세가 노년, 100세 이상을 장수 노인으로 분류했다. 우리나라 법적 기준이나 사회적 통념과는 차이가 좀 있어 보인다. 우리나라는 70세 이상이면 노인으로 보기 때문이다. 79세까지는 중년이라며 좋아할 것도 없다. 60세 연령대가 70대 중반이 되면 절반으로 줄어들고 80대가 되면 또 그 절반으로 줄어든다.

지금 우리 사회는 고령사회이며 2025년에는 노인 인구가 20%를 넘는 초고령사회가 되고, 그때까지는 산다는 보장이 없지만 2050년에는 40% 이상을 넘어서는 초초고령사회가 예상된다. 이미 전철 경로석은 빈 자리가 없는데 일반석은 빈 경우가 종종 있다. 너도나도 노인이다 보니 노인 중에서도 서열이 있다. 60대 노인은 노인이라고 하기에는 전철 경로석에 앉기도 겸연쩍은 나이가 되어 버렸다. 같이 늙어가지만, 다 같은 노인은 아니라는 것이다. 더 나이들어 보이는 사람이 새로 타면 경로석의 노인 자리도 양보해야 한다. 60대와 70대는 그런대로 맞먹는 사람들이 많고, 80대 이상이 되어야 비로소 '어르신'이라고 공경해주는 편이다.[53]

36. 노인 나이 70세로 올리자

일본에서 흉측한 소리가 들려온다. 고령사회 해법이 고령자 집단할복이라는 거다. 일본 출신 30대 예일대 교수가 2년 전에 한 말을 최근 뉴욕타임스가 다시 보도하면서 세상에 널리 알려졌다. 이 말에 동조하는 일본 젊은이가 꽤 있는 모양이다. 일본은 세계에서 가장 늙은 나라다. 2021년 기준 65세 이상 노인이 30%에 가깝다. 이 비율은 2060년 38%로 높아진다. 노인 부양하느라 청년 허리가 휜다는 탄식이 절로 나온다.

싫든 좋든 한국은 일본이 간 길을 따라가는 중이다. 통계청에 따르면 고령인구 비중이 2025년 20%에 날해 초고령사회로 진입한다. 이 비율은 2035년 30%, 2050년 40%로 높아진다. 이 속도라면 한국이 일본을 제치고 세계 1위 고령국가가 되는 건 시간문제다.

집단할복 이야기가 나오는 일본에서 세대 간 투쟁은 이미 현실이 됐다. 한국도 심상찮다. 정신과 의사 이시형 박사의 말을 들어보자. "반감, 혐노, 증오 시대가 본격화하면 우리 사회는 세대차라기보다 일종의 계급투쟁의 양상을 띨 가능성이 있다. 팔자 좋은 부자 노인의 지원을 위해 뼈 빠지게 일을 해야 하는 젊은이로선 계급투쟁은 가능한 이야기다."('이시형의 신인류가 몰려온다').

부모와 딸·아들, 조부모와 손녀·손자가 으르렁대는 사회가 코앞에 닥쳤다. 그냥 둘 수 없다. 갈등을 풀어갈 첫 단추로 노인 나이를 현행 65세에서 70세로 단계적으로 높일 것을 제안한다. 이시형은 "의학적으로 볼 때 75세부터 본격적인 노화가 시작된다"며 "미국에선 75세를 경계로 그 이상이 되면 올드-올드(진짜 노인), 그 이하는 영-올드라고 부른다"고 말했다. 철학자 김형석은 "인생의 황금기는 60세에서 75세 사이"라고 말했다('백년을 살아보니'). 일본의 노인정신과 전문의인 와다 히데키는 심지어 "80세까지 많은 사람이 현역 시절처럼 활동하는 사회가 되고 있다"고 주장한다('70세가 노화의 갈림길').

안다. 노인 나이를 70세로 올리기 전에 해야 할 일이 산더미처럼 쌓였다. 법정 정년은 60세로 묶여 있다. 은퇴 후 국민연금을 받기까지 공백도 길다. 노인빈곤율은 경제협력개발기구(OECD) 국가 가운데 가장 나쁜 축에 속한다. 지하철, 고궁 등 경로우대 혜택이 늦춰지면 심한 반발은 불을 보듯 뻔하다.

그렇다고 손을 놓고 있으면 금방 들이닥칠 '회색 코뿔소'를 외면하는 꼴이다. 미셸 부커는 사람들이 위기신호를 감지하고도 행동하지 않는 행태를 '회색 코뿔소'란 개념으로 설명했다. 기후변화, 되풀이되는 금융위기가 좋은 예다. 인구고령화가 초래할 위기 또한 회색 코뿔소다. 이미 일본 경제는 잃어버린 30년 터널에 갇혔다. 한국도 슬슬 장기침체 조짐을 보인다. 0.78명으로 떨어진 세계 최저 출산율(2022년)과 고령화가 겹치면 무슨 일이 벌어질지 생각만 해도 끔찍하다.

　노인부양률은 세계 최고로 치솟는 중이다. 청년들은 실컷 돈만 내고 정작 자신들은 국민연금을 받지 못할까 걱정한다. 노인이 곱게 보일 리가 없다.

　청년과 더불어 살려면 먼저 나이 든 사람이 손을 내미는 게 좋지 않겠는가. 노인 나이 70세 상향이 그 출발점이 되기 바란다. 정부와 국회는 그에 맞춰 법과 제도를 손질해야 한다. 부디 한국에선 집단고려장 소리가 나오지 않기를 소망한다.[54]

서울 지하철 종로3가역에 일회용 무임승차권을 발권할수 있는 무인발권기가 설치되어 있다(뉴스1).

　보건복지부에 따르면 노인 무임승차 제도는 1980년 경로우대 목적으로 도입됐다. 원래 만 70세 이상에 요금의 50%를 감면해주는 것으로 시작했다가 이듬해인 1981년 노인복지법이 제정되면서 대상 연령이 65세 이상으로 낮아졌다. 그러다 1984년 전두환 전 대통령 지시로 노인복지법 시행령이 개정되면서 현재 형태처럼 100% 면제로 바뀌게 됐고 40년 가까이 이어져 왔다.

　그간 지하철 운영기관의 만성 적자 문제가 거론될 때마다 노인 공짜 탑승 제도가 원인 중 하나라는 주장이 따라왔다. 서울교통공사 측에 따르면 무임승차에 따른 손실액은 2021년 기준 2784억원으로 전체의 30%가량 차지한다고 한다. 통계청 예측상 65세 이상 노인 인구 비율은 2년 뒤 20%를 넘어설 것으로 전망되고 있어 관련 부담이 더 커질 것이란 우려가 나온다. 지자체들은 손실액이 감당하기 어려운 수준에 이른 만큼 무임승차의 법적 근거를 마련한 정부가 지원해야 한다고 주장한다. 현재 공기업인 코레일만 정부로부터 무임승차 등에 대한 지원을 받는다.[55]

37. 50대에게 인공지능 교육을

지금 많은 대학서 정부 지원으로 학생들에게 디지털 전환과 인공지능을 교육시키는 프로그램들을 제공하고 있다

50대 이상의 사람들은 암묵지를 가지고 있으며 어쩌면 이것이 인공지능 시대에 더욱 빛을 발하는 경쟁력이 될 수 있다

그런데 왜 50대 이상을 위한 디지털과 인공지능 교육 프로그램은 없을까? 이젠 그들에게 인공지능 교육과 훈련을 허하라

챗GPT로 촉발된 인공지능 이야기 잔치에 한마디 얹고자 한다. 인공지능은 범용기술이 될 것이 분명해졌으며, 그것도 전례가 드문 정도의 범용기술이 될 것으로 보인다. 산업 패러다임의 전환 정도가 아니라 사회와 인간 생활 전체를 상전벽해로 바꿀 것이다. 그런데 하필이면 한국은 지금 인구 구조에 있어서 중요한 변곡점에 서 있는 상황이다. 50대 이상의 사람들에게 인공지능으로 바뀔 미래를 스스로 준비할 수 있는 기회를 마련해줘야 한다.

범용기술이란 특정한 하나의 목적이나 용도에 복무하는 것이 아니라, 그 목적이 굉장히 넓게 심지어 무한대로 열려 있을 뿐만 아니라 누구나 일정한 자원만 투여하면 자신이 뜻하는 목적에 사용할 수 있는 종류의 기술을 뜻한다. 멀리 인류가 처음으로 출현했을 때 개발한 범용기술은 언어와 불의 사용을 들 수 있을 것이며, 문명이 시작된 이후 나타난 범용기술은 농경 목축, 수레, 화폐의 사용을 들 수 있을 것이다. 산업혁명이 시작된 이후 중요하게 이야기되는 것으로는 각종 이동수단, 전기, 컴퓨터 및 인터넷 등을 들 수 있다.

인공지능이 이러한 범용기술이 될 것이라는 주장이 계속 있었지만 반론도 있었다. 특정한 목적에 관한 데이터를 모아 학습시키는 과정은 너무 많은 비용이 들고 고도의 전문성이 개입하기 때문에 보편적·일반적으로 확산되어 모든 용도에 사용되기보다는 인공지능이 꼭 필요하거나 효율적인 부문에만 도입되는 기술에 머물 것이라는 의견이었다. 그런데 이번의 챗GPT는 중요한 두 가지 혁신을 보여주었다. 먼저 기존의 '지도형 기계학습' 대신 '생성적 사전학습'과 '지도형 미세조정'의 두 단계 과정을 거쳐 질이 좋은 산출물을 적은 비용으로 즉각 낼 수 있게 되었다. 이뿐만 아니라 인공지능과의 교호과정을 우리가 쓰는 언어의 대화로 바꾸어 내어 누구나 접근할 수 있는 인터페이스를 가지게 되었다. 이렇게 되면 앞에서 말한 반론의 타당성은 크게 줄어든다. 이제는 누구든 어떤 목적에서든 아주 낮은 비용으로 아주 빠른 시간 안에 일정한 수준의 결과물을 얻을 수 있

게 된다. 인공지능이 범용기술로 쓰일 날이 성큼 다가온 것이다.

게다가 인공지능이라는 범용기술이 가져올 파괴적·창조적 충격의 폭과 깊이를 짐작하기 힘들다. 수긍이 간다. 범용기술이라고 해도, 수레는 이동에 대한 것이며, 전기는 에너지에 대한 것일 뿐이다. 수레의 발명이 법률 체계를 바꾸지는 못하며, 전기의 발명이 교육 체계를 바꾼 것은 아니다. 그런데 역사적으로 누적된 인간 정신의 총량을 담고 이를 자유자재로 주물러서 주어진 목적에 맞게 원하는 내용을 '새로이 생성' 해내는 인공지능의 발명은 과연 어디까지 바꿀 것인가? 산업 전반, 나아가 사회 및 인간의 존재에까지 충격을 미칠 것임을 예측할 수 있다. '옥스퍼드 AI 거버넌스 핸드북' 의 한 저자는 범용기술로서의 인공지능이 가져올 충격이 18세기 산업혁명과 신석기 혁명의 충격에 맞먹을 것이라고 말한다.

가. 새 범용기술 위한 사회적 계획 필요

여기까지는 많은 이들이 입을 모아 이야기하는 부분이다. 그런데 그다음에 생각할 것이 더 있다. 이렇게 산업과 사회와 인간 생활이 포괄적으로 바뀌는 과정은 어떤 것이며, 그 시간은 얼마나 될까? 이전에 있었던 여러 범용기술의 경우에 비추어 하나의 패턴을 찾아내보자. 우선 범용기술의 혁신은 상대적으로 소소한 다른 혁신의 경우와 달리 빨리 수용되지도 않으며 그 과정이 순탄하지도 않다.

첫째, 범용기술이 정말로 범용기술이 되기 위해서는 엄청난 규모의 인프라가 건설되어야 한다. 농경이 사회 전체 차원에서 체계적으로 이루어지기 위해서는 수리 관개 시설은 물론 역법과 도량형 제정이 필요했으며, 인터넷 세상이 펼쳐지기 위해서는 전화선에서 랜선으로의 전환이 필요했다.

둘째, 사회 성원 전체가 이 범용기술을 사용하는 방법을 익혀야 하며, 거기에 엄청난 비용이 투여된다. 반세기 전만 해도 '타이피스트' 만 할 줄 알던 작업을 오늘날에는 모든 이들이 엄지손가락 두 개로 다 처리하게 되었지만, 그렇게 되기까지 훈련의 시간과 비용을 사람들의 머릿수로 곱해보라.

셋째, 새로운 범용기술의 도입으로 대체할 수 있는 산업과 기술과 숙련을 실제로 폐기하는 데에 들어가는 엄청난 저항과 사회적·인간적 비용이다.

요컨대, 범용기술의 도입은 몇 개 공장이나 산업에서의 생산 방식 변화와 같은 '소소한' 사건이 아니라, 산업 전체, 나아가 사회 전체가 잘 훈련된 축구팀처럼 발맞추어 나아가야 달성할 수 있는 전 사회적 프로젝트이므로, 길고 다사다난한 과정을 거칠 수밖에 없다. 인공지능 또한 마찬가지다. 당장에 세상이 바뀔 것처럼 떠들썩하지만, 설령 기술적으로 보자면 범용기술의 자격을 충분히 갖춘 인공지능 서비스가 출현한다고 해도 그것이 실제로 상용화되는 세상이 금세 올 수는 없다. 사회적·인간적 고통과 마찰을 최소화하면서 더 빨리 더 효율적으로 새로운 범용기술의 도입을 이룰 사회적 계획이 필요하게 된다.

나. 50대 교육이 미래 가름할 수도

이 대목에서 우리 사회의 현재 인구 구조 문제를 떠올리지 않을 수 없다. 인구절벽의 제목 아래 새로운 젊은 경제활동인구가 격감한다는 이야기만 자꾸 나오다 보니 쉬 간과되는 사실이 있다. 가장 많은 인구를 차지하는 베이비붐 세대가 지금 50대를 통과하고 있다는 점이다. 참으로 애매한 연령대와 애매한 타이밍이다. 50대는 쉽게 새로운 기술이나 트렌드를 흡수할 의욕이나 동기부여가 젊은 세대보다 떨어지지만, 그렇다고 해서 경제활동에서 물러나 노후 생활로 접어들 나이도 아니다.

게다가 평균수명은 늘어나고 건강 상태는 개선되고, 반대로 사회 전반적인 노후 준비나 노인 복지 등은 미비한 세상이니 이 세대에 속한 이들의 다수는 어떻게든 경제 생활의 일선에 남기를 원하고 있다. 범용기술을 받아들이는 포괄적인 산업 및 사회의 전환 과정은 어떤 경우에도 이렇게 많은 숫자를 차지하는 세대와 집단을 뒤처지게 두거나 무시하고서는 성공할 수가 없다. 그런데 어쩌면 인공지능이라는 미증유의 범용기술 도입이라는 미래의 물결이 다가오는 지금, 하필 우리나라에서는 그 세대가 참으로 애매한 연령대인 50대에 위치하고 있다.

그런데 이미 우리의 50대는 위기에 처해 있다. 거의 모두가 경제활동을 계속하기를 원하지만, 빠르게 바뀌는 산업과 사회 전반의 변화 속도로 인해 기존의 직장에서 밀려나는 경우가 많다. 재취업이나 창업 등을 시도하지만 여의치 못한 경우가 많으며, 이전에 비해 부가가치와 생산성이 낮은 쪽으로 하향 곡선을 그리면서 소득 또한 점점 감소하는 불안감에 시달리는 경우가 압도적으로 많다. 만약 여기에 인공지능의 보편화라는 거대한 전환의 물결까지 덮친다면, 이들의 존재가 산업적으로 '노후화' 되는 속도도 더 빨라질 것이며, 이들의 소득 감소와 실업 등 경제적 곤경도 더 심해질 것이다. 그리고 이는 사회 전체에 큰 비용과 마찰을 초래할 것이다.

새로운 경제활동의 길을 찾는 50대 이상의 사람들을 '신중년'의 이름으로 부르며 돌봄노동 등에서 일자리 창출의 활로를 모색하는 이들도 있다. 소중하고 중요한 노력이라고 공감하지만, 그 길이 어떤 특정 부문이나 분야로 제한될 이유는 없다. 인구절벽 앞에 선 우리 사회와 경제에 있어서 숫자가 많은 베이비붐 세대는 대단히 중요한 '인적 자원'이다. 이들이 새로운 산업 및 사회의 패러다임에 적응할 수 있도록 전환시킬 수 있느냐 없느냐가 어쩌면 우리의 미래를 가름하는 결정적인 관건이 될지도 모른다.

지금 많은 대학에서 정부의 지원으로 어린 학생들에게 디지털 전환과 인공지능 등을 교육시키는 프로그램들을 제공하고 있다. 내용도 알차고 방향도 좋아 학생과 부모들에게 모두 큰 반향을 일으키고 있다. 그런데 왜 50대 및 그 이상의 연령대를 위한 디지털과 인공지능 교육 프로그램은 없을까? 자라나는 아이와 청년들은 그 정신의 유연성이라는 장점이 있겠지만, 50대 이상의 사람들은 축적된 경험과 안목이라는 암묵지를 가지고 있으며 어쩌면 이것이 인공지능 시대에 더욱 빛을 발하는 독특한 경쟁력이 될 수 있다. 그러한 장점을 끌어낼 수 있는 교육 방식과 만난다면 말이다. 50대 이상에게 인공지능 교육과 훈련을 허하라.[56][57]

38. 노년의 인문학

"배우고 익히면 또한 즐겁지 아니한가?" (學而時習之면 不亦說乎아). 이것은 논어의 첫 문장이다. 논어 전체를 대표하는 문장이며, 또한 맹자 대학 중용까지도 사실상 이 한 문장으로 그 정신이 요약될 수 있다. 그래서 첫머리에 배치한 것이다. 그렇지만 처음 이런 말을 접할 때 선뜻 수긍이 가질 않는다. 어떻게 공부가 즐겁단 말인가? 특히 시험을 앞둔 학생들은 동의하지 않을 것이다. 논어를 전문적으로 공부할 때는 '논어집주'라는 책을 본다. 이것은 논어의 원문에 더하여 집주(集註)라는 주자(朱子)의 해설을 함께 붙인 책이다. 철저하게 정제된 용어를 사용하면서 결코 군더더기를 용납하지 않는 주자의 성격 때문에 집주는 오히려 논어 본문보다 더 어렵게 느껴지곤 한다. 그렇지만 또한 논어의 핵심을 이처럼 깔끔하게 설명해주는 더 이상의 참고 자료는 없다. 바로 이런 집주에 의하면, 논어의 첫 문장은 '위기지학(爲己之學)'을 설명하는 것이라고 한다.

위기지학은 자기 인격을 수양하는 공부를 말한다. 자기가 좋아서 하는 공부도 여기에 포함된다. 이와 반대로 '위인지학(爲人之學)'은 시험공부와 같은 것이다. 학생들에게 공부하라고 말할 때 그 공부는 시험공부이며 출세를 위한 공부인 것이다. 결국은 남에게 인정받기 위해, 시험에 합격하여 그 능력과 자격을 공인받기 위해 하는 공부가 위인지학이다. 어느 누가 이런 공부가 즐겁다고 할 것인가?

논어는 그야말로 자기 인격 수양을 위한 위기지학의 고전이다. 그렇지만 이런 공부도 처음에는 즐겁지가 않다. 자기의 몸과 마음을 수양하라는 도덕적 교훈으로 연속되는 이 책을 읽으면 스스로 각오를 다지게 되고, 마음이 경건해진다.

그런데 만약 이런 공부를 하는데 즐겁다는 느낌이 든다면 그야말로 현인(賢人) 군자의 경지에 도달한 것이다. 과장해서 말하면 그야말로 득도의 수준인 것이다. 공자는 "아침에 도를 들으면 저녁에 죽어도 좋다!"고 하면서 그 순간을 감격적으로 표현했다. 논어를 공부하면서 언제 그런 감동과 희열이 찾아올 것인가? 공자도 공부하는 사람들의 이런 사정을 알고 있었다. 처음부터 공부가 즐거운 것이었다면 그냥 "공부할수록 즐겁다!"고 말하면 그뿐이었을 것이다. 실제가 그렇지 않기에 논어를 시작하면서 세 번이나 애써 "그렇지 않느냐?"고 간절하게 호소한 것이다.

이런 위기지학은 인문학에 속하는 것이고, 조선시대에는 이런 공부를 하면 저절로 문장 실력도 늘어서 과거시험에도 합격하고 평생을 잘 살 수 있었다. 문장력과 인격을 겸비했으니 당시 공직자로서 적합한 자질을 갖춘 셈이었다. 학덕으로 알려진 사람은 추천에 의해 공직에 진출할 수 있었다. 그런 수준에 있는 분들은 오히려 공직을 사양했다. 그럴수록 계속 자리를 맡아달라는 요청이 늘어났다. 자기는 다만 인격 수양에 전념했을 뿐인데 결과적으로는 세속적인 성공이 저절로 따라오는 그런 상황이었다. 아직도 이런 논리가 통하는 곳은 있을 것이다. 그렇지만 지금은 직업에 관한 전문 지식을 배우는 위인지학이 더 강조되는 세상이 되었다. 위기지학을 공부한 인문학 전공자들은 관련 전문직으로 진출할 때 치열한 경쟁을 감내해야만 한다. 그런데 이런 인문학에 다시 관심을 갖고 다가오는 세대가 있다. 바로 장년과 노년의 세대이다.

2006년 CNN 긴급뉴스로 베티 프리단(Betty Friedan)이 별세했다는 기사가 자막에 나왔다. 세계인 모두가 애도할 정도로 그녀는 현대 사회에 지대한 영향을 준 작가였으며 세상을 바꾼 사회운동가였다. 여성에게 제 자리를 잡게 해준 '여성의 신비(The Feminine Mystique)'라는 그녀의 책은 1963년에 간행된 이래, 페미니즘 운동의 고전이 되었다. 그런 그녀가 만년에 두 번째 역작을 냈는데, 바로 '노년의 샘(The Fountain of Age)'이라는 책이다. 그녀는 이 책에서 노년에 대한 부정적인 이미지는 여성에 대한 부정적인 이미지보다 더 치명적이고 만연해 있다고 고발했다. 노년을 젊음과 삶의 쇠퇴로 바라보는 부당한 편견에 맞서며, 그녀는 수많은 사례조사를 통하여 노년이야말로 젊은 시절에는 하지 못했던 도전과 모험을 시도할 수 있는 자유로운 삶의 시기라고 역설했다. 그러면서 배움에 대한 열정을 노년의 한 특징으로 지적했다. 이 책은 국내에서 크게 주목을 받지는 못했고 번역된 책은 없다.

최근 대학의 인문학 교실로 돌아오는 장년, 노년의 세대가 또한 늘고 있다. 젊었을 때 꿈이었던 인문학을 현실적인 이유 때문에 평생의 공부나 직업으로 선택할 수 없었던 그들이 다시 돌아온 것이다. 그들은 논어를 읽으면서 공부의 희열을 말하는 그 문장에 공감하고 있다. 삶의 경륜으로 동서양의 고전과 예술과 문학을 관조하는 그들에게, 이제 자기의 본래 자리로 돌아온 그들에게, 새로운 도전을 시작하는 그들에게 무한한 격려를 보낸다.[58]

39. 자기 얼굴에 대한 책임감

첫인상! 누구나 관심을 두고 그것을 가꾸고 싶어 한다. 나는 어릴 때부터 노안이라는 말을 많이 듣고 자랐다. 나이에 비해 성숙해보인다는 말이다. 그리고 덧붙이는 말이 강해 보인다는 것이었다. 너무 강해보여서 곁에 가기에 어렵게 느껴진다고도 했다.

돌이켜 생각해보니 어렸을 적 친구들과 사소한 일로 말다툼할 때 아무말 못하고 웅얼웅얼 속마음만 애태웠던 기억이 있다. 그때 나는 인상이라도 강하게 보이면 아무도 건드리지 못하겠지 하는 마음이 있었다. 그래서 가만히 있어도 인상을 쓰고 있었다. 표정도 훈련하기 마련인 것을 그때 알았다. 점점 강해지는 나의 얼굴과 마음이 어느새 자리하고 있었다. 점점 친구들은 나에게 말을 걸지 않고 그냥 피해 다니곤 했다.

출가해서도 마찬가지였다. 동기 스님들은 나를 그저 인상이 강한 스님이라고 콕 찍어 말했다. 마음 한쪽으로는 속상하기도 했다. 그런데 어느 날 무심코 지나가면서 거울을 바라보게 되었다. 아주 날카롭게 지나가는 듯한 칼날 같은 인상이 보였다. 바로 지금의 나였다. 낯설고 외면하고 싶은 마음이 들었다.

아차 싶었다. 매 순간 마음을 비춰보고 훈련하는 출가자로서 거울에 비친 내 모습은 자비로운 모습과는 거리가 멀었다. 우울했다. 왜 이렇게 변했을까? 어쩌면 어릴 때 그저 강하게만 보여주고 싶은 그 강함보다 뭔가 화가 잔뜩 난 얼굴과 불만이 많아 보인 모습이었다. 불교에서는 참된 사람의 보시(布施)에 대해 "믿음으로 보시하고, 존중하면서 보시하고, 바른 시기에 보시하고, 마음에 남음이 없이 보시하고, 자기와 남을 손상하지 않고 보시한다", "믿음으로 보시한 뒤 어느 곳에서든 그 보시의 과보가 생기면 그는 큰 부자가 되며, 아름답고 잘 생기고 멋있고 우아한 최상의 외모를 갖출 것이다"라고 말한다.

누군가에게 베푼다는 것은 정성을 다해야 하는 마음가짐이 있다. 정성을 다한다는 것은 상대가 진정 무엇이 필요하고 원하는 것인가를 알아야 하기에 자세히 들여다 봐야 한다는 뜻이다. 나는 자신을 오롯이 들여다보지 못했다. 욕심과 성냄 그리고 어리석음으로 물들어 가는 것을 멈출 수 있는 자기 얼굴에 대한 책임을 지지 못했다.

그러나 자각은 변화할 수 있다는 희망의 메시지다. 여유를 가지고 주변을 돌아보니 이제야 조금씩 보인다. 나를 비롯한 모든 사람이 성밭 애쓰면서 살아가고 있다. 문득 내 얼굴을 자세히 들여다보면서 건네는 물음이 있다. 무엇을 보고, 말하고, 듣고 살았는지. 공자의 '시경'에는 자신을 살피는 글귀가 나오는데 "그대가 방에 홀로 있을 때 살펴야 하니 이때는 방구석에도 부끄러움이 없어야 한다. 드러나지 않는 곳이라 하여 보는 이가 없다고 하지 마라"고 한다.

스스로 엄격함이 곧 자신의 얼굴에 대한 책임감에서 비롯된다. 코로나19를 잘 이겨나가고 있는 지금 우리는 마스크에서 점점 해방되기를 바란다. 마스크 안에 감춰진 진짜 표정에 대한 마음 읽음이 필요하다. 눈, 코, 입 근육이 만들어 내는 아름답고 부드러운 표정이 아프고 힘든 사람들에게는 희망과 용기를 심어줄 것이다. 책임감은 끝까지 함께하는 것이다. 자신에 대한 엄격함을 놓지 않기를 바란다.59)

40. 김혜남 '만일 내가 인생을 다시 산다면'

"하나의 문이 닫히면 또 하나의 문이 열린다.
그러니 더 이상 고민하지 말고 그냥 재미있게 살아라!"

이 책의 저자 김혜남은 1959년 서울에서 태어나 고려대학교 의과대학을 졸업하고 국립정신병원(현 국립정신건강센터)에서 12년 동안 정신분석 전문의로 일했다. 경희대 의대, 성균관대 의대, 인제대 의대 외래교수이자 서울대 의대 초빙교수로 학생들을 가르쳤고, 김혜남 신경정신과의원 원장으로 환자들을 돌보았다. 2001년 마흔세 살에 몸이 점점 굳어 가는 파킨슨병 진단을 받았다. 2006년 한국정신분석학회 학술상을 받은 바 있다.

목차는 'CHAPTER 1. 30년 동안 정신분석 전문의로 일하며 깨달은 인생의 비밀, CHAPTER 2. 환자들에게 미처 하지 못한, 꼭 해주고 싶은 이야기, CHAPTER 3. 내가 병을 앓으면서도 유쾌하게 살 수 있는 이유, CHAPTER 4. 마흔 살에 알았더라면 더 좋았을 것들, CHAPTER 5. 만일 내가 인생을 다시 산다면'으로 구성되어 있다. 책의 제목이기도 한 'CHAPTER 5'를 요약하여 소개한다.

1. 더 많은 실수를 저질러 볼 것이다

실수와 실패가 두려워 다가오는 기회들을 놓치지 않았으면 좋겠다. 살아 보니 웬만한 실수와 실패로는 인생이 무너지지 않는다. 설령 이혼을 하고, 회사를 그만 둔다 해도 마음만 먹는다면 다시 잘 살아갈 수 있다는 말이다. 그러므로 작은 실수 하나도 용납하지 못하고 자책하면서 스스로를 너무 몰아세우지 않기를 바란다.

그러니 길을 걸을 때 매일 똑같은 길로만 걷지 말고, 한 번쯤은 새로운 길로 가 보길 권한다. 음식을 먹을 때도 한 번쯤은 새로운 음식에 도전해 보라. 친구를 만날 때도 늘 가던 장소가 아닌 아주 낯선 곳에서 만나 보라. 그리고 뭐든 재미 있어 보이는 게 있으면 결과와 상관없이 한번 시도해 보라. 그렇게 새로운 경험을 수없이 해본 사람과 매일 똑같은 행동만 반복하는 사람의 내일은 다를 수밖에 없다.

만일 내가 인생을 다시 산다면, 더 많은 실수를 저지르며 살고 싶다. 쏜살같이 지나가는 시간 속에서, 나는 더 많은 도전을 하고 웬만한 일은 두려워하지 않을 것이다. 그렇게 쌓인 경험들이 얼마나 값진 것인지를 알기 때문이다(231~233쪽).

2. 나이 듦을 두려워하지 않을 것이다

만일 우리가 삶을 지루해하거나 따분해하지 않는다면, 우리가 돌봐야 할 사람이나 일이 있다면, 우리가 피할 수 없는 상실을 견뎌낼 수 있을 정도로 개방적이고 융통성이 있다면 늙는다는 게 그리 두려운 일은 아니다. 노년을 향한 행진은 이미 유아 시절부터 시작되었으며, 그동안 경험한 수많은 상실은 마지막 상실을 맞이할 수 있도록 우리를 단련시켜 왔다.

그럼에도 좀 더 유쾌하게 나이 들기 위해서는 자기를 초월할 수 있는 능력이 필요하다. 그것은 나 이외의 타인에게 관심을 갖고 이 세상을 향해 시선을 돌리는 것을 말한다. 이는 다른 사람들의 기쁨을 내 기쁨처럼 느낄 수 있는 능력이며, 나의 흥미와 직접적인 관련이 없는 일들에도 관심을 가질 수 있는 능력이며, 비록 내가 살 세상은 아니지만 다음 세대를 위해 미래에 투자할 수 있는 능력을 말한다.

이처럼 자기 초월 능력을 가지면 머지 않아 죽을 것이라는 사실을 깨달을 때 밀려오는 허무감을 극복하고 내 인생에 의미를 부여할 수 있게 된다. 이는 내가 죽어도 다음 세대를 통해 생명은 이어지며 세상은 존속한다는 믿음을 근거로 한다. 이러한 믿음은 할아버지 할머니로서, 스승으로서, 조언자로서 내가 남긴 것들이 시리지지 않고 다음 세대에 전해질 것이라는 생가을 하게 만든다.

그래서 정신적, 물질적 유산을 남기려는 노력은 노인들에게 현재를 살아갈 수 있는 힘을 준다. 또 지난 과거에 대한 강박적인 집착을 버리고 현재에 충실하게 만든다. 이 세상의 세세한 부분을 듣고 보고 느끼며 그것에 감탄하고, 감사할 수 있는 능력을 키우게 되는 것이다(238~239쪽).

3. 상처를 입더라도 더 많이 사랑하며 살 것이다

사람은 언젠가 죽는다. 그래서 사람들은 어떻게든 살다 간 흔적을 남기려고 애를 쓴다. 거대한 건물을 짓고 드높은 명예를 위해 목숨도 내놓는다. 그러나 나는 사람이 남길 수 있는 가장 훌륭한 흔적은 사랑이라고 믿는다. 사랑을 하면 상처 또한 피할 수 없지만 사랑은 삶을 더욱 가치 있게 만들어 주고 사람을 더욱 나은 사람으로 만들어 준다. 또한 죽음 앞에서도 허무함에 빠지지 않게 해 준다.

내가 죽는 날을 상상해 본다. 내 옆에서 두려움에 떠는 나의 손을 꼭 잡아 주고 '사랑한다'고 속삭여 줄 사람이 있다면, 그리고 내가 '사랑한다'고 말해 줄 사람이 있다면…. 그럴 수 있다면, 그것은 내가 생에서 누려야 할 사랑을 충분히 주고받았다는 증거일 것이다. 그리고 그 순간은 비루했던 내 인생이 비로소 완성되는 시간일 것이다(245~246쪽).

4. 나는 나의 길을 걷고 아이는 아이의 길을 걷게 할 것이다

아이를 떠나보낸다는 것은 결국 아이 스스로 자신의 인생을 선택할 권리가 있음을 존중해 주는 것이다. 부모인 내가 바라는 아이가 아니라 그냥 자기 자신이 되도록 놔두는 것이다. 그러기 위해서는 내가 못다 이룬 꿈을 아이가 대신 이뤄 주기를 바라는 기대를 포기해야 한다. 무의식중에 내 아이는 예쁘고, 말 잘 듣고, 똑똑하고, 훌륭하게 자랄 것이라고 믿었던 이상적인 아이의 모습도 떠나보내야 한다. 지금 내 앞에서 웃고 있는 그 아이 자체를 그대로 받아들여야 하는 것이다. 그래서 나의 생각이나 기대에 맞추는 게 아니라 아이의 보폭과 시각에 맞춰 같이 갈 수 있어야 한다.

부모에게는 부모의 길이 있고, 아이에게는 아이의 길이 있다. 그러므로 부모가 아이에게 해 줄 수 있는 최선은 자신의 길을 잘 걸어가는 것뿐이다. 그것을 인정하는 것이 아이와의 이별을 준비하는 첫 마음이 되어야 한다. 나는 가끔 어느새 다 커서 엄마가 된 딸과 30대 청년이 되어 버린 아들을 보면서 생각한다. 나는 나의 길을 잘 걸어가고 있는가(250~251쪽).

5. 한 번쯤은 무엇에든 미쳐 볼 것이다

어떤 것에 미친다는 것은 열정을 가진다는 뜻이다. 그리고 그 열정을 행동으로 옮긴다는 뜻이다. 미칠 듯한 열애는 무모한 젊은 시절에나 가능한 것일지 모르겠지만 그것을 제외하고 무엇엔가 미쳐 보는 것은 언제든 가능하다. 그러니 한 번쯤은 일이든, 취미든 인생에 의미를 부여할 수 있는 일에 당신을 다 던져 보라. 미치도록 무엇엔가 열중했던 경험은 당신이 훗날 무엇에든 도전하고 성취할 수 있도록 도울 것이다. 또한 살아 있음의 환희를 당신에게 안겨 줄 것이다(255~256쪽).

6. 힘든 때일수록 유머를 잃지 않을 것이다

자신과 세상에 대해 유머러스한 태도를 가지기 위해서는 기본적으로 심리적인 안정과 유연함을 갖추고 있어야 한다. 또한 좌절과 모순, 상실을 견딜 수 있는 힘도 필요하다. 인생의 희로애락을 경험한 사람들이 짓는 잔잔한 웃음이 가치 있게 보이는 것은 바로 그 웃음이 모순을 겪고 난 뒤에 현실을 긍정하는 태도에서부터 배어 나오기 때문이다.

그러므로 유머 감각이 없다고 너무 고민하지 말고 우선 쉽게 흥분하지 않는 법, 상황을 파악하는 힘부터 기를 필요가 있다. 그리고 인생의 다양한 측면을 포용하도록 노력하여야 한다. 그래야만 당신을 포함한 모든 사람을 웃음으로 껴안을 수 있을 테니까 말이다. 니체는 말했다. 환하게 웃는 자만이 현실을 가볍게 넘어설 수 있다고, 그러니 맞서 이기는 게 아니라 유머러스하게 넘어서는 것이 중요하다고(261쪽).

7. 어떤 순간에도 나는 나를 믿을 것이다

인간은 누구나 스스로를 치유할 수 있는 힘을 가지고 있다. 다른 말로 '회복탄력성'이라고 하는데, 그것은 힘든 상황에 맞닥뜨렸을 때 그 스트레스를 이겨 낼 수 있도록 돕는 힘을 말한다. 상처가 난 자리에서 새 살이 돋듯 마음의 상처를 스스로 치유하는 회복탄력성, 그 힘은 우리의 생각보다 훨씬 강력하다. 많은 사람들이 홀로코스트 같은 비극적인 사건을 겪고도 살아남아 다시 삶을 일으켜 세울 수 있었던 것도 모두 회복탄력성 덕분이었다.

당신도 지금 좌절과 절망의 늪에 빠져 있는가. 그렇다면 기억하길 바란다. 신은 우리에게 고난과 상처를 주지만 그것을 극복해 나갈 수 있는 회복탄력성 또한 선물로 주었다는 것을. 그러므로 나는 믿는다. 지금 겪는 고통이 끝이 없어 보인다 해도 당신은 분명 자신을 추스른 다음 움직일 것이고, 하루하루를 이겨낼 것이고, 다시금 앞으로 나아갈 거라고. 그러니 힘든 상황을 헤쳐 나가고 싶다면 가장 먼저 당신이 스스로를 믿을 수 있어야 한다. 그러면 지금껏 당신 내부에 잠재돼 있던 놀라운 힘을 든든한 지원군으로 삼아 어디든지 갈 수 있을 것이다(265~266쪽).

8. 그리고 조용히 죽음을 맞이할 것이다

죽음에 대한 두려움을 극복하는 방법은 거창한 것이 아니라 바로 순간순간의 삶 속에 있다. 지금 이 순간을 충분히 느끼고 감사하면서 살 수 있다면, 내가 세상을 떠날 때 내 손을 잡고 나를 다독여 주며 나의 공포를 나눠 가질 사람을 만들 수 있다면, 그의 손에 내가 이제껏 들고 있던 삶의 바통을 넘겨줄 수만 있다면 죽음이 그리 두렵지만은 않을 것이다. 그리고 죽음은 끝이 아니라 삶의 연속된 한 부분이라는 사실을 받아들일 수 있다면, 죽음은 오히려 내 인생을 최종적으로 완성시키는 과정이 될 것이다. 나도 그렇게 조용히 죽음을 맞이하고 싶다. 그것이 나의 마지막 바람이다(274쪽).[60]

41. 화목한 가정을 가화만사성이라 한다

가화만사성(家和萬事成, 家和万事成 , jiā hé wàn shì chéng)은 집안이 화목하면 모든 일이 잘됨을 말한다.

「자식이 효도하면 어버이가 즐겁고, 집안이 화목하면 만사가 이루어진다. 때때로 불이 나는 것을 방비하고 밤마다 도둑이 드는 것을 막아야 한다.(子孝雙親樂, 家和萬事成. 時時防火發, 夜夜備賊來.)」 (《명심보감(明心寶鑑) 〈치가(治家)〉》)

부모가 잘못 살면 자식을 망친다고 한다. 어떻게 사는 것이 잘 사는 것일까? 화목한 가정은 어머니와 아버지가 서로 배려하는 마음이 중요하다고 생각하지만 사람마다 대답이 다를 것이다. 정직하고 성실하게 살아서 남에게 욕먹지 않으면 잘 사는 것이라 여길 것이다. 그 사람의 삶이 사람다웠는가는 죽은 뒤에야 평가된다. 주변의 많은 사람들이 "참 좋은 사람이 갔다"고 한다면 잘 살았다고 할 수 있겠다.

나는 일제강점기에 태어나서 농촌에서 잘 배우지도 못했고 배울 기회도 없었다. 중학교도 겨우 1년여를 다니고 회비가 없어서 중도에 그만 두었다. 그 후 서울에서 강의록을 받아 열심히 독학을 했다. 그래도 꿈은 선생님이 되는 것이었지만 삶이 마음과 뜻대로 이루어지는 게 아니었다. 그 당시에는 어려운 보릿고개로 인하여 배고픔을 참으면서 살아야 했던 때였다.

그러나 꿈은 이룰 수 없었지만 사람답게 좋은 일하며 살려고 무던히 노력했다. 내게 부정부패는 용납이 안 되었고 욕심도 가지지 않았으며 평생을 살면서 청탁과는 거리를 두고 깨끗하게 살아왔다. 그렇게 청렴하게 사는 것이 참 삶이라 생각했다.

우리가 살면서 부정한 이득을 취하지 않고 어려운 이웃을 위하여 10%정도는 지역사회에 쓰면서 살았으면 좋겠다. 이런 사회가 돼야 행복한 사회와 가정이 되지 않겠는가. 아내가 집안일로 바쁠 때 남편이 옆에서 도와주는 것은 아내에게는 고마운 일이고 아이들에게는 좋은 교육이 되지 않겠는가. 사람은 이렇게 살아야 마음이 편해질 것이다. 요즘에도 불우이웃을 위하여 자원봉사 활동을 하고 있지만 내 건강이 좋지 않아서 언제까지 할 수 있을지는 알 수가 없다.

옛 전래동화 중에 한 색시가 시집을 간지 얼마 안 되었을 때 하루는 밥을 짓다 부엌에서 울고 있었다. 이를 본 남편이 이유를 물으니 밥을 태웠다고 했다. 그 얘기를 들은 남편은 오늘 바빠서 물을 조금밖에 길어 오지 못했다며 물 부족으로 이것은 자기의 잘못이라고 했다. 이 말을 들은 부인은 감격하여 더 눈물을 쏟았다. 부엌 앞을 지나던 시아버지가 이 광경을 보고 이유를 물었다. 사정을 들은 시아버지는 내가 늙어서 장작을 잘게 패지 못했기 때문이라고 하며 아들 부부를 위로했다. 그때 이 작은 소동을 들은 시어머니가 와서 내가 늙어서 밥 냄새도 못 맡아서 밥 내려놓을 때를 알려 주지 못해서 자기 잘못이라고 며느리를 감싸 주었다.

그런데 이 얘기를 잘 살펴보면 가족들 모두가 남에게 책임을 전가하지 않고 자기 잘못을 스스로 반성하고 또 자기가 잘못을 뒤집어쓰면서 남을 위로하고 있는 것이다. 이런 가운데서 가정의 화목은 찾아온다. 행복은 바로 가까운데 있는 법이다. 무슨 일이든지 나의 잘못이라 인정하고 양보하면 화목한 가정이 된다.

가장 잘못된 남편은 자기중심적으로만 행동하는 사람이다. 아내에 대한 배려도 없고 아이에 대한 양육 책임도 아내에게만 떠넘기며 회피한다. 게다가 밖에서 바람까지 피운다면 아내를 비탄에 빠뜨리고 가족 모두를 불행 속으로 몰아넣게 되는 것이다. 그런 가정의 아이들은 항상 정서가 불안정하기 때문에 언제 문제되는 행동을 만들지 모른다. 남편이 잘못되면 그로 말미암아 아내뿐 아니라. 아이들의 인생까지도 망치게 된다. 앞으로 우리의 삶은 양보하고 배려하는 마음으로 하루하루를 살아갔으면 하는 마음이다.[61]

42. 중년 우울증, 효과적으로 이겨내려면?

필자의 멘토로부터 '중년 우울증, 효과적으로 이겨내는 지혜'를 요청받았다. 중년기는 40~60세로 규정한다. 일생에서 심리적 부담과 스트레스가 가장 무거운 시기다. 시기적으로 가정이나 사업 또는 본인의 커리어가 안정을 찾아야 하고 그렇기에 가정의 안정이나 사업이 원만함에 따라 특유의 심리 변화가 일어난다. 특히 몇 번의 좌절을 겪은 사람이라면, 지나치게 초조해하며 걱정이 많아지기도 한다. 이런 상황이 길어지면 갈수록 우울해지고 말수가 적어지며 잠을 이루지 못한다. 이것이 바로 중년에 걸리기 쉬운 '중년 우울증'이다.

누구나 시간이 지나면 업무는 익숙해지고 환경에 변화가 줄어들며 쉽게 지루하고 무미건조함을 느끼게 된다. 이런 모든 부정적인 감정은 유기체의 면역력과 방어기능을 떨어뜨리고 건강을 해치기에 심리와 신체의 건강을 유지하는 것은 매우 중요한 일이다. 심리학자들은 자신을 정확히 인식하고 받아들이라고 조언한다. 그래야만 적당한 목표와 좋은 방법을 찾아 자신 있게 모든 일에 대처할 수 있다. 그러기 위해서는 우선 가슴을 열고 낙관적으로 생각하며 감정을 안정시켜야 한다. 복잡한 업무와 생활환경에 매몰되지 않고 사소한 것에 연연하지 않아야 한다. 또 좋은 인간관계를 맺어야 하며 일과 휴식을 적절히 안배할 줄 알아야 한다.

내 주변을 돌아보는 나이, 남은 인생을 어떻게 살아갈지에 대한 고민이 시작되는 나이 마흔. 사십 년이란 세월은 그냥 쉽게 저절로 흘러간 시간이 아니다. 때론 힘겹게, 때론 즐겁게 보낸 그 모든 순간은 어딘가로 사라지지 않고 현재의 당신을 만들었다. 그렇게 당신은 어느덧 마흔이 되었고 그런 자신을 걱정하고 있다.

이제 곧 쉰, 예순이 올 것이다. 우리는 모두 알고 있다. 어느 시기이든지 지난 후회와 앞으로의 걱정이 존재한다는 사실을. 필자가 이야기하고 싶은 것은 당신이 지금까지 살아온 시간이 쌓여 오늘이 되었다는 것이다. 그 시간이 지금의 당신을 만들었고 앞으로 당신의 하루가 당신의 노년을 만든다는 사실을 잊지 말아야 한다. 지금 당신은 과거를 돌아보며 우울할 시간이 없다. 아직 남아 있는 수많은 내일을 위해 계획을 세워보자. 중년의 우울증 따위는 금방 사라져 버릴 것이다.

또 하나 중년에게 자주 나타나는 증상이 있다. 그것은 무기력증이다. 손가락 하나 까딱하기 싫을 정도로 무기력해진다면, "나는 왜 무기력할까?"라고 스스로에게 물어보아야 한다. 이유 없이 한 발짝도 뗄 자신이 없을 때는 혼자만의 시간을 추천한다. 나만큼 나를 잘 알고, 사랑하는 사람도 없기 때문이다. '나만 그런 게 아니구나.' 무언가 일이 잘 풀리지 않고 막막할 때 최고의 처방전은 위처럼 남의 이야기를 듣고 공감할 때다. 나처럼 안 풀리는 남의 이야기는 '나만 그런 게 아니구나'라는 생각과 함께 나에게 힘을 주기도 한다. 한편으로는 인정하고 싶지 않지만 왜, 이런 말에 위로를 받을 만큼 나란 인간은 나약한지 모르겠다는 생각이 들기도 한다. 문제가 당장 해결되는 것도 아니고 그저 나만 고통스러운 게 아닌 걸 확인하는 것만으로도 힘이 나니 부끄러운 일인지, 다행스러운 일인지 판단이 안 선다.

지금 내 기분이 혼자서도 이겨낼 수 있는 무기력인지 인생의 중반을 넘어가며 나타나는 심각하거나 혹은 가벼운 우울증인지 스스로에게 질문해보자. 어떤 것이든 당신은 헤쳐 나가는 방법을 찾을 수 있을 것이다.[62]

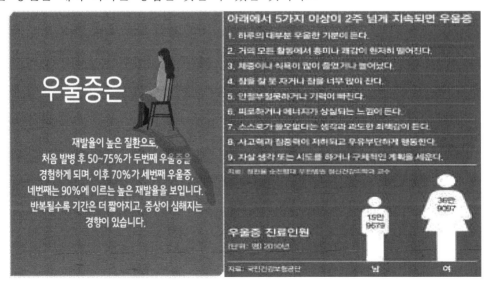

43. 나이듦의 용기

봄바람이 일렁거리고 있다. 어느새 나무의 가지 끝마다 물이 올랐고 봄의 전령인 매화 산수유 목련이 피어나기 시작했다. 계절은 돌고 돌아 따뜻한 봄이 찾아왔건만 들려오는 세상 소리에 마음은 무겁기만 하다.

우리 사회는 혼밥·혼술·혼영에서 독거·비혼·무자녀 고독사 등 홀로(Solo) 경향이 한층 깊어지고 있다. 사회의 연결망에서 어쩔 수 없이 이탈되거나 스스로 행복 찾아 홀로됨을 선택한 이들은 공동체에서 점점 멀어져간다. 지금처럼 단자화(單子化)되는 개인주의 시대에 지속가능한 우리 사회를 위해 가장 큰 게임체인저를 기다리고 있는 영역은 고령화와 저출산이다. 그동안 이 난제를 풀기 위해 엄청난 노력과 예산을 쏟아부었어도 실마리를 찾기가 영 쉽지 않다. 경제학자 슘페터가 말한 창조적 파괴처럼 발상의 전환이 필요할 성싶다.

저출산과 고령화는 OECD 나라의 공통된 현상이나 한국은 세계 최고의 저출산율에다가 가장 빠른 속도로 초고령 사회로 진입할 전망이다. 2022년 기준으로 인구감소 국가로 가는 문지방을 넘었다. 이미 고령화는 연금, 보험, 요금, 농촌소멸, 식량 자급, 주거형태 등 사회의 많은 부분에 걸쳐 긴장도를 높이고 있다. 최근에도 국민연금 개혁이나 지하철 무임승차 나이를 올리자는 논쟁에서 보듯이 해결책 마련 또한 쉽지 않다. 다 함께 살기 좋은 사회는 미래세대에게 무거운 짐을 넘기지 않으면서 구성원 간 몫이 슬기롭게 안배될 때 선물처럼 찾아오는 것일 텐데 말이다.

인생에서 가장 신비로운 일은 모든 것은 잠시도 머물지 않는다는 사실이다. 태어나서 자라고 병들고 사라지는 과정은 비가역적인 생명 리듬의 순환과정이다. 강물은 흘러가고 나무는 철마다 변하듯이 나무의 나이테처럼 나이를 차곡차곡 쌓아간다, 사실 나이는 사회적인 약속에 불과하지만, 몸의 노화현상이 일어나니 나이 듦은 너무나 자연스러운 과정이다. 그런데 나이 듦에 왜 용기가 필요할까.

세월 따라 신체의 쇠퇴는 어쩔 수 없다 하더라도 정신은 익어서 발효되어야 한다. 나이는 나이다워야 한다. 나이에 어울리는 행동과 말을 위해서는 내 마음대로가 아닌 욕심을 거스르는 노력이 필요하다. 성인인 공자는 나이 칠십에 마음이 이끄는 대로 행동해도 법도를 벗어나지 않는다(七十而從心所欲不踰矩)고 했다.

나이 듦에 타인에게 눈살을 찌푸리게 하는 허다한 사건들은 마음에 잔뜩 찌꺼기가 붙어서 사리를 분간할 수 없기 때문이다. 외로움 상실감 무력감 두려움 미워함 섭섭함 시기심 우월감 나 잘남 등이 판단을 흐리게 하는 오물들이다. 늘 감정이 부딪히는 마음에 때가 끼지 않도록 하기 위해서는 소리가 들어오는 관문인 귀를 열어 잘 듣고, 욕망이 들어오는 시선의 각도를 낮추어 평정심을 유지하여야 한다. 그러기 위해서는 자신에게 '나다움'이라는 궁극의 질문을 통해 삶의 방식을 돌이켜 보아야 한다,

이상기후, 코로나 사태, 튀르키에 지진, 챗GPT 출현 등 막연히 불안하고 불확실한 세상이다. 그럴수록 기후 위기를 초래하는 절제되지 않은 욕망의 궤도에서 내려 삶의 방식을 덜 먹고 덜 소비하는 구조로 바꾸어야 한다. 저마다 영원히 만족하게 할 수 없는 욕심의 부림을 받고 산다면 공동체의 행복은 뒷전이고 오직 나의 행복만을 부르짖는 '욜로(YOLO)' 사회가 될 것이다. 짊어야 했던 사회적 짐이 줄어드는 때부터 다수가 추구하는 획일화된 욕망을 내려놓고 자신만의 삶의 기준을 세워 살아간다면 좀 더 향기 나는 세상이 되지 싶다.

나만의 시선으로 작고 낮은 데서 행복을 느끼는 사람, 주위를 둘러보며 일상에서 삶의 참다운 의미를 발견하는 사람, 배움에 대한 호기심을 잃지 않고 좋아하는 일을 통해 즐거움을 얻는 사람, 세상사에 묻혀 망각했던 자기다움의 날개를 찾아 비상을 꿈꾸는 사람이야말로 나이 듦에 진정 용기 있는 삶을 사는 것이다. 옛 선비들이 사회적 짐을 벗고 꿈꾸었던 안분지족(安分知足)하는 삶의 모습이고, 한 생각 바꾸면 찾을 수 있는 행복이 아니겠는가.[63]

44. 100세 인생 번지점프

TV 오락 프로그램에서 고소공포증이 있는 유명 연예인이 번지점프를 시도하고 있었다. 점프대까지는 가까스로 올라갔지만 긴장된 표정에 말도 못 하고 어안이 벙벙한 모습이었다. 다리도 풀린 듯했고 두려움에 난간을 꼭 잡고 있었다. 과연 어떤 심정이었을까? 발아래 출렁대는 강물 속으로 추락할 아찔한 긴박감에 심장이 두근거리지 않았을까. 마침내 눈을 감고 푸른 하늘 속으로 몸을 던졌다. 어떻게 뛰어내린 것일까. 무엇보다 자기 발목과 몸통을 단단히 묶고 있는 안전장치를 믿었을 것이다. 발목을 단단히 조여오는 아픔이 안도로 바뀌면서 공포를 이겨낸 것이다.

베이비부머 세대들이 은퇴하면서 새로운 세상으로 뛰어들고 있다. 이들은 70~80대 노부모들을 모시고 자식들을 키웠지만 정작 자신의 노후는 오롯이 스스로 책임져야 하는 최초의 세대다.

눈앞 현실로 다가온 은퇴 후 세상에 자신 있게 뛰어들 수 있는 사람은 얼마나 될까. 누군가는 번지점프대를 용감하게 박차고 뛰어내리는 사람처럼 은퇴 후 생활을 즐겁게 맞이할 것이다. 그러나 대부분은 점프대 앞에서 주저하듯이 은퇴 후 삶에 대해 두려움을 가진다. 과연 내가 더 이상 돈을 벌지 않고 기나긴 노후를 버틸 수 있을까. 1인당 소득이 3만5000달러, 전 세계 23위에 해당하는 선진국으로 분류되지만 우리나라의 노후 빈곤율은 약 40%로 경제협력개발기구(OECD) 국가(평균 15%) 중 최고 수준이다. 과연 나의 노후는 어떨까. 쉽게 답하지 못하는 것이 현실이다.

다행히도 국민연금이 있다. 그러나 국민연금의 소득대체율(퇴직 전 소득 대비 연금소득 비중)은 40% 수준에 그친다. 국민연금만으로는 노후생활이 충분하지 못한 것이다. 그나마 이조차도 불안하다. 국민연금(1층) 외에도 퇴직연금(2층)과 개인연금(3층)이란 '3층 연금' 구조를 만들어 국가, 회사, 개인이 노후 준비를 하도록 유도한다. 노후에 자식들에게 손을 벌리지 않고 최소한의 자존감을 지킬 수 있는 연금을 받으면서 살 수 있도록 한 것이다. 그야말로 평생 월급봉투가 생기는 것이다.

70~80년대 직장을 다닌 월급쟁이들은 노란 월급봉투의 추억이 있다. 평소 아내에게 쥐어살던 공처가들도 노란 월급봉투는 '가장의 권위'를 지키는 중요한 수단이었다. 안정적 수입에서 오는 힘 때문이었다. 그렇다. 연금은 퇴직 후에 자신의 권위와 삶의 안정을 보장해주는 젊은 시절 노란 월급봉투다.

유럽 여행을 가본 사람이라면 누구나 은퇴한 백발의 노부부가 서로 의지하면서 여행을 즐기는 모습을 쉽게 볼 것이다. 노인의 여유로운 삶에서 진정한 선진국의 모습을 느끼게 한다. 물론 그들은 노년의 행복을 위해 젊었을 때 꽤 많은 돈을 연금보험료로 납부한다. 국민연금 보험료가 OECD 국가 평균은 18%인 반면 우리의 경우 9%로 절반에 불과하다. 그리고 퇴직·개인연금 적립 수준도 낮아 선진국에 비해 우리나라 연금액이 적은 것은 당연하다.

개미와 베짱이의 올드 버전이 생각난다. 한여름 힘들지만 열심히 일해 겨울을 따뜻하게 보낸다는 동화는 지금 100세 시대를 살고 있는 우리가 무엇을 해야 하는지를 알려준다. 젊을 때 조금 힘이 들지만 좀 더 많은 준비를 하면 따뜻한 노후를 보낼 수 있다는 사실을.

우리에게는 번지점프대 발목을 조여주는 안전장치 대신 3중으로 안전을 보장하는 연금 구조가 있다. 발목을 조여오는 작은 아픔이 푸른 하늘 속으로 뛰어들 수 있게 하는 것처럼 오늘 내가 낸 연금보험료가 최소한 나의 노후 자존심을 지켜줄 것이다.

3층 구조의 월급봉투인 연금. 은퇴 후에도 늘 현역처럼 생활할 수 있는 노후 안전판이자 선진국의 조건이다. 100세 시대, 새로운 세상을 위해 인생 번지점프를 준비하자.(64)

45. '꼬부랑'은 사라지고 '선진국 할머니들'로

한 초등학교 동창회에서 남자 동창생이 최근 손자 본 60대 여자 동창에게 "이제 할머니 됐네"라고 불렀다가 호되게 타박을 맞았다. "나를 할머니라 부를 자격은 이 세상에 단 한 사람뿐이야. 내 손자." 실제 요즘 초등생 할머니들 중에는 도저히 할머니로 볼 수 없는 외모의 소유자들이 많다.

초등학교 교사들은 학부모를 "○○ 어머니" 또는 "○○ 할머니"로 부르는 것 자체가 금기라고 한다. 학부모회에 참석한 여성이 늦둥이를 낳은 엄마인지, 손자를 일찍 얻은 젊은 할머니인지 판단하기 힘들 때가 많기 때문이다. 언젠가부터 할머니라는 호칭이 어색한 '새로운 할머니'들이 부쩍 늘어났다. 자전거 타는 여성의 날씬한 뒷모습만 보고 젊은 여성인 줄 알았는데 모자와 선글라스를 벗은 모습을 보고 깜짝 놀랐다는 사람도 많다.

고령의 한국 여성을 떠올리면 가장 먼저 생각나는 단어와 이미지가 '꼬부랑 할머니'였다. 동요로도 불렸고 동화책의 단골 소재였다. '머리는 하얗고, 주름은 자글자글하고, 허리는 꼬부라지고, 나처럼 꼬부랑꼬부랑 걷고 말이야.' 동화 '꼬부랑 할머니는 어디 갔을까'를 쓴 작가 유영소는 "늙고 구부러진 꼬부랑 할머니는 얼마 후의 제 모습이기도 할 테니까요"라고 했다. 그 말은 틀린 것 같다.

국가기술표준원이 70~84세 고령인구를 측정했더니 꼬부랑 할머니, 할아버지가 2.8%에 불과했다. 칠순 넘어도 10명 중 8명(83.4%)은 허리도 굽지 않고 꼿꼿한 체형이었다. 그 덕에 20년 새 고령층의 평균 키가 3cm 가까이 커졌다. 꼬부랑 할머니의 굽은 허리는 밭일하느라 쪼그려 앉고, 허리 구부려 무리한 자세로 오랫동안 일하고 생활한 것 때문에 생긴 척추 질환이다. 남성보다 여성에게 흔했는데, 도시에서 침대나 소파 생활을 하고 소득 수준이 높아져 운동과 건강관리를 잘하며 의술의 도움을 받을 수 있으니 꼬부랑 할머니가 급격히 줄어든 것이다.

베이비붐 세대(1955~1963년생)가 할머니가 되는 앞으로는 변화가 더 클 것이다. 베이비부머 712만명은 75%가 고등학교 이상 교육을 받았다. 한국에서 여자도 대학에 가는 것이 자연스럽게 된 첫 세대이기도 하다. 이들 중 많은 여성이 취직해 사회 생활을 했다. 본인 유학이든, 남편을 따라서든 해외 경험을 한 여성도 매우 많다. 재산도 전 세대와 비교할 수 없을 정도로 많다. 이들이 '할머니'가 되는 것이다. 미국, 유럽 여행할 때 본 멋진 선진국 할머니들이 한국에도 흔해지게 된다는 얘기다.[65]

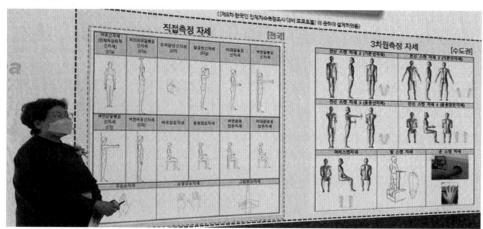

지난해 열린 사이즈코리아 '제8차 한국인 인체치수 조사 결과' 발표회에서 최경미 동서울대학교 교수가 성과 발표를 하고 있다(연합뉴스).

46. 노년기 삶의 질을 생각한다

이번 주 비가 내리기 전까지는 꽃 구경하기 좋은 피크타임 이었다. 벚꽃, 개나리, 진달래, 동백, 백목련까지 형형색색으로 핀 꽃을 보며 가족, 친지들과 화사한 외출을 즐기는 분들이 많았다. 그러나 마음처럼 꽃 나들이를 가지 못하는 분들도 많았을 것이다. 나는 요양병원에 주기적으로 방문한 적이 있다. 어느 날 여성 6인

입원실 창문 쪽 침대의 환자는 거동은 물론 말도 못하는 것 같았고 손목도 묶여 있었다. 누구도 그 환자에게 관심을 주지 않았다. 조심스럽게 물었더니 자해 위험이 있어 손목을 묶어 둔다는 답변이었다. 100세로 자녀들이 연로해서인지 방문객도 없다고 한다. 묶여 있는 환자를 보는 것도 충격이었고, 내가 할 수 있는 일이 없다는 것도 무력감이 느껴졌다.

병실이 한가롭던 어느 날 나는 그분에게 다가갔다. 그날은 손목이 묶여 있지 않았다. '오늘은 손도 자유로우시고, 컨디션도 좋아 보이시네요.' 나는 미소를 지으며 말했지만 반응을 기대할 수 없는 일종의 독백인 셈이었다. 그러나 그분은 뜻밖에도 얼굴에 환한 표정을 지으며 "나한테 와주고, 말도 걸어줘서 고마워요." 라고 하셨다. 그분의 발음은 또렷했고 다정한 눈빛이었다. 이어서 "손 좀 줄 수 있어요?" 라고 하셔서 나는 오른손을 내밀었다. 그분은 두 손으로 내 손을 꽉 움켜쥐더니 입으로 가져가 손등을 ?기 시작했다. 순식간에 일어난 일이었다. 당황하였지만 손을 뿌리칠 수가 없었다. 한참동안 손등을 ?고는 "미안해요, 그리고 고마워요." 라면서 손을 슬그머니 놓아 주셨다. 나는 아무렇지도 않은 척 목례를 하고 돌아섰다. 병실 사람들은 그 광경을 물끄러미 바라보고 있었다. 손 등에 닿은 부드럽고 따뜻한 촉감은 나에게 많은 생각을 하게 했다. 인지 기능 부족이나 치매로 치부하기엔 그분의 표정이 너무도 진지했고 발음도 정확했다. 사람이 그리운 것 같았다. 다시 방문했을 때 그 침대는 텅 비어 있었다. 다른 곳으로 옮겨졌다고 했다.

UN은 65세 이상을 노인으로 규정하고 있다. 고령화란 전체 인구에서 노인 비율이 증가하는 현상으로 7% 이상이면 고령화사회, 14% 이상이면 고령사회, 20% 이상이면 초고령사회로 분류한다. 우리나라의 고령화는 세계에서 유례가 없을 만큼 빠르게 진행되고 있다. 2000년에 노인 비율이 7.2%에 이르러 고령화사회, 2018년에는 14.3%로 고령사회로 진입하였고, 2025년에는 20%를 넘는 초고령사회로 진입하게 된다. 인구 수로 보면 1960년에 노인 인구가 100만명에 미치지 못하였으나, 2020년에는 800만명을 넘어 무려 8배 이상 증가하였다.

통계청에 의하면 2023년 한국인의 기대수명은 84.1세이며, 여자(87.2세)는 남자(80.8세)에 비해 기대수명이 약 6년이 더 높다. 우리나라의 기대수명은 일본의 기대수명 84.9세를 제외하고 스웨덴(83.7세), 영국(82.3세), 미국(79.7세)보다 높다. 기대수명에서 질병이나 사고로 원활하게 활동하지 못하는 기간을 뺀 나머지 수명을 건강수명이라고 한다. 한국인의 건강수명은 73.1세로 아쉽게도 여자는 약 12년을, 남자는 약 9년을 질병과 함께 보낸다.

인구 고령화는 노동력 부족, 재화와 서비스에 대한 수요 인구의 감소, 정부의 세수 감소, 고용 둔화 등으로 나타난다. 젊은 세대가 맡게 될 노인부양비도 증가하게 된다. 노인부양비는 생산가능인구 100명당 노인의 비로 표시하는데, 우리나라는 2000년에는 10.1, 2010년에는 14.8이며, 2050년에는 무려 78.6에 도달할 것으로 예상한다. 노인의 의료비는 유소년 의료비보다 3~4배 더 높으므로, 급격한 고령화는 의료 비용도 급격히 늘어남을 의미한다. 우리 사회가 급박하게 돌아가며 하드웨어에 많은 관심이 집중되어 있지만, 이제는 소프트웨어에도 관심을 기울일 때이다. 노년기를 보내는 개인의 삶 측면에서도 살펴볼 필요가 있다.

질병으로 보내는 기간은 일상생활을 타인에게 의존하는 경우가 많으므로 삶의 질을 예측하기가 어려워진다. 노년기 돌봄은 청소·빨래·시장보기, 외출 동행, 식사, 목욕 등 신체 기능 유지 지원에 집중되고 있다. 요양기관 다인실에 입원하든지 가정에 머무는 경우도 투명인간 취급을 받으면 외로움은 더욱 커질 것이다. 노인 학대는 가족 등 가까운 사이에서 발생 비율이 높다고 보고되고 있다. 현재 일반인들은 노인의 특성을 이해하고 노인 돌봄방법을 배울 기회가 거의 없는 실정이다. 노년기의 정서에 대해 이해하고 정서적 지원을 강화할 필요가 있다.

청소년, 성인, 노인 등 다양한 연령층을 대상으로 노인 교육이 필요하다. 노인 교육은 길어진 노년기를 스스로 어떻게 보내야 할지를 계획할 수 있기도 하고, 가족 구성원이 돌봄을 잘할 수 있는 계기가 될 수도 있으며, 세대간 갈등을 해소할 수도 있다. 우리 사회는 평생학습사회로 평생교육체계가 잘 갖추어져 있고, 지자체와 대학이 연계하여 지역 발전을 위한 사업도 진행하고 있다. 지자체, 교육기관 등이 연계하여 다양한 노인 교육 프로그램을 개발하고 특히 노인의 정서적 지원 프로그램을 특화하기를 바란다. 그리고 건강한 사람들이 여가시간을 노인 삶의 질을 높이는데 기여하는 사회 분위기를 만들면 좋겠다. 노인 인권에 대한 공익 광고도 해주면 좋겠다. '노인도 사람이 그립습니다' 라는 카피는 어떨까 싶다. 가족과 사회, 국가를 위해 평생을 헌신하며 살아온 노인들이 편안한 마음으로 노년기를 보내도록 노인을 존중하는 사회가 되기를 바란다.[66]

47. 인생은 변화의 연속이다

20세기까지 가장 눈에 띄는 변화는 아날로그 시대에서 디지털 시대로 바뀐 것이다. 말만 놓고 보면 아주 단순한 변화이긴 하지만 이것으로 파생되는 많은 삶의 형태들이 함께 변화를 일으킬 것이니 남달랐을 것이다. 그때 유행한 덕담으로 는 '변해야 산다'는 내용이 많았다. 나도 이를 주제로 글을 쓰고 강연도 많이 했지만 지금 생각하니 머리로 했을 뿐 지금처럼 실감하지는 못했던 것 같다. 그 런 변화를 예견하기도 어려웠지만 이렇게 빨리 삶의 형식이나 질이 급격하게 바 뀔 것이라고는 예상하지 못했다.

이 세상에 가장 실감하기 쉬운 변화는 무엇일까? 변하기로 말하면 사람도 변하 고 자연도 변하고 변하지 않는 것이 없으니 단순하게 묻고 답하기는 어렵다. 그 러나 내 생각에는 사람 마음만큼 잘 변하고 많이 변하는 것은 없을 것 같다. 사 람의 마음이 이러니 이에 따라 오는 사람들의 삶이 마음과 함께 변화무쌍하지 않 을 수 없다. 하도 사람의 변화가 심해서 그럴까? 우리들이 결혼할 때 결혼 서약이 라는 것을 한다. 내용은 변치 말자는 뜻인데 이 변치 말자는 서약은 예식장을 나 오는 순간 허튼소리에 불과하다. 그만큼 사람 마음이 잘 변한다는 사실의 반증일 것이다.

사람들 마음이 잘 변한다는 상징적인 말로 제일 많이 언급되는 것이 조삼모사 (朝三暮四)다. 변덕스러운 사람의 마음을 잘 표현한 말이다.

이 근원을 살펴보면 재미있다. 송(宋)나라에 저공(狙公)이라는 사람이 있었다. 그는 원숭이를 사랑하여 여러 마리를 길렀다. 저공은 원숭이들의 뜻을 알 수 있 었으며, 원숭이들 역시 저공의 마음을 알았다. 저공은 집안 식구들의 먹을 것을 줄여가면서 원숭이의 욕구를 채워줬다. 얼마 후 그 먹이가 떨어질 것으로 보여 양을 줄이기로 했다. 하지만 원숭이들이 말을 잘 듣지 않을 것이 뻔해 속임수를 쓰기로 한 것이다.

"너희에게 도토리를 주되 아침에 세개를 주고 저녁에 네개를 주겠다. 만족하 겠느냐?" 원숭이들이 다 듣고 일어나서 화를 냈다. 저공은 바로 말을 바꾸었다. "너희에게 도토리를 주되 아침에 네개를 주고 저녁에 세개를 주겠다. 만족하겠 느냐?" 여러 원숭이가 엎드려 절하며 기뻐했다.

조삼모사와 비슷한 말로 '겉 다르고 속 다르다' '면종복배(面從腹背)' 이런 말들도 있는데 유사한 말들을 찾자면 수도 없다. 이렇게 변화무쌍한 것이 마음의 속성이니 이런 마음으로 살아가는 삶인들 조삼모사가 아니겠는가.

이 점을 알아서 그런지 결혼할 때 예물로 다이아몬드반지를 주고받는 것이 유 행이었을 때가 있었다. 아마도 사람의 마음은 조삼모사이지만 다이아몬드는 절대 로 변하지 않는 보석이라고 생각해서 였을지 모르겠다. 다이아몬드는 10억~33억 년 전 해저나 지표면의 퇴적물 또는 현무암이 판운동에 의해 지하 깊숙한 곳으로 섭입된 후 퇴적물에 포함됐던 탄소성분이 고온·고압을 받게 되면 형성된다고 한다.

여기서 우리는 다이아몬드라고 부르게 된 유래를 한번 살펴볼 필요가 있다. 그리스의 장인들은 처음엔 다이아몬드(Diamond)를 보고 크게 황당했다. "길들일 수가 없다(I cannot tame)." 도무지 다룰 수가 없다는 하소연이었다. 그래서 '길들일 수 없는(Untamable)' 또는 '무적의(Invincible)' 라는 뜻을 가진 '아다마스(Adamas)' 라고 불렀다. 이 단어가 프랑스를 거쳐 영국에 들어오면서 다이아몬드로 바뀌게 되었다고 한다.

그래서 사람들의 눈에는 이렇게 긴 세월을 거쳐 만들어진 다이아몬드가 변치 않는 보석의 상징이 돼 우리들의 결혼도 이 보석처럼 변하지 말자는 뜻을 담아 예물로 교환하지 않았을까 싶다.[67]

48. 편견과 선입견이 꼰대로 만든다

여우가 자기 생일을 맞아 맛있는 음식을 한상 차려놓고 두루미를 초청한다. 음식들은 모두 납작하고 예쁜 접시에 담겨져 있다. 여우는 맛있는 음식을 혀로 핥아 먹으면서 두루미에게 권하지만 두루미는 긴 주둥이로 접시에 얇게 담긴 음식을 먹지 못해 그냥 구경만 할 수 밖에 없다.

해님이 어느 날 달님에게 말한다. 사람들은 도대체 무슨 일이 그렇게 바빠서 저리도 분주하게 움직일까요? 달님은 아니 내 보기엔 잠만 자는 데요 하면서 해님에게 나뭇잎을 보라고 한다. 은빛으로 반짝이는 모습이 얼마나 예쁩니까? 해님은 아니 그냥 푸르기만 한데요? 이때 지나가던 바람이 말한다. 해님과 달님의 말이 다 맞네요. 해님은 낮에 본 사람들의 모습이고 달님은 밤에 본 나뭇잎의 모습이기 때문이랍니다.

우리는 흔히 대상을 바라보는 자기만의 독특한 생각을 편견이라 하는데 이는 공정하지 못하고 어느 한쪽으로 치우친 생각을 말한다. 일어난 상황에 대해 미리 잘못된 방향으로 자기 생각을 굳혀놓고 현상을 해석하려고 한다. 또한 우리는 살면서 경험에 의해 쌓인 지식이 자기만의 생각으로 어떤 현상을 볼 때 미리 마음속에 들어와서 굳어진 생각인 선입견이라는 색안경을 끼고 보기도 한다. 마치 고집불통의 어른들이 꼰대라는 소리를 듣는 것과 일맥상통하는 것이다.

고정관념 역시 이미 자신의 마음속에 자리하여 흔들리지 않는 관념인데 세 가지의 경우는 엄격히 구분하기 어렵지만 대체로 편견이나 선입견에 사로잡힌 사람은 자기와 견해를 달리 하는 사람을 배척하는 성향을 갖고 있다. 자기 생각만을 고집하면서 상대가 무슨 말을 하든 양보하지 않는다. 그런데 우리는 편견을 비난하면서도 누구나 편견을 가지고 있다. 생각해보면 편견이나 선입견은 사실도 진실도 아닌 한 사람 또는 특정 집단의 생각일 뿐이다.

우리 모두 하루가 다르게 변하는 사회에서 살고 있다. 어제 유용하던 지식이 오늘 무용지물이 되는 변화가 빠른 정보사회다, 그래서 누가 더 빨리 새로운 정보를 입수하고 이를 활용하느냐의 경쟁이다. 따라서 젊은이들로부터 불통이요 꼰대가 되기 전에 스스로 젊은이들과 소통이 되도록 노력해야 한다. 자신을 드러내고 싶은 욕구로 남의 모르는 사실에 대해 잘난 체 하고 비판이나 비방을 하지 말자. 내가 무언가를 잘 알고 있다고 하더라도 모든 것을 다 아는 것은 아니다. 우리는 자신이 잘못 알고 있음에도 자존심 때문에 잘못이나 무지를 인정하려 들지 않을 때도 있다. 내가 아는 것이 정말로 아는 것인지 아니면 안다고 생각하는 것 인지 다시 한 번 살펴볼 일이다.

편견과 선입견에 사로잡혀 자기와 생각을 달리하는 사람을 멸시하고 상대가 무슨 말을 해도 자기말의 합리화를 위해 너무 우기지 말자. 누구나 부족함이 있고 실수도 있다. 또한 누구나 믿고 싶은 것, 보고 싶은 것만 보려는 속성도 있다. 흔히들 상식이란 말을 많이 쓰지만 그 상식이 내 자신의 편견이나 선입견이 아닌지 살펴보자. 시대의 변화나 사회의 변화에 따라서 보통사람들이 생각하는 상식도 그 기준은 얼마든지 변할 수 있다. 정상과 비정상의 절대적 기준은 없기 때문이다. 그래서 이 시대 이 사회에 발맞춰 내 생각을 바꿔 나가야 한다. 우리말에 '그럴 수도 있지' 라는 말이 있다. 사랑과 이해와 관용이 담긴 참으로 따뜻하고 아름다운 말이다. 육체의 눈은 나이가 들수록 어두워지지만 마음의 눈은 얼마든지 밝게 가질 수 있다.[68]

49. 건강 장수법

고대로부터 무병장수를 위한 건강법을 양생법이라 하여 도교에서는 많은 수련법이 발달하였다. 요즘 나오는 웰빙 건강법이 이에 해당하는데, 음식, 운동, 정신, 방사(房事) 양생법, 기거(수면, 휴식, 노동), 환경, 계절, 기공 양생법 등이 있다. 음식 중에는 우리 몸에 좋다는 것들이 너무나 많은데, 최근 모 방송에서 매실이 면역력 증강에 좋다고 해서 난리가 나고, 여성의 갱년기 증후군에 석류가 호르몬 전구물질이 들어 있다고 해서 인기가 있으며, 하루에 한두 잔씩 마시면 심장병을 비롯한 성인병 예방에 좋다고 포도주도 동이 나는 일들이 이어지고 있다. 그밖에도 마늘, 호박, 은행, 식초, 녹차, 개소주, 흑염소 등 효능이 뛰어나서 기막힌 효과를 볼 수 있는 민간요법이 있다는 광고 글들이 많이 올라온다. 이는 코로나 19사태로 인한 과다한 건강 염려증의 사회 현상이라 할 수 있다. 위에 말한 이러한 건강식품들은 어떤 사람이 먹느냐에 따라 몸에 득이 되기도 하고 해가 되기도 한다. 실제로 질병에 걸린 환자가운데에는 몸에 맞지 않은 음식을 먹은 탓으로 병이 악화되어 사망하는 사례가 비일비재(非一非再)하다.

음식양생이란 것도 체질에 맞춰서 운용해야 하고, 몸에 좋다고 하는 것을 챙겨 먹기 보다는 몸에 해로운 것을 주의하는 것이 훨씬 효과적이다.

예전에는 연세 드신 분들이 스트레스 질환이나 홧병(火病)이 많았는데, 최근에는 어린 학생들도 학업에 대한 부담감, 부모, 친구와의 갈등으로 인하여 장년층에서 빈발하던 질환들이 남녀노소(男女老少)를 막론하고 발병하는 상황이다. 정신과 육체를 조화롭게 관리하지 않으면 질병에 쉽게 노출될 수밖에 없으므로 성현들의 장수비법을 몇 가지 소개하고자 한다.

어릴 때부터 눈썹이 길어 눈을 덮을 지경이었다 하여 호를 미수(眉叟)라 하는 허목선생은 국문의 음처럼 미수(米壽: 88세)까지 장수하였는데 부친의 영향을 받아 도교 수련에 조예가 깊었으며 청빈(淸貧)하여 소식(小食)하고, 평소에 인내와 절제하는 마음을 가져서 세속적인 일과는 담을 쌓고 선비로서의 지조와 품격을 지키며 학문의 외길을 걸었기에 당대 최고의 장수를 누릴 수 있었다. 스스로 경계하기 위해 만든 희노지계(喜怒之戒)를 보더라도 그 상황을 짐작할 수 있다.

〈 희노지계(喜怒之戒) 〉

함부로 기뻐하지 말라. 부끄러움이 따를 것이다.

함부로 화내지 말라. 욕됨이 따를 것이다.

희노(喜怒)란 부끄러움과 욕됨의 중매자이니 삼가고 경계(警戒)하기를 반드시 진실 되게 하라.

미수 선생은 성냄은 물론이고 기쁨도 지나친 것을 경계하였는데, 뭐든지 지나치면 문제가 생기기 때문이다. 이렇게 희노(喜怒)를 절제한다면 마음으로 인해 질병이 생기는 일은 없을 것이다. 하루에도 수십 번씩 지옥과 천당을 오간다는 마음 때문에 고통받는 사람들이 얼마나 많이 있는가. 스트레스 관리를 잘 하면 기가 맺히지 않고 소통이 잘 되므로 성인병에 걸릴 확률도 줄어들고 생활주기나 호르몬 균형을 유지할 수 있으므로 무병 장수에 보탬이 될 수밖에 없다.

〈미수선생이 자손에게 남긴 18가지 훈계: 훈자손십팔계(訓子孫十八戒)〉

재물과 이익을 즐거워 말고, 교만과 가득 참을 부러워 말라.

괴상하고 허튼 것 믿지 말고, 남의 허물을 말하지 말라.

의심하는 말은 친족을 어지럽히고, 투기(妬忌)하는 아낙은 집안을 망친다.

여색 좋아하는 자 제 몸을 망치고, 술 마시기 좋아하는 자 생명을 해친다.

말 많음은 반드시 피해야 하고, 지나친 노여움은 경계해야 한다.

말은 충직하고 믿음성 있게, 행실은 도탑고도 공정하게 상례와 제례는 조심스레 행하고, 집안 간에는 반드시 화목해야 한다.

사람 가려 벗 사귀면 허물에서 멀어지고, 말을 가려 집중하면 욕볼 일이 다시 없다.

　군자의 행실은 남 이기는 것을 능함으로 삼지 않고, 스스로를 지킴을 어질게
여긴다.

　이를 힘써 잊지 말라.

　미수 선생의 가르침을 읽어 보면 평소 정도(正道)에 지나치지 않는 마음가짐을
가졌으며 그것에 만족하는 태도를 생활화 했다는 것을 알 수 있다. 필자가 10세
때 부친(父親)에게 배운 미수선생님의 가르침을 많은 분들과 함께 하고자 본 지면
을 통해 소개한다.[69]

　노화와 장수 분야에서 세계 최고 권위자인 하버드대 의과대 유전학 교수인 데이비드 A 싱클레어
교수는 25년간의 '장수(長壽) 연구' 끝에, "자연스러운 노화도 엄연히 질병이고 이를 예방하고 치
료할 기술이 개발되면 극복할 수 있다" 라고 주장한다.

50. 뇌 건강과 음식

　최근 유럽영양저널에 마그네슘이 풍부한 음식을 매일 충분히 섭취하면 치매의
발병 위험을 줄일수 있다는 연구 결과가 발표됐다. 이번 연구에서는 마그네슘 성
분 함유 식품을 하루 섭취량(350mg)보다 많은 양(550mg)을 섭취하는 사람들의 뇌
가 약 1년 덜 늙는 것으로 나타났다. 연구팀은 마그네슘이 두뇌 핵심 시냅스를
활성화시키는 신호 전달을 강화해 뇌 노화와 관련 있는 뇌 수축 정도가 줄어든
것으로 추정했다고 한다.

　치매는 현재 발병 원인을 알수 없어 예방법과 치료법이 명확하게 없다. 다만
뇌기능 개선을 통해 발병 위험을 줄일 수 있다. 뇌 기능을 개선하는 성분·음식
들은 인터넷에 검색만 해도 쉽게 나오지만, 필자는 연구를 통해 어느 정도 입증
된 음식들을 이야기하고자 한다.

　먼저 잎채소다. 여기서 잎채소는 케일, 쑥갓, 치커리, 시금치 등과 같이 잎을 먹

을 수 있는 채소를 의미한다. 이 음식은 엽산과 비타민B가 풍부해 우울증을 줄이고 인지기능을 향상시키는 데 도움이 되는 것으로 알려져 있다. 또 양배추, 브로콜리, 청경채 등의 십자화과 채소도 치매와 관련된 아미노산인 호모시스테인 수치를 낮추는 비타민이 많이 함유돼 있는 것으로 알려져 있다.

다음으로 블루베리, 라즈베리, 체리 등 베리류 과일이 있다. 베리류 과일에는 안토시아닌이라는 플라보노이드가 함유돼 있는데, 이 성분은 자유라디칼로 유발되는 뇌 손상의 진행을 막아준다. 자유라디칼은 흔히 활성산소로 표현하는 유해물질이다. 이 밖에도 베리류 과일은 비타민이 풍부하고, 항염증반응 및 항산화작용을 하는 등 좋은 음식 중 하나다.

오메가3도 이미 여러 연구를 통해 뇌 건강에 유익하다는 사실이 입증됐다. 오메가3는 올리브오일, 아마씨, 참치, 연어, 고등어 등에 함유돼 있다고 알려져 있으며, 뇌 건강을 위해서는 매일 200mg의 DHA 섭취를 권장하고 있다. 마지막으로 견과류, 해바라기씨, 호박씨 등의 음식도 뇌 건강에 좋은 것으로 알려져 있다.

반면 뇌 건강에 좋지 않은 음식도 있다. 첫 번째로 고과당 음식, 즉 단 음식이다. 우리의 뇌는 세포활동에 연료를 공급하기 위해 포도당 형태의 에너지를 사용한다. 이때 고당식이는 뇌에 과도한 포도당을 유발할 수 있다. 일부 연구에 따르면 뇌의 과도한 포도당은 기억력 손상이나 뇌의 일부인 해마의 가소성 감소를 일으켜 기억장애를 일으킬 수 있다고 보고 하고 있다.

다음으로 튀긴 음식이다. 기름에 튀긴 음식의 과도한 섭취는 체내 염증을 일으키며 뇌에 혈액을 공급하는 혈관을 손상시켜 기억력 장애를 일으킬 수 있다는 연구가 있다. 이는 뇌혈관 질환으로 뇌조직이 손상을 입어 치매가 발생하는 혈관성 치매와도 관련이 있다.

하지만 이러한 음식을 무조건 먹지 말아야 하고, 잎채소나 베리류 과일 등만 먹어야 한다는 의미는 아니다. 다만 우리가 직접 실천할 수 있는 식습관 개선으로 발병 위험성을 조금이라도 줄일 수 있다면 그것으로도 좋은 일이다.[70]

51. 부족함 속에 감춰진 능력

고대 그리스의 대표적인 철학자 플라톤은 행복의 조건으로 다음과 같은 다섯 가지의 조건을 이야기하고 있다.

첫째, 의식주를 해결하기에는 조금은 부족한 듯한 재산. 둘째, 모든 사람이 칭찬하기에는 약간 부족한 외모. 셋째, 자신이 기대하는 것의 반밖에 인정받지 못하는 명예. 넷째, 남과 힘을 겨루어 한 사람은 이겨도 두 사람에게는 질 정도의 체력. 다섯째, 자신의 연설을 듣는 사람의 반 정도만 박수를 칠 정도의 말솜씨. 이처럼, 플라톤이 이야기하고 있는 행복의 조건에는 한 가지 공통분모가 있어 보인다. 그것은 바로 완벽함이 아닌 부족함이다. 우리가 현재 살아가고 있는 세상은 우리에게 지속해서 완벽함을 요구하지만 때로는 부족함이 우리의 인생에 더 큰 가르침을 주는 경우들이 있는 것 같다. 필자는 이를 "부족함 속에 감춰진 능력"이라고 이야기하고 싶다.

앞서 언급한 부족함 속에 감춰진 능력은 빅데이터 그리고 인공지능과 관련된 최적화 문제를 해결하기 위한 유전 알고리즘(Genetic algorithm)과 담금질 기법 알고리즘(Simulated annealing algorithm)의 전략에서도 찾아볼 수 있다. 조금 더 구체적으로 말하자면, 유전 알고리즘의 경우에는 선택(Selection), 교배(Crossover), 변이(Mutation), 엘리티즘(Elitism) 등의 전략에 따라 조금 더 포괄적으로 근사해를 탐색하며, 담금질 기법 알고리즘의 경우에는 메트로폴리스 규칙(Metropolis criterion)을 적용하여 항상 최적의 해만을 선택하는 것이 아닌 확률에 따라 상대적으로 좋지 않은 해도 선택하는 전략을 활용하고 있다. 이러한 전략들은 결국 수많은 국소 최적해(Local optimum)를 가진 복잡한 문제에서 최적화를 수행하는 과정 중, 국소 최적해에 수렴하는 것이 아닌 전역 최적해(Global optimum)에 가까운 근사해를 찾는 데 큰 도움을 줄 수 있다.

다시 말해, 이러한 알고리즘의 아름다움은 때로는 상대적으로 부족한 해가 탐색 과정을 거치면서 결국 더 나은 결과를 가져온다는 것이다.[71]

52. 66세 때 건강, 앞으로 10년 좌우한다

60대 중반에 노쇠 정도를 측정해 보면 10년 뒤 건강 상태를 예측할 수 있다는 연구 결과가 나왔다. 나이는 같아도 개인마다 다른 '노화 속도' 때문에 노년기 건강과 수명이 차이를 보이는 것으로 분석됐다.

정희원 서울아산병원 노년내과 교수 연구팀은 21일 미국의사협회가 발행하는 국제학술지인 'JAMA 네트워크 오픈'에 게재한 논문에서 '66세 때 심하게 노쇠한 집단은 건강한 집단보다 10년 내 사망 위험이 약 4.4배 높다'고 밝혔다. 신재용·장지은 연세대 의대 예방의학교실 교수와 김대현 미국 하버드대 의대 교수가 함께 진행한 이번 연구에선 2007~2017년 건강검진을 받은 만 66세 성인 96만 8885명의 국민건강보험 데이터베이스를 활용했다.

연구진은 노쇠 정도에 따른 10년 내 사망률과 노화에 따른 질환 발생률을 최대 10년(평균 6.7년)간 분석했다. 이어 66세를 기준으로 심하게 노쇠한 집단은 향후 10년 내에 당뇨·관상동맥질환·심부전·낙상 등 노화에 따른 질환이 발생하거나 타인의 돌봄이 필요할 위험도 건강한 집단보다 약 3.2배 높았다는 결론에 다다랐다.

허약이라고도 표현하는 노쇠는 노화와 질병의 축적으로 몸의 기능이 감퇴해 각종 스트레스에 취약해진 상태를 말한다. 같은 나이라도 노쇠가 심하면 통상적으로 노화가 더 진행된 것으로 간주한다. 연구진은 병력과 신체·검체 검사, 신체건강, 정신건강, 장애 등 5개 영역의 39가지 항목을 평가해 노쇠 정도를 측정했고, 그 정도에 따라 건강한 집단, 노쇠 전 집단, 경증 노쇠 집단, 중증 노쇠 집단으로 분류했다.

노쇠 정도에 따른 10년 내 사망률을 보면 건강 수준에 따른 차이가 확연히 드러났다. 건강한 집단에서는 연간 100명 중 0.79명이 사망했지만, 노쇠 전 집단에서는 1.07명, 경증 노쇠 집단에서는 1.63명, 중증 노쇠 집단에서는 3.36명이 사망했다. 노쇠가 심각할수록 10년 안에 사망에 이를 위험이 커졌다. 또한 노화에 따른 질환은 건강한 집단에서 연간 평균 0.14건 발생했지만, 노쇠 전 집단은 0.23건, 경증 노쇠 집단은 0.29건, 중증 노쇠 집단은 0.45건씩 발생해 비슷한 경향을 보였다.

질환별로 보면 중증 노쇠 집단에서 10년 내 심부전·당뇨·뇌졸중이 발병할 위험은 건강한 집단보다 각각 2.9배·2.3배·2.2배씩 높았다. 신체·정신적 기능 저하로 타인의 돌봄이 필요한 비율 역시 중증 노쇠 집단이 10.9배 높았다. 이외에도 낙상과 골절, 관상동맥질환 등 암을 제외한 대부분 질환의 발병률이 건강한 집단보다 중증 노쇠 집단에서 유의미하게 높은 것으로 나타났다.

보다 고령을 기준으로 진행했던 기존 연구보다 이번 연구는 초기 노년기인 66세를 기준으로 노쇠의 의미와 향후 영향을 확인했다. 주요 질병이나 장애가 없는 비교적 젊은 나이대의 노쇠 정도로도 노화 속도를 파악할 수 있다는 점이 밝혀진 것이다. 이에 따라 건강하게 나이 들기 위해선 선제 건강관리가 필요하다는 조언도 나왔다.

정희원 교수는 "같은 나이라도 생물학적 노화 정도, 즉 노쇠 정도가 사람마다 다르며, 이러한 차이로 먼 미래의 사망과 건강 상태까지도 예측할 수 있었다" 며 "젊을 때부터 규칙적인 생활 습관과 운동, 금연, 절주, 스트레스 관리 등을 통해 건강관리를 하여 노쇠와 질환을 예방하는 것이 중요하다" 고 말했다.

노쇠와 질환을 예방하는 데엔 개인의 건강관리뿐 아니라 사회 차원의 보건정책 개발도 뒤따라야 한다. 이미 노쇠가 진행된 경우라도 그 원인이 되는 근감소증이나 인지기능 감소, 우울, 불안, 수면장애 등에 대해선 노인의학 전문의의 도움이 효과적이다.

정 교수는 "세계적으로 빠른 고령화와 돌봄이 필요한 인구 급증이 예상되는 만큼, 이를 예방하고 지원할 수 있는 사회적 논의와 정책 개발이 시급하다" 고 말했다.[72]

53. 나는 어떤 시간에 살고 있는가?

생물학적 시간이 있다. 누구에게나 동일한 시간이고 벗어날 수 없으며 객관적인 시간이다. 예를 들면 하루가 24시간이라든지 1년이 365일이라는 것이다. 생로병사(生老病死)나 요람에서 무덤까지라는 말도 이 시간에 속한다. 한마디로 말하면 양적(quantitative)인 시간이고 보이는 시간이다. 고대 그리스에서는 이러한 시간을 크로노스(Chronos)의 시간이라고 생각했다. 크로노스는 그리스 로마 신화에 등장하는 신으로 일명 죽음의 신이라고도 불리워진다. 시간이 모든 것을 앗아가기 때문이라는 의미다.

그래서 한정된 크로노스의 시간에서 보다 많은 일을 하고 효과적으로 사용하기 위해서는 계획이 필요하다. 이와 관련 개인이나 조직에서는 시간 관리의 중요성이 부각되기도 한다. 해야 할 일들에 대해 중요도와 긴급도를 따져 우선순위를 정해야 한다는 것이다. 시간관리의 핵심은 중요한 일을 우선적으로 해야 하는 것은 물론, 중요한 일이 급하게 되지 않도록 해야 한다는 것이다. 그러나 현실에서는 사뭇 다르다. 중요한 것을 먼저 하기보다는 급한 것을 먼저 하는 경우가 많다. 지금 당장 급한 것을 하지 않으면 문제가 발생하기 때문이다. 그런데 이렇게 되면 현상 유지는 될지 몰라도 한 발 더 나아가기에는 부족함이 있다. 이는 동화 '이상한 나라의 엘리스'의 후속작인 '거울 나라의 엘리스'에서 붉은 여왕을 만난 엘리스로부터 찾을 수 있다. 엘리스가 계속 달리지만 그 자리에서 벗어나지 못하자 옆에 있던 붉은 여왕은 이곳에서는 다른 곳에 가고 싶으면 적어도 두 배는 더 빨리 달려야 한다고 말한다. 자신이 열심히 달리지만 주변도 함께 달리는 한 제자리를 벗어날 수 없는 이른바 붉은 여왕 효과를 일컫는다.

그렇다면 우리는 이와 같은 크로노스의 시간에서 벗어날 수는 없는 것일까? 그것은 아니다. 크로노스의 시간을 넘어설 수 있는 카이로스(Kairos)의 시간도 있다. 카이로스 역시 그리스 로마신화에 등장하는 신이다. 기회의 신이라는 별칭도 있다. 카이로스의 시간에 살게 되면 사회학적 인간으로서의 삶을 영위할 수 있다. 카이로스의 시간은 크로노스의 시간과 다르다. 개인별로 차이가 있는 주관적 시간이자 질적(qualitative)인 시간이다. 크로노스의 시간에서는 하루가 24시간일지 몰라도 카이로스의 시간에서는 하루가 25시간도 될 수 있고 30시간도 될 수 있다.

그 이유는 카이로스의 시간은 스스로 찾고 만들어내는 시간이기 때문이다. 어렵다고 생각되거나 이상적이라고 생각할 수 있다. 하지만 돌이켜보면 카이로스의 시간에 들어갔던 경험이 없는 것도 아니다. 이른바 시간 가는 줄 몰랐던 적이다.

이를 몰입이라고 한다. 대개는 좋아하는 일을 할 때나 재미있는 일을 할 때 혹은 주도적이거나 자율적인 일을 할 때다. 카이로스의 시간 속으로 들어가게 되면 이와 같은 몰입을 경험하게 된다. 이는 물리적으로 같은 시간이 주어졌을지라도 크로노스의 시간 속에 있을 때보다 카이로스의 시간 속에 있을 때 상대적으로 더 많은 생각과 집중 그리고 다양한 경험을 할 수 있게 된다는 것을 의미한다. 또한 몰입을 하게 되면 아주 짧은 시간일지라도 매우 효과적인 결과를 얻게 되며 시간적 여유도 생기기 마련이다.

그러나 안타깝게도 카이로스의 시간은 누구에게나 주어지지 않는다. 방법은 있다. 한 가지 질문에 대한 답을 찾으면 된다. '자신의 삶에서 남기고 싶은 것이 무엇인가?'라는 질문이다. 이 질문에 대한 답을 찾기 위해서는 삶의 목적을 생각해야 한다. 그리고 이를 위한 구체적인 목표를 설정해야 한다. 이렇게 되면 자신의 삶에서 중요한 것이 보이게 되는데 이것이 자신의 우선순위에서 멀어지지 않도록 해야 한다. 카이로스의 시간은 보이지 않는 시간이다. 또한 일상의 복잡함과 바쁘게 돌아가는 상황 속에서 인식하지 못하기도 한다. 그렇다고 해서 외면하면 안된다. 바쁘게 살아왔지만 되돌아봤을 때 그 자리를 벗어나지 못한 후회를 남기고 싶지 않다면 선택해야 한다. 크로노스의 시간에서는 할 수 있는 것에 제한을 받지만 카이로스의 시간에서는 자유롭다. 그러니 지금부터라도 나의 시간을 크로노스의 시간이 아닌 카이로스의 시간으로 바꾸어보면 어떨까?[73]

54. 어디에 살까, 누구와 살까

"나 살아갈 곳, 어디를 택할까? 어진 사람들 있는 곳이 좋겠지. 난초 있는 방에선 향기 스미고 생선가게 있으면 악취 배는 법이니." 목은 이색이 '이인위미'(里仁爲美)를 제목으로 지은 시의 첫 부분이다. 공자 이래로 유가 지식인들은 어디에 살 것인가를 어떤 이들과 함께할 것인가의 물음과 동일시해 왔다. "성인 공자도 마을 사람 잘 택하라 하셨고, 증자는 이문회우(以文會友)하여 인덕을 이루라 했네. 늙어갈수록 학문에 소홀함을 깨닫게 되니, 빈손으로 또 봄을 기다리는 게 부끄럽구나." 퇴계 이황이 70세에 지은 시이다. 도산서당을 중심으로 제자들과 함께 읽고 토론하는 일을 무엇보다 즐긴 퇴계였지만, 좋은 이들과 함께 머물며 교유하는 것은 여전히 더 이루어가야 할, 진행형의 꿈이었다.

어디에 살지는 요즘 사람들에게도 지대한 관심사다. 하지만 그곳에서 누구와 함께 살지에 대해서는 그리 관심이 없어 보인다. 골목을 오가며 서로 잘 알고 지내던 마을의 개념은 사라지고, 같은 승강기를 이용하는 아파트 이웃과도 인사 나누기 어색한 사이가 되었다. 1인 가구의 비율이 30%를 넘어선 마당에 다른 집 사람과의 소통이란 불편하기 짝이 없는 일이라고 여길 법하다. 혼자 방에만 있어도 세계 각지는 물론 상상의 공간까지 누비며 많은 이들을 만날 수 있는 인터넷 시대다. 군이 성가시게 현실의 이웃을 만들 필요가 있을까.

필자가 사는 '위스테이 별내'는 주택도시기금과 협동조합이 공동의 지분을 가지는 공공지원 민간 임대주택으로서, 입주민이 주체적으로 운영하는 새로운 형태의 아파트형 마을 공동체를 실험하고 있다. 2017년 협동조합 설립 후 2020년 입주에 이르기까지, 공간 설계부터 프로그램 수립 등의 과정을 조합원 참여로 진행했다. 동네 카페, 공유 주방을 비롯해 놀이방, 돌봄 센터, 책방, 체육관, 목공실, 스튜디오 등 일반 아파트에 비해 훨씬 많은 커뮤니티 시설이 조합원 투표를 통해 조성됐다.

이제 입주 3년차. 20여 개의 다양한 동아리와 10여 개의 자치위원회가 활동 중이고, 평생교육 플랫폼 '백 개의 학교'에서 서로 재능을 나누고 있으며, 아파트 내에 창출한 일자리가 40여 개에 이른다. 잔디 광장에서 동네 아이들의 축가와 함께 입주민 결혼식이 진행된 적도 있다. 함께 빚은 막걸리를 나누고 다양한 공동 구매가 이루어진다. 입주민끼리 눈만 마주치면 반갑게 인사한다. 어울려 노는 아이들 소리가 끊이지 않고, 엄마 아빠도 서로 알고 지내다 보니 잠시 외출하며 이웃집에 아이를 맡기는 일도 자연스럽다. 코로나19로 격리 생활을 해야 하는 집의 현관문에는 이웃들이 마련한 반찬과 먹거리가 연이어 걸린다. 마음 맞는 가족들은 서로의 집을 오가며 먹고 마시고 함께 여행도 다닌다. 491세대 모든 입주민이 한결같지는 않지만, 각자의 형편에 따라 꽤 많은 이들이 현실의 이웃을 만드는 일에 열심이다. 성가시기는커녕 매우 즐거운 마음으로.

아파트로는 첫 번째 시도였기에 적잖은 관심을 받아 왔고 꽤 긴 분량으로 언론에 보도되기도 했다. 그런데 의외로 부정적인 댓글도 제법 있었다. "기사만 읽어도 너무 피곤하다"는 반응부터 "지옥이다. 공짜로 살라 해도 안 갈 거다"는 극단적인 내용까지 있었다. 삶에 지치고 관계에 실망한 모든 이들에게 이런 공동체를 강요할 수 없음은 당연하다. 하지만 원하는 이들이 협동조합으로 모여서 '느슨한 마을 공동체'를 꿈꾸며 살아가는 것은 대안적 시도의 하나로서 의미를 지닌다. '이인위미'니 '이문회우'니 하는 거창한 가치를 부여하지 않더라도, 이웃과 더불어 살 맛 나는 일상을 만들어가는 것이 얼마나 독특한 즐거움인지 다시 발견하고 조금씩 깨달아가고 있다.

퇴계는 앞의 시를 음력 11월에 지었는데, 결국 기다리던 봄을 보지 못하고 숨을 거두었다. 하루가 다르게 여기저기 피어나는 꽃들처럼 새로운 봄이 또 기적처럼 찬란하게 우리 앞에 펼쳐지는 4월이다. 하지만 우리에게도 봄이 영원히 주어지지는 않을 것이다. 어디에서 누구와 살 것인가를 곰곰이 다시 생각해 볼 때다. 우리에게 남은 봄이 다하기 전에.[74]

55. 칠순기념 문집을 내고

저는 빈곤한 가정에서 태어나, 여덟 살 때 어머니를 여의고, 자취도 하고 하숙도 하고 가정교사도 하면서 선친의 높은 교육열 덕에 공부할 수 있었습니다. 선친께 감사드립니다.

가난은 유비무환을 가르쳐 준 스승이었고 어머니의 요절은 아내의 소중함을 일깨워 준 스승으로, 저에게 가난과 어머니의 요절은 잊을 수 없는 스승이고 영원한 스승이라고 생각합니다.

사회봉사를 하겠다고 신문에 1000여 편의 글을 썼고, 원고료는 불우이웃돕기성금으로 냈습니다. 신문에 글을 쓰는 것이 공허한 메아리가 아닌가 하고 중단했던 적도 있고 지금은 별로 안 쓰지만, 신문에 글쓰기는 살기 좋은 세상을 만드는데 조금이나마 기여하는 아름답고 향기로운 꽃입니다.

이번에 칠순기념 문집 출판으로 모두 17권의 책을 냈고 1권당 평균 314쪽입니다. 이 17권의 책들은 살기 좋은 세상을 만드는 데 조금이나마 기여할 수 있을 것으로 기대하고 출판했습니다.

세월이 좋고 나라가 잘살다 보니 필리핀·뉴질랜드·호주·중국·영국·프랑스·스위스·독일 등 11개국을 여행했으며, 중국·프랑스·스위스·이탈리아 등 7개국은 아내와 함께 여행했습니다.

하나님의 작품 지구는 참으로 아름답습니다. 11개국을 여행하고 나니, 두 번째 봄이라고 할 수 있는 인생의 가을을 최대한 늘리고 싶으며 젊음의 열정이 노년을 물들인다고 생각합니다.

출판한 17권의 책, 신문에 게재된 1000여 편(詩 약 350편 포함)의 기고문, 두 자식, 문단 등단(시인 및 수필가), 특허 및 제안(공무원제안, 시민제안 등) 70여 건 등은 인생의 보람이며, 책은 저의 품격을 도서관에서 대변해 주고 다른 사람에게 조금이나마 도움을 줄 수 있을 것으로 확신합니다.

아들딸의 대학시절에는 필설로 형언할 수 없는 기쁨 속에 콧노래가 절로 나왔고 음악이 없어도 춤을 추었습니다. 제 인생은 그때가 가장 행복했으며 남은 인생도 그때 같았으면 좋겠습니다.

세상은 사람이 바꾸지만 사람은 책이 바꿉니다. 우리 사회에 책 사랑 열풍이 몰아치고, 아내와 함께 건강한 장수를 누렸으면 참 좋겠습니다.

가난했지만 부친의 높은 교육열 덕에 공부할 수 있었고, 아들딸을 의사와 교사로 만들고, 무사히 공직생활을 마치고, 진갑 때 다섯 손주를 보고, 공무원연금을 받아 생활하고, 천국에 갈 수 있게 되었고, 마음의 부자가 되어 칠순을 맞이했습니다. 이만하면 축복받은 삶이었고 후회 없는 삶이었다고 자평하고 싶습니다. 하나님께 감사드립니다.

저에게 한마디 하라고 한다면 인생은 유비무환, 또 한마디 하라고 한다면 부부는 이혼하지 않고 자식들이 부모 없이도 아쉬울 것 없을 때까지 건강하게 장수해야 한다는 말을 하고 싶습니다.

인생은 70부터라고 생각합니다. 뿐만 아니라 인생은 초로와 같이 짧고, 세상은 돈이 많으면 너무너무 살기 좋습니다. 우리네 인생도 자연처럼 사계절이 순환한다면 정말로 좋겠습니다.

사촌이 땅을 사면 배가 아프다는 부끄러운 속담은 우리 민족 최대의 수치입니다. 남이 잘되면 배 아파할 것이 아니라 내가 먼저 기뻐하고 축하해 줘야 됩니다. 그래야 내가 행복할 수 있으며, 행복은 시기가 아니라 기쁨이고 축하입니다.

남 잘되는 꼴 못 보는 심리를 버리고 자신과 사회의 행복을 위하여 비교하지 않는 삶, 교만하지 않는 삶, 시기하지 않는 삶, 비방하지 않는 삶을 모두가 살았으면 참으로 좋겠습니다.

결혼하던 때가 엊그제 같은데 벌써 결혼 42주년이 지났습니다. 인생은 초로와 같다는 말이 그렇게 실감 날 수가 없습니다.

칠순기념 문집의 상당 부분은 제가 어떤 말을 해주면 우리나라를 살기 좋은 나라로 만드는 데 도움이 될까 하고 많은 고민을 한 후에 썼습니다.[75]

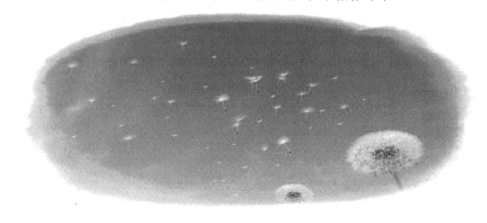

56. 인생의 반은 습관에 달렸다

미국 듀크대학의 한 연구에 따르면 인간 활동의 45%는 의사결정 결과가 아니라 단순한 습관이 발현된 것이라고 한다. 하루의 절반 가까이 별다른 생각 없이 혹은 무의식적으로 행하는 습관에 의해 생활한다는 뜻이다.

아리스토텔레스는 "지금의 우리는 반복적인 행동의 결과물"이라고 습관의 중요성을 강조했고, 뉴욕타임스 전문기자 찰스 두히그도 저서 「습관의 힘」에서 "누구나 원하지만 뜻대로 되지 않는 일들의 중심에는 습관이 있다"라고 한 것처럼 습관은 우리 인생에 절대적 영향을 미친다.

무슨 일이든 간절히 바라지만 잘 안 풀리는 일들을 살펴보면 그 뒤에는 반드시 나쁜 습관이 숨었다.

좋은 습관은 긍정의 힘을 가져 계속 가지고 갈 필요가 있지만, 나쁜 습관은 부정의 힘을 가졌기에 하루빨리 버려야 한다. 그런데 매번 후회하면서도 같은 일을 반복하는 나쁜 습관을 고치기가 쉽지 않다는 데 문제가 있다.

어느 시골 마을에 지혜롭기로 소문난 스승이 있었다. 한 제자가 '습관이란 무엇인지' 스승에게 물었다. 그러자 스승은 제자들을 데리고 동산에 올라가 네 종류의 식물을 보여 줬다. 첫째는 막 돋아난 어린 풀이었고, 둘째는 뿌리를 내려 조금 자란 풀이었다. 셋째는 키 작은 어린 나무였으며, 넷째는 다 자라 키가 큰 나무였다.

스승은 제자들에게 첫째와 둘째 풀을 뽑아 보라고 지시했고, 모두가 어려움 없이 쉽게 두 가지 풀을 뽑았다. 이어서 스승은 세 번째 키 작은 어린 나무를 뽑으라고 했다. 제자들은 약간의 힘을 준 뒤에야 뽑을 수 있었다. 마지막으로 네 번째 나무도 뽑아 보라 했지만, 이번에는 제자들이 다같이 힘을 모아 뽑으려 해도 나무는 뽑히지 않았다. 아무리 힘을 주어도 뽑히지 않는 나무를 보며 스승은 "그것이 습관의 모습이다. 습관이란 처음에는 마음에 따라 조절할 수 있다. 그러나 뿌리를 깊이 내리고 자라면 마음대로 되지 않는다. 나쁜 습관은 아예 처음부터 뿌리 뽑고 좋은 습관은 큰 나무로 자랄 수 있도록 키워라" 라고 말했다.

생각해 보면 우리가 아침에 일어나서 밤에 잠들기까지의 많은 행동은 무의식적인 습관에 의해 반복된다. 많은 사람이 기상 습관에 따라 일어나서 식사 습관, 언어 습관, 운동 습관, 인사 습관, 작업 습관, 독서 습관, 질서 습관, 청결 습관, 표정 습관, 운전 습관, 걸음 습관, 감사 습관에 따라 하루를 생활하고, 밤이 되면 수면 습관에 따라 잠들곤 한다.

습관은 더하기가 아니라 곱하기다. 어떤 행동이 습관화되면 그 결과가 곱절로 불어난다. 좋은 습관과 나쁜 습관의 차이는 처음에는 미미하지만, 하루하루가 쌓여 세월이 흐르면 결국 습관에 따라 성공과 실패, 행복과 불행이 결정된다. 나쁜 습관은 좋은 습관보다 쉽게 물드는 경향이 있어 길들기 전에 좋은 습관으로 바꿔야 한다.

습관은 쉽게 만들어지지는 않지만 한번 길들면 고치기도 힘들며, 이미 길든 나쁜 습관을 고치려면 몇 배의 고통이 따른다. 나쁜 습관을 좋은 습관으로 바꾸기 위헤선 21일, 66일의 법칙을 기억해야 한다.

영국 런던대학교 심리학과 연구팀이 참가자 96명을 대상으로 같은 행동을 얼마나 반복해야 생각이나 의지 없이 습관처럼 하게 되는지를 실험했다. 그 결과 새로운 습관을 뇌에 각인시키는 데 21일, 몸에 각인시키는 데 66일의 시간이 필요했다고 한다.

코로나 이후(After Corona) 시대에는 코로나 이전(Before Corona) 시대에 익숙했던 나쁜 습관들을 고치고 새로운 좋은 습관을 만들어 가야 한다. 우리가 건강하고 행복하며 성공적인 인생을 살아가는 길은 복잡하지만, 의외로 단순할 수도 있다. 바로 의미 있는 생각과 행동을 반복해 습관화하면 가능하기 때문이다. 어떤 습관을 지녔느냐가 곧 그 사람의 삶을 결정하며, 반복된 생각과 행동의 결과가 인생이 된다.[76]

57. 부활을 꿈꾸는 사람들

20년 동안 술만 마시던 사람이 어느날 술을 끊고 새로운 존경 받는 가장이 됐다.

4월, 작천정을 하얗게 덮은 봄을 재촉하던 하얀 벚꽃도 어느새 바람에 꽃잎을 날리고 말았다.

한 겨울의 추위는 언제 그랬냐는 듯이 보이지 않는다. 나무는 겨울을 맞이할 때마다, 부활을 꿈꾼다. 매년 부활의 꿈을 꾼다. 해마다 새 잎을 내고, 새로운 꽃을 피운다. 그러면서 자란다. 그렇다면 사람들도 인생을 지우고, 다시 쓸 수가 있지 않을까?

사람들은 운명이란 단어를 만들었다. 절대로 바꿀 수 없다는 것이다, 운명을 바꾸기 위해 뛰어든 사람들이 있다. 그들은 분명 부활을 꿈꾼 사람들이다. 이 세상에 가장 용기 있는 사람은 자신의 운명과 싸운 사람들이다.

아버지의 꿈은 겨울에 춥지 않고 배고프지 않고 세끼 밥을 먹고 사는 것이었다. 한국전쟁 이후 누구나 그런 소박한 꿈을 가졌지만, 가난은 운명처럼 다가와 있었다. 박정희 대통령은 물론 독재를 했지만 국민들을 잘 살게 하고 싶었다. 배부르게 살게 하고 싶었다. 그렇기 위해 제일 먼저 바꿔야 하는 것은 운명처럼 떨어지지 않은 가난이란 두 글자였다. 잘 살아보세 그래서 새마을 운동을 했다. 아침이 되면 확성기를 통해 새마을 노래가 울려 퍼졌다. 노래를 듣는 동안 잘 살아보고 싶은 열망이 올라왔다. 그 결과는 놀라운 것이었다. 초가지붕이 없어지고 시골집 마당까지 포장이 되고, 농로까지 포장을 한 것이다. 운명은 바꿨다. 그것이 얼마나 대단한지 아프리카에 가서 알게 됐다. 분명 나라의 수도인데도 큰 도로 외에는 포장이 돼있지 않다.

더운 나라는 늘 여름뿐이다. 물론 잎이 떨어지기도 하지만 한국 같은 울긋불긋한 단풍을 볼 수 없다. 아프리카 사람들은 대부분 자신의 운명과 싸우지 않는다. 그런다고 그들이 열등한 민족은 아니다. 운명도 바꿀 수 있다는 것을 자신이 믿지 않아서 그렇다. 운명은 도대체 누가 만든 것인가? 원래 창조주는 운명을 정해 놓지 않았는데, 운명이란 단어가 가장 필요한 사람은 상위계층의 지배자들이었을 것이다. 계층이 안 바뀌었으면 하는 사람들. 그들과 추종자들은 운명과 신화를 만들었다.

키르기스스탄의 소설가 친기즈 아이뜨마또프가 쓴 「백년보다 긴 하루」란 소설에는 망꾸르뜨 즉 어떤 대꾸도 할 수 없는 종을 만드는 추안추안족들의 방법이 나온다. 상대방 민족을 공격해서 포로로 잡아 싸울 의지를 죽여 버리는 것이다. 그 과정에서 적의 머리카락을 밀고 암약대 유방 가죽을 씌워서 햇볕 아래 세워둔다. 머리가 자랄 때에 유방 가죽이 쭈그러들면서 머리를 쪼여온다. 그 고통스러운 과정에서 많은 사람이 죽고 만다. 살아남은 자들은 망꾸르트가 된다. 그들이 말을 안 들으려고 하면 다시 머리를 밀고 암약대유방가죽을 덮어씌운다고 하면 그들은 고분고분한 추종자가 된다.

내가 내 운명을 인정하는 순간 우리는 결코 벗어날 수 없는 것이다. 그런 운명을 바꾼 사람들도 있을까? 당연하다. 헬렌 켈러 보지도 듣지도 말하지도 못하는 사람이 대학을 졸업하고, 박사가 되고 사회지도자가 됐다. 그들은 먼저 자신의 생각을 바꿨다. 지인 중에 파킨슨씨병으로 10년간 고생한 분이 있다. 거동도 못하고, 삶이 되지 않았다. 그런데 근간에 수술을 받고, 기적같이 몸이 회복됐다. 그러기까지 마음의 싸움이 있었다. '정말 수술을 받는다고 나을까?' 라는 절망과의 싸움이다. 운명은 자신이 만든다. 또 자신이 바꾸는 것이다.

4월은 부활의 계절이다. 지난 4월 9일은 기독교의 부활절이다. 대자연도 겨울을 떨치고 봄을 맞는다. 우리가 운명이라는 생각에 살아야 될 이유가 없다. 제일 먼저 생각부터 바꿔보자. 나는 부자다. 많은 사람을 부요하게 하는 자다. 갑자기 돈을 많이 가지기는 어려워도 마음이 부자가 되는 것은 쉽다. 마음이라도 부자가 돼 내가 베풀 수 있는 선을 베풀어보자. 필자도 그렇게 해본 결과 내 삶은 더 풍성해졌다. 개인이 생각을 바꾸면 개인의 운명이 달라지고, 삼성처럼 기업 임직원이 마음을 바꾸면 기업이 달라진다. 그래서 이건희 회장은 처자식을 **빼고** 다 바꾸라고 했다. 과연 삼성은 세계 제일의 전자회사가 됐다.[77]

사라지는 도시에서 부활을 꿈꾸는 사람들(위드인뉴스, 2023. 6. 19 김영식)

58. 알코올성 치매

알코올성 치매는 과다한 음주로 인해 발생하는 치매를 말한다. 치매는 기억력을 비롯한 다양한 인지 기능의 장애가 발생하면서 일상생활 수행 능력에 문제가 생기는 질환이다. 치매 중에는 노화에 따른 '알츠하이머병'이 가장 흔한 병이다. 하지만 최근에는 젊은 층에서도 치매 환자가 늘어나고 있다고 한다. 그 원인 중 하나는 과다한 술 섭취로 인한 알코올성 치매이다. 알코올은 혈관을 통해서 우리 몸에 흡수되는데, 술을 많이 마시면 혈액 속의 알코올이 뇌세포에 손상을 입히기 때문이다.

알코올성 치매의 대표적인 증상은 흔히 '필름이 끊긴다'라고 표현하는 블랙아웃(black-out) 현상이다. 블랙아웃이란 음주 중 있었던 일을 기억하지 못하는 현상이다.

　술을 마신 후 어떻게 귀가했는지 기억나지 않거나, 기억이 가물가물하여 어떤 일이 있었는지 모르는 것을 말한다. 이러한 블랙아웃 현상은 짧은 시간에 많은 양의 술을 마시는 사람에게 흔히 나타난다. 잦은 술자리, 피곤한 상태에서의 음주, 공복 시 음주 등이 블랙아웃의 위험성을 높인다. 이러한 블랙아웃 현상이 반복되어 장기적으로는 심각한 뇌 손상을 일으켜 치매에 이르게 되는 것이다. 알코올성 치매의 또 하나의 증상은 '주폭' 으로서 폭력적 성격 변화이다. 알코올에 의해 인간의 감정과 충동을 조절하는 전두엽이 손상되기 때문에 나나타는 현상이다.

　또 다른 알코올성 치매의 증상 중에는 기억 장애가 있다. 초기에는 최근에 발생한 일을 기억하지 못하다가 병이 점차 진행되다 보면 일상생활을 하는 데에도 어려움을 겪게 된다.

　알코올성 치매가 의심되면 전문의를 찾아 적극적으로 진단 및 치료를 받아야 하고, 즉시 술을 끊는 것이 가장 중요하다. 알코올성 치매 발병 확률이 높은 알코올 의존증 환자는 금주 의지가 없는 경우가 많으므로, 의료기관의 금주 프로그램을 이용할 수 있도록 주변 사람들이 도와주어야 하고, 알코올성 치매를 사전에 예방하기 위해서 평소 올바른 음주 습관을 갖는 것이 좋다.[78]

59. 봄철 면역력 높이는 음식

새 울고 꽃 피거든 거기에 자연의 본성이 깃들여있음을 알라. '채근담'에 나오는 이야기이다. 이 세상 만물은 인연으로 잠시 어울려 있을 뿐이다. 머리카락 빠지고 이가 성겨진다고 흘러가는 세월을 한탄해 봐야 아무 소용없다. 움직일 수 있을 때 잘 먹고, 잘 지내고, 잘 자야 한다. 인간은 자연의 한 부분이므로 자연 그대로의 식품을 섭취하는 것이 제일 좋다는 말씀은 만고의 진리이다.

모진 한파를 견디고 새싹이 돋는다. 봄은 따뜻한 양기로 향하지만, 대지는 아직 음기를 품고 있다. 새는 울고 꽃은 앞다투어 피어나나 영동할매는 매섭게 바람을 몰고 온다. 그러나 자연의 본성은 거스를 수 없어 인간 역시 봄기운에 몸이 근질거리는 것이다. 겨우내 움츠렸던 몸이 양의 기운을 따라가자니 춘곤증과 식곤증으로 노곤해지고 피로가 한꺼번에 몰려온다.

제철을 맞은 원추리, 방풍나물, 부추가 흙을 뚫고 몸집을 키웠다.

이럴 때는 비타민을 보급해야 한다. 무거운 흙덩이를 뚫고 솟아나는 여린 싹의 위대함은 기특하게도 우리 몸의 피로를 풀어주는 역할을 한다. 잠시 바구니 들고 나갔더니 봄볕 아래 뾰족뾰족 몸을 키우는 원추리와 혈액순환에 좋다는 쑥이 쑥쑥 자라있다. 풍(風)과 풍한(風寒)을 예방해주는 방풍나물은 지금이 가장 적기이다. 데쳐서 무치거나 장아찌를 담가도 된다. 간에 좋고 혈액순환에 좋은 부추 역시 제법 손바닥 반 크기만큼 몸집을 키웠다. 덤불 아래에서 키를 키우는 달래도 봄나물의 대표 격이다. 달래의 비타민과 무기질, 알리신 성분은 춘곤증에 특히 효과를 보인다. 이것만 염두에 두자. 전을 부치고, 된장찌개에 넣어도 좋지마는 일단 불을 가하면 비타민이 파괴되니 무침이나 양념장을 만들어 먹는 것도 팁일 것이다.

해물과 고기를 보태어 전골을 끓인다.

봄 날씨는 변덕이 심하다. 피로뿐만 아니라 황사와 미세먼지까지 출몰시킨다. 봄나들이 꽃구경 갈라치면 목이 따갑고 마른기침이 나며 기력도 떨어진다. 좋은 음식과 약은 같은 효능을 낸다는 약식동원(藥食同源)을 세세하게 살펴보면, 음식으로 고치지 못할 병은 약으로도 고칠 수 없다는 뜻이 된다. 도라지와 더덕과 오미자 등은 외부 요인으로부터 우리 몸을 보호해 준다. 더덕의 영양가를 말해 무엇하리. 기침과 천식에 효능을 보이고 피로 해소에도 좋다. 폐 기능을 돕는 배, 간 기능을 활성화하며 해독작용을 하는 비트 역시 봄철 건강에 도움을 주는 식재료이다. 미리미리 면역력 키우는 음식을 먹어야 우리 몸을 지킬 수 있다.

아직은 노지(露地)에서 나는 두릅이나 엄나물은 이른 시기이다. 지난가을에 보관해둔 배추를 끄집어낸다. 배추는 익혀도 비타민 손실이 적다. 국이나 전골에 많이 사용하는 이유이다. 배추는 육류와 같이 먹으면 소화를 돕고 환절기 면역력에도 효과를 보인다. 냉동실에 있는 해물과 고기를 보태어 전골을 끓인다. 배추 듬뿍 넣은 후, 손질하고 남은 자투리 더덕이며, 이 봄의 마지막 나물일 듯한 냉이도 넣는다. 냉이꽃은 맵지만, 살균 효과가 있다니 봄날이 무르익을 때 꽃밥 만드는 데 사용해 보자. 전골에 가락국수 사리를 넣었더니 한 끼 식사로 거뜬하다. 가락국수가 없다면 라면보다는 국수를 넣어도 될 것이다. 시원하고 담백한 국물에는 라면이 어울리지 않는다.

배와 더덕, 비트로 만든 샐러드가 입맛을 돋운다.

배와 더덕과 비트는 손질해서 샐러드 만들었다. 가늘게 채를 쳐도 색다르겠으나 배의 식감을 살리기 위해 조금 납작하게 썰었다. 양념에 버무려도 되겠으나 올리브유를 넣은 오리엔탈 소스를 곁들여 먹기 직전에 부어주면 된다. 자투리 채소를 소스에 다져 넣고, 견과류 대신 양파 칩을 뿌렸더니 바삭바삭 씹히는 식감이 입맛을 돋운다.

환절기일수록 풍한사(風寒邪)가 몸에 침투한다. 음식을 잘 먹기보다는, 이제는 몸에 이로운 음식을 선택해서 먹어야 한다. 가급적 면역력 높이는 식재료, 자연에서 채취한 식재료를 사용하면 건강에 도움을 줄 것이다.

새는 울고 꽃은 앞다투어 피어난다. 머리카락 빠지고 이가 성겨진다고 한탄만 할 일인가. 가발이 싫으면 모자 쓰면 될 일이다. 요즘 임플란트나 틀니는 견고하기가 톱날 같다. 바야흐로 봄은 왁자하게 익어간다. 꽃구경하기 좋은 계절이다.[79)]

60. 7만평 숲과 더불어 사는 삶

강원 화천군 사내면 광덕리. 산길이 시작되는 입구에 자리 잡은 작은 집 앞으로 다가서자 문이 열리며 한 여성이 반색을 한다. "아이고, 빨리 오셨네요. 잠시 앉아 계세요."

길쭉한 나무 테이블과 의자가 놓여 있는 소박한 실내는 구수한 나무 냄새, 향긋한 풀 냄새로 가득했다. 오른쪽 주방 싱크대 위에 놓인 넓적한 바구니에는 각종 나물과 버섯이 수북하게 담겨 있었다. 5분쯤 지났을까. 그는 손에 나뭇가지를 한 움큼 쥐고 들어오며 "닭백숙 삶을 때 벌나무와 마가목을 같이 넣으면 좋다"고 말했다. 밥을 안친 그를 따라 산 구경에 나섰다. 이곳은 화천의 명물이 된 '산방환담'이다. 집 앞에 세워진 '산방환담'이라는 간판을 시작으로 23만여㎡(7만여평)의 산밭이 이어진다. 대표인 조순정씨(64)가 18년째 가꾸고 있는 산밭이자 산속 농장이다.

그를 따라 오른 산길은 여느 등산로와 다름없어 보였다. 언뜻 보기엔 높이 솟은 나무 아래로 풀이 무성하게 펼쳐져 있는 것 같지만 자세히 보면 조금 다르다. 길가에 심겨진 것, 계곡변에 늘어선 것, 나무 그늘 아래 넓은 면적을 차지하고 있는 것들은 저마다 균형을 이루며 통일감 있게 자리를 잡고 있었다. 곰취, 산마늘, 병풍취, 누리대, 작약, 눈개승마, 전호, 잔대, 참취, 두릅, 당귀, 원추리, 엄나무….

일일이 기억하기도 힘든 작물들의 이름을 그는 하나하나 불러가며 특징을 알려줬다.

"눈개승마는 뿌리가 강력해서 이런 절개지에 주로 심어요. 떠내려가는 땅을 잡아 주거든요. 전호는 쌉쌀한 맛이 나는데 폐에 좋답니다. 누리대랑 병풍취는 손발이 찰 때 먹으면 좋지요. 특히나 힘쓰며 일하는 사람들에게 힘이 나게 해줍니다. 예전엔 큰 농사일을 할 때 누리대랑 병풍취를 함께 많이 먹었어요."

그는 몇몇 작물의 잎을 따서 맛을 보라며 건네줬다. 쌉쌀하고 아릿한 향, 살짝 들큼한 맛, 온갖 상큼한 기운이 입안을 가득 채웠다. 나무가 우거져 그늘이 생긴 아래로는 곰취가 자라는 밭이 이어졌다. 산을 계속 오르자 한편의 다래 덩굴 아래에도 곰취밭이 넓게 펼쳐졌다. "나무가 그늘진 아래에 곰취를 많이 심었어요. 곰취는 그늘이 어느 정도 있어야 하거든요. 다래나무 아래 심은 것도 그런 이유에서죠. 다래 잎이 커질 때가 곰취가 가장 맛있고 따기 좋은 때지요."

산방환담 숲속 밭. 언뜻 보면 나무 사이에 풀이 자라는 것처럼 보인다(한수빈 기자)

이리저리 산길을 돌던 그는 삐죽삐죽 나온 두릅을 보며 혀를 찼다. 시중에서 파는 것에 비해 가느다랗고 연약한 모양새를 보며 그는 "올해 이른 더위가 찾아와서 두릅이 채 여물지 못한 상태로 빨리 나왔다"고 말했다. 그는 이어 돌배나무가 심겨진 밭으로 안내했다. 돌배가 어떤 맛일지 궁금한 속내를 읽기라도 한 듯 그는 "새콤달콤하고 진한 맛이 난다"면서 "돌배주나 청을 많이 만들어 먹는다"고 설명했다.

"이 나무 심고 나서 처음 열매를 맺는 데 8년 가까이 걸렸어요. 비료나 농약을 쓰면 열매가 빨리 열렸겠지만 스스로 이겨내고 열매를 맺을 때까지 기다렸지요. 10년차 되어서는 정말 달고 탐스러운 열매가 많이 열렸습니다. 많을 때는 열매를 2t가량 수확하기도 하지요. 그런데 올해처럼 꽃샘추위가 심하면 열매를 잘

못 맺으니 좀 걱정이긴 합니다.”

조순정 산방화담 대표는 “사람과 나무, 식물, 벌레가 함께 먹고 살 수 있는 숲을 만들고 싶다”고 말했다(한수빈 기자)

농약이나 화학 비료, 비닐하우스 등 인위적인 다른 방법 대신 온전히 자연과 환경에 의존하는 농법을 고수한 지 올해로 18년째다. 참나무 껍질 등 유기물을 자연 퇴비로 삼았고 서로 ‘궁합’이 맞는 작물들을 연구해 꼼꼼히 심었다. 그늘에는 곰취를, 바람이 잘 드는 곳에는 산양삼을, 마가목 아래에는 병풍취와 누리대를 심는 식이다.

처음 이곳에 왔을 때 푸석하던 땅은 이제 촉촉한 찰기를 머금은 곳으로 변했다. 이곳에서 자라는 작물만 70여종. 대량 농산물 재배에 주로 사용하는 F1 종자가 아닌 토종 종자만을 고집해 가꿨다. “환원농법이라고도 하고 자연농법이라고도 하는데 저는 더불어 사는 농법이라고 하고 싶어요. 복잡할 거 없이 자연 그대로 원래 작물들이 살던 대로 자라게 해주자는 게 핵심이지요.”

다래덩쿨 아래 곰취밭이 펼쳐져 있다(한수빈 기자)

‘도회지’ 출신인 그는 1979년 결혼하면서 화천으로 들어왔다. 평범하게 아이 키우고 농사를 지으며 살았지만 남다른 ‘시골 아낙’이었다. 고된 농사일과 살림, 시집살이에 쌓인 스트레스를 푸는 그의 비법은 책 속으로 파고드는 것이었다. 책 살 돈이 없으면 버스를 타고 나가 서점에서 책을 보고 오기도 했다. 박경리, 박완서, 펄 벅의 소설부터 보부아르의 책까지 닥치는 대로 섭렵했다. 삶의 가치에 대해 일깨워 준 헬렌 니어링의 책은 그에게 특히 많은 영향을 끼쳤다.

"우리가 겪는 많은 문제와 고민의 근원은 결국 인간의 존엄성에 관한 것이더라고요. 어떻게 함께 사느냐는 거죠. 사람뿐 아니라 자연과도 마찬가지고요. 도시보다 농촌의 환경이 더 오염됐다고도 하잖아요. 더 빨리, 더 많이 욕심내고 당장의 수익만을 좇다 보니 결국 다 무너지고 피폐해지는 거죠. 시골에서 파는 지역 농산물이라고 샀는데 그게 서울 경동시장에서 사 오거나 중국산이 상당수라는 게 너무 충격적이지 않나요."

조순정 대표가 산남눌 초절임을 하고 있다(한수빈 기자)

마음속에 오래 품고 있던, 더불어 사는 농법. 자녀들이 어느 정도 독립한 뒤 그는 결심을 굳혔다. 꿈꾸던 공간을 산속에서 일궈보기로 했다. 2005년 그는 나름 동네 노른자위에 있던 논밭 5000평을 팔고 버려져 있다시피 한 산속 2만8000평의 땅을 사들였다. 무모해 보이는 그의 도전에 남편 윤병옥씨는 "당시 저러다 말겠지 싶었다"고 했다. 일정한 수입이 보장되는 농사를 포기하고 '엉뚱한' 일에 나선 그를 향해 '미친년'이라는 수군거림도 있었다. 맨땅에 헤딩하듯 별 소득 없는 몇년이 지나갔다. 하지만 그는 책을 찾으며 연구에 매달렸고 농업 관련 교육 프로그램이 있으면 어디든 열심히 좇아다녔다. 다행히 농업 마이스터대학에서 공부할 기회도 생겼다. 산농사가 조금씩 자리를 잡아가자 그는 돈이 생기는 대로 틈틈이 인근의 땅을 추가로 샀다. 생협을 통해 모둠쌈을 판매했고 단체관광객을 대상으로 체험 프로그램도 운영했다. 함께 산밭을 둘러보며 나물을 캐고 음식을 만들어 먹으며 충만한 숲의 기운을 받아 가는 프로그램 참가자들의 호평이 이어

졌다. 온전한 힐링을 체험해 본 참가자 중 때가 되면 찾아오는 이들도 꽤 많아졌
다. '산방환담' 이라는 이름처럼 산속에서 나눈 정답고 반가운 이야기의 추억을
잊지 못하기 때문이다. 산방환담 입구에는 텐트를 치고 캠핑할 수 있는 덱도 마
련되어 있다. 그는 또 자신이 갖고 있던 책과 기증받은 책을 모아 산속에 자그마
한 도서관도 꾸몄다.

그와 함께 '등산' 을 마치고 집으로 들어오자 감칠맛 나고 구수한 밥 냄새가
진동을 했다. 말린 곰취를 넣어 지은 곰취밥, 벌나무와 마가목, 표고버섯을 넣어
푹 끓인 토종닭백숙, 쌈채와 초절임한 산나물이 식탁 한가득이다. 명이와 곰취,
눈개승마, 당귀, 전호, 잔대를 그가 만든 특제 소스에 버무려 낸 산채 초절임은
밥 한 그릇 뚝딱 비울 만한 밥도둑이다. 간장과 식초 외에 다래와 돌배, 개복숭아
로 만든 효소가 들어간 것이 비법이다. 쌀을 제외하고는 거의 모든 재료가 산방
환담 농장에서 나온 것들이다. 7만평 숲이 차려낸 밥상인 셈이다.

조순정씨의 숲에서 나온 작물로 차린 밥상(조순정씨 제공)

그동안 묵묵히 산을 일궈온 그의 요즘 고민은 건강한 수익구조를 만들어 지속
가능한 미래를 이어가는 것이다. 마을이, 다음 세대가 함께하지 않으면 미래는 장
담할 수 없다. 다행히 아들 세종씨가 엄마의 뜻을 이어갈 뜻을 비치면서 한결 마
음이 가벼워졌다. 화천의 식재료 조리법 개발 및 청년 창업 교육을 담당하고 있
는 화천힐링센터도 조 대표의 고민에 동참했다. 산방환담에서 많이 나는 곰취로
김치를 담고 병풍취를 이용해 시리얼을 만드는 구체적인 계획도 세우고 있다.
오는 5월4일부터 8일까지 5일간 산방환담 일대에서 열리는 '산방환담 봄나물 마
중축제' 도 그 일환이다. 산방환담과 화천힐링센터, 지역 청년회 등이 함께하는
이 축제에서는 산나물 한상차림, 산나물 샌드위치, 산나물 디저트, 산나물 음료를
맛볼 수 있다. 화천힐링센터에서 창업 교육을 받은 젊은 셰프들이 메뉴 개발에
참여했다.[80]

61. 아버지의 삶을 생각하며

선친이 세상을 떠난 지 열다섯 해가 됐다. 얼마 전 따스한 오후에 흙을 붓고 떼를 입힌 후 다져 밟아 유택을 정비했다. 평일 봄날 오후 동생과 함께 무덤가에 앉아 내려다본 공원은 고요하기 그지없다. 빗질하듯 내리는 햇살, 막 수줍게 봉오리를 연 봄꽃들, 가볍게 살랑이며 속삭이는 바람만 가득하다. 때때로 새들이 높고 깊게 노래하는 소리가 들릴 뿐이다.

고요는 우리에게 가만히 말을 건다. 프랑스 시인 폴 발레리의 표현에 따르면 "아무 소리도 들려오지 않을 때 비로소 들리는 소리"로 귓가를 가득 채운다. 아늑함과 아득함이 겹쳐지는 자리에서 따스한 공기는 더욱더 풍성하게 피부에 느껴지고, 추억이 뭉텅뭉텅 구름처럼 머릿속에서 일어선다. 그러고 보면 침묵은 고요한 말이다. 영혼의 언어는 침묵 속에서만 비로소 날개를 펴고 소곤소곤 속삭인다.

"우리 식구들은 서로 쥐어짜는 어조로 말하는 것 말고는 다른 대화법을 알지 못했다." '아버지의 자리'에서 노벨문학상 수상 작가 아니 에르노는 말했다. 이 고백을 읽을 때마다 나는 아버지를 떠올린다. 아버지와 아들은 대부분 인생의 어느 갈림길부터 말이 잘 통하지 않고, 대화가 쉽게 다툼으로 번져서 따로 둘만 있기 어색하고 무서워진다.

에르노와 마찬가지로 문학 공부는 아버지와 나 사이를 끊어놓았다. 거칠고 노골적이고 악쓰지 않으면, 존재를 표현할 수 없는 아버지의 삶이 내 안에서 돌연 낯설어졌다. 그 생생한 언어, 그 건강한 삶이 어딘지 멀어졌다. 다행히(?) 아버지는 새벽부터 밤늦게까지 일한 후 지친 몸으로 잠들기 일쑤였고, 나 역시 밤낮이 뒤바뀐 채 더욱 문학과 철학을 파고들었다. 힘겨운 노동으로 지친 아버지 눈엔 쓸모없는 공부에 매달리는 아들이 철부지처럼 느껴졌을 테다.

대학원에 들어가 공부를 계속하겠다고 일방적으로 통보했을 때 아무 말 없이 나를 노려보던 아버지의 황당하고 분노한 얼굴이 잊히지 않는다. 응원받기까지 기대하진 않았으나 아직 어린 나로선 섭섭하기 그지없었다. 취직해 어려운 집안 살림에 손을 보태기는커녕 등골을 빼는 흡충으로 살겠다는 말이었으니 아버지로선 당연한 반응이었다.

살아생전 아버지가 단 한 번 나한테 의견을 청한 적이 있다. 동료들 권유로 노조 대의원에 나가려고 하는 와중에 회사에서 이런저런 특전을 제시하면서 미끼를 던졌을 때였다. 의리와 실리 사이에서 갈등하던 아버지는 평생 처음 진지하게 아들 생각을 듣고 싶었던 것이다. 그때 '돈은 내가 벌 테니, 집안 걱정 말고 의리를 지키세요' 라고 했으면 얼마나 듬직했을까 싶다. 무심히 남의 말 하듯 '당연히 대의원에 나가서야죠' 라고 이야기한 걸 후회한다. 아버지는 먹물에 불과한 내 말을 따르지 않았고, 가족의 안녕을 위해서 약간 수입이 늘어나는 삶을 택했다. 당시 난 어리석게도 아버지가 부끄러웠고, 지금은 그 부끄러움을 부끄러워한다.

위대한 아들을 두었으면서도 성서에 한마디 말도 남기지 않은 예수의 아버지 요셉처럼 아버지 역시 진짜 속마음을 단 한 번도 내비치지 못하고 살았던 듯하다. 신학자들은 요셉의 침묵을 전적인 헌신의 표시로 해독한다. 세상은 너무나 각박하고 생계는 너무나 어려웠기에, 진짜 하고픈 말을 아마도 단 한 차례도 하지 못하고 살았을 아버지의 삶은 가족에 대한 전적인 헌신의 표현이었을 것이다. 이제야 간신히 아버지의 삶을 어렴풋이 이해한다.

아버지를 모시고 함께 좋은 음식을 나누면서 정답게 이야기할 수 있을 듯한데, 아버지는 이미 곁에 없다. 시간은 언제나 빠르게 흐르고 깨달음은 한없이 뒤늦게 오니 슬퍼서 눈물 흘리지 않을 수 없다. 봄날 무덤가에 침묵의 속삭임이 온 천지에 가득하고, 추억은 방울방울 무수히 떠다닌다. 따뜻한 햇볕 아래 누워 계실 아버지를, 그 힘겨웠던 삶을 애도한다.[81]

아버지는 소를 생명처럼 여기셨어요. 어릴 적 내 눈에 비친 아버지는 소를 나의 어머니보다 더 육남매 보다 더 사랑하신다는 생각을 했습니다. 밖에서 뛰어 노느라 해지는 줄 몰랐던 나는 내가 소보다도 못한 사람인가? 깊은 질문을 던질 겨를도 없었지만 소에 대한 아버지의 진심은 나이가 들수록 더 깊이 제 마음을 울리게 합니다.

전성태 작가의 〈소를 줍다〉에서는 '나' 가 초등학교 3학년 때, 강물에 떠내려 온 주인 모를 소를 '나'가 힘겹게 건져 냅니다. 주인이 나타나지 않아 잠시 소를 기르게 되고, 처음에 반대했던 아버지도 서서히 소에게 정을 줍니다. 주워 온 소를 키우기 시작한 지 석 달이 지났을 무렵 소 주인이 나타났고 아버지는 소를 주인에게 돌려줍니다.

아버지와 나는 소 주인을 만나기 위해 버스를 타고도 한참을 더 강을 거슬러 올라간 낯선 동네로 갑니다. 소를 사 오고 싶었던 아버지는 소 주인에게도 그 소가 단 하나뿐인 소라서 팔 수가 없다는 사실을 받아들이며 눈물을 흘립니다.

주인공 '나' 는 아버지가 곧은 성격이라 융통성도 없고 답답한 사람이라고 생각했었는데 꺽꺽 소리 내며 우는 아버지를 보며 그동안 아버지가 소에게 쏟은 정성과 사랑이 얼마나 컸는지 느낄 수 있었겠죠. 그리고 늘 강할 거라 생각 한 아버지에게도 슬픔이 있다는 사실을 알게 됩니다

늘 아버지의 사랑은 엄마가 주신 고귀한 사랑에 가려졌고 아들 딸에 대한 차별에 큰 상처를 받으며 마음의 문을 닫았어요. 그 시대를 살았던 보편적인 아버지의 모습을 나는 결핍이라 생각하며 성장했어요. 나이가 들면서 달빛처럼 은은하게 아버지 사랑을 느끼고 있습니다(소를 사랑한 아버지의 삶, 초록잎삭).

62. 초고령 사회 눈앞…고령 운전자 대책 시급하다

UN은 65세 이상을 '노인' 으로 규정하고, 노인비율 7%이상이면 '고령화사회', 14%이상이면 '고령사회', 20%이상이면 '초고령사회' 로 분류한다. 우리나라는 지난해 기준 고령화율 17.5%로 2025년 20%에 진입할 것으로 보고 있다. 어림잡아도 1000만명이 훌쩍 넘는다.

초고령사회에는 현재보다 더 많은 문제가 대두될 것으로 전망한다. 노인빈곤, 노인복지비 증가, 생산가능 인구 부족으로 인한 경제성장 둔화, 고독사 등.

이외에도 작지 않은 문제들이 많다. 이중 고령 운전자 면허 반납 정책이 최근 이슈로 떠오르고 있다.

고령과 차량 사고의 연관성이 적지 않다는 분석에 의한 정책이다. 실제로 고령 운전자 사고는 늘고 있으며, 대형 사고로 이어지는 일이 많다.

지난 3월 20일 낮 시간 부산시 부전동의 한 식당에 SUV차량이 돌진했다. 이 차량에 보행자 2명과 손님 5명이 다쳤다. 앞서 지난 8일 전북 순창에서는 화물차

한 대가 농협 앞에 줄 서 있던 주민들을 덮쳐 4명이 숨지고, 16명이 다쳤다. 차량 운전자는 각 79살, 74살이었다. 두 운전자는 경찰조사에서 가속, 브레이크 페달을 헷갈려 사고가 발생했다고 진술한 것으로 알려졌다.

앞서 지난해 12월 서울 강서구 등촌동 도로에서는 80대 여성 운전자가 몰던 SUV가 도로변 아파트 담장을 들이받는 사고가 났고, 같은 달 19일에는 부산 해운대구의 한 빌라 주차장에서 70대 운전자가 몰던 승용차가 인근 차량과 가드레일을 들이받고 2층에서 1층 차로로 추락하기도 했다. 경찰과 많은 전문가들은 고령 운전자의 인지, 판단능력 저하 등을 사고 원인으로 보고 있다.

경찰청 자료를 보면 고령 운전자(65세 이상)는 2021년 기준 402만명에서 한 해 만에 36만명이 늘어난 438만명이었다. 2018년 기준 307만명에서는 4년만에 130만여 명이 늘어난 것이며, 2024년에는 고령인구 2명 중 한 명이 운전면허를 소지할 것으로 보고 있다.

고령 운전자 사고가 지속적인 증가세를 보이지만, 중앙·지방정부는 대책 마련에 어려움을 겪고 있다. 고령 운전자들의 운전면허 반납을 유도하고 있지만 실효성이 떨어진다. 10~30만원 수준의 일시적인 보상으로 인한 대상 운전자의 면허 반납률은 지난해 기준 2.6%에 불과한 것으로 나타났다.

교통정책 전문가들의 말을 빌리면 도시보다 시골의 면허 반납률이 낮다. 지역 특성상 이동이 쉽지 않기 때문이다. 급한 일이 생겼을 경우 자가용을 대신할 만한 이동수단이 없다는 것이다. 일부 전문가들은 "교통 소외 지역에 이른바 '100원 택시', 고령자 전용 콜버스 등의 대책을 동반해야 한다"고 제안한다.

미국 일부 주나 독일 등에서는 '조건부 운전면허제'를 도입했다. 독일의 경우 야간 시력이 부족한 이에게는 주간 운전만 허용하고, 장거리 운전이 어려운 질병을 가진 경우는 자택 기준 일정 거리 내에서만 운전 할 수 있도록 제한하는 제도다. 우리나라도 이를 벤치마킹한 제도 도입을 검토 중이지만 반대 목소리도 만만치 않아 보인다.

전문가들은 고령 운전자에 대한 정책이 더욱 조밀해야 한다고 조언한다.

도로교통법 개정을 통해 2019년부터 75세 이상 고령운전자의 면허적성검사 기간을 5년에서 3년으로 줄였다. 맞춤형 교통안전교육도 의무적으로 받도록 하고 있다. 하지만 이 정도론 증가하는 고령운전 사고를 막기엔 역부족이다. 적성검사 외에 고령자들의 인지 및 사고 대처 능력 검사 등을 강화하고 운전면허증 반납에 따른 각종 추가 혜택도 있어야 한다. 우리보다 먼저 고령사회에 진입한 일본은 고령자가 운전면허를 자진 반납하면 대중교통 요금 할인은 물론 추가 금리 적용,

식비 등을 지원하고 있다.

　제도 도입에 앞서 세대간 배려도 필요해 보인다. 열심히 살아온 기성세대들이 젊은 세대의 짐으로 여기게 해선 안 된다. 면허 반납이란 양보만큼 대중교통을 쉽게 이용할 수 있어야 하고, 조금 더 촘촘한 보조 교통수단과 혜택도 필요해 보인다.[82]

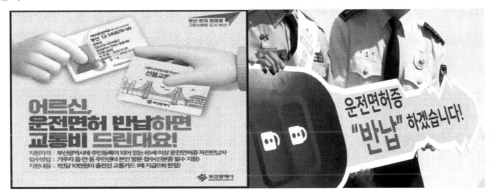

63. 늘어나는 1인 가구 절반이 빈곤층, 일자리 소득 지원 필요

　홀로 사는 사람들이 크게 늘고 있는 가운데 1인 가구의 빈곤율이 50%에 육박하고 있다. 특히 1인 가구 노인 10명 중 7명은 빈곤층이다. 우리나라는 2025년 초고령사회(65세 이상 인구 20% 이상)로 진입하는 데다 혼인·부양에 대한 가치관 변화 등으로 1인 가구가 빠르게 늘고 있다. 이런 추세에서 1인 가구의 빈곤은 앞으로 심각한 사회 문제가 될 것으로 우려된다.

　한국보건사회연구원이 9일 발표한 '2022년 빈곤통계연보'를 보면, 2020년 전체 인구의 가처분소득 기준 상대 빈곤율(중위소득 50% 이하인 비율)은 15.3%였다. 1인 가구의 빈곤율은 이보다 3배 높은 47.2%로 조사됐다. 1인 가구 빈곤율은 나이가 많을수록, 여성보다 남성이 높았다. 65세 이상 노인 1인 가구의 빈곤율은 72.1%를 기록했다. 1인 가구 중 중년층(50~64세)의 빈곤율은 38.7%, 청년층(19~34세)은 20.2%였다. 특히 여성 1인 가구의 빈곤율은 55.7%로 남성(34.5%)보다 훨씬 높았다.

　지난해 12월 통계청 발표에 따르면 2021년 1인 가구는 716만6천 가구로 2020년보다 7.9%(52만2천 가구) 증가했다. 전체 가구 중 1인 가구의 비중은 2005년 20% 수준이었으나 2021년 33.4%(대구 32.7%, 경북 36%)로 크게 늘었다. 2050년에는 그 비중이 39.6%에 이를 것으로 예상된다.

1인 가구의 절반 이상은 노후 대비가 취약한 노인층과 취업난에 놓였거나 소득이 낮은 청년층이다. 이들은 사회적 단절에 따른 고립감으로 힘들어하고, 극심한 생계난을 겪고 있다. 이는 고독사와 극단적 선택이 느는 이유이기도 하다. 국내 고독사 사망자 수는 2021년 기준 3천378명이다. 이 중 17.3%가 스스로 목숨을 버렸다. 취약 1인 가구에 대한 일자리 및 소득 지원, 다양한 사회복지서비스 등 적극적인 대책이 필요하다. 아울러 정부와 국회는 1인 가구 증가에 발맞춰 사회 시스템을 바꿔야 한다. 우리 사회의 복지 등 대부분 분야의 시스템이 전통적 가구 형태에 맞춰져 있기 때문이다.[83]

64. 경로당 응급상황 대비책 마련을

경로당을 찾는 어르신들이 응급상황이 발생할 경우에 대비한 응급처치 요령 교육과 함께 관련 장비의 확충이 요구된다. 전북지역 내 경로당에 심정지 환자의 골든타임 확보를 위해 설치한 자동심장충격기가 턱없이 부족하기 때문이다. 전북도에 따르면 도내 경로당 6,879개소 중 자동심장충격기를 설치한 곳은 490곳으로 나타났다. 경로당에서 심정지 환자가 발생할 경우 자동심장충격기를 사용할 수 있는 곳이 100곳 중 7곳에 불과해 골든타임을 놓치고 속수무책인 상황이 나올 우려가 크다.

경로당 시설에 자동심장충격기 설치가 저조한 것은 설치가 의무 사항이 아닌 권고 사항이기 때문이다. 응급의료에 관한 법률에는 공공보건 의료기관, 구급차, 여객 항공기와 공항, 철도객차, 20톤 이상의 선박, 다중이용시설, 300인 이상 사업장 등이 자동심장충격기를 의무설치하도록 하고 있다. 자동심장충격기 설치가 권고사항인데다, 경로당을 이용하는 어르신들이 대부분 고령층으로 사용법을 잘 모르는 등 자동심장충격기를 설치해도 실효성이 없을 것이란 판단 때문으로 보인다.

경로당 등에서 어르신들이 심정지 발생할 시 119구급대원이 올 때까지 속수무책으로 기다려야 하는 상황으로 자칫 골든타임을 놓쳐 큰 사고로 이어질 수 있다. 경로당을 오가는 사람들은 대부분 고령층인 점을 고려하면 어르신들이 충격기 없이 심폐소생술을 스스로 하기가 어려운 상황이다. 경로당을 찾는 어르신들은 언제든 심정지 등 응급상황이 발생할 수 있는 나이다. 고령층이 있는 곳에 응급장비 설치를 확대 지원하는 것이 마땅하다.

경로당 어르신들에 대한 비상시 응급처치 교육도 필요하다. 자동심장충격기가 설치된 경로당을 찾아 어르신들에게 사용법을 물었으나 대부분 사용법을 모르는 것으로 확인됐다. 위급상황 발생 시 자동심장충격기가 있어도 사용법을 모르니 무용지물이다. 자동심장충격기 설치 확대에 더해 경로당을 이용하는 대부분의 고령층이 사용법을 모르는 만큼 지속적인 교육이 필요하다. 어르신들의 응급상황에 대비한 전북 시군 자치단체들의 적극적인 대응이 요구된다.[84]

겨울철 대비, 응급 및 재난 상황 대처능력이 부족한 어르신들에게 화재사고에 대한 이해와 대처요령을 숙지하고 대비책을 미리 준비하고자 시행됐다(경북매일, 2023. 10. 29, 김두한).

65. 플랜75

오늘 아침 "75세 안락사법인 '플랜75'가 통과되었습니다"라는 뉴스가 온 매체를 달궜다. 이 법은 만 75세가 된 국민이 죽음을 신청하면 국가가 이를 시행해 주는 정책이다. 이 법이 최종 국회에서 가결되어 시행된다는 것이다.

이러한 뉴스가 오늘 아침, 내가 본 뉴스라면 어떤 생각이 들까? 상상도 할 수 없고, 상상하고 싶지도 않겠지만 다행히 이는 '플랜75'라는 일본 영화 이야기다.

이처럼 75세 안락사법이 통과되었다는 아침 뉴스로 시작되는 영화 '플랜75'. 영화 속 이 정책은 한 젊은 남성이 "경제를 좀먹는 노인은 사라져야 한다"며 노인들을 총기로 살해하는 등 유사한 노인 혐오 범죄가 잇따르자 정부가 내놓은 정책이다. 국민이 죽음을 신청하면 국가가 이를 시행해 주는 정책. 처음엔 반대의 목소리도 높았지만, 일본 사회는 차츰 이를 받아들이는 분위기로 바뀐다. 담당 공무원들은 공원을 돌며 정책을 홍보하고, TV 공익 광고에서는 "언제 죽을지 결정할 수 있어서 좋다"며 웃는 노인의 목소리가 흘러나온다.

이 제도를 선택한 이들에게 정부는 위로금 명목으로 10만 엔(약 100만 원)을 지급한다. 상담하고 있는 노인은 이 돈을 자유롭게 써도 되냐며 환한 얼굴로 묻고 있고, 여행해도 좋고 맛있는 거 사드시라며 상담직원은 아무 거리낌 없이 안락사를 권유한다. 마치 여행 상품을 권유하듯. 절차 또한 매우 간단하다.

영화 마지막에는 이런 뉴스 멘트가 나온다. "정부는 '플랜75'가 호조를 보임에 따라 '플랜65'도 검토하고 있습니다" 그리고 흐르는 자막. "당신은, 살겠습니까?" 관객을 향해 당신이라면 어떤 선택을 하겠느냐고 묻고 있다.

2022년 6월 일본에서 개봉한 영화 '플랜75(PLAN75)'. 이 영화 개봉 후 일본에서의 반응은 다양하다. 우리가 일반적으로 느끼는 인간적 공포와 섬뜩함을 느꼈다는 경우가 있는가 하면 코로나 등 장기적 경제침체로 현실 같다는 반응도 있다. 우리는 결코 공감할 수 없는 일이지만, 실제 이런 제도를 바란다는 반응도 있었다고 한다.

일본은 2007년, 세계에서 가장 먼저 초고령사회(만65세 이상 인구비율 20% 이상)에 돌입했고, 우리나라는 2025년을 예상하고 있다. 초고령사회가 된다고 모든 국가가 이같이 극단적 방법으로 문제제기를 하고 해결책을 찾지는 않을 것이다. 설령 영화일지언정. 어쩌면 국가 정책에 큰 반발 없이 순응하는 일본이라서 가능한 이야기일지도 모르겠다. 그럼에도 환경기후문제, 러시아·우크라이나 전쟁이 주는 위기감 등, 무엇보다 워낙 빠르게 변해가는 세상이다 보니 다른 나라의 영화에 불과하다고 치부해버리기엔 많은 생각을 하게 하는 영화이다.

최근, 서울 지하철 적자의 원인이 노인의 무임승차라는 발언으로 한때 세대 간 갈등으로 이어지기도 했다. 이런 작다면 작은 사회 현상들이 모여 '플랜75' 같은 영화가 만들어졌을 터이다. 그러기에 언젠가, 아니 머지않은 미래에 현실이 될 수도 있다는 씁쓸한 생각이 드는 건 어쩌면 당연한 일일지도 모르겠다. 이런 마음을 잠시 뒤로 하고, 노후의 경제적 자립에 그 해법이 있음을 생각해본다, 1차적으로는. 노후소득보장이 탄탄해서 경제적으로 완전한 독립이 가능하다면 초고령화로 인한 영화와 같은 비인권적 상황은 발생하지 않을 것이다. 물론 초고령화 사회로 빚어지는 문제가 노인세대만의 문제는 아니다. 저출산 문제와 청장년 일자리 등, 다수의 문제와 서로 맞물려있기에 좀 더 멀리 내다보고, 종합적인 정책이 나오길 기대해 본다.[85]

66. 힘들면 쉬었다 건너는 횡단보도

횡단보도를 건너려면 상당한 집중력이 필요하다. 보행자 신호임에도 횡단보도 앞을 질주하는 차가 있는 만큼 혹시나 차가 오는지 왼쪽, 오른쪽으로 살피며 건너야 한다. 최근 횡단보도 앞에 서면 문득 배려받는 느낌이 들 때가 있다. 횡단보도 앞의 그늘막 때문이다. 뙤약볕이 내리쬘 때 그늘막 안에서 신호를 기다리다 보면 감사하는 마음이 절로 생긴다. 시민들 반응도 좋다. 그늘막 설치는 서울에서 여러 도시로 확대되고 있다. 최근엔 어르신들이 신호를 기다리는 동안 앉아계시라고 '장수의자'를 설치한 곳도 생겼다.

이렇게 사람을 배려하는 정책이 편의성을 넘어 사람의 생명을 구하는 정책으로 발전되길 바란다. 2019년 보행자 교통사고 사망자 수는 1302명이고 이 중 65세 이상 고령자는 754명이다. 고령자 인구 비중이 약 15%라는 점을 감안하면 고령자의 보행 중 교통사고 위험이 얼마나 높은지 알 수 있다.

보행 중 교통사고 사망자의 절반 이상은 도로를 횡단하다 사고를 당한다는 점도 주목해야 한다. 이는 횡단보도의 교통안전 시설 보강이 얼마나 중요한지 알려준다. 특히 고령자들은 일반 성인보다 30% 이상 보행 속도가 느리다. 위험을 확인하고 빨리 대응하는 능력도 떨어진다. 70대 이하의 비교적 젊은 고령자는 상황이 낫지만 80대 이상의 고령자가 횡단보도를 혼자 건너는 일은 결코 만만한 일이 아니다. 70세 이하보다 80세 이상의 보행 중 사망자 비중이 3배 더 높은 것이 이를 대변한다.

어르신들이 횡단보도를 건너다 쉴 수 있는 공간을 도로 중간에 만들 것을 제안한다. 보행자 대피공간으로 불리는 이 시설은 선진국 도시에는 거의 모든 횡단보도에 설치되어 있다. 스위스에서는 왕복 2차로에도 설치할 정도이다. 고령자들의 무리한 도로 횡단을 줄이기 위해서다. 횡단보도를 건너다 중간에 쉴 곳이 있으면 보행자 신호등이 깜박일 때 어떻게든 급하게 건너기보다 잠시 쉬었다 건널 수 있는 여유를 가질 수 있다. 지금처럼 횡단보도에 들어선 이상 반드시 건너야만 하는 상황에서 벗어날 수 있게 된다.

그러면 고령자의 횡단 중 교통사고가 줄어들 것이다. 미국의 연방도로관리청에 따르면 횡단보도 중간에 보행자 대피공간을 설치할 경우 보행자 사고가 32% 감소한다. 운전자와 보행자가 서로 확인할 수 있는 기회가 더 늘어날 뿐만 아니라 보행자 내피공간을 만들면서 차로 폭을 조금씩 줄이므로 차량의 횡단보도 통과 속도도 줄어들기 때문이다. 국제적으로 권장되는 도시부 도로설계기준은 2차로 횡단보도에 보행자 대피공간을 마련하는 것이다.

한국 대도시에는 10차로가 넘는 도로가 많다. 어쩌면 어르신들은 100m 달리기를 하는 심정으로 이런 길을 건너고 있을지 모른다. 횡단보도 위 보행자 대피공간 설치는 국제적으로 검증된 고령 보행자 안전시설이고 비용이 많이 드는 것도 아니다. 전통시장, 병원 등 노인이 많이 모이는 시설 주변부터 시작해서 확대해야 한다. 한국이 어르신을 공경하는 효의 나라라면 고령자 교통사고 사망자 비중 세계 1위에서 벗어나야 한다. 이는 모두에게 도움이 된다. 누구나 차에서 내리면 보행자가 되고, 젊은 사람도 시간이 흐르면 노인이 된다.[86]

67. "당신은 곧 늙고, 죽을 것이다"

민주화 세대의 실패가 미래에 대한 새로운 비전을 제시하지 못한 것이라면, '서로 돌봄'이야말로 새로운 세대가 선택해야 할 시대언명이다. 한국 사회는 이미 인류 역사상 전례가 없이 **빠른** 고령화가 시작됐다. 정치·경제·사회·문화 정책의 우선순위를 **빠르게** 돌봄 중심으로 전환해야 한다.

민주노총 서비스연맹 조합원들이 지난달 18일 오후 전국돌봄서비스노조 출범을 알리며 '돌봄 국가'라고 쓴 피켓을 들고 서울 용산 대통령실 인근에서 행진하고 있다(연합뉴스).

시인 김수영이 마지막으로 번역한 뮤리얼 스파크의 소설 〈메멘토 모리〉는 "죽을 운명을 잊지 마라"는 말만 하고 끊는 정체불명의 전화를 반복적으로 받은 노인들이 각자 죽음에 대해 어떻게 반응하는지, 노년의 복잡한 심리를 그리고 있다.

끝날 줄 모르는 코로나 유행, 혐오의 확대, 노동자의 생존투쟁, 물가 상승과 경제위기 뉴스, 남북관계 악화, 전쟁과 기후위기, 무엇보다 국민에게 희망적인 비전을 제시하지 못하고 있는 정치권, 이것이 2022년 한국 사회의 자화상이다. 한마디로 한국 사회는 길을 잃었다.

지난 100년을 돌아보면, 그때그때마다 우리의 갈 길은 분명했다. 잃어버린 조국을 찾아야 했고, 전쟁에서 살아남아 폐허가 된 나라를 복구해야 했다. "우리의 소원은 통일"이라는 노래도 불렀고, 경제성장과 함께 이 땅에 민주주의를 자리 잡게 해야 했다. 이 중 이뤄낸 것도 있고, 더 달려가야 할 목표도 있지만, 그 어느 것도 현재의 시대언명으로는 낡았다. 한 국가나 개인이 갈 길을 잃었을 때, 귀신같이 알고 찾아오는 것은 허무, 혐오, 부패다. 영원히 해가 지지 않을 것 같았던 제국들의 종말도 그렇게 시작됐다.

　그러면 어떡해야 할까? 길을 잃었을 땐 처음 자리로 돌아가는 것이 최선이고 이 시점 가장 명징한 출발 언명은 바로 이것이다. "당신은 곧 늙고, 죽을 것이다." 이것은 지난 100년간 한국 사회가 한번도 정면으로 대면하지 않았던 언명이다. 서민이나 권세가나 영원히 살 것처럼 살아왔고 그렇게 살기를 강요받았다. 그러나 내가 죽듯, 윤석열 대통령도, 이재명 의원도, 윤핵관이라는 권세가들도 죽을 것이다. 안타깝지만 당신의 부모, 배우자, 자식들도 늙고 죽을 것이다. 당신의 큰 비석이나 재산은 적어도 당신에게는 아무 소용이 없을 것이고, 한 시인의 노래처럼 "(당신의) 꽃상여 고삿 돌아 산길 오르기도 전에" 출근길 지하철은 어제처럼 붐빌 것이다.

　죽음을 눈앞에 둔 이들의 후회는 수많은 책 속에 있고 인터넷 바다 위에도 무수히 떠 있다. 놀라운 것은 그것이 우리가 지난 100년간 추구했던 돈, 명예, 권력이 아니라는 것이다. 다시 삶을 살게 된다면 그들이 원했던 것은 '소박한 연민 공동체' 속에서 살다 가는 것이었다. 여기서의 '연민'은 오스트리아 소설가 슈테판 츠바이크가 말한 '약한 연민'과 '강한 연민' 중 후자를 말한다. 나약한 감상이 아니라 함께 견디는 행동이다. 이것의 다른 이름은 '서로 돌봄'이다. '돌봄'이란 미국 철학자 주디스 버틀러의 말처럼, 과거처럼 가족이 떠맡는 돌봄이 아니라 공동체, 국가, 전지구적 단위가 서로 차별 없이 돌보는 것을 뜻한다. 영국 학자 안드레아스 하지다키스와 동료들은 이 돌봄이 시장화와 민영화를 앞세우는 신자유주의와는 공존할 수 없다고 선언한다. 왜냐하면 '돌봄의 부재', 즉 '무관심'은 신자유주의 체제에서 많은 나라가 수익 창출을 앞세워 복지제도와 민주적 절차를 파괴했고, 기업들은 '셀프케어'를 내세워 '돌봄'을 개인이 돈을 주고 사야 하는 상품으로 만들었기 때문이다.

　'돌봄'을, 길을 잃어버린 우리 사회, 더 나아가 전 인류의 새로운 나침판이자 '시대언명'으로 삼자는 것은 사실 혁명적 주장이다. 경쟁과 우승열패의 신화를 버리고, 우리 모두의 가치관과 삶의 양식을 변화시켜야 한다는 점에서 과거의 독립운동, 민주화운동보다 더 힘든 노정일 수 있다. 이 과정에서 정치도 중요하다. 미국의 사회운동가 파커 파머는 "정치라는 것이 모든 사람을 위한 연민과 정의의 직물을 짜는 것"이라고 했다. 이른바 민주화 세대의 실패가 과거가 아니라 미래에 대한 새로운 비전을 제시하지 못한 것이라면, '서로 돌봄'이야말로 새로운 세대가 선택해야 할 시대언명이다. 게다가 한국 사회는 이미 인류 역사상 전례가 없이 빠른 고령화가 시작됐다. 우리의 정치·경제·사회·문화 정책의 우선순위를 빠르게 돌봄 중심으로 전환해야 한다. 한 예로 우선 모든 시·군·구 중심에 고령노인, 장애인, 영유아 등 돌봄이 필요한 이들을 위한 '서로 돌봄 마을'이 자리하게 하는 운동을 제안한다. 하지만 이 마을은 영리와 시장이 아닌, 영국 돌봄 관련 학자들 모임인 '더 케어 컬렉티브'가 제안하는 네 가지 원칙, 즉 상호연계, 공공 공간, 공유 자원, 지역민주주의하에 작동해야 한다.

철학자 니체 역시 "지금까지 인류에게 널리 퍼져 있던 저주는 고통이 아니라, 고통의 무의미였다"고 이야기했다. 그렇다면 돌봄이야말로 인류의 저주를 푸는 해독제인 셈이다. 하여 이쯤에서 다시 명토 박자. "당신은 곧 늙고, 죽을 것이다." [87]

죽음에 관한 많은 명언들 중에서 소크라테스가 한 말이라는 "이별의 시간이 왔다. 나는 죽고 너는 산다. 어느 것이 더 좋은가는 신만이 알 것이다." 라는 말만큼 와닿는 말도 없는 것 같다. 「당신은 이렇게 죽을 것이다」 라는 이 말도 그렇다.

사람으로 태어났으면 누구나 한번은 죽겠지만, 죽는 것만큼 억울한 일도 없을 것이라고 생각한다면 그래도 내가 어떻게 죽을지, 죽고 나면 무엇이 남을지, 왜 죽어야 하는지를 알고 나서 죽는 것이 그래도 조금은 괜찮지 않을까 하는 생각 때문이다. 태어나서 산 동안은 누구나 환경과 조건이 달랐듯이 각자의 삶을 살아왔으나 이제 누구에게나 똑같이 주어지는 절대 평등의 순간인 죽음이 다가오고 있다.

「모나리자」를 그린 유명한 화가이자 과학자이며 사상가인 레오나르도 다빈치는 이런 말도 남겼다. "보람있게 보낸 하루가 편안한 잠을 가져다주듯 값지게 살아온 인생은 편안한 죽음을 가져다 준다." 서로 다른 인생사만큼 모두의 인생은 다양하다. 그러나 누구나 생의 마지막 순간 죽음에 이르기까지 수주에서 수개월 동안 과정은 거의 비슷하다. 따라서 죽음의 설계는 크게 다르지 않을 수 있다. 의지와 달리 타인에 의지해 행동을 대신하게 하는 순간 인생의 설계라는 시계는 멈춘 것이라 생각해 낙담하게 될 것이다. 그러나 인생의 마지막 설계인 죽음의 설계에서 비로소 완성될 수 있다. 신체적 질병을 정신적, 정서적, 영적 차원에서 다스리기는 결코 쉬운 일이 아니다.

그러나 내가 정신에 의해 육체를 통제하고 살아왔다는 것에 비추어보면 마음으로부터 현실을 수용하고 평온을 찾으려는 노력은 현명한 죽음의 설계를 위한 시작이다. 필요하다면 명상, 기도, 음악 등을 통해 긴 여행을 떠날 준비를 해야 한다(청풍명월, 2023. 07. 24).

68. 어르신·장애인 위한 '급식 지원' 바람직

한 직원이 찐 감자를 가져왔다. 웬 거냐고 물으니 어머님이 복지관 노래 교실 끝나고 친구들과 점심으로 먹으려고 찐 건데 양이 많아 나눠 가져왔단다. 복지관이면 자체 급식소가 있을 텐데 왜 거기서 식사하지 않고 번거롭게 따로 준비하냐고 했더니 딱딱한 깍두기나 질긴 오징어채 같은 반찬이 급식에 나오면 칠순이 넘은 어머님과 친구들이 먹기에 불편해서 부드러운 카스텔라나 홍시 같은 걸 번갈아 준비해 식사를 대신한다고 했다.

급식은 이제 간편조리식, 배달 음식과 더불어 현대인의 식사 트렌드로 자리 잡은 지 오래다. 한국인의 평균 수명이 2021년 기준 83.6세임을 감안하면, 어린이집에 입소하는 만 1세부터 학교, 군대, 직장 생활 그리고 병원·요양·복지시설까지 전 생애를 급식과 함께한다 해도 과장이 아니다.

식품위생법에서 말하는 집단급식소는 영리를 목적으로 하지 않고 1회 50명 이상에게 음식물을 공급하는 급식 시설을 말한다. 집단급식소는 영양사가 급식 이용자의 연령과 건강 상태 등을 감안하여 식단을 짜며, 식품 위생과 안전을 특별히 관리한다는 점에서 일반적인 음식점과는 차이가 있다. 그런데 급식을 제공하는 시설이 30명 미만의 작은 시설이라면, 영양사를 고용할 수 없을 만큼 영세하다면, 게다가 다양한 질환과 장애를 가진 사람들이 이용하는 시설이라면, 급식의 안전과 영양 관리는 누가 하는 걸까.

식약처는 노인과 장애인 등 취약계층이 소규모 사회복지 시설에서 보다 안전하고 균형 잡힌 급식을 먹을 수 있도록 '노인·장애인등 사회복지시설의 급식안전지원에 관한 법률'을 제정하였다. 이 법 시행에 따라 지난해 7월부터, 국가와 지방자치단체는 취약계층이 건강한 급식을 먹을 수 있도록 지원할 책무가 생겼다.

이에 식약처와 지자체는 사회복지급식관리지원센터를 설치하여 영양사가 없는 소규모 복지 시설에 센터 영양사가 직접 방문해 노인·장애인에게는 영양 상담을, 시설 종사자에게는 위생과 영양 관리 교육을 실시한다. 또한 혈압, 당뇨 등 다빈도 질환별 식단과 조리법도 함께 제공한다. 이가 불편한 사람에게는 씹기 편한 형태로 반찬을 잘게 잘라 제공하도록 지도하거나, 기저 질환이 있는 사람에게 내놓을 덜 짜고 덜 단 대체 식단이나 조리법을 알려주는 식이다. 현재 전국 20개 시·군·구 837개 노인·장애인 복지 시설의 1만9000명이 넘는 노인·장애인이 사회복지급식관리지원센터의 혜택을 받고 있다. 현장 반응도 좋아서 종사자의 97.8%가 지원을 받기 전보다 위생 관리가 향상했다고 답했고, 94.9%는 계속 지원

받고 싶다고 응답했다.

행복한 삶을 위해 건강은 필수 조건이다. 그리고 건강은 올바른 식사에서 시작된다. 먹는 즐거움 또한 행복에선 간과할 수 없는 부분이다. 누구나 나이, 질환과 관계없이 안전하고 맛있는 식사를 할 권리가 있다. 식약처는 올해 안에 전국 68개 지역까지 사회복지급식관리지원센터를 설치하고 2026년까지 전국 모든 지역으로 확대하여 누구나 안전하고 영양을 고루 갖춘 급식을 먹을 수 있도록 건강한 식생활 환경 조성에 힘쓸 예정이다.[88]

충청투데이(2023. 10. 12, 8면)

69. 복지 사각지대의 사회안전망 '안심소득'

잊을 만하면 한 번씩 생활고로 인한 비극적 사건이 반복적으로 발생하고 있다. 정부에서도 나름의 대책을 제시하고 있지만 이러한 사건들이 그치지 않고 있다. 정부는 그동안 복지 사각지대 맞춤형 조치들로 효과 보기를 기대했다. 단전·단수 등을 수집하는 위기정보의 종류를 확대하거나 읍면동 사회복지공무원들이 직접 찾아가는 보건복지서비스를 강화하고자 했다. 이러한 노력들은 당연히 필요하지만 이것만으로는 복지 사각지대 문제를 해결할 수 없다. 보다 포괄적으로 사회안전망을 펼쳐야만 복지 사각지대에 빠지는 사람들의 문제에 대응할 수 있다.

복지 사각지대에 대응하기 위해서는 사회안전망을 어떻게 더 펼쳐야 할까? 두 가지 접근이 필요하다. 첫째, 노인·장애인·아동 등 근로능력이 없는 구성원이 가구의 부담이 되지 않게 일차적 안전망이 제공되어야 한다. 복지 사각지대에서 극단적 선택을 한 가구들을 보면 대체로 노인이나 장애인 또는 아동 등 근로능력이 없는 가구원이 포함된 경우가 많다. 나머지 가구원이 이들을 추가적으로 부양해야 하는 부담에 짓눌려서 미래에 대한 희망을 잃는 경우가 많다. 그러므로 일차적으로 이들 노인 및 장애인, 그리고 아동에 대한 기본적 보장이 우선적으로 이뤄져야 한다. 노인과 장애인은 기초연금과 장애인연금을 통해, 아동은 아동수당과 자녀장려세제를 통해 기본적 부양이 이루어질 수 있어야 한다.

한국의 현실을 보면 이러한 제도적 장치들이 있지만 급여 수준이 불충분하거나 수급대상이 제한적이어서 제대로 된 보호를 제공하지 못하고 있다. 우선적으로 기초연금 및 장애인연금의 급여수준을 인상하여야 한다. 또한 아동수당을 중등생까지 확대하고, 저소득층 아동에 대해 아동수당이나 자녀장려세제의 인상을 통해 추가적으로 급여를 제공해야 한다. 이를 통해 가구 내 노인, 장애인, 아동 등이 취약가구에 부담을 주지 않도록 해야 한다.

둘째, 최후 안전망으로서 공공부조의 안전망을 폭넓게 펼쳐야 한다. 현재 국민기초생활보장제도가 있지만 수급자격이 엄격해 안전망의 폭이 좁다. 생계급여의 부양의무자 기준은 폐지한다고 했지만, 최종적으로는 상당한 정도로 살아남아서 폐지되지 않았다. 재산 기준이 엄격해 자가로 작은 집에 거주하는 사람은 수급자로 지정될 수 없다.

더욱이 정부는 재산을 소득으로 환산해 소득이 없는데도 있는 것으로 간주해 그만큼 급여를 줄인다. 재산은 위험에 대응하는 완충 역할을 하고 또한 다시 일어서기 위한 기반 역할을 한다. 그런데 현행 제도는 그 기반을 없애 버린다. 그러므로 부양의무자 기준을 실제로 폐지하고 또한 재산기준을 대폭 완화하여, 국민기초생활보장제도 수급자격의 폭을 넓혀야 한다.

서울시에서는 하나의 대안으로 안심소득 시범사업을 실시하고 있다. 안심소득은 기존 국민기초생활보장제도보다 수급자격을 완화하여 더 넓은 안전망을 설치하고 있다. 기준중위소득의 85%를 기준으로 그 미만의 소득자에게 차액의 절반을 지급함으로써 최소한 기준중위소득의 42.5%를 보장한다. 안심소득의 효과가 어떻게 나타날지가 흥미롭다. 국민기초생활보장제도 확대와 안심소득 실시의 효과를 비교하면서 보다 폭넓은 최후의 사회안전망을 구축해야 한다.[89]

70. 고령화 탓에 비닐하우스마저 비어간다

농촌 고령화가 심화하면서 발생하는 폐해는 한두가지가 아니다. 이농과 맞물려 농촌이라는 공간 자체가 비어가면서 소멸위험에 맞닥뜨린 지 이미 오래다. 이로 인해 우리 농촌은 점차 활력을 잃고 빈집이 우후죽순 늘고 있다.

이제는 여기에 더해 한창 작물이 자라고 있어야 할 비닐하우스마저 갈수록 비어가고 있는 실정이다. 농민들이 나이를 먹으면서 농사짓는 게 힘에 부치니 당연하다 할 것이다. 몸도 여기저기 아프지 않은 곳이 없어 어쩔 수 없이 땅을 놀리게 된다. 마을주민 모두가 같이 늙어가니 주변에 농사를 대신 지어줄 사람도 마땅찮다. 일손을 구해보지만 농촌에는 일할 사람이 태부족하다. 인건비까지 큰 폭으로 치솟아 남의 손에 맡겨 농사를 지어봤자 손에 쥐는 것이 거의 없다. 이래저래 평생 농사짓던 비닐하우스를 그냥 비워두는 게 몸뿐만 아니라 마음까지 편하다.

이렇게 놀리는 비닐하우스는 시간이 지나면서 흉물로 변해 폐가와 함께 농촌환경을 악화시키는 또 다른 요인이 되고 있다. 주민들의 삶의 질까지 떨어뜨린다는 얘기다. 문제는 앞으로도 이같은 상황이 개선될 여지가 별반 없다는 사실이다. 떠나는 사람은 많은데 들어오는 사람은 적으니 우리 농촌은 늙어가고 비어갈 것이 뻔해서다. 방치하는 비닐하우스와 농경지는 더 늘어날 수밖에 없다.

그렇더라도 적지 않은 비용을 들여 설치한 만큼 비닐하우스를 계속 놀려서는 안된다. 이미 자동화 설비 등 시설이 갖춰진 비닐하우스는 새 주인만 잘 찾는다면 투입하는 비용이 많지 않아 곧바로 안정적인 수익을 올릴 수 있다. 하지만 다른 농가가 비닐하우스를 매입하려 해보니 걸림돌이 있다. 만만찮은 인수 자금을 마련하는 일이다. 대부분 농가가 자금 사정이 넉넉하지 않은 상황이어서 대출을 받아야만 하는데 등기가 까다로운 비닐하우스는 사실상 담보로 인정받기 힘들어 대출이 불가능하다는 것이다. 규모화를 도모하려 해도 돈이 없으니 그림의 떡인 셈이다.

파이프 등 거의 모든 영농자재 값이 큰 폭으로 오른 요즘과 같은 시기에 이미 설치된 영농시설을 방치하거나 고철로 만들어 철거하는 것은 농가뿐만 아니라 국가 전체적으로도 큰 손실이다. 우리 농업은 이농과 고령화로 이제는 지속성마저 위협을 받고 있다. 농업시설과 농경지가 더이상 방치되지 않도록 정부 차원의 대책 마련이 필요하다.[90]

71. 변실금

변실금이란 한 달 이상 자신도 모르게 변이 새거나 변을 참을 수 없는 상태를 말한다. 유병율은 약 1~24%로 보고된다. 변실금 증상이 있어도 병이라고 생각하지 않는 분들과 부끄러워서 병원 진료를 꺼리는 분들이 많아서 정확한 환자수를 파악하기가 어렵다. 그런 점을 고려한다면 실제 유병율은 이보다 훨씬 많을 것으로 생각된다.

건강보험심사평가원 자료에 따르면 최근 10년간 변실금의 유병율은 2배이상 증가하였고 55세 이상부터 늘기 시작하여 70-80세의 환자가 가장 많은 비율을 차지하는 것으로 나타났다. 변실금은 대표적인 노인성 질환이며 우리나라는 빠른 고령화로 앞으로 유병율이 급격히 증가할 것으로 예상된다.

변을 참는 기전은 대장, 직장, 항문의 복합적인 상호작용이다. 대장은 변이 내려오는 속도와 양, 굳기를 조절하고 직장은 적당한 양의 변을 받아들인다. 항문은 근육과 신경을 통해 적절한 항문압을 유지하고 괄약근을 조절하며 장 내용물이 가스인지 액체인지 고형변인지 감별하는 역할을 한다. 만약 이 중 어느 한곳 이상에서 문제가 생기면 변실금이 발생하게 된다.

관련 질환으로는 척수나 뇌신경 등의 중추신경계 이상, 당뇨로 인한 말초신경병증, 직장이나 항문 수술, 염증성 장질환을 비롯한 만성 설사, 방사선 직장염 등을 들 수 있다. 그리고 변실금은 남성보다 여성 환자 수가 2배 이상 많은데 이는 출산과 상당한 연관이 있다. 자연분만시 태아의 큰 머리가 산모의 좁은 산도를 통과하면서 항문괄약근 및 신경에 손상을 주기 때문이다. 젊었을 때는 그나마 항문 주변 근육들의 힘으로 버틸 수 있지만 나이가 들면 근력이 떨어져서 서서히 증상이 생긴다.

병원 내원시 변실금의 심한 정도와 원인을 파악하고 증상을 악화시킬 만한 질환은 없는지 살펴보게 된다. 그리고 객관적인 평가를 위해 직장항문 압력검사, 항문초음파, 배변조영술, 항문직장 근전도 검사 등을 시행한다.

가끔 변실금 증상으로 수술을 원하시는 분들이 있다. 예전엔 괄약근 손상이 확인된 경우, 다시 이어주는 항문 괄약근 성형술을 시행하기도 했다. 하지만 노인에서는 수술후 효과가 오래 지속되지 않아 괄약근 성형술이 거의 시행되지 않는다.

변실금 치료의 시작은 식이조절과 약물 치료다. 설사를 동반하는 경우가 많으므로 직장에 문제가 없다면 충분한 식이섬유를 섭취하고 설사를 유발하는 음식은 제한하도록 한다. 지사제를 규칙적으로 복용할 경우 장운동을 억제하고 직장 기능을 향상시켜 배변횟수를 줄일 수 있다. 또한 정해진 시간에 관장을 하여 직장 내 변이 남아있지 않게 함으로써 변실금을 예방할 수 있다. 바이오피드백 및 전기치료는 골반 근육 및 항문 괄약근의 수축 운동을 도와 괄약근의 긴장도와 수축력을 증가시키며 직장 감각 능력도 향상 시킨다. 대부분의 환자는 이와 같은 보존적 요법만으로도 변실금 증상의 상당 부분이 줄어들거나 해결될 수 있다.

하지만 6개월 이상의 보존적 치료에도 반응이 없는 경우, 천수신경자극술을 고려해 볼 수 있다. 천수신경자극술은 2015년부터 국민건강보험에서 급여를 인정한 신의료기술로, 천골을 통해 천수신경자극기를 삽입하여 괄약근과 골반저 근육의 움직임과 관련된 천수신경에 전기 자극을 가하는 시술이다. 1-2주 동안 증상이 50% 이상 호전을 보이면 영구적 거치술을 시행한다. 증상 개선 효과가 뛰어나 환자들의 만족도가 높은 치료법이다.

그 외 고주파치료, 인공괄약근 삽입술, 항문내 부피형성 물질을 주사하는 방법 등이 있으며 모든 치료에 실패한 난치성 변실금의 경우엔 장루 조성술이 필요할 수 있다.

변실금은 생명을 위협하는 질병은 아니지만 불편감과 수치심을 불러오고 우울, 심리적 위축, 외출자제, 대인기피로 이어져 스스로를 고립시키고 삶을 피폐하게 만든다. 100세 시대, 초고령사회를 눈앞에 두고 있는 현시점에서 급격한 환자수의 증가는 더 이상 변실금이 개인의 문제가 아니며 치매처럼 체계적인 관리 및 관심이 필요하다는 것을 말해준다.

변실금은 치료를 통해 좋아질 수 있으며, 따라서 사회적 분위기 형성을 통한 질병의 이해도를 높여 증상이 발생했을 시 신속하게 치료를 받도록 하는 것이 중요하다고 생각한다.[91]

출처: 대한민국 정책브리핑(노인학대 예방 및 신고방법, 2023. 11. 9)

72. 당신의 관심이 노인학대를 예방합니다

인구 고령화와 핵가족화에 따른 노인부양 부담 등으로 노인학대 사례가 해마다 증가하고 있다. 이에 사회적 관심을 촉구하기 위해 2006년 유엔에서 매년 6월5일을 '세계노인 학대 인식의 날'로 지정했다. 우리나라에서도 범 국민적으로 노인인권에 대한 인식을 제고하기 위해 2017년부터 '노인학대 예방의 날'로 지정했다.

노인은 건강이 나쁘거나 일상생활에서의 의존성이 높을수록 학대를 당할 가능성은 더 높아지고 부양의무자의 과중한 부양부담으로 인한 스트레스가 노인학대로 이어지는 사례들이 종종 있다. 가해자 대부분이 가족이나 친족이고 학대 장소도 가정 내에서 많이 발생하고 있다. 노인학대는 가족 문제의 폐쇄성으로 인해 외부로 잘 드러나지 않는 경향이 있고 단순 가정사로 여겨 신고를 꺼리는 경우가 많기 때문에 무엇 보다 주변인들의 관심이 매우 필요하다. 통계로 살펴보면 노인 100명 중 7.3명은 지금 우리 주변 어딘가에서 고통을 받고 있다. 가정 뿐만 아니라 생활 및 이용시설의 학대 발생 비율도 해가 갈수록 증가 추세를 보이고 있다.

노인학대 예방 및 해결책은, 개인이나 가정 내 문제로 치부할 것이 아니라 건강보험공단, 자치단체, 노인보호전문기관 등에서의 사회적 노력과 주변 이웃들의 관심이 합쳐져야만 가능하다.즉 사회 전체가 노인의 보호자이자 동반자가 돼야 한다는 인식전환이 무엇보다 중요하다. 이에 노인장기요양보험 업무를 수행하는 건강보험공단에서도 노인학대 예방을 위해 직원뿐만 아니라 장기요양수급자의 보호자와 장기요양기관 종사자를 대상으로 교육 및 캠페인 등을 통한 홍보를 활발하게 펼치고 있다.

그 누구도 피해갈 수 없는 '노년기'이므로 우리 모두 예외일 순 없다. 그러므로 노인학대는 우리들의 미래 문제일 수도 있다. 적극적인 관심과 신고만이 학대로 고통 받고 있는 노인에게 희망을 줄 수 있다는 것을 다시 한번 강조하고 싶다. 노인학대를 목격하였거나 학대를 받을 위험이 있다고 의심된다면 국번없이 1577-1389(노인보호전문기관) 혹은 129(보건복지상담센터), 110(정부민원안내콜센터)로 신고 가능하며, 나비새김(노인지킴이) 어플을 통한 모바일 신고도 가능하다.

어느 배우의 어머니께서 '어린아이 너무 나무라지 마라 네가 걸어온 길이다. 노인 너무 무시하지 마라 네가 갈 길이다'라고 한 말이 생각난다. 인간의 대부분은 노년의 삶을 맞이한다. 우리 모두가 노인학대 예방을 위해 관심을 가져야 할 확실한 이유이다.[92]

73. 어르신공원

현대인의 삶의 질에 상당한 영향을 미치는 깃 중 하나가 공원이다. 일반적으로 공원은 자연환경 보호나 휴식 및 여가를 위해 국가나 지방자치단체 또는 민간이 지정하거나 조성한 녹지공간을 말한다. 까마득한 옛날 도시국가 시대 때 권력자들이 조경이나 사냥터 설치를 위해 만든 공간이 공원의 시작이었다. 그래서 이용자 역시 특정계층으로 제한됐다. 근·현대적 의미의 공원이 선보인 것은 산업혁명 이후였고, 최초로 공공기관에 의해 계획적으로 조성된 공원은 미국 뉴욕의 센트럴파크다.

버려진 습지였던 센트럴파크는 당초 거대한 일터가 될 뻔했다. 19세기 중반 맨해튼 도시설계자가 치열한 삶의 현장을 기획할 무렵 조경가 옴스테드는 '지금 이곳에 공원을 만들지 않는다면 100년 후에는 이만한 크기의 정신병원이 필요할 것' 이라고 조언했다. 조경가의 혜안과 도시설계자의 현명한 판단이 연간 4천만 명이 방문할 정도의 세계적인 시민공원으로 거듭난 센트럴파크를 더욱 빛나게 하고 있다.

공원의 필요성과 중요성이 갈수록 강조되고 있는 가운데 최근 포항시가 추진 중인 어르신공원 조성사업이 눈길을 끈다. 공원이용 연령층을 적극 반영, 맞춤형 공원으로 만들겠다는 의지다. 일단 낡고 오래된 데다, 이용률이 현저히 떨어지는 어린이공원이 대상이다. 어르신 수요가 많은 지역을 중심으로 맨발 산책로나 노인 맞춤형 운동기구·쉼터를 설치한다는 것이 골자다. 어린이공원 업그레이드와는 별개로 추진되는 이번 계획은 저출산·고령화시대에 부합하는 정책으로 보인다.[93]

세계일보, 2021. 6. 16, 김지민, 이재문

74. '만수유 공수거'의 삶

지난해 증정본으로 선물 받았던 삼영화학그룹 관정 이종환 명예회장의 자서전 '正道(정도)'를 다시 읽었다. 자서전에 담긴 정도(正道)를 추구한 과정의 빛과 그림자, 성공과 실패, 성취와 좌절 등을 통하여 바르게 사는 법을 배우고 싶어서다. 자신이 가진 것을 사회에 환원하는 아름다움을 배우고 싶어서다.

이종환 회장은 자서전 '正道' 3판 증보판 머리말에서 "나는 천재는 아니었지만 다른 사람보다 조금 먼저 내다보고 한발 앞서가는 데는 단연 앞섰다. 감사하게도 타고난 건강은 인생의 큰 자산이었다고 자부한다. 그래서 백수(白壽)를 바라보는 지금까지 사재(私財)로 설립한 장학재단 '관정 교육재단'의 경영을 왕성하게 하고 있다. 내 두 손에 상당한 재산을 가득 채우는 만수유(滿手有) 하였다가 세계 1등 인재를 키우는 일에 다 털어 공수거(空手去) 할 수 있게 되었다"라고 밝히고 있다.

그는 피나는 노력과 경쟁을 통하여 얻은 명예와 재산이지만 언제라도 무너질 위험이 있다. 그래서 쌓고 모으는 성공(成功)의 노력을 계속하되 성공이 가지는 원래의 뜻대로 그동안 모은 것을 남에게 베푸는 성공(成空)에 이르는 것이 참된 자기 성취라 했다. '채움' 다음에 '비움'이 참된 자기 성취라는 것이다. 언제나 자신이 먼저 마음의 문을 열고 목표에 도전하여 직원들이 열린 마음으로 따라오게 했단다. "도전하라. 그러면 도울 것이다."라고 아낌없는 지원을 약속하고 실천해 왔단다.

관정 명예회장은 우리나라 경제를 세계 경제의 일반적인 후퇴와 함께 성장세가 꺾이고 있고, 청년 실업률의 증가로 어려움을 겪고 있다고 진단하면서 청년들이 자신의 자서전 '正道'를 꼭 한번 읽기를 권하고 있다.

'관정교육재단'의 총자산이 8500억을 넘었고, 이미 지급된 장학금이 1800억 원을 넘었다고 한다. 앞으로 재단자산을 1조 원 이상 확충하고 노벨상을 능가하는 '관정 아시아 상'을 창설하겠다는 구상을 내놓고 있다. 이 회장은 또 "나는 영원히 살고 싶다. 비록 육신이야 아무 때, 아무 곳에나 신기루처럼 되더라도 대한민국의 번영을 갈망하는 혼만큼은 이 땅에 영원히 남고 싶다. 재단 출신의 젊은이들이 전 세계를 호령하는 모습을 보고 싶다. 과학 분야에서 노벨상을 받는 모습을 보고 싶다"라고 말하고 있다. 백수(白壽) 99세 노인의 꿈이다. 정말 존경스럽다.

자서전 이름을 '正道(정도)'라 붙인 까닭을 '정도(正道)'대로 살았다기보다

'정도'를 추구하면서 살았기 때문이라 했다. 그리고 "오늘날 지식의 창조와 변화와 혁신의 시대에는 기존의 틀에 얽매인 발상으로는 경쟁자에 뒤지게 마련이다. 낡은 틀을 깨고 새 틀을 짜는 새로운 발상, 뉴 패러다임으로 전환해야 한다. 이것이 우리가 함께 추구해야 할 '정도(正道)'다."라고 정도의 의미를 새로운 발상에 두고 있다.

"돈을 버는 데는 천사처럼 못했어도, 돈을 쓰는 데는 천사처럼 하련다", "공부할 때 고통은 잠깐이지만 못 배운 고통은 평생이다", "지금 잠들면 꿈을 꾸지만 지금 공부하면 꿈을 이룬다(하버드)", "무에서 유를 만들고, 다시 무로 돌아가리"라고 외친다. 줄기차게 이 땅의 젊은이를 격려하여 미래를 준비시키고, 끊임없이 자신을 채찍질하여 정도로 살려고 노력했던 흔적이 자서전의 곳곳에 담겨 있다.

"이 세상에 태어나 만수유(滿手有) 했으니, 공수거(空手去) 하리라"고 밝힌 관정 이종환 삼영화학 명예회장. 정말 대단한 분이다. 낡은 틀을 깨고 새 틀을 짜는 발상, 패러다임의 전환이 '정도'라고 밝히고 있다.[94]

서울 성균관대에서 열린 관정이종환교육재단 장학증서 수여식에 모인 장학생과 재단 관계자들이 기념 촬영을 했다(관정이종환교육재단 제공. 문화일보(2023. 09. 15).

75. 고령화 사회를 대비하자

필자의 나이도 어느새 80이 됐다. 머지않아 우리나라는 초고령 사회가 될 예정이다. 그런데 국가적으로 이에 대한 대비가 허술한 것 같아 걱정이다. 노인이 많아지면서 사망자 수도 늘어나는데 출생률은 해마다 줄어들어 소위 데드크로스(dead cross: 신생아 수보다 사망자수가 많아 인구가 감소하는 현상)가 일어나고 있다. 당분간 사망인구는 늘어나는데 세계 최하의 출생률은 더 악화돼 인구감소가 가속화될 모양이다.

경제인구는 줄어드는데 노인들이 많아져 경제 및 사회적 문제가 발생한다. 그중에 특히 문제가 되는 것은 건강보험 재정과 연금 지출의 증가 및 노인 부양 문제다. 노인이 증가하는 것은 국가 의료비용의 증가를 초래한다. 대체로 노인 한 사람은 청년 다섯 사람 정도의 의료비용을 소비한다. 게다가 지난 정부에서 포퓰리즘으로 의료혜택 범위를 확대해 이대로 가다가는 7년 뒤 건보재정이 바닥날 것이라는 전망이다. 여기에서도 소위 '공유지의 비극'이 초래돼 불필요한 의료소비가 늘어났다.

자본주의 사회에서는 대체로 수요가 공급을 창출하나, 반대로 공급이 수요를 창출하기도 한다. 소비자가 필요로 하는 상품이 있으면 공급자가 생산해 내지만, 반대로 공급이 많아지면 수요가 늘어나는 현상도 자주 본다. 특히 이런 현상은 의료와 법률 서비스에서 자주 나타난다. 의사가 많아지면 의료 행위가 늘어나며, 변호사가 많아지면 소송이 증가하는 것은 익히 알려진 사실이다. 예전 같으면 약국에서 약을 사 먹는 것으로 끝날 감기 치료를 종합병원에서 진찰과 처방을 받던가, 찜질이나 파스를 붙이는 것으로 끝내던 통증 치료를 도수치료로 받는다.

국가적으로 여유가 있으면 모든 의료비를 보험으로 처리하면 좋겠지만 '세상에 공짜는 없다'는 말도 있듯이 비용이 발생하며, 이 비용을 보험료로 충당하려고 하면 보험료를 올려야 한다. 따라서 효용 가치가 적은 의료 행위에 막대한 비용을 지불하는 것은 현명한 방법이 아니다. 변호사가 많으면 소송이 증가하는 것은 이미 미국에서 경험하는 바이다. 다른 선진국에 비해 배나 되는 미국의 변호사들이 미국에서 '식코'와 같은 현상을 초래하고 있다.

의료소송이 잦아지니 병원마다 소송에 대비하느라 과잉진료와 보험료 증가에 따르는 비용의 증가로 의료비가 오르고, 의료비가 오르니 의료보험료가 증가해 경제적 여유가 없는 사람들은 보험료 내기도 어렵다. 병이 생겼을 때 치료비를 내기는 더욱 어려워져 의료보험에 가입하지 못 한 환자들은 사회주의 국가이기에 의료비가 무료인 쿠바로 망명하든지, 자기 손가락을 자신이 자르는 '식코'와 같은 상황이 미국에서 발생하는 것이다.

현재 우리나라에서는 의료보험 체계의 부실과 소송 위험에 대한 회피 등으로 소아과, 산부인과, 흉부외과 등 필수 의료에 대한 지원자가 줄고, 대학병원에서 소아과 병동을 폐쇄하는 일까지 벌어지고 있다. 이것을 정부에서는 의사 수가 모자라기 때문이라고 오진하고 있다.

지병의 치료에 있어서 진단이 잘못 되면 치료가 제대로 될 수 없듯이 모든 정책이 선택도 원인 진단이 올바라야 옳은 결정을 할 수 있다. 과잉 배출되고 있는 변호사의 숫자를 줄이고, 의료체계를 정비해 의료의 과소비를 제한하며, 불요불급한 의료 행위에 국민들의 귀중한 돈이 낭비되지 않도록 하고, 후대의 경제적 부담을 덜어주기 위해 의료개혁을 서둘러야 한다.[95]

76. 바람만 스쳐도 아프다는 '통풍' …방치 땐 관절을 넘어 온몸 침범

50대 초반의 성공한 변호사가 필자의 진료실로 목발을 짚은 채 심하게 부은 왼쪽 발을 보이며 "제발 아프지 않게만 해달라"고 거의 울다시피 부탁했다. 어제 저녁에 동료 변호사와 소주에 삼겹살을 마시고 즐겁게 헤어졌는데, 새벽부터 왼쪽 발등과 엄지발가락이 붓고 아프기 시작하더니 아침에는 도저히 일어나지 못할 정도로 통증이 심해져서 병원에 왔다고 한다.

부친과 숙부께서 통풍의 가족력이 있었고, 피검사와 초음파검사를 하니 급성 통풍관절염과 고지혈증, 경동맥 동맥경화 등 여러 질병이 진단되어 입원하였다.

통풍은 한자로 아플 통(痛) 자 바람 풍(風) 자를 쓰는데, 말 그대로 바람만 스쳐도 아픈 병이다. 과잉생산된 요산이 주로 발가락이나 발목 관절에 쌓이면서 심한 염증과 통증이 생기는 것이 특징적인 증상인데 이를 발작이라고 부른다.

통풍은 관절만 침범하지 않는다. 우리나라에서 통풍의 유병률은 국민의 2%로 계속 증가하고 있지만 통풍을 단순하게 관절병으로만 알고 있는 사람들이 많다.

통풍을 제대로 치료하지 않을 때에는 만성 결절통풍으로 진행이 된다. 그런 경우에는 요산이 관절에만 쌓이는 것이 아니라 온몸의 혈관과 콩팥에도 쌓이면서 만성 콩팥병, 고혈압, 당뇨병, 고지혈증, 동맥경화, 뇌졸중(뇌출혈과 뇌경색), 심장병(협심증, 심근경색증, 심부전, 부정맥) 등 치명적인 합병증을 일으킬 수 있다. 즉 만성적이고 온몸을 침범하는 대사질환이라는 얘기다.

통풍을 제대로 치료하지 못하면 관절도 아주 아프지만, 만성 결절통풍 환자는 정상인보다 사망률이 3배나 증가하고 모든 통풍 환자도 제대로 치료하지 않으면 심장병으로 사망할 확률이 2배나 높아진다. 즉 통풍은 생명을 위협하는 공공의 적이다. 통풍에 대한 조기 진단과 지속적인 치료를 위해 의료진과 환자가 함께 노력해야 하는 이유이다.

올해 2월에 대한류마티스학회에서 통풍 환자와 일반인을 대상으로 통풍에 대한 인식과 치료 실태 등을 조사한 결과 통풍에 대한 지식 수준은 매우 낮았다. 통풍에 대해 잘 알고 있는 일반인은 15%에 지나지 않았고, 통풍 환자조차도 통풍에 대해 잘 알고 있는 환자가 45%밖에 안 되었다.

또한 통풍 치료를 제대로 받는 환자가 절반도 되지 않았다. 이렇듯 우리 국민은 통풍의 심각성을 잘 이해하지 못하고 있다. 국내 연구에 따르면 통풍은 일교차가 큰 3월에 가장 많이 발생한다. 그래서 대한류마티스학회에서는 매년 3월16일을 '통풍의날'로 정하고 국민을 대상으로 통풍의 위험성을 알리는 캠페인을 벌이고 있다.

통풍의 치료에 가장 중요한 첫걸음은 정확한 진단이다. 많은 환자가 피검사로 요산이 높으면 통풍으로 생각하는 때도 있지만 실제로 요산이 높은 환자 중에 통풍 환자는 겨우 16% 정도에 지나지 않는다.

따라서 통풍을 전문적으로 연구하고 진료하는 류마티스내과 전문의에게 정확한 진단을 받고, 통풍에 대한 교육을 받고 장기적으로 치료와 관리를 받는 방법이 최선의 치료방법이다.

통풍의 치료에 가장 중요한 것이 약물치료이지만 음식 조절도 역시 중요하다. 우선 모든 종류의 술을 조심해야 한다. 맥주의 주성분인 호프에는 통풍을 일으키는 요산의 전구물질인 퓨린이 아주 많이 함유되어 있어서 맥주를 많이 마시면 체내에 요산이 갑자기 증가하면서 통풍이 잘 생길 수 있다. 맥주뿐 아니라 막걸리, 소주, 포도주 등의 모든 술은 알코올을 함유하고 있으므로 그 알코올의 양에 비례하여 통풍을 일으킬 수 있다.

또한 알코올은 소변으로 빠져나가는 요산을 다시 잡아 핏속에 넣어서 요산을 급속히 올린다.

소고기, 돼지고기, 닭고기를 포함한 육류, 특히 간과 내장에는 퓨린이 많다. 청어, 고등어, 정어리, 꽁치 등의 등푸른생선, 새우, 바닷가재 등의 해산물에도 퓨린이 많다. 과음과 과식을 절제하는 것 역시 통풍의 치료에 중요하다.

필자에게 입원했던 그 변호사는 통풍에 대한 교육을 받고, 소염제와 요산저하약물로 치료를 시작하면서 관절통은 호전되었다. 앞으로도 평생 통풍약을 잘 복용하고 정기적으로 피검사를 하기로 약속하고 건강을 되찾아 퇴원했다.

재물을 잃으면 적게 잃는 것이요, 명예를 잃으면 많이 잃는 것이고, 건강을 잃으면 모두 잃는 것이라 하였다. 적절한 약물치료와 절제된 식습관, 올바른 생활습관으로 생명을 위협하는 숨겨진 질병, 통풍을 잘 극복하여 우리 모두의 건강을 지켜야 할 것이다.[96]

77. "73세 돼야 노인"

서울 사는 65세 이상 3010명을 대상으로 '노인의 기준'을 물었더니 72.6세라는 조사 결과가 나왔다. 지금 65~69세에게 '당신은 노인이냐'고 물어보면 '그렇다'고 답할 사람은 많지 않을 것이다. 얼마 뒤엔 70~75세 중에도 스스로 노인이라고 생각하지 않는 사람들이 많아질 수 있다. '노년기'는 나이만으로 일반화하기 어렵고 개인 차도 크다.

미국의 노인의학 전문의 루이스 애런슨은 "노화의 속도와 폭이야말로 사람마다 천차만별"이라고 했다. 실제로 몸 관리를 잘하는 80세는 그렇지 않은 70세보다 훨씬 건강할 수 있다.

'65세 노인' 기준은 독일 '철혈 재상' 오토 폰 비스마르크(1815~1898)에서 연원을 찾는다. 1889년 연금제도를 도입하면서 지급 연령을 65세 이상으로 잡았다. 그 당시 독일 남성의 기대수명이 47세였다. 비스마르크의 '65세 연금'은 그저 정치적 선전이나 다름없었다. 미국에서는 20세기 초 대공황 와중에 루스벨트 대통령이 노령연금을 도입하면서 지급 기준을 65세로 잡았다. 유엔도 인구 분류에서 65세 이상을 고령층으로 본다. 경제학자 존 쇼번은 '내년에 죽을 확률이 2% 이상이면 노인, 4% 이상이면 고령 노인'이라는 독특한 노인 분류 방식을 제시했다. 그 기준에 따르면 미국의 남성은 65세, 여성은 73세 이상이면 노인이다.

노화를 자연 현상이 아닌 질병으로 보는 시각도 점점 많아지고 있다. 세포 내 염색체 끝에서 염색체를 보호하는 '텔로미어'가 짧아지고 약해져 세포 분열에 문제가 생기는 것이 노화라는 것이다. 텔로미어를 지킬 수 있으면 노화는 일어나지 않는다는 것이다.

노화 역행(회춘) 연구도 한창이다. 2012년 노벨상 수상자인 일본 쿄토대 야마나

카 신야 교수는 다 자란 성체 세포를 원시 상태로 돌릴 수 있는 인자를 찾아내 '야마나카 인자'로 명명했다. 우리 몸은 세포로 구성돼 있어 노화된 세포를 되돌릴 수만 있으면 이론적으로 회춘도 가능하다. 아마존 창업자 제프 베이조스가 러시아계 억만장자 유리 밀러와 함께 노화 역행을 연구하는 스타트업 알토스 랩스에 30억달러를 투자했다. 과학계에선 노화 극복을 시간문제로 보는 사람이 점점 많아진다. 부유하면 100세도 청년, 그렇지 않으면 70세 노인인 세상이 올지도 모르겠다.

대구시가 지하철 무임승차 연령을 만 65세에서 70세로 올리는 방안을 검토하겠다고 했다. 머지않아 초고령사회다. 국민들 스스로도 노인을 73세부터로 보고 있다. 늦기 전에 노인 기준을 바꿔야 한다.[97]

78. 소멸 위기의 지방, 젊은 노인이 필요하다

수도권 대도시와 비교해 지방의 인구 감소 문제가 사회적 논쟁거리가 된 것은 어제오늘의 일이 아니다. 지자체의 법률적 존립마저 보장할 수 없는 수준에 이른 곳도 여러 곳이라는 보도가 있었다.

물론 소멸 위기에 처한 지자체들의 자구 노력이 없었던 것은 아니다. 대도시의 젊은이들을 지방으로 끌어들이기 위해 여러 방안을 내놓았고 예산도 쏟아붓고 있다. 그러나 그 자구노력이라는 것이 현실성 없는 탁상공론에 지나지 않은 것이 대부분이다. 젊은이들에게 전혀 먹히지 않는 대안을 아무리 제시해 봐야 허공에 대고 소리치는 꼴이다.

필자의 생각으로는 목표 설정이 잘못됐다고 본다. 현재 지방은 대도시와 비교해 젊은이들을 끌어들일 만한 경쟁력 있는 요소가 없다는 것을 솔직하게 인정하고 대안을 찾아야 한다.

따라서 젊은이들이 아닌 다른 대상을 선정하고, 그에 맞는 맞춤형 솔루션을 마련해야 한다.

필자가 주목하는 대상은 젊은이가 아닌, 젊은 노인들이다. 즉, 대도시에서 이제 막 은퇴한 50, 60대 사람들을 타깃으로 해야 한다. 이들은 라이프사이클로 봤을 때 경제적으로는 가장 정점에 있으면서도 전원생활에 대한 소위 로망을 가지고 있다.

따라서 이들을 지방으로 끌어들이면 이들의 구매력으로 인해 지방의 경제에도 큰 보탬이 될 뿐더러 지자체에서 지원하는 적절한 프로그램으로 이들의 전원생활에 대한 로망을 실현시켜 준다면 지방의 활성화에도 가시적인 성과가 있을 것이다.

그러기 위해서는 젊은 노인들의 지방 정착을 지원하는 적극적인 프로그램이 있어야 한다. 예를 들어 '농촌 3개월 또는 1년 살아보기' 같은 프로그램을 운영하면서 농촌에 대한 진입장벽을 낮춰야 한다.

그뿐 아니라 지방에 산재한 수많은 빈집을 활용해 주거 문제를 지원하고 '초보 농사꾼 양성과정' 등을 통해 영농인으로 자립할 수 있는 환경을 마련해 줘야 한다.

한편 귀촌을 희망하는 젊은 노인 중에서도 자기 분야에서 괄목할 만한 직업적, 기술적 성취도가 있는 경우에는 그것을 살려 지방에서도 같은 분야에서 계속 활동할 수 있도록 지원책을 마련할 수도 있다.

'선택과 집중'이라는 말이 있다. 기왕 추진하는 지방 살리기라면 실효성 있는 정책을 펴는 것이 중요하다고 본다.[98]

79. 목욕탕의 슬픈 추억

피곤하고 고단함이 밀려올 때면 자주 찾는 곳이 바로 목욕탕이다. 시골 목욕탕의 경우 시설은 열악하지만 그래도 수수한 농촌 냄새가 물씬 풍기기에 꿩 대신 닭이라 할 수 있다. 내가 사는 시골 목욕탕 또한 그리 넓지 않고 변변한 헬스기구 하나 없지만 피곤한 몸을 푸는데 그만한 곳이 없다.

얼마 전 그동안 코로나19로 가지 않던 동네 목욕탕을 실로 3년 만에 설레는 마음으로 다녀왔다. 젊은 아빠가 초등학교 5학년쯤 되는 아들에게 등을 밀어주며 정답게 이야기를 나누는 모습을 물끄러미 바라보며 감회에 젖기도 했다. 그리고 2004년 8월31일 하나밖에 없는 아들놈 군대 가기 전날 간 목욕탕에서 아들과 함께했던 기억이 불현듯 떠올랐다. 직장 바쁘다는 핑계로 아이와 얼굴을 마주 보며 아침밥을 함께 한 기억이 거의 없는 터였기에 서로 등을 밀어주며 모처럼 부자간의 정을 나누었던 그 날을 떠올리려니 가슴이 먹먹해진다. "아빠, 군 생활 잘하고 올 테니까 너무 걱정하지 마세요. 그리고 군 생활 잘 마치고 더 어른스러운 모습으로 집에 올게요"라면서 아빠를 위로했던 때가 엊그제 같은데 야속하게도 벌써 19년의 세월이 흘렀다.

안전사고 등으로 군대 간 젊은이들이 희생되는 광경을 언론을 통해 목격하면서 드는 생각이 있었다. 우리 아이가 성장해 군대에 갈 나이가 되면 남북통일이 돼서 군대에 가지 않아도 될 것이라는 막연한 상상이었다. 그런 상상을 뒤로하고 아이는 다니던 대학을 휴학하고 강원도 철원 최전방 부대로 입대를 하게 되었다. 자대 배치를 받은 지 4개월이 채 되기도 전인 2005년 1월18일 민통선 안에서 보초근무를 마치고 귀대하던 중 탑승했던 차량이 전복되면서 이 세상과 이별을 했다. 아버지와 아들의 인연 23년은 그렇게 끝이 나고 말았다. 흙에서 태어나 흙으로 돌아간다는 말과 같이 그해 3월12일 계룡산 자락 아늑한 곳 대전국립현충원에서 영면에 들어갔다.

가족 구성원으로서의 '아버지'는 과연 어떤 존재일까? 흔히 부모님의 역할을 이야기할 때 어머니의 역할을 강조하는 경향이 있다. 하지만 절대 빈곤시절인 1960~70년대에는 가정의 생계를 책임지는 게 아버지의 중요한 역할이 아니었을까 싶다. 직장에 충실하려 노력하다 보면 아이들에게 세심한 관심을 갖기란 결코 쉽지 않다. 주로 아이의 성장 과정을 돌보는 것은 어머니의 역할일 수밖에 없다. 맞벌이를 하는 부부가 많아지는 요즈음과는 경우가 다를 수 있겠다는 생각도 해 본다. 아무튼 아이가 성장하고 나면 어렸을 때 좀 더 관심을 기울이지 못한 것에 대해 아쉬움과 미안함이 남을 수밖에 없는 게 대한민국 아빠들의 모습일 것이다.

문득 세상에 계시지 않은 아버지의 삶이 떠오른다. 하루라도 술을 마시지 않고는 하루를 버틸 수 없을 만큼 알코올에 의존했던 아버지. 어느 것 하나 마음먹은 대로 되지 않는 것에 대한 불만, 아무리 노력해도 삶이 나아질 거라는 희망을 갖지 못했던 분이 바로 우리 아버지였다. 가난했던 아버지 또한 내가 갖고 있는 똑같은 마음을 자식인 나에게 가졌을 것이라는 생각을 하니 나이 칠십을 바라보는 지금에서야 아버지의 지극한 자식 사랑의 마음을 깨닫게 된다. '부모는 산에 묻고 자식은 가슴에 묻는다'라는 말이 있다. 가족을 떠나보내는 슬픔은 별반 다르지 않지만, 유독 자식을 먼저 떠나보내는 부모의 마음은 한없이 아플 수밖에 없음을 비유적으로 표현한 말이다.

작가 박완서는 남편과 외아들을 연달아 잃고 하늘을 향해 이렇게 절규했다.

'내가 이 나이까지 겪어본 울음에는 그 울음이 설사 일생의 반려(배우자)를 잃은 울음이라 할지라도 지내놓고 보면 고통을 견딜만하게 해주는 감미로운 진통제 같은 게 들어있었다. 오직 참척(慘慽)의 고통에는 그런 감미로움이 전혀 섞여 있지 않았다' 라고 했다. '구원의 가망이 없는 극형' 이라면서 그야말로 억장이 무너지는 끔찍한 일이라고까지 표현했다.

고단하고 지친 육체 피로 해소를 위해 찾는 동네 목욕탕이지만 먼저 간 아들과 함께했던 슬픈 추억이 가슴을 아프게 하는 곳이기도 하다. 아이와 소소한 일상의 이야기를 다시는 나눌 수 없다는 현실이 나를 더욱더 슬프게 한다.[99]

80. 부모학대 존속범죄 꾸준히 늘고있다

도내에서 최근 매년 50여 건 정도로 존속범죄가 발생하고 있는 것으로 나타났다. 존속범죄는 자식이나 배우자·며느리가 부모를 폭행·살인하는 등 패륜 범죄 행위를 말한다. 전북경찰청의 통계를 보면 도내에서 지난 2018년에서 지난해까지 5년여 동안 254건이 발생한 것으로 나타났다. 존속폭행이 164건으로 전체의 64%가 훨씬 넘고 존속상해·존속협박·존속감금 존속살해로 이어지는 등 가족 간에 발생하는 사건들이 날로 극악해져가는 양상이다. 지난 26일 전북 경찰이 전주시 덕진구 한 주택에서 손발이 테이프로 묶이고 머리에 둔기로 맞아 숨진 것으로 추정된 80대 노모를 살해한 혐의로 50대 아들을 구속했다.

아들의 정신병원 입원 문제 갈등에서 범행을 저지른 것으로 알려졌다. 이처럼 천륜을 저버리는 존속범죄 핵가족화와 고령사회로 진입하면서 늘고 있다. 그런데도 부모들은 가해자인 자식 등의 처벌을 우려해 피해 진술 거부는 물론 극구 부인하는 경향이 적지 않다고 한다. 때문에 경찰과 노인보호전문기관이 나서 꾸준히 피해자인 부모를 설득해 진술을 받아내곤 하는 등 수사에 애로가 적지 않다는 것이다. 자식 등의 범행을 감싸주는 것은 오히려 범행에 대담해지고 극악해질 수 있는 요인이 아닐 수 없다.

자칫 심각한 존속 범행으로 이어질 우려가 높은 것이다. 경찰에서도 존속폭행과 같이 반의사불벌의 친고죄에 해당 경우 피해자가 처벌을 원치 않더라도 현장에서 사건을 종결하지 않고 적극적인 사법처리를 하는 수사 기조를 엄정히 수행하고 있다고 한다. 하지만 사법기관 등이 가정 문제에 일일이 개입하는 데는 한계가 있을 수 있다. 그러나 살인에 이르는 등 극악해져가는 존속 대상 범죄는 단순한 개인 문제로 치부해서는 안 될 것이다. 가족 간 유대감이 갈수록 낮아지는 사회적 요인과 가정폭력·정신질환 등 다양한 원인이 복합적으로 나타나고 있다. 당국은 더 이상 가정으로서 기능을 잃은 가정 등에 대한 정신 상담 치료 조기 제공 등 범죄 발생 가능성을 미리 차단하는 노력이 필요하다. 학대 피해 부모 등도 신속한 신고 등 대응이 존속범죄 예방의 지름길임을 알아야 한다.[100]

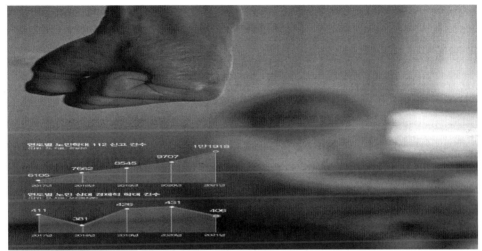

아시아경제, 2022. 08. 08, 공병선기자

81. 고독사 어떻게 막을 수 있을까

지난해 1월에도 '고독사'를 주제로 칼럼을 작성했다. 대전 지역 고독사 문제가 심각해지고 있다는 내용이었다. 작년 상황이 생생히 기억난다. 고령층에 국한됐던 고독사 문제가 청년층까지 드리우면서 이를 대비하기 위한 방안이 마련돼야 한다는 기사를 작성했었다. 그럼 1년이 지난 지금 상황은 나아졌을까?

아니다. 오히려 더 심해졌다고 볼 수 있다. 보건복지부가 발표한 '2022년 고독사 실태 조사'에서 대전이 연평균 증가율이 전국에서 두 번째로 높다는 충격적인 결과가 나왔다. 특히, 5060 중장년층 고독사가 전체 절반 수준으로 심각한 상황이다.

고령층, 청년층, 중장년층 등 고독사를 겪고 있어 더는 특정된 연령대에 머무는 문제가 아니었다. 모든 사람이 고독사를 겪고 있고, 누구든 쓸쓸히 죽음을 맞이할 수 있다는 이야기다.

이대로 손 놓고 볼 수는 없다. 왜 그들이 홀로 죽어가야 했는지, 문제를 어떻게 막아야 하는지 촘촘한 대책을 마련해야 한다. 모든 연령대에 나타나고 있는 문제긴 하지만, 이들을 모두 같은 방식으로 접근해선 안 된다. 2030 청년과 5060 중장년층은 분명 생활 환경도 그들이 가진 생각도, 심지어 사는 공간적 특성도 너무 다르다.

극단적인 예로 대학을 다니며 학교 근처 원룸에서 취업을 고민하고 알바로 생활비를 벌고 있는 20대와 직장을 다니며 아내와 이혼한 뒤 오랜 기간 못 봤던 아이들을 그리워하며 처음 혼자 살아보는 50대. 그들은 모든 면에서 다르게 살아가고 있다. 결국, 표준화된 방식으로는 고독사 문제를 예방할 수 없다는 것이다.

고독사를 막기 위해 연령대별 문제를 파악하고 다르게 접근해야 할 때다. 좋은 예시가 울산광역시다. 울산은 2년 전부터 1인 가구 고독사 맞춤형 사례관리사업을 추진하고 있다. 울산시는 중장년층 고독사 문제가 심각해지고 그 수도 증가하자 중장년층 1인 가구를 대상으로 실태조사와 사례 관리를 시작했다. 지역사회 사각지대에 높인 중장년층의 가구를 직접 방문해 안전 여부를 확인하거나 TV 사용 여부를 알 수 있는 스마트 돌봄 플러그를 통해 실시간 모니터링을 진행했다. 부산시도 중장년 남성 관리에 초점을 맞춰 고독사 예방 종합 대책을 마련해 진행 중이기도 하다.

이렇듯 여러 지자체에서 고독사에만 초점을 맞춘 게 아닌 연령대까지 함께 고려해 움직이고 있다. 대전시도 올해 지역 고독사 실태조사를 진행한다. 결과에 따라 어떻게 예방 계획을 세울지 정할 예정이다. 아직 어떤 방식으로 고독사를 막을지 정해지진 않았지만, 연령별 특징에 맞춰 촘촘하게 짜인 맞춤형 관리를 통해 고독사를 막을 수 있을지, 연평균 고독사 증가율이 전국에서 2위 수준이라는 불명예를 벗을 수 있을지 기대감이 크다.[101]

82. 치매 어르신의 존엄한 노후 보장

우리는 주변에서 치매를 앓고 있는 어르신을 흔하게 볼 수 있으나 우리 부모님이나 가족은 아니다 라는 생각에 안도하며 남의 가족의 안타까운 사연으로만 느낀다.

통계청 장래인구 추계에 따르면 2022년 현재 노인인구는 900만명을 넘어 인구의 17.5%를 차지하고 노인에게 흔한 노인성 질병인 치매를 앓고 있는 어르신도 꾸준히 증가하여 '20년 84만명에서,' '30년 137만명,' 50년 303만명에 달할것으로 예측하고 있다(출처:중앙치매센터). 이렇듯 급속도로 늘고 있는 치매 수급자에게 차별화된 맞춤형 서비스를 제공하기 위해 국민건강보험공단은 2016년 '치매전담형 장기요양기관' 제도를 도입하였고 시행 7년이 경과되었다.

치매전담형 장기요양기관은 전국 250개 지자체중 168개(67.2%) 지역에 설치되어 있으며 필자가 소속되어 있는 서울강원지역의 경우 43개 지자체중 29개(67.4%) 지역에 설치·운영중이다. 그중 강원도는 18개 지자체 중 10개 지역에서 운영중이며 고성군, 삼척시, 속초시, 양구군, 양양군, 정선군, 평창군, 화천군 등 8개 지역에는 아직도 치매전담형 장기요양기관이 없는 상태이다. 최근 평창군은 지난 2월 20일부터 지역 내 75세 이상 어르신을 대상으로 치매 전수검사를 실시, 치매 조기 발견과 치료에 나선다고 하며 진단검사 실시 후 정밀검사가 필요한경우 군 보건의료원에서 혈액검사와 뇌 영상 촬영을 받을 수 있도록 연계한다는 계획이다.

공단은 치매전담형 장기요양기관 확충을 위해 치매에 대한 인식개선 및 홍보에 주력하고 치매전문교육 운영을 통해 인프라 확충에 계속 노력할 예정이다.

전국에 있는 치매 수급자가 거주지 인근에서 치매전담형 장기요양기관의 맞춤형 서비스를 제공받아 자신의 잔존기능을 유지할 수 있도록 지원하고, 보다 존엄한 노후를 보낼 수 있도록 치매전담형 장기요양기관이 없는 지역의 기관 확충을 기원한다.[102]

83. 노인복지(老人福祉)

노인복지(老人福祉)는 노인이 인간다운 생활을 유지하면서 자기가 속한 가족과 사회에 적응하고 통합될 수 있도록 필요한 자원과 서비스를 제공하는데 관련된 공적 및 사적 차원의 조직적 제반 활동이다.

인간다운 생활이란 노인이 속한 사회의 발전 수준에 비추어 의식주의 기본적인 욕구를 충족하고 건강하고 문화적인 삶을 사는 것을 뜻하며, 가족과 사회에 적응하고 통합되는 것은 노인이 속한 사회적 조직망에서 사회적·심리적으로 소외감을 느끼지 않게 되는 것이다.

자원과 서비스를 제공하는 것은 이용 가능한 인적·물적 자원을 찾아 연결시켜주거나 보충해 주며, 사회적 적응의 문제를 해결해 주는 것을 의미한다. 또한 노인복지에 관련되는 활동은 공공과 민간 차원의 모든 활동을 포함하며, 계획에 의하여 조직적으로 이루어지는 활동이어야 한다.

우리나라는 예로부터 경로의식이 사회규범화되어 전래되어 왔는데, 노인을 문화전승자 및 인생의 완성자로 보는 자연발생적 태도와 민간신앙의 조상숭배 관념, 그리고 유교윤리의 효의 규범은 경로의 태도를 더욱 강화시켜 왔던 것이다.

경로사상이 투철한 사회에서는 노인을 위한 시설보호 같은 사회적 부양이라는 것은 바람직스럽지 못한 것으로 여겨졌고, 그와 같은 사업의 필요성도 없었다.

우리나라는 예로부터 이러한 경로사상에 입각한 가정 내에서의 노인 부양으로 인하여 노인복지사업이 활발할 수 없었지만, 경로 및 양로에 관한 기록을 통하여 노인복지사업의 흔적을 찾아볼 수 있다.

먼저 삼국시대의 대표적인 예로 사궁보호(四窮保護)를 들 수 있다. 이것은 후대까지도 계속되었는데, 사궁은 대체로 생계가 곤란한 환과고독(鰥寡孤獨: 외롭고 의지할 곳 없는 사람을 이르는 말)을 가리킨다.

가장 최초의 기록은 28년(신라 유리왕 5) 11월의 일로 왕이 순행중 얼어 죽을 지경에 처한 한 노인을 발견하고 "……이는 나의 죄이다." 라고 하며 옷을 벗어 덮어 주고 음식을 먹였으며, 관리에게 명하여 늙고 병들어 자활할 수 없는 사람에게 먹을 것을 주게 하였다고 되어 있다. 이러한 예는 파사왕·소지왕·선덕왕·성덕왕·경덕왕·흥덕왕 때에서도 볼 수 있다.

그리고 고구려에서는 118년(태조 66) 8월에 환·과·고·독과 늙고 자활할 수 없는 사람을 위문하여 입을 것을 준 일이 있었고, 고국천왕·고국원왕·보장왕 때에도 유사한 예가 있었다.

또한, 백제에는 38년(다루왕 11) 10월 왕이 동서부 지방을 순무하면서 가난하고 자활할 수 없는 사람에게 곡식 2섬[石]씩을 주었다는 기록이 있는데, 이와 같은 예는 비류왕·의자왕 때에도 있었다.

고려시대에는 양로에 관계된 기록이 많은데, 첫째 국로에 관한 양로로, 이는 왕이 친히 구정(毬庭)에서 향연을 베푸는 것인데, 정종·문종·선종·숙종·예종·희종·고종·충렬왕 때에도 볼 수 있었던 일이다.

둘째, 60세 이상의 노인을 양휼, 즉 부양하는 것으로, 목종·현종·문종·선종·숙종·인종·의종·희종·고종·공민왕 때에도 있었다. 셋째, 왕이 남녀 80세 이상인 자를 모아 친히 주식(酒食)·포백(布帛)·다과를 주되 차등 있게 한 것으로, 현종·정종·선종·헌종·숙종·예종·인종 때에도 있었다.

이 밖에도 태조 때는 80세 이상의 부모가 있는 자는 군역을 면하여 부모를 봉양하게 한 군역면제, 또 노부모를 봉양하기 위해서는 외관이나 외군에 보하지 않는 일도 있었고, 70세에 치사(致仕)함을 예로 하는 제도도 있었던 바 이들은 경로사상과 연관된 것으로, 군왕이 직접 경로정신을 실천함으로써 노인을 존경하는 기풍을 조성하고, 노인으로 하여금 여생을 안락하게 보낼 수 있게 하기 위한 것이다.

조선시대에는 특히 노인을 공경하고 우대하는 여러 시책과 제도를 마련하였는데, 1395년(태조 4) 경로사상이 투영된 『대명률(大明律)』을 이두문으로 축조, 번해하여 반포한 일이라든가, 태조 3년에 설치된 기로소(耆老所), 이듬해에 설치된 진제소(賑濟所)를 들 수 있으며, 1431년(세종 13)에는 『삼강행실도』를 편찬, 전국에 유포하여 충효사상을 고취하였다.

그러나 보다 구체적인 것으로는 기로사(耆老社)를 두어 문관 정2품 이상의 70세 이상 자를 입사하도록 하여 매년 봄과 가을에 국왕과 연(宴)을 가졌으며, 세종 이래 100세 이상의 노인에게는 연초에 쌀을 주고 매월 술과 고기도 주었다. 또한, 90세 이상의 노인에게는 매년 술·고기와 작(술잔의 일종)을 주고, 80세 이상의 노인에게는 지방관으로 하여금 향응하게 하였다.

숙종 이래 경로를 위하여 노년의 관민남녀에게 급여하는 노인직(老人職)을 두고 위계를 주어 영칭(永稱)하게 하고, 이미 계급이 있는 자는 무조건 한 계급을 특진시켰다. 그리고 『대명률』에 있는 규정을 적용한 것으로 사형 또는 도류형(徒流刑) 대상자에게 노부모 또는 조부모가 있어 달리 부양할 자가 없을 때에는 감형 또는 환형의 처분으로 봉양의무를 다하게 하였다.

조선시대의 노인복지사업은 현대의 노인복지나 사회보장 및 연금제도 등과 비교해 보면 미흡한 것은 사실이다. 그러나 경로사상이 투철하였던 당시의 노인복지사업은 노인우대의 임시 은사책으로 장로존경·여후면려(慮後勉勵)·자제지효(子弟之孝) 등의 기풍을 진작시키는 교육적인 면에 치중하였다.

한편, 조선시대의 민생구휼사업 부서로는 구황청(뒤에 진휼청으로 바뀜)·혜민국·활인서·제생원·기로소·장례원 등이 있어 각기 독립된 기능을 가졌으며, 그 중 기로소는 70세 이상인 자를 대상으로 연회와 오락을 즐기게 하는 일을 담당하였는데, 1394년부터 1909년까지 존속하였다.

일제강점기에는 일제에 의하여 노인복지사업이 행해졌다. 1910년 일본의 왕이 내놓은 이른바 임시 은사금(恩賜金)으로 양반유생의 기로, 효자·절부(節婦) 등 향당의 모범자, 환·과·고·독의 연민한 자를 구조하였고, 1916년에는 은사진휼자금궁민구조규정(恩賜賑恤資金窮民救助規定)에 의하여 60세 이상의 노쇠자에게 은사진휼자금을 급여하였다.

1929년에는 재단법인 창복회(昌福會)가 설립되어 귀족구제를 하였는데, 가계가 곤궁한 60세 이상자에게 지급액을 3할 증액하여 노동능력이 없는 노인귀족을 우대하였다. 이 사업은 인도주의적인 것이 아니라, 오히려 격화되고 있던 민족운동에 대한 무마책이자 통치연장의 도구로 이용하였던 것이다.

그러나 이 시기는 시설보호의 여명기로서 종교단체에 의한 양로사업의 출범을 보게 되었다. 우리나라 최초의 양로사업의 효시는 조선시대 말 프랑스인 천주교 주교에 의하여 이루어졌는데, 조선교구장 블랑(Blanc.J.) 주교가 종로 똥골〔東谷: 지금의 관철동〕에 큰 기와집 한 채를 사서 의지할 곳 없는 남녀노인 40명을 모아 수용, 보호하였다. 이 양로원은 그 뒤 종현(鍾峴: 지금의 명동)으로 옮겼다가 1894년 이후 폐지되었다.

1921년 4월에는 이기준 신부가 서울 명동성당 구내에 천주교양로원을 설립하였는데, 이는 1958년 성가양로원으로 개칭되었고(현재 부천시 소재), 1925년 한상룡 장로는 김제군에 기독교계의 애린양로원, 1927년 이원직 여사는 불교계의 청운양로원을 각각 설립하였다. 성가양로원·애린양로원·청운양로원·상애원(1950년) 등은 현존하는 가장 오래된 양로시설로 알려져 있다.

1930년대의 기록으로는 6개 시설에 58명이 수용되어 있었다고 한다. 전통적인 경로효친사상에 바탕을 둔 가족생활로 인하여 우리나라의 시설보호사업의 발전은 다른 나라처럼 활발하지는 않았다.

1944년 조선총독부에서 마련하여 시행한 「조선구호령」이 광복 이후, 1961년 12월 30일 「생활보호법」이 제정, 공포되기까지 그 효력을 가지고 있었고 2000년 10월 「국민기초생활보장법」이 시행되기 이전까지는 생활보호법으로 저소득 노인들의 생계와 자활을 지원해 왔다.

우리나라의 노인복지 정책은 1981년에 제정하고 1989년에 개정된 노인복지법을 중심으로 노인서비스 프로그램이 실시되고 있다. 이를 소득보장, 의료보장, 주거보장, 사회복지서비스로 나누어서 보면 다음과 같다.

소득보장 프로그램에는 노령연금과 공공부조, 그리고 경로연금 제도가 있다. 노령연금은 국민연금과 특수직연금(공무원연금, 군인연금, 사학연금)에 의하여 퇴직 후 소득을 보장하는 제도이며, 공공부조는 국민기초생활 보장법을 토대로 저소득 노인의 생활을 지원하는 제도이다. 1998년 7월부터 시행되어진 경로연금은 무갹출 연금제도로 저소득층 노인들에게 월 3~5만원 정도의 생활비를 지급하고 있다.

의료보장 프로그램으로는 ① 노인 건강진단, ② 노인 의료비 지원, ③ 노인 백내장 수술비 지급제도 등이 있으며 노인의 의료보장을 위한 시설로는 노인전문병원, 보건소 등이 있다. 의료보험이나 의료보호를 통한 의료보장을 시행하고 있으나 추가적인 의료비 부담이 없이는 적절한 의료혜택을 받을 수 없어 과반수의 노인에게 의료비가 부담이 되고 있다.

외래진료비의 45%, 병원진료비의 50%, 의원진료비의 70%만을 지급해 주고 나머지는 본인 부담으로 되어 있어, 의료비 조달이 노인의 심각한 재정문제가 되고 있기 때문이다.

의료보호는 의료보험의 혜택을 받을 수 없는 저소득층을 위한 의료비보조 프로그램으로 공공부조 수혜노인들을 그 대상으로 하여 외래 비용은 무료, 입원비용은 50~80%를 할인해 주도록 되어 있다.

주거보장 정책으로는 노인 동거가족에 대한 세제혜택 부여와 주택자금 할증지원이 있으나 사실상 우리나라의 주거보장은 시설수용 보호가 대부분이고, 노인들을 위한 주택수당이나 임대아파트, 노인주택은 미비한 상태에 있다. 우리나라 노인복지법에 의한 노인복지 시설의 종류는 노인주거복지 시설, 노인의료복지 시설, 노인여가복지 시설, 재가노인복지 시설이 있다(제31조).

이러한 분류는 시설보호와 재가보호로 나누어 볼 때, 대체로 노인주거복지 시설과 노인의료복지 시설은 수용보호에 속하고, 노인여가복지 시설과 재가노인복지 시설은 재가보호 서비스에 속한다고 하겠다.

우리나라 시설보호는 많은 문제를 안고 있는데, 시설노인을 위한 정부의 재정지원이 미흡하며, 대부분 시설들의 종사자 수, 특별히 간호사, 물리치료사, 작업치료사, 영양사, 사회사업가 등의 전문 인력들이 부족하여 입소 노인의 욕구에 부응하는 서비스를 제공하지 못하고 있다.

노인들에 대한 재가복지 서비스에는 건강지원 서비스로서의 노인주간 보호센터와 가정건강 보호와 가정의료 서비스가 있으며, 사회지원 서비스로 가정봉사원 파견 서비스, 전화확인 서비스, 이동배식 서비스, 우호방문 서비스, 단기보호 서비스가 있고, 접근지원 서비스로 교통편의 서비스와 정보제공과 의뢰, 법률 서비스가 있다.

노인 여가를 위한 복지시설은 노인복지회관, 경로당, 노인교실, 노인휴양소 등이 있으며, 심신이 건강한 일반노인들에 대한 서비스들로 고용과 취업 알선, 노인클럽 조성, 노인 사회봉사단체 활동, 노인 스포츠 장려 및 보급 등을 하고 있다.

또한 효행자, 장한어버이 등 발굴 포상(매년 어버이날), 부모봉양지원 시책으로 상속세, 소득세 공제, 공무원에 대한 노부모 봉양수당 지급, 양도소득세 면제 등과 각종 교통수단의 경로우대 제도가 노인복지 정책들로 추진되어지고 있다.[103]

84. 노인복지법(老人福祉法)

노인복지법(老人福祉法)은 노인의 심신유지와 생활 보장 등 노인의 보건복지를 위해 제정된 법률로, 노인이 국가 및 사회발전에 기여해온 자로서 노후생활을 보장받게 함이 목적이다. 1981년에 제정되었으며, 전문 62조와 부칙으로 이루어져 있다. 이 법에 의하면 국가와 지방자치단체는 노인의 보건 및 복지증진의 책임이 있다. 따라서 노인주거복지시설을 설치할 수 있으며 노인학대를 예방하고 수시로 신고를 받을 수 있도록 긴급전화를 설치해야 하며, 누구든지 노인학대를 알게 된 때에는 신고할 수 있다.

제1장 총칙, 제3장 보건·복지 조치, 제4장 노인복지시설의 설치·운영, 제5장 비용, 제6장 보칙, 제7장 벌칙 등 전문 62조와 부칙으로 이루어져 있다. 1981년 6월 5일 법률 제3453호로 제정되었다.

노인은 후손의 양육과 국가 및 사회의 발전에 기여해온 자로서 존경받으며 건전하고 안정된 생활을 보장받으며, 능력에 따라 적당한 일에 종사하고 사회적 활동에 참여할 기회를 보장받는 한편, 노령에 따르는 심신의 변화를 자각하여 항상 심신의 건강을 유지하고 그 지식과 경험을 활용해 사회의 발전에 기여하도록 노력해야 한다(제2조). 국가와 지방자치단체는 노인의 보건 및 복지증진의 책임이 있으며, 이를 위한 시책을 강구하여 추진해야 한다(제4조). 노인에 대한 사회적 관심과 공경의식을 높이기 위해 매년 10월 2일을 노인의 날로, 매년 10월을 경로의 달로 한다(제6조).

국가 또는 지방자치단체는 노인의 사회참여 확대를 위해 노인의 지역 봉사활동 기회를 넓히고, 노인에게 적합한 직종의 개발과 그 보급을 위한 시책을 강구하며, 근로능력이 있는 노인에게 일할 기회를 우선적으로 제공하도록 노력해야 한다(제23조). 국가 또는 지방자치단체는 65세 이상의 자에 대해 대통령령이 정하는 바에 의해 국가 또는 지방자치단체의 수송시설 및 고궁·능원·박물관·공원 등의 공공시설을 무료로 또는 그 이용요금을 할인하여 이용하게 할 수 있다(제26조).

국가 또는 지방자치단체는 노인주거복지시설을 설치할 수 있으며(제33조), 노인복지주택에 입소할 수 있는 자는 60세 이상의 노인으로 한다. 다만, 입소 자격자의 배우자는 60세 미만의 자라 하더라도 입소 자격자와 함께 입소할 수 있다(제33조의 2). 국가 및 지방자치단체는 노인학대를 예방하고 수시로 신고를 받을 수 있도록 긴급전화를 설치해야 하며(제39조의 4), 누구든지 노인학대를 알게 된 때에는 노인보호 전문기관 또는 수사기관에 신고할 수 있다(제39조의 6).

누구든지 노인의 신체에 폭행을 가하거나 상해를 입히는 행위, 노인에게 성적 수치심을 주는 성폭행·성희롱 등의 행위, 자신의 보호·감독을 받는 노인을 유기하거나 의식주를 포함한 기본적 보호 및 치료를 소홀히 하는 방임행위, 노인에게 구걸을 하게 하거나 노인을 이용하여 구걸하는 행위, 노인을 위하여 증여 또는 급여된 금품을 그 목적 외의 용도에 사용하는 행위를 해서는 안 되며(제39조의 9), 노인에게 상해를 입히는 자는 7년 이하의 징역 또는 2,000만 원 이하의 벌금에 처한다(제55조의 2).

보건뉴스, 2019. 07. 11, 김아름기자

85. 인천의 고독사 증가 대처법

최근 인천에선 닷새 사이에 혼자 살던 60대 취약계층이 잇달아 숨진 채 발견됐다. 이들 중 A씨의 경우 행정복지센터 직원이 주거취약 1인 가구를 조사하던 중 연락이 닿지 않자 자택을 방문해 안전을 확인했지만, 그로부터 일주일 후 자신의 집 화장실에서 시신으로 발견돼 안타까움을 샀다.

홀로 죽음을 맞는 사람들이 늘고 있다. 인천에서만도 최근 3년간 무연고 사망자는 804명으로 집계(보건복지부 통계)됐는데, 2020년 253명에서 지난해 315명으로 24.5%나 증가했다. 최근 5년간 고독사 추이를 보면 인천의 연평균 증가율은 11.9%로 전국 8.8%를 웃돌고 있다.

인천시사회서비스원이 지난해 만 19세 이상 1인 가구 3500가구를 대상으로 한 실태조사에서는 더욱 의미있는 조사 결과가 나왔다.

고독사할 위험성이 가장 높은 '집중관리군'의 42%는 월평균 소득 100만원 미만으로 생활하고 있으며, 혼자 산 기간은 10년 이상이 45.7%, 5년~10년 미만이

24.3%에 이르렀다. 또 가장 많은 응답자(51.5%)가 자신은 건강하지 않다고 답했다. 이를 보면 사회적관계 단절 기간이 오래되고 소득상실, 건강문제 등이 취약할수록 고독사할 위험성이 높다는 것을 알 수 있다.

더 큰 문제는 1인 가구의 증가 추세에 맞물려 고독사도 늘고 있다는 것이다. 인천시도 전체 가구의 38.1%인 약 50만 가구가 1인 가구다 보니, 고독사 예방을 위한 여러 대책을 찾고 있다. 1인 가구에서 전기가 사용되지 않으면 위험사항으로 인지하는 '돌봄 플러그'나 AI가 전화를 걸어 안부를 확인하는 'AI 케어콜'이 대표적이다.

하지만 이러한 비대면 모니터링보다는 지속적인 사람 간 접촉이 더 효과적이라고 전문가들은 조언하고 있다. 친밀한 존재가 1명이라도 있다면 고독사할 가능성은 현저히 줄어들 수 있다는 애기다. 통장이나 자원봉사자, 옆집 이웃 등 지역사회 구성원 누구든 1인 가구와 밀접접촉이 필요하다.[104]

86. 초고령사회로의 전환이 재앙이 되지 않는 법

저출산 소식은 더 이상 충격이 아닐 수 있다. 하지만 최근 출생률이 0.8 이하로 떨어졌다는 것은 달리 받아들여야 할 신호이다. 이는 지금 한국사회에서 살아간다는 것의 의미와 어떠한 미래를 만들어 갈 것인가에 대해 더 깊이 생각해 볼 것을 요구한다. 조금씩 뜨거워지는 냄비 속에 있는 개구리 처지에서는 물 밖으로 머리를 내민다고 달라질 것이 없기 때문이다. 밖에서 지펴지고 있는 불을 꺼야 한다.

비유는 이렇게 했지만 사실 물을 확 들이부어 불을 끄는 접근을 하기는 어렵다. 우린 개구리도 아니고 사회는 냄비 속보다 복잡하다. 저출산은 여러 현상들 중 하나일 뿐이다. 비슷한 경제력을 갖춘 여러 나라 중 한국은 유독 아이들은 덜 행복하고, 일하다 다치거나 죽는 사람의 비중이 높으며 심지어 스스로 목숨을 끊는 사람들이 많다. 게다가 노동시간은 길지만 저임금노동자 비중이 높고 직장에서는 이른 나이에 퇴출된다. 핵심 연금제도인 국민연금은 다른 나라보다 보장수준이 낮다. 강도 높게 일하다가 자주 다치고 나이 들면 일자리의 질은 낮아지고 노후는 불안하다는 것이다. 아이를 갖지 않는 각자의 선택은 생애 전반에 걸친 행복의 함량 부족과 관련되어 있다.

한국사회는 오랫동안 '사람을 희생시키는 성장'을 해왔다. 수십년 동안 우리

사회 깊숙이 뿌리내린 이런 성장 방식은 각자가 쓸모를 다한 순간 주변으로 밀려나도록 만들었다.

또한 성장의 과실을 분배하는 데에도 희생의 정도와 분배 몫이 일치하지 않는 경험을 오랫동안 하였다. 초기 산업화의 주역이자 가장 가난한 세대인 현재의 고령노인이 대표 격이다.

혁신이 성장을 견인하는 시대를 맞이했지만 여전히 사회와 삶을 이끄는 원리에서 사람은 소외되어 있다. 우리를 더욱 불안하게 하는 것은 과거 노동력을 집중 투입하는 성장이 노동과 함께 가지 않는, 사람 없는 성장으로 전환되고 있는 것은 아닌지 하는 우려이다. 노동력을 갈아넣는 성장과 노동 없는 성장, 이 두 가지는 극단적으로 반대편에 있는 듯 보이지만 사람을 희생시키는 성장이라는 점은 마찬가지이다. 이런 전환기에는 유능하고 운 좋은 소수가 되거나 도피하거나 하는 선택지만 있는 것처럼 보일 수 있다. 둘 다 평범한 다수가 자연스럽게 선택할 수 있는 선택지는 아니다.

흐름을 바꿔야 한다. 사람들이 다른 선택을 하도록 하기 위해서는 변화에 적응하는 책임과 그 결과를 경쟁과 운에 맡겨두는 방식을 지속해서는 안 된다. 초고령사회에서 노동력 공급이 부족해진다면 더 강도 높은 장시간 노동을 요구할 게 아니라 지속 가능한 방식으로 학습과 일이 같이 가도록, 더 늦은 나이까지 안정적으로 일할 수 있도록 사회가 책임을 다해야 한다.

어떤 이들은 그동안 저출산 대책에 쓴 돈을 각자에게 나눠줬다면 성과가 있었을 것이라고 말한다. 그랬다면 정말 결과가 달랐을까? 또 다른 이들은 국민연금 보장수준을 줄이고, 각자 낸 만큼만 받는 제도로 바꾼다면 위기에서 벗어날 것이라 말한다. 노후보장의 세대 간 계층 간 연대를 끊어내자는 말이다.

초고령사회로의 이행에서 미래에 대한 책임을 개인이 온전히 떠안도록 하는 생태계에서는 냄비 속 온도는 계속 올라갈 것이다. 개인과 사회의 새로운 관계맺음에 기초한 노동, 연금, 교육, 돌봄, 주거제도 등의 변화가 이루어지지 않는다면, 특히 사람을 중심에 놓는 성장과 분배체계가 조성되지 않는다면, 냄비 속 온도는 떨어지기 어렵다. 성능 좋은 선풍기를 가진 누군가는 덜 불편할 수 있지만 최종적인 결과는 모두에게 마찬가지이다.

이런 이유에서 미래 설계에 사회연대에 기초한 복지국가 구상이 핵심이 되어야 한다. 정부의 노동·연금·교육개혁이 개인과 사회의 연결, 성장과 분배에 대해 어떤 철학에 바탕을 두게 될지, 이 속에서 사람과 행복은 과연 중심에 놓여 있을지 주목해 볼 필요가 있다.[105]

87. 지하철 적자를 노인 탓으로 모는 나라

노년층 무임승차는 고령자들의 운임요금을 반값으로 할인해주며 시작되었다. 이후 65세 이상 고령자들에게 전액을 할인하면서 갈등의 시작. 아래 표에 나오듯 처음 제도가 정해질 당시만 해도 65세 이상 고령자 비율이 적어 문제가 안되었지만, 2000년에 들어서서 대한민국 또한 고령화 문제에 직면하게 되면서 자금문제에 대해 철도공사와 지자체의 적자가 두드러지기 시작하며 사회적 이슈이자 논란거리로 부상했다.

지하철 적자가 노인 탓이라고 한다. 참 수월한 논리다. 거대 공기업들의 적자 요인을 이렇게 단순하게 요약하는 용기가 놀랍다. 노인들 마음은 어떨까. 졸지에 애물단지 신세로 전락한 듯한 상황이 달가울 리 없다. 한쪽으론 사회에 부담을 준다는 자책감에 모두가 속으로만 끙끙 앓는 건 아닐까 싶다.

부산도시철도 2021년 당기순손실은 1948억 원이었다. 그해 노인 승객을 위한 무임수송비는 1090억 원으로 집계됐다. 부산교통공사는 이를 '무임손실액'으로 잡아 전체 손실의 56%를 차지한다고 설명한다. 만 65세 이상 노인들을 공짜로 태워주는 게 적자의 가장 큰 요인이라는 변명이다. 서울도 엇비슷하다. 서울지하철을 운영하는 서울교통공사의 2021년 영업손실은 9385억 원이다. 그해 노인 무임수송비는 2311억 원이다. 같은 논리를 들이대면 노인 무임수송비가 서울지하철 전체 영업손실의 24%가량을 차지한다. 2021년 국내 6개 도시 지하철 전체 무임수송비 규모는 4717억 원에 이른다. 65세 이상 노인 지하철 무임승차 논란은 국내 지하철의 만성적 적자구조에서 비롯됐다. 부산교통공사, 서울교통공사 등이 운영하는 각 도시 지하철은 엄청난 규모의 적자에서 헤어나지 못한다. 부산교통공사 올해 적자 규모는 1365억 원에 달할 것으로 부산시는 추정한다. 서울교통공사 총 누적 적자는 17조 원에 달한다.

국내 지하철은 수익 구조가 열악하다. 건설비는 어마어마한데도 상대적으로 낮은 운임 체계를 유지해 적자가 불가피한 측면이 있다. 우리와 경제적 수준이 비슷한 외국을 다녀봤다면 쉽게 이해할 수 있다. 우리만큼 지하철과 시내버스 등 대중교통 요금이 저렴한 선진국은 흔하지 않다. 그래서 '대중교통 천국'이라 불리기도 한다. 국민 편의와 교통복지를 위해 우리 사회가 태생적 적자 구조의 지하철 시스템을 '채택'한 것이다. 그런데도 지방자치단체와 교통공사들은 만만한 노인만 물고 늘어지며 적자 타령이다. 노인 무임승차가 지하철 적자의 주범인양 떠든다. 그렇다면 노인에게 요금을 꼬박꼬박 다 받는 시내버스 적자는 어떻게 설명할 수 있나. 준공영제인 부산 시내버스는 무임승차 제도가 없는데도 만성 적자에 허덕인다. 결손액 보전을 위해 해마다 거액의 혈세가 시내버스 업계에 지원된다.

사회적 약자인 노인이 타깃이 된 듯하다. 정부와 지자체 등은 구조적 요인은 깊숙이 숨겨 놓고 약한 고리만 들춘다. 저렴한 요금 체계, 공기업의 방만 경영, 인구 구조 변화 등이 지하철 적자에 더 큰 영향을 미칠 수 있다. 지하철 운영 적자는 무임승차 제도로 인한 손실이 원인이 아니라는 한국교통연구원 보고서도 있다. 수송원가에 비해 낮은 운임을 징수하는 구조가 근본 원인이라는 분석이다. 하지만 누구도 이 같은 근원적 문제에는 관심을 크게 두지 않는 듯하다. 말 없는 노인들만 억울한 노릇이다.

노인 무임승차 논란은 어제오늘 이야기도 아니다. 폐지 또는 축소 시도가 여러 차례 있었지만 번번이 퇴짜 맞았다. 부산교통공사 등 전국도시철도운영기관은 2005년 무임수송비용 관련 법률 개정을 국회에 건의하기도 했다. 당시 노약자 '무임우대권' 폐지 시도는 무위에 그쳤다. 노약자에 대한 사회적 책임 회피로 지하철 공공성 훼손이 우려된다는 여론이 높았던 까닭이다. 2010년 이명박 정부의 김황식 국무총리는 노인 지하철 무임승차를 '과잉 복지'라고 말했다가 엄청난 역풍을 맞았다. 김 총리는 결국 사과로 꼬리를 내리고 말았다.

부산도시철도를 타면 노인이 유독 많은 건 사실이다. 국내 지하철 무임승차 비율을 살펴보면 부산이 광주 다음으로 높다. 부산도시철도 이용객의 60%가량이 65세 이상이다. 그런데 부산도시철도 무임승차 비율이 높은 것도 노인들 탓은 아니다. 수도권 초집중화로 젊은이들이 왕창 빠져나갔으니 부산에 노인이 많아 보일 수밖에 없다. 지역도 그럭저럭 살 만하던 나라가 어느새 사람과 돈이 모조리 한데 쏠린 '서울 공화국'으로 변질돼 버렸다. 통계청 집계 결과 부산에선 지난해 1만 3562명이 다른 지역으로 순유출됐다. 이 가운데 1만 2317명이 서울(7885명)과 경기도(4432명)로 떠났다. 부산 순유출 인구의 91%가 수도권으로 쏠린 것이다. 수도권 일극화로 지역은 빈사 상태다. 나라가 이 지경에 이른 건 노인들만이 아닌 모두의 책임이다.

노인 세대가 요즘 무척 쓸쓸해 보인다. 한때 고도 성장기 산업화의 역군이었던 그들이다. 선진국 기틀을 닦은 한 시대 주역들을 성가신 짐짝 취급하는 건 몹시 무례한 태도다. 대한민국을 오늘의 모습으로 키운 노인들은 무임승차를 누려 마땅하다. 그들의 피와 땀으로 일군 선진국에 우리가 무임승차한 건 아닌가부터 따져 보자.[106]

88. "행복한 노년의 삶"

"행복한 노년의 삶"

여러분은 사람이 사람답게 늙고, 사람이 사람답게 살고, 사람이 사람답게 죽는다는 것은 무엇을 의미한다고 생각하세요?

사람의 연령에는 자연연령과 건강연령 그리고 정신연령과 마지막으로 영적연령 등이 있다고 합니다.

영국의 심리학자 '브롬디'는 인생의 4분의 1은 성장하면서 보내고, 다음은 정신연령과 영적연령을 승화시키며 보낸다고 합니다. 그리고 나머지 4분의 3은 늙어가면서 자연연령과 건강연령을 채우며 인생을 보낸다고 합니다.

인간은 성장하면서 보내든지, 아니면 늙어가면서 보내든지, 아니면 간에 인생길은 정말 앞을 보면 까마득하고 뒤돌아보면 허망한 것 같습니다.

'인생은 예습도 복습도 없는 단 한 번의 길이 인생의 길'이라고 말했던 어느 시인의 말이 기억나네요. 우리는 인생을 살아가면서 가고 싶은 길도 있지만 가기 싫은 길 그리고 정말 가서는 안 되는 길도 있는 것 같습니다. 인생은 정말 내 뜻대로 안 되는 것 같습니다. 반백 년 최선을 다해 살았다고 생각했는데 반백 년을 뒤돌아보니 알 수 없는 것이 인생의 길인 것을 이제야 뼈저리게 느끼는 것 같습니다.

사실 사람이 사람답게 늙고, 사람이 사람답게 살고, 사람이 사람답게 죽는 것이란 그렇게 쉬운 일은 아닌 것 같습니다. 그러나 잘 준비하고 준비된 것에 최선을 다하여 열정을 다해서 어려운 일도 아주 멋지게 해내는 사람들도 많은 것 같습니다. 또한, 이들은 죽음 또한 잘 준비하고 인생의 마무리를 품격있게 성공적으로 보내는 것 같습니다.

그럼, 과연 우리는 어떻게 늙고 죽어야 품격있고 성공적으로 죽었다고 할 수 있을까요?

◎ 아름다운 인생의 마무리를 위해서 첫 번째 사람답게 늙어야 하겠습니다.

즉, 웰에이징, 행복하게 늙기 위해서는 먼저 노년의 품격을 지녀야 합니다. 노년의 품격은 풍부한 경륜을 바탕으로 노숙함과 노련함을 갖추는 일이이라고 생각합니다. 노년의 삶을 불안해하는 것은 자신의 존재감을 잃어가기 때문이지만, 오히려 노년은 지성과 영혼이 최절정의 경지에 이르는 황금기임을 인식해야 할 것입니다.

노숙함과 노련함으로 무장하여 노익장을 보여주기 위해서는 산행과 명상 그리고 클래식 음악과 독서와 같은 영성 즉, 신령한 품성이나 성품을 위해 생활하는 여유를 생활화해야 할 것입니다. 최고의 노후는 우리가 무엇을 꿈꾸느냐에 달려 있는 것 같습니다.

노년은 이십사 시간 자유의 시간이 주어지며 태어나서 처음 맞이하는, 나만의 자발적인 시간이며, 빠듯하지 않고 넉넉하고, 여유만만한 여생의 시작을 위해 팡파르를 울려야 할 때입니다.

웰에이징을 위해 노년 특유의 열정을 가져야 하며, 노년의 열정은 경륜과 품격이 따르므로 노련함과 달관이 살아 숨 쉬는 풍요한 열정이 필요한 듯합니다. 나이 들어갈수록 이러한 열정을 잃지 않도록 해야 하며, 흔히 노년의 '사고'라는 말이 있습니다. 즉, 빈고, 고독고, 무위고, 병고를 말하는데, 가난과 외로움과 할 일 없음의 괴로움은 노년에 가장 큰 골칫거리이며, 이와 함께 노후의 병고만큼 힘든 일은 없을 것입니다.

그래서 노년은 점점 의욕과 열정을 잃어가는 시기라고 속단할지 모르지만, 생각하기 나름이 아닐까요? 노년 사고는 열정을 상실한 대가임을 알아야 합니다. 열정을 잃지 않고 사는 노년의 노후는 빈고, 고독고, 무위고, 병고가 감히 끼어들 틈조차 없을 것입니다.

노년기에 열정을 가지면 오히려 위대한 업적을 남길 수 있는 이유가 여기에 있습니다. 세계 역사상 최대 업적의 35%는 60에서 70대에 의하여, 23%는 70에서 80세 노인에 의해서, 그리고 6%는 80대에 의하여 성취되었다고 합니다.

결국, 역사적 업적의 64%가 60세 이상의 노인들에 의하여 성취되었다고 합니다. 소포클레스가 '클로노스의 에디푸스'를 쓴 것은 80세 때였고, 괴테가 '파우스트'를 완성한 것은 80이 넘어서였다고 합니다. 또한, '다니엘 드포우'는 59세에 '로빈슨 크루소'를 썼고, '칸트'는 57세에 '순수이성비판'을 발표하였으며, '미켈란젤로'는 로마의 성 베드로 대성전의 돔을 70세에 완성했고, '베르디', '하이든', '헨델' 등도 고희의 나이를 넘어 불후의 명곡을 작곡했다고 합니다. 따라서 노년에 중요한 것은 열정을 잃지 않는 것이라고 할 수 있겠습니다.

다음은, 행복하게 늙기 위해서는 중요한 것은 인간관계라고 할 수 있습니다. 나이가 들면서 초라하지 않으려면 대인관계를 잘해야 합니다. 즉 인간관계를 '나' 중심이 아니라 타인 중심으로 가져야 합니다. 미국 '카네기멜런대학'에서 인생에 실패한 원인에 대하여 조사를 했는데, 전문적인 기술이나 지식이 부족했다는 이유는 15%에 불과하였고, 나머지 85%는 잘못된 대인관계에 있다는 결과가 나왔습니다.

그만큼 인간관계는 살아가는데 중요한 부분을 차지한다는 것입니다. 나이가 들면서 사람은 이기주의적 성향이 강해진다고 합니다. 나이가 들어 노욕이 생기면 모든 것을 자기중심적으로 생각하게 되고, 그렇게 되면 폭군처럼 그리고 자기도취에 몰입하는 나르시즘, 즉, 자기도취증에 빠질 수 있습니다.

또는 염세적이고, 운명론적인 생각이 지배하는 페이탈리즘, 즉 운명론에 빠질 수도 있습니다. 이런 사람의 대인관계는 결국 초라하게 될 수밖에 없을 것입니다. 결국, 인간관계는 중심축이 무엇이냐에 따라 달라지는 것 같습니다. 물질 중심의 인간관계를 갖는 사람은 나이 들수록 초라해지고, 일 중심이나 '나' 중심의 인간관계를 갖는 사람도 역시 외로움에 휘말리게 되는 것 같습니다.

그러나 타인 중심의 인간관계를 갖는 사람은 나이가 들어도 찾아오는 사람이 많고, 따르는 사람도 많기 때문에 가장 바람직한 것은 타인 중심의 인간관계라 할 수 있을 것입니다.

◎ 둘째, 사람답게 사는 것이라고 할 수 있습니다.

즉, 흔히 우리가 말하는 웰빙(wellbeing)입니다. 사랑과 은혜로 충만한 노년을 우리는 웰빙(well-being)이라고 합니다. 웰빙은 육체뿐 아니라 정신과 인품이 건강해야 하기 때문입니다. 그러기 위해서 웰빙은 육체적인 강건함보다는 정신적인 풍요와 여유에 더 중점을 두어야 합니다. 인자함과 포근함이 묻어나고, 사랑과 용서의 미덕으로 넘쳐나는 노후는 일-빙 즉 심신을 혹사시키는 일이 아니라 오히려 웰빙의 시기임을 뜻하는 것이라 생각합니다.

즉, 웰빙이란 우리가 '잘 먹고, 잘 입고, 잘 노는' 것만으로는 웰빙이 될 수 없다는 뜻입니다. 정신 그리고 인품이 무르익어가는 노년이야말로 인생의 최고봉이자 웰빙의 최적기이며, 노년의 녹색지수는 무한대라고 할 수 있을 것입니다.

우리는 노년의 삶은 강물이 흐르듯 차분하게 그리고 생각은 달관하듯 관대하며, 소탈한 식사가 천하의 맛이며, 세상을 온몸으로 감쌀 수 있는 노년의 삶은 자연과 하나가 되는 것이라 할 수 있을 것입니다.

노년은 삭막하고 고독한 시기가 아니며, 절망과 슬픔을 느끼는 시기가 아니라는 것입니다. 노년은 청춘보다 꽃보다 푸르러야 합니다. 젊을 때와 비교하면 노년의 외모는 형편없고, 삼단 복부, 이중 턱, 구부정해지는 허리에 흰머리, 빛나는 대머리, 거칠고 늘어진 피부, 자꾸자꾸 처지는 눈꺼풀 등..

그럼에도 노년을 앞둔 이들이 다른 사람에게 향기를 나눠 줄 수 있는 것은 정신적인 풍요와 경륜으로 쌓아 올린 덕이 있기 때문일 것입니다. 노년의 주름살

속에 아름답게 풍겨나는 인자스러움은 갑자기 생기는 것이 아니듯 살아가면서 쌓이며 승화되는 화석과 같은 것이라 생각합니다.

우리가 마음속에 그려온 노인은 이렇듯 향기 나는 삶을 살아가는 사람, 덕이 있는 사람, 지혜가 풍부하고 마음이 인자하고 욕심이 없는 사람일 것입니다. 그런데 세상사 애꿎게 실생활에서 만나는 노인들은 대부분 그런 이미지와는 거리가 멀게 느껴집니다. 고집이 세고 인색하고 마음이 좁은 노인들을 더 자주 만나게 됩니다.

왜 그럴까요?

노년의 그런 추함은 어디서 오는 것일까요? 사랑과 용서의 삶에 인색했거나 은혜의 삶을 잠시 망각했기 때문이 아닐까요? 노년은 용서하는 시기이며, 용서의 근간은 사랑입니다. 사랑만이 인간을 구제하는 희망이며, 사랑과 은혜로 충만한 노년을 보내는 사람, 우리는 이들을 일컬어 '사람답게 사는 사람' 이라고 할 수 있을 것입니다. 이것이 바로 웰빙임을 다시 한번 생각하면서, 웰빙은 육체뿐 아니라 정신과 인품이 건강해야 함도 잊지 말아야 할 것입니다.

◎ 세 번째는 사람이 사람답게 죽는 것입니다.

즉, 웰다잉이란, 노년의 삶은 자신의 인생을 마무리하는 단계이기 때문에 죽음을 준비하는 기간이기도 하며, 죽음을 극도로 두려워하는 것도 문제이지만 '이만큼 살았으니 당장 지금 죽어도 여한이 없다'고 생각하는, 자신의 삶에 대한 경박한 듯한 태도는 더욱 큰 문제라고 볼 수 있을 것입니다. '소노 아야꼬' 는 '죽음이 오늘이라도 찾아오면 힘을 다해 열심히 죽을 것' 이라고했습니다. 죽음을 삶의 연장 선상에서 경건하게 생각한 것입니다. "병에 걸리면 도를 닦듯 열심히 투병을 하고, 투병과 동시에 죽을 준비도 다 해 놓고 언제고 부름을 받으면 "네"하고 떠날 준비를 할 것이며, 죽되 추하게 죽지 않도록 아름다운 죽음이 되는 '완전한 죽음'을 강조하고 있습니다.

또한 '윌리엄 컬렌 브라이언트' 는 죽음을 관조하면서 이렇게 노래했습니다. "그대 한 밤을 채찍 맞으며, 감방으로 끌려가는 채석장의 노예처럼 가지 말고 흔들림 없는 믿음으로 떳떳하게 위로받고 무덤 향해 가거라. 침상에 담요 들어 몸에 감으며 달콤한 꿈나라로 가려고 눕는 그런 사람처럼…" 행복한 노년을 보내기 위해서는 이와 같은 고차원의 인생관이 중요한 것 같습니다.

나이가 들면 인생관의 존재 여부가 삶의 질을 확연하게 바꾸어 놓는 것 같습니다. 이제까지는 세상이 정해놓은 길, 주변에서 원하는 길을 따라 걸어왔다면, 노년의 남은 삶은 어떤 길을 스스로 택하고 어떻게 걸어갈지 내가 스스로 선택하

고, 책임지며 살아야 할 것입니다. 이런 의미에서 노년의 연륜은 미움과 절망까지
도 따뜻하게 품을 수 있어야 할 것입니다.

성실하게 살면서 나와 다른 타인을 이해하고, 지식도 쌓고, 사리 분별력 키우며
자신의 나이만큼 차곡차곡 쌓아가면 그것들이 쌓여 후덕한 인품이 완성될 수 있
을 것입니다.[107]

89. 내 마음 전할 '엔딩노트' 미리 쓰는 어르신들

'가족들에게 전하는 말: 슬퍼하지 말고 잘 보내주렴, 장례 절차: 간소하게.'

서울 용산구에 사는 유경임씨(69)가 유언장을 써내려갔다. 인생에서 가장 기뻤
을 때와 슬펐을 때, 기억에 남는 10가지 장면, 좋아하는 음식과 색깔, 영화, 책,
취미와 특기도 떠올렸다. 가족과 친구들에게 남길 한마디씩도 적었다.

[용산구 '청춘학교' 수업 현장]

서울 한남동 용산구평생학습관에서 지난 8일 열린 청춘학교 수업에서 참가자들이 자신의 유언장
을 써보고 있다(위 사진). 이날 참가자들은 '웰다잉'에 관한 강의를 들었다(김보미 기자).

지난 8일 오후 서울 한남동 용산구평생학습관에서 열린 '청춘학교'에 참석한 어르신들이 미리 써보는 '엔딩노트'를 채워갔다. 건강하고 존엄하게 나이 들어가는 과정을 준비하기 위해 지난 4월부터 주민 30여명이 하루 2시간씩, 엿새간 총 12시간을 이어온 수업 마지막 날이었다.

건강한 몸을 위한 식이요법, 뇌를 자극하는 손동작 등 신체 관리 수업, 자신의 우울증과 타인의 감정을 알아차리고 해결되지 못한 과거를 인식하는 감정 수업을 거쳐 이날은 실제 죽음과 마주했다. 연명의료·장기기증 결정과 호스피스에 대해 배우고 자기 죽음을 알리는 부고장을 써봤다. 장례는 어떻게 치르면 좋을지 생각하는 시간도 가졌다.

유씨는 "유산, 유서 등 실제로 준비하는 방법을 배워 유익했다"고 말했다. 암 투병으로 호스피스까지 들어갔던 그는 완치 후 5년간 생활하다 암이 재발해 7년째 추적 관찰 중이다. "암센터에 있을 때 3개월밖에 안 남았다고 했지만 (병원에서 말한 기간보다) 오래 산 사람도, 너무 일찍 간 사람도 만났어요. 사는 동안 잘 살아야죠. 남에게 베풀 수 있을 때, 내가 힘들어도 무엇인가 해줄 수 있는 사람으로요."

엔딩노트에는 유언장과 부고, 묘비 등에 들어갈 내용을 정하는 공간도 마련돼 있다.

여러 번 생각하고 연습한 뒤 써보려고 한다며 노트를 한 권 더 받은 남상욱씨(72)는 "삶을 정리하는 측면에서 많이 돌아봤다"고 말했다. "시간이 지나도 후회되는 일들이 있잖아요. 평소 말도 못했던 것들을 제대로 표현하고 싶어지더라고요. 자식들에게 남겨줘도 되도록 정리해서 써보려고 합니다."

수업을 진행한 이미경 강사는 "죽음은 실질적인 준비가 필요하다"며 "스마트폰에 남은 수많은 기록, 입지는 않고 보관만 했던 옷가지뿐 아니라 재산과 상속 등을 구체화할수록 잘 대비해서 마무리할 수 있다"고 설명했다.

노년과 죽음을 제대로 준비하자는 취지로 마련된 청춘학교는 수업 대상을 만 65세에서 만 55세 이상으로 확대했다. 이에 80대(8명)부터 70대(9명), 60대(16명), 50대(5명) 등 다양한 연령대가 공부하는 자리가 됐다. 최고령 86세, 평균 연령은 70세다.

용산구 관계자는 "평생학습관에 다니는 주민 조사에서 가장 요청이 많았던 시니어 교육을 시리즈로 엮은 것이 청춘학교"라고 설명했다. 강의 내용은 한국실버교육협회 강사들이 전문적으로 구성했다고 한다. 이날 수업 마지막은 천상병 시인의 '귀천'을 모두가 한목소리로 읊으며 끝이 났다. "나 하늘로 돌아가리

라. 아름다운 이 세상 소풍 끝내는 날, 가서, 아름다웠다고 말하리라."

김선수 용산구청장 권한대행은 "고령층이 배우고 나누며 주변과 능숙하게 소통할 수 있도록 다양한 프로그램을 준비하겠다"고 말했다.[108]

90. 아버지의 삶을 생각하며

선친이 세상을 떠난 지 열다섯 해가 됐다. 얼마 전 따스한 오후에 흙을 붓고 떼를 입힌 후 다져 밟아 유택을 정비했다. 평일 봄날 오후 동생과 함께 무덤가에 앉아 내려다본 공원은 고요하기 그지없다. 빗질하듯 내리는 햇살, 막 수줍게 봉오리를 연 봄꽃들, 가볍게 살랑이며 속삭이는 바람만 가득하다. 때때로 새들이 높고 깊게 노래하는 소리가 들릴 뿐이다.

고요는 우리에게 가만히 말을 건다. 프랑스 시인 폴 발레리의 표현에 따르면 "아무 소리도 들려오지 않을 때 비로소 들리는 소리"로 귓가를 가득 채운다. 아늑함과 아득함이 겹쳐지는 자리에서 따스한 공기는 더욱더 풍성하게 피부에 느껴지고, 추억이 뭉텅뭉텅 구름처럼 머릿속에서 일어선다. 그러고 보면 침묵은 고요한 말이다. 영혼의 언어는 침묵 속에서만 비로소 날개를 펴고 소곤소곤 속삭인다.

"우리 식구들은 서로 쥐어짜는 어조로 말하는 것 말고는 다른 대화법을 알지 못했다." '아버지의 자리'에서 노벨문학상 수상 작가 아니 에르노는 말했다. 이 고백을 읽을 때마다 나는 아버지를 떠올린다. 아버지와 아들은 대부분 인생의 어느 갈림길부터 말이 잘 통하지 않고, 대화가 쉽게 다툼으로 번져서 따로 둘만 있기 어색하고 무서워진다.

에르노와 마찬가지로 문학 공부는 아버지와 나 사이를 끊어놓았다. 거칠고 노골적이고 악쓰지 않으면, 존재를 표현할 수 없는 아버지의 삶이 내 안에서 돌연 낯설어졌다. 그 생생한 언어, 그 건강한 삶이 어딘지 멀어졌다. 다행히(?) 아버지는 새벽부터 밤늦게까지 일한 후 지친 몸으로 잠들기 일쑤였고, 나 역시 밤낮이 뒤바뀐 채 더욱 문학과 철학을 파고들었다. 힘겨운 노동으로 지친 아버지 눈엔 쓸모없는 공부에 매달리는 아들이 철부지처럼 느껴졌을 테다.

대학원에 들어가 공부를 계속하겠다고 일방적으로 통보했을 때 아무 말 없이 나를 노려보던 아버지의 황당하고 분노한 얼굴이 잊히지 않는다. 응원받기까지 기대하진 않았으나 아직 어린 나로선 섭섭하기 그지없었다. 취직해 어려운 집안 살림에 손을 보태기는커녕 등골을 빼는 흡충으로 살겠다는 말이었으니 아버지로 선 당연한 반응이었다.

살아생전 아버지가 단 한 번 나한테 의견을 청한 적이 있다. 동료들 권유로 노조 대의원에 나가려고 하는 와중에 회사에서 이런저런 특전을 제시하면서 미끼를 던졌을 때였다. 의리와 실리 사이에서 갈등하던 아버지는 평생 처음 진지하게 아들 생각을 듣고 싶었던 것이다. 그때 '돈은 내가 벌 테니, 집안 걱정 말고 의리를 지키세요'라고 했으면 얼마나 듬직했을까 싶다. 무심히 남의 말 하듯 '당연히 대의원에 나가셔야죠'라고 이야기한 걸 후회한다. 아버지는 먹물에 불과한 내 말을 따르지 않았고, 가족의 안녕을 위해서 약간 수입이 늘어나는 삶을 택했다. 당시 난 어리석게도 아버지가 부끄러웠고, 지금은 그 부끄러움을 부끄러워한다.

위대한 아들을 두었으면서도 성서에 한마디 말도 남기지 않은 예수의 아버지 요셉처럼 아버지 역시 진짜 속마음을 단 한 번도 내비치지 못하고 살았던 듯하다. 신학자들은 요셉의 침묵을 전적인 헌신의 표시로 해독한다. 세상은 너무나 각박하고 생계는 너무나 어려웠기에, 진짜 하고픈 말을 아마도 단 한 차례도 하지 못하고 살았을 아버지의 삶은 가족에 대한 전적인 헌신의 표현이었을 것이다. 이제야 간신히 아버지의 삶을 어렴풋이 이해한다.

아버지를 모시고 함께 좋은 음식을 나누면서 정답게 이야기할 수 있을 듯한데, 아버지는 이미 곁에 없다. 시간은 언제나 빠르게 흐르고 깨달음은 한없이 뒤늦게 오니 슬퍼서 눈물 흘리지 않을 수 없다. 봄날 무덤가에 침묵의 속삭임이 온 천지에 가득하고, 추억은 방울방울 무수히 떠다닌다. 따뜻한 햇볕 아래 누워 계실 아버지를, 그 힘겨웠던 삶을 애도한다.[109]

아버지 또는 부친(父親)은 남성이 아이를 가졌을 때 아이가 보는 시각에서 그 남성이 가지는 호칭이다. 바꿔서 표현하면 부모 중 남성인 쪽을 일컫는 호칭이다.

91. 미움 받지 않는 노년을

나는 노인이 되어서 정력을 얻었네/예전엔 그냥 귀만 가지고 있었는데 그리고 시력을 얻었네/예전엔 그냥 눈만 가지고 있었는데/이제 시간을 아껴 살고 있네/예전엔 그냥 지나가는 세월이었는데/그리고 진리를 알았네/예전엔 그냥 학문적인 지식만 알았는데. 미국시인 헨리 데이비드 소로의 〈 나는 노인이 되어서 〉라는 시이다. 우리나라는 전례 없는 고령인구의 급속한 증가로 벌써 전체인구의 20%에 가까운 노인인구1,000만 시대를 눈앞에 바라보고 있다. 영양과 의술의 발달 등으로 이제 우리 사회에서의 고령화는 피할 수 없는 현실이다. 그런데 OECD국가 중 노인이 가장 가난하며 노인 자살율 1위의 불명예도 안고 있다.

가정의 변화로 핵가족화 되어가면서 뿌리 깊은 유교문화의 경로효친(敬老孝親)과 장유유서(長幼有序)의 정신이 시대 변화에 따라 사라져 가고 노인이 미움을 받는 시대가 되었다. 대체로 건강이 나쁘거나 일상생활의 자립성이 낮거나 경제적 여유가 없는 노인이 미움을 더 많이 받으며 가족 간에도 부모가 무소득자로 너무 오래 살다가 보니 새로운 가정 문제도 일어나고 있다. 노인에 대한 이미지도 좋지 않다. 노인은 꿈도 희망도 없는, 가정과 사회에 짐만 되는 그럭저럭 살다 갈 사람이란 인식이 잠재되어 있다.

SNS를 통해서 떠도는 어느 퇴직교수의 노인복지관 순회 강의에서 '추한 노인 멋진 노인' 이란 주제의 강의가 공감이 되기에 소개한다. 추한 노인은 첫째, 냄새 나는 노인으로 구취(입에서 나는 냄새) 체취(몸에서 나는 냄새) 의취(옷에서 나는 냄새) 등의 악취가 나는 노인이며 둘째, 잘난 체하는 노인으로 모임에서 대화를 독점하는 노인이고 셋째, 자기자랑을 많이 하는 노인으로 과거의 지위, 재산, 자식 자랑, 고위층과의 친분 등을 은연중 자랑 잘하는 노인이라고 했다. 멋진 노인은 첫째, 나누고 베푸는 노인으로 소액이라도 남을 위해 돈을 자주 쓸 줄 아는 노인이요 둘째, 점잖으면서 남에게 친절하고 배려하는 노인이고 셋째, 건강하고 깔끔한 노인으로 자기관리를 잘하고 멋을 낼 줄 아는 노인이라고 했다. 참으로 의미 있는 말이다.

미움 받지 않으려면 무엇보다 자신을 깨끗하게 관리하고 의존정신에서부터 자립 능력을 높이기 위한 노력이 필요하다. 사회활동에도 적극 참여하며 잘난 체하거나 비판이나 비방을 말자. 내가 많이 알고 있다고 모든 것을 다 아는 건 아니다. 편견과 선입견에 사로잡혀 자기말의 합리화를 위해 너무 우기지도 말자.

젊은이들로부터 불통, 꼰대가 되기 전에 스스로 젊은이들과 소통하자. 건강과 경제력을 유지하기위해 노력해야 할 것이며, 여가 및 사회활동과 가족사랑 등의 마음가짐도 중요하다. 시대의 흐름에 뒤지지 말고 항상 세상 뉴스 보고, 듣고, 생각하자. 취미를 살려 활용하되 취미가 없으면 새로 만들자. 어느 정도의 불편과 고통은 당연한 것으로 자연스럽게 수용하자. 그리고 국가사회는 노인 복지의 실천에서 노인을 보호 대상으로만 생각하는 편견을 없애야 한다. 노인의 생산성을 과소평가하는 고정 관념을 버리고 국가사회를 위한 여러 가지 일에도 함께 참여하는 공동체가 되어야 한다. 또한 노인들 각자는 사회적 박탈감에서 벗어나 자신의 의식개혁을 통해 현시대에 적응하기 위한 적극적인 노력이 요망된다.[110]

92. 여든의 열정

일본 영화감독 구로사와 아키라는 1990년 미국 아카데미로부터 평생공로상을 수상했을 때 이런 소감을 남겼다. "내가 영화의 본질을 아직 이해하고 있는지 모르겠다. 지금부터 할 수 있는 한 최선을 다해 영화를 만들면서 본질을 이해해 보겠다."

'지금부터'라니. 당시 그의 나이 여든이었다. 노감독은 자신이 가장 빛났던 때를 곱씹는 것으로 여생을 채우는 대신 여전히 앞으로 나아가려고 하고 있었다. 그해 공개된 '꿈'은 새로운 영화적 가능성을 탐색해보려는 패기와 저무는 것의 처연한 아름다움이 함께 담긴 영화였다.

마틴 스코세이지 감독은 최근 '데드라인'과 인터뷰에서 당시 기억을 언급했다. 구로사와가 "나는 이제야 영화의 가능성을 보기 시작했는데 너무 늦었다"고 말했다고 한다. 스코세이지는 "지금에서야 그 말이 무슨 뜻인지 알겠다"고 했다. 그의 나이 여든하나. 그는 '여전히 다음 작품을 찍을 열정이 남아 있나'라는 질문에 "그렇다. 8주 동안 쉬면서 동시에 영화를 만들 수 있으면 좋겠다"라며 "(영화로) 이야기를 하고 싶은데 시간이 없다"고 말했다. 그가 이제야 이해한 여든 구로사와의 '늦었다'는 마음은 체념이 아니라 갈급이었다. 스코세이지의 새 영화 '킬러스 오브 더 플라워 문'은 지난 20일(현지시간) 프랑스 칸영화제에서 9분간 기립박수를 받았다고 한다.

구로사와에게 평생공로상을 건넨 시상자 스티븐 스필버그·조지 루카스 감독도 곧 여든이다. 그래도 여전히 현역이다. 최근 둘은 영화 '인디아나 존스: 운명의 다이얼'을 제작했다. 마지막 인디아나 존스 시리즈다. 주인공은 해리슨 포드. 시리즈 첫 주연을 맡았을 때가 서른아홉이었는데 여든하나가 됐다. "총도 아홉 번이나 맞았어. 그러면서도 난 평생 이걸 찾아 헤맸어." 예고편 대사다. 산수(傘壽)를 넘어서도 자신의 열정을 불러일으킬 영화를 찾았던 포드 그 자신의 마음이기도 했다.

지난 19일 칸영화제 기자회견에서 포드는 "나이가 드는 건 정말 행복한 일이다. 여전히 일하고 있지 않은가"라고 했다. 몸은 시간 앞에 무너지겠지만 마음도 그러리란 법 있나. 열정은 나이가 적다는 이유로 독점할 수 있는 것이 아니다. 여든이 넘어도 '영광의 시대'는 바로 지금일 수 있다.[111]

87세 정옥선할머니 작품
쿠키뉴스, 2022. 8. 17. 한윤식

93. "은퇴 후에도 배움을 놓지 마세요"

정재환 作 '나는 오십에 영어를 시작했다'

2022년 보건복지부 발표에 따르면 한국인의 평균수명은 83.6세라고 합니다. 의학이나 위생, 예방접종의 발달로 평균수명은 계속 증가 추세에 있는데요. 100세 시대라는 말이 나오는 요즘 여러분은 어떻게 노후를 보낼 생각을 하시는지요. 은퇴 후, 사업이나 다른 일로 제2의 인생을 사는 사람도 있고, 그동안 열심히 모은 돈으로 여행과 취미활동 등 노후를 즐기는 사람도 있습니다. 그리고 제가 소개해 드릴 책의 저자처럼 열정적으로 학업에 매진하는 사람도 있습니다.

저자는 개그맨으로 더 잘 알려진 정재환 씨인데요. 40세에 성균관 대학교에 들어가 역사를 공부해 3년 만에 인문학부 수석으로 졸업했을 뿐 아니라, 이어 석사와 박사과정까지 밟았습니다. 그리고 나이 50에는 세계인으로 더 넓은 세상을 무대로 삼고자 영어 공부를 시작하기도 했습니다. 이 책 '나는 오십에 영어를 시작했다' 는 바로 저자가 영어울렁증을 극복하며 해낸 자기만의 영어 공부법을 소개하고 있는 책입니다.

'나이 들어 무슨 공부야?' 라고 의문을 품을지 모르겠습니다만, 저는 자발적으로 즐기면서 공부를 할 수 있는 시기가 바로 50대와 60대라고 말하는 저자의 말이 크게 와 닿습니다. 저 역시 학창 시절 시험을 위해, 벼락치기로 했던 공부들은 기억 저편 어디론가 사라져 없어져 버렸는데, 요즘 호기심이 발동해 찾아보는 세계사 공부가 그렇게도 재미나기 때문입니다. 우스갯소리로 이렇게 재미있고 열정적으로 공부했다면 엄마가 수능 만점 받지 않았을까라고 아이들에게 이야기하기도 하는데요. 저자의 말처럼 저도 자발적으로 즐기면서 공부를 할 수 있는 시기가 되었나 봅니다.

저자는 역사를 전공하며 '외국인에게 한국사와 한국어를 교육할 때, 영어를 잘하면 어떨까. 새로운 세상이 열리지 않을까.' 하는 생각에서 영어 공부를 시작했다고 합니다. 영어를 한다는 것은 단순히 영어를 말할 수 있다는 것을 넘어 과거와는 다른 인생, 전혀 경험하지 못했던 미지의 세상을 경험할 기회를 갖게 되는 것과 같다고 하는데요. 그러면서 공자의 말처럼 때때로 배우고 익히는 것이 참 즐거웠다고 합니다.

사실 저도 영어를 잘하고 싶은 마음은 있지만 어떻게 공부하는 것이 좋을지 몰라, 미국 드라마를 자막 없이 보기도 하고, 영어 소설책을 보기도 했지만 생각보다 실력이 늘지 않는다는 생각이 든 적이 많습니다. 저자는 듣기뿐만 아니라 문법, 말하기, 읽기 및 쓰기가 종합적으로 이루어져야 하며, 모든 능력을 키울 수 있는 효과적인 방법을 책에 소개하고 있습니다. 그리고 쉬운 문법책을 통해 말의 구성 및 운용상의 규칙을 익히기, 단어를 쉽게 암기하기 위한 팁 등, 많은 공부법을 소개하고 있습니다.

게다가 정보의 바다 인터넷에서 어떻게 영어 스승들을 찾아내는지, 팟캐스트에 존재하는 다양한 강의들, 무상으로 올려놓은 질 좋은 강의들이 소개되어 있습니다. 듣기 실력 향상을 위해 추천하는 미국 드라마들, 글쓰기와 말하기 실력 향상을 위해 어떻게 공부하면 좋을지의 조언까지 담겨 있으니 책을 통해 다양한 영어 공부법을 알아가면 좋을 것 같습니다.

책 속에서 저자는 일본의 공부 전문가 와다 히데키는 정년 후를 위한 준비를 위해 혹은 60대와 70대를 풍요롭게 살기 위해 공부하라고 조언한 내용을 소개합니다. 그리고 저자는 실용·비실용적인 분야에 관계없이 역사나 철학, 문학, 외국어, 인공지능, 4차 산업, 주식투자 등등 많은 선택지가 눈앞에 놓여있고, 각자 좋아하는 것을 선택해서 공부해 보라고 조언합니다. 실용 분야를 선택한다면 일터에서 활용하거나 자본을 증식하는 데 도움이 될 것이고, 비실용적인 분야라 하더라도 삶을 더 풍요롭고 윤택하게 만들어 줄 테니까요. 그리고 공부는 전두엽을 많이 사용할 수 있게 해주기 때문에 치매를 예방할 수 있는 최고의 약이라고도 소개하고 있습니다. 이 책을 읽으며 저도 공부하고 싶은 욕망이 솟아오르는 것을 느낄 수 있었습니다.

여러분은 은퇴 후 어떠한 삶을 꿈꾸고 계시나요. 남은 인생은 그냥 무료하게 지내기보다는 남은 삶을 더욱더 풍요롭고 행복하게 보내기 위해서 나를 설레게 할 무언가를 찾아 배우며 성장의 기쁨을 알아가는 건 어떨까요. 꼭 영어책이 아니더라도 나의 내일을 설레게 하는 무언가를 찾는 것은 오늘을 살게 하는 힘이 되는 것 같습니다. 저자의 학업에 대한 열정과 긍정 에너지가 가득 한 책 '나는 오십에 영어를 시작했다'도 함께 읽으며 미래에 대한 즐거운 고민에 빠졌으면 좋겠습니다.[112]

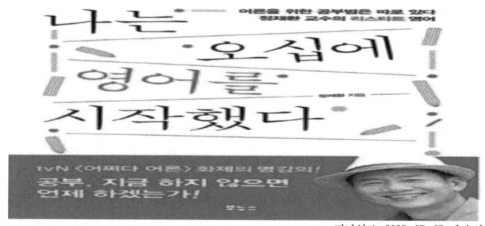

경남일보, 2023. 05. 25, 유수연

94. 행복은 경험의 축적이다

한낮에 내리쬐는 뜨거운 햇빛이 예사롭지 않다. 이제 성하(盛夏)의 계절이 성큼 다가왔다. 이른 더위가 한여름을 방불케 하는 것을 보면 계절도 방황할 줄 아는 모양이다. 햇살이 뜨거워서 길을 걸어갈 때면 응달이나 나무 그늘을 찾는다.

얼마 전까지 아카시아향이 주위에 짙게 깔렸고, 이팝나무 하얀 꽃에 숨이 막힐 만큼 취했다. 활짝 핀 하얀 꽃이 세상을 온통 뒤덮으면서 봄은 소리 없이 살짝 물러섰다. 봄꽃이 지는 것이 서러워서인지 파란 하늘 한쪽에 하얀 뭉게구름이 뭉

쳐있다. 봄의 화려함은 아쉬워할 틈도 없이 빠르게 지나간다. 신록이 초록으로 이어지는 길목에서 봄의 세레나데가 들려오는 듯하다. 봄의 향연을 베풀어준 자연의 흔적에 감사하며 위로를 삼는다.

아파트 출입구 한쪽 정원에 피어있는 연분홍 작약과 하얀 수국이 잔잔한 미소를 지으며 반겨준다. 길가 화단에 붉게 핀 자산홍과 바위틈에 솟아난 들꽃이 어우러져 참으로 보기가 좋다. 계절의 여왕 오월의 넝쿨장미가 담장을 타고 올라 고개를 내밀고 지나가는 사람들을 따뜻한 시선으로 바라본다.

정호승 시인은 장미같이 아름다운 꽃에 가시가 있다고 생각하지 말고, 이토록 가시 많은 나무에 장미같이 아름다운 꽃이 피었다고 생각하라고 말했다. 가시 많은 나무가 향기로운 꽃을 피우듯 삶의 그릇도 고통을 견뎌내면서 더욱 단단해진다. 길가에 핀 가시장미와 들꽃에서 삶의 지혜를 찾는다.

비가 내리는 것이 그렇게 반갑지는 않다. 우울한 것보다는 낙천적인 것이 좋고, 어두운 것보다는 밝은 것이 좋기 때문이다. 하지만 요즘 결정적 순간에 늘 비가 왔다. 벚꽃이 흐드러지게 필 때는 기다렸다는 듯 비가 내리고, 더위가 사물사물 찾아오기 전에도 자주 비가 내렸다. 비가 계절의 변화를 알려주는 신호라는 사실은 분명하다. 얼마 전 전국적으로 곳곳에 산불이 발생하였을 때도 적시에 봄비가 내려 진화에 많은 도움이 되었다. 비가 내린 후 해가 환하게 빛나는 것처럼 때로는 반갑지 않은 상황에서 전화위복이 될 수 있다. 자연에 존재하는 모든 것은 나름대로 쓸모가 있다.

손자와 함께 자주 산책길을 걷는다. 아이들은 비를 좋아한다. 집을 나설 때 알록달록한 우산을 챙기고 펼치는 일이 신기하고, 장화를 신고 물이 고인 곳을 찾아 잘바닥거리며 뛰어다니는 일이 나름 재미있는 놀이가 된다. 손자의 즐거워하는 얼굴을 바라보는 순간 삶의 여백이 채워지는 기분이다. 인간관계에서도 마찬가지다. 공존하는 사회에서 서로 배려하고 인정하는 것이 화합의 시작이다. 주변을 따뜻하고 여유로운 시선으로 바라보면 사고의 공간이 확장되고 내면은 화학적으로 결합하게 된다. 무엇보다 주위에 적대적인 감정을 가진 사람이 없을 때 평온해진다.

요즘 언론에 자주 등장하는 사회 지도층 자녀 입시비리와 학교폭력, 불건전한 주식 및 코인 투자 등 다양한 사건들이 세간의 논란이 되고 있다. 더욱이 일부 정치인들의 내로남불 태도는 많은 사람들에게 피로감을 안겨주고 상대적 박탈감과 허탈감에 빠져들게 한다. 권력을 향한 단순한 열정에 취한 정치인은 다른 진영의 정치인이 그랬다면 무분별하다고 비판했을 생각과 행동을 스스럼없이 저지른다. 비슷한 일로 입장이 바뀌게 되면 상대방을 공격하는 수위가 더욱 높아진다. 자신에게는 너그럽고 남에게는 엄격하기 쉬운 인간의 본성을 적나라하게 보여준다. 이제 이런 논리는 한 단계 더 높아진 국민들에게는 더 이상 통하지 않는다.

평소 가까이 지내고 따르는 칠십대 중반의 베스트셀러 작가 한분이 최근 출간한 산문집에 자신이 겪었던 지난 일에 대한 소회를 적었다. 그분은 유미주의 기질이 강한 편으로 영원한 청년작가라고 불러주기를 좋아했으며, 영원히 현역작가로 살고 싶다고 자주 말씀하셨다. 한 7년여 전 미투 열풍이 몰아칠 때 뜻하지 않게 연루되어 자의 반 타의 반 침묵해온 오욕의 시간을 보냈다고 한다. 누구인지도 전혀 생각나지 않는 어떤 분이 트위터를 통해 '몇 년 전 이러저러한 자리에서 이러저러한 것을 보고 들었다'라고 올린 글을 언론이 받아 대서특필하는 바람에 벌어진 일이다.

다음날 자리를 함께 했던 분들이 아무런 과오가 없었다고 확인하는 글을 페이스북에 올리고 언론사에 소상히 서술한 긴 메일을 보냈다고 한다. 처음에는 글을 올린 분이 직접 언짢은 일을 당했다는 것도 아니므로 곧 지나갈 소나기라고 생각하고 '자신으로 인해 어떤 식이든 마음의 상처를 받은 분이 있다면 그 누구에게든지 미안하다'는 글을 트위터에 올렸다. 그렇지만 가부장제라는 명분에 기대 여성들에게 관행적으로 상처받을 행동이나 말을 한 일이 왜 없었겠는가를 생각하며 부끄러웠고 후회했고 자책했다고 한다. 그 일로 매년 발표하던 소설을 수년간 쓰지 못한 채 시간이 지나갔다. 지금까지 적극적인 해명이나 대응을 하지 않고 시간이 한참 지나 최근 출간한 산문집 한쪽에 자신이 전하고 싶은 말을 대신 글로 쓰지 않았을까 싶다.

모든 생명체는 생존과 재생산을 위해 최적화되어 있다. 행복이 삶의 최종 목적이라는 것은 비과학적인 인간중심적 관점이다. 행복은 삶을 지탱하기 위한 필요한 도구이다. 행복은 경험의 절대성으로 관념적 생각이나 가치가 아닌 유쾌한 경험의 축적이다. 유쾌함은 추구하는 방향으로 전진하게 하고, 불쾌함은 조심하고 정지하여 후퇴하게 한다. 가장 확실하고 행복한 일은 편한 사람과 맛있는 음식을 함께 하는 것이다. 좋은 친구와 연인의 존재는 행복한 삶을 위해 필수불가결하다. 어린아이가 유모차에 태워져 있는 잠자는 일상의 장면은 행복을 압축하여 보여준다.

삶이 피곤하고 지칠 때마다 일이나 활동을 줄이는 것이 좋겠다는 생각을 할 때가 종종 있다. 하지만 아주 간단한 방법이라고 해서 사회적 고립을 자초하는 것은 바람직하지 않은 일이다. 영원한 청년작가를 꿈꾸던 작가의 인고의 세월과 최근 일부 지도층과 정치인이 보여준 내로남불 같은 태도가 순간 묘하게 겹쳐진다.

나이가 들어가면서 욕심을 버려야 한다는 말을 수없이 들었지만 자신도 모르는 사이에 집착하고 있다는 사실이 참 아이러니하다. 이제 첫 단추부터 다시 꿰는 시간이다. 사회 지도층의 대인춘풍 지기추상(待人春風 持己秋霜)의 자세가 필요하다. 잘 물든 단풍은 봄꽃보다 아름답다는 사실을 새삼 깨닫는 오월의 아침이다.[113]

95. 사전연명의료의향서와 생활동반자법

진료실에서 어떤 분이 사전연명의료의향서에 대해 물어보셨다. 나는 등록하시려는 줄 알고, "네, 저희 의료기관에서도 등록은 가능하신데요, 건강보험공단과 보건소처럼 공공기관이 아니기 때문에 원하는 때 언제든 등록하실 수 있는 것은 아니고요, 자원활동가들이 시간을 내주시는 때에 맞춰서 등록하실 수 있습니다. 도와드릴까요?" 라고 여쭤봤다.

그분은 이미 보건소에서 몇 년 전에 등록을 하셨다고 했다. 그 이야기를 꺼내신 건 최근에 돌아가신 지인의 임종 과정을 지켜보았기 때문이다. 문득 저렇게 무의미한 연명치료를 받다가 죽고 싶지 않다는 생각이 들었기 때문이다. 그래서 자신의 사전연명의료의향서가 제대로 작동할지 궁금하여 확인하고 싶었다. 나는 내가 매일 지갑에 넣고 다니는 '사전연명의료의향서 등록카드'를 보여드렸다. 너무 불안하면 이거라도 지갑에 넣고 다니세요, 저처럼. 그리고 미리 가족들, 자녀들에게도 다 말씀해 놓으시고요.

친구의 고양이가 갑작스러운 장 파열로 패혈증이 와서 입원하게 되었을 때다. CT를 찍고 장 파열의 원인이 암이라는 진단을 받은 후, 친구는 보호자로서 고양이의 수술동의서를 쓰면서 심폐소생술은 거부한다는 서약서에도 사인했다. 친구의 직업은 간호사였다. 고양이는 이미 복강 내로 진행된 말기암이라는 판정을 받은 상태였고, 그 암으로 장이 파열돼 응급 수술을 받아야 하는 상황이니, 수술이 성공적으로 끝난다 해도 암의 완치는커녕 앞으로 기나긴 항암치료가 남은 터였다. 그러니 수술 중 혹은 수술 후에 문제가 생기더라도 더 이상 고양이를 괴롭히지 않았으면 하는 마음에 심폐소생술 거부 서약서를 쓴 것이었다.

다음날 수술 후 회복실로 옮겨진 고양이의 생체징후가 약해져가던 새벽에, 친구의 심폐소생술 거부 서약서는 그야말로 휴지조각이 되었다. 야간 당직을 서던 수의사가 당연한 것처럼 심폐소생술을 했기 때문이다. 아무 의미가 없는 소생술이었다.

또 다른 친구의 외할머니에게도 이런 일이 일어났다. 장 파열로 대학병원에서 수술을 받은 후 중환자실에 계시다 요양병원으로 옮기며 심폐소생술을 하지 않겠다고 말씀하신 상태였다. 가족들 모두 동의했고, 사인도 했다. 그러나 할머니 호흡이 약해지던 때 할머니의 말씀과 동의서는 모두 소용이 없었다. 작은 가슴이 흉부 압박으로 멍든 채로 할머니가 임종하셨을 때, 가족들은 항의했지만 담당 의사는 "너무 위급한 상황이라 그런 서류를 확인할 새가 없었다"고 했다. 그 서류는 가장 위급해지는 그때 필요한 것이 아니었던가.

이런 일이 종종 있으니, 사전연명의료의향서를 등록해 놓고도 불안해하는 분들이 있는 것이다. 사전연명의료의향서는 국립연명의료관리기관 포털에 들어가면 휴대폰 인증이나 공인인증서를 통해 본인이 조회할 수 있도록 되어 있다. 하지만 서류를 작성한 이가 이미 의식이 없는 상태가 되었을 때에는 의료기관윤리위원회를 운영하고 있는 규모의 병원에서만 거의 조회가 가능하다. 즉 대학병원이나 규모가 큰 병원·요양병원에서나 가능하지 일반 의료기관에서는 조회조차도 불가능하다는 뜻이다. 그러니 열심히 상담받아 등록해 놓고서도 실제로 휴지조각이 되곤 한다.

지갑에 사전연명의료의향서 등록카드를 넣고 다닌다고 해서 이런 일이 없으리란 법이 없다. 특히 결혼도 하지 않고 후손도 없을 사람들은. 정당한 보호자가 있어도 잘 인정되지 않는 이런 서류의 힘을 과신할 수가 없다.

얼마 전 생활동반자법이 국회에 발의되었다. 나는 나의 이 중요한 의사가 박제된 서류로만이 아니라, 실제 나와 생활을 함께해왔기에 나의 평소 의사를 가장 잘 대변할 수 있는 사람이 올바로 대리하기를 바란다. 그러한 나의 평소 신념을 알고 있는 상태로, 서로 돌봄을 주고받으며 함께 생활하기를 원한다.[114]

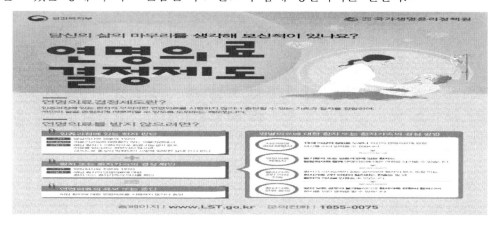

96. '지역 데뷔' 넘어 '골목 데뷔'

15년 전 시민 공익활동 사례를 조사하기 위해 일본을 방문했을 때 '지역 데 뷔'라는 단어가 나왔다. 무슨 뜻인지 물어보니 일본에서는 아기가 아장아장 걸어 다닐 즈음 동네 공원에 산책을 나오기 시작하는데, 이를 '공원 데뷔'라고 부른다고 한다. 마찬가지로 중장년들이 퇴직 후 동네에 머물 시간이 많아지면서 '지역 데뷔'가 필요하다는 것이었다. 적절한 비유와 통찰력 있는 개념에 큰 영 감을 받았다.

요즘 지역 시민단체에서 특강을 해달라는 연락이 자주 온다. 청소년, 여성, 주민운동 각자의 분야에서 오랜 경험을 쌓아온 단체들이 새롭게 중장년 정책에 주목하게 된 이유가 궁금했다. 단체들은 공통적으로 젊은 신규 회원 유입은 정체기인 데 반해 오랫동안 활동해온 기존 회원들이 나이를 먹으면서 자연스럽게 중장년 당사자로서 관심을 갖게 되었다고 한다. 나아가 다양한 세대를 연결하는 새로운 지역 운동의 방향성을 모색하고, 더 많은 중장년층을 유입하기 위해 이른바 '지역 데뷔' 콘텐츠를 고민하고 있다고 했다.

불현듯 '지역 데뷔'로 인생 2막을 펼친 분들이 떠올랐다. 나는 중장년 교육 과정에서 '동네 자원 조사'를 과제로 낸다. 퇴직 후 많은 시간을 보내게 될 동네에 어떤 공간·사람·가능성이 있는지 알아가는 과정 자체가 실천의 첫걸음이기 때문이다. 은행에서 퇴직한 최영식씨도 이 과제를 수행하면서 깨달음을 얻었다. "문래동에서 20년 이상 살았는데 동네에 대해 아는 게 없더라고요. 시내로 나가려니 시간도 들고, 돈도 들고. 동네에서 놀아봐야겠다고 생각했어요." 동네에서 조금씩 사람들을 만나고 텃밭 가꾸기 등 소소한 활동에 참여하고, 자신의 강점인 재무회계 기술로 젊은 예술인들을 돕다 보니 이제는 늘 청춘이라는 뜻의 '늘청씨'로 불리며 행복한 동네살이를 하고 있다.

같은 지역에서 노년을 함께 보낼 사람들끼리 '작당'을 모색한다는 건 신나는 일이다. 하지만 이런 도전과 실험이 지치지 않고 지속되기 위해 몇 가지 당부를 하고 싶다. 일단 처음부터 너무 거창하게 시작하지 않았으면 좋겠다. 계획이 거창할수록 많은 돈과 자원이 필요하고, 반복된 논의로 지치고, 그러다 보면 처음에는 즐겁게 시작했던 일도 감정이 상해 관계가 틀어지는 사례를 많이 보았기 때문이다. 지역 활동을 반드시 사회 공헌과 연결해야 한다는 강박도 내려놨으면 좋겠다. "정부, 지자체의 신중년 사업의 다수 프로젝트가 사회 공헌활동 일변도로 진행되는 점도 한 번쯤 생각해볼 문제다. 누군가를 위한다는 발상 자체가 허위의식의 일종일 수 있다"고 말한 고영직 문학평론가의 말도 이런 맥락일 것이다.

일본 요코하마에서 만났던 '니트를 짜는 할머니들의 모임', 영국 '시니어들의 학습공동체 U3A' 회원들의 모습은 내 마음에 감동으로 남아 있는 대표적인 '작당'들이다. 누가 시키지 않아도 스스로가 즐겁고 행복해서 하는 일이어야 한다. 그러다 보면 선한 영향력이 자연스럽게 주위로 번지게 마련이다. 또 정부나 지자체의 지원만을 바라기보다 필요할 때는 과감하게 돈도 냈으면 좋겠다.

직접 나서서 무언가를 하기 어렵다면 먼저 시작한 단체에 후원하는 것도 좋다. 작은 금액이라도 보태는 순간, 자립·자조·연대의 힘은 더욱 강해질 수 있기 때문이다.[115]

97. 올해 서울 고졸 검정고시 최고령 합격자 유인희씨

"낮엔 요양보호사, 밤엔 야학 학생…스스로 노년 책임지려 4년 노력"

올해 서울시 고졸 검정고시 최고령 합격자인 유인희씨(78)의 지난 4년은 '의지' 그 자체였다. 월요일부터 토요일까지 주 6일을 꼬박 요양보호사로 일하고, 퇴근 후 틈틈이 검정고시를 위한 학업에 정진했다.

지난 5일 동대문구 회기동의 '상록야학'에서 노년의 긴 노력 끝에 '고졸' 학력을 얻은 유씨를 만났다. 그는 "스스로 노년을 책임지겠다"며 사회복지학 전공을 다음 목표로 세웠다고 했다.

유씨가 국민학교(초등학교)밖에 마치지 못한 이유는 비슷한 연령대 많은 여성의 사연과 다르지 않다. 그는 중학교 교복을 입을 무렵 "큰오빠가 사업을 하다 망해서 집안이 홀라당 뒤집어졌다"고 했다. 또 그 시절 어느 집이나 그랬던 것처럼 딸의 교육은 우선순위에서 밀렸다. 응어리로 남은 공부를 향한 꿈은 우연히 '상록야학'의 학생 모집 광고를 본 뒤 되찾게 됐다. 중학교 과정 2년, 고등학교 과정 2년까지 총 4년을 공부하는 동안 유씨의 일과는 젊은이도 쉽게 하지 못할 만큼 빡빡했다. 오전 5시30분에 일어나서 아침을 차리고, 오전 8시~오후 4시 요양보호사로 일했다. 오후 5시 넘어 집에 오면 저녁을 먹고 야학으로 향했다. 오후 7시15분 시작된 수업은 10시15분이 돼서 끝났다. 다시 집으로 돌아가면 오후 11시였고, 자정 무렵 잠자리에 드는 것이 일상이었다. "공부가 마음속에 항상 품고 있던 거라 가능했다"고 그는 회상했다.

만학도의 공부는 고등학교 졸업장을 받는 것에서 끝나지 않는다. 스스로도 "생활력이 강하다"고 말하는 유씨는 5년 전 학원에서 1년을 공부해 요양보호사 자격증을 땄다. 이제는 사회복지학 전공을 목표로 삼고 있다.

"80세가 넘어서도 복지와 관련된 일은 계속할 수 있을 것 같았어요. 너무 어려운 공부라 자신이 없기도 하지만, 욕심이 생겨요." 노년을 스스로 책임지고 싶은 마음이 공부를 손에서 놓지 못하게 만든다고 했다. 유씨는 공부를 더 할 수 없었던, 비슷한 처지의 딸들에게 "주위에 기회가 열려 있으니 많이 오셔서 공부하고, 이렇게 깊은 감상을 느끼셨으면 좋겠다"는 말을 전했다.[116]

98. 그래도 행복했다

우린 왜 행복을 그리워할까? 곰곰이 생각했다. 행복하다는 현재의 작은 만족감에 마음 뿌듯했던 기분 좋았던 삶의 경험은 없었을까? 달콤한 음식을 먹을 때마다, 더없는 마음의 안식을 느낄 때마다, 누군가에게 사랑받고 있다는 묘한 감정을 느낄 때마다, 전하는 이의 마음을 듬뿍 담은 소중한 선물을 받을 때마다 그랬다. 그렇게 다가온 행복에 한없이 취해 내 곁에 좀 더 오랫동안 머물러 달라고, 제발 신기루처럼 사라지지 말라고 기도했던 경험은 없었는지? '현재형'이나 '미래형' 행복만 생각나는 건 행복을 바깥에서만 찾으려 했기 때문이었으리라. 소중한 행복을 각자의 고집이나 의지로 만들 수 있는 대상이라고 생각했던 건 아니었는지? 피나는 노력에도 불구하고 실패만 거듭하다 행복으로 가는 마지막 문턱을 넘지 못하고 포기했을지도 모를 일이다. 우리가 살짝 놓친 것이 있었다. 추억 속에 꼭꼭 감춰 둔 행복 이상의 과거 경험과 그 경험의 시간 여행이다. 어린 시절 부모님으로부터 무조건적인 사랑을 받기만 했던 아련한 행복, 지금에서 그때를 돌아보니 끝없는 내리사랑의 더없이 안온한 시간이었다. 넉넉하진 않았지만 그래도 정말 행복했다. 좁은 방 한 칸에 누워 온 가족이 추운 겨울 연탄불 한 장에 손을 모아 따뜻한 온기를 나누고, 방 한쪽 구석에서 요강을 함께 사용했던 그 시절로 돌아가고 싶은 마음이다. 구멍 숭숭 뚫린 형님 빨강 내복을 수선해서 입었던 아련한 기억. 등대에서 길게 뿜어내던 (한 치 앞이 안 보이는 바닷가에서 보내주던 긴 무적) 소리를 들으며 함박눈 내리던 골목길 친구들과 뒹굴고 뛰어놀았던 순간. 누런 신문지에 따끈한 붕어빵 한가득 담아 오셨던 아버지 구둣발 소리를 빛바랜 화선지 창호문 앞에서 손꼽았던 아련한 회상. 어쩌다 귀한 바나나 한 조각, 온 가족이 정으로 나눠 먹던 시간여행이 그렇게 생각나는 것은 무슨 까닭일까? 모든 세상을 동경했던 유년 시절의 절절한 추억이 조금씩 멀어지는 것만 같다. 우리 식구들만의 끈끈한 마음과 사랑이라는 튼튼한 울타리는 언제나 큰 힘이 되었다. 아버지, 어머니, 형, 동생. 당신들과 지냈던 그 시절이 내 인생의 황금기였다. 눈 내리던 겨울밤이었다. 어머니는 뒷마당 구석진 담장 옆에 묻어 놓은 장독대 하나를 열고 시원하게 숙성된 무 한 조각과 동치미 국물 한 사발을 누런 양푼 그릇에 담아오셨다. 흰 거품이 넘쳐나는 가마솥에서 국수를 건져 시원한 동치미 국물에 쫄깃한 면을 먹음직하게 말아 오셨다. 가슴을 뻥 뚫리게 했던 담백한 국물 한 모금에 우리 가족 모두의 가슴은 왜 그렇게 뜨거웠는지? 진정, 소박한 국수 한 그릇이었지만. 어머니 손맛에서 나온 비법은 아무도 모른다. 동치미 국수 한 사발에 우리 가족의 마음과 체온이 스르르 녹아들어 있음을 왜 그 시절엔 몰랐을까? 그날 이후 나는 그렇게 맛있는 명품 국수를 먹어보지 못했다. 내 주변에 우리를 행복하게 만드는 것들이 널브러져 있다는 사실. 그걸 알기까지 오랜 시간이 걸렸다. 봄비에 흩날려 떨어지고 가련하게 매달려 있는 마지막 꽃 한 송이, 따뜻한 미역국에 상큼한 김치 한 조각을 맛보는 아침 식탁, 누군가 휴대폰으로 보내온 반가운 소식을 읽는 시간 속에 행복이 차곡차곡 쌓여 있음을 알았다. 일상에 소소하게 녹아 있는 작은 행복 조각들을 맞춰 보는 6월이다. 마음먹기에 따라 깊이와 넓이를 가늠할 수 없는 행복이 기다리고 있을 테니까.[117]

99. 백년해로상 제정, 젊은 부부들에게 귀감

백세시대가 현실화되면서 우리 주변에는 해로하는 부부가 늘어 가족은 물론 이웃으로부터 축복받고 또래 세대에게는 부러움과 존경의 대상이 되고 있다.

이들 세대(70~90대) 대부분은 20, 30대에 결혼을 하고 자녀도 두세 명 이상을 두어 양육과 교육을 위해 피땀을 흘리면서 오직 가정을 위해 헌신했으며 검약과 저축으로 쪼들린 생활을 하면서 젊음을 힘겹게 보낸 어르신들이 대부분이다. 그러나 세월이 흐르면서 가정 경제가 좋아지고 삶의 환경이 바뀌면서 지긋지긋한 가난을 벗게 되고 특히 의료혜택과 공공연금 수령 등 국가의 복지정책 실현과 함께 해로하는 부부도 자연스레 늘고 있다.

예부터 결혼 50년이면 금혼, 60년이면 회혼이라고 일컬으며 때가 되면 가족은 물론 동네 그리고 면 단위로 해로 축하연을 성대히 베풀어 주곤 했다. 어린시절 면사무소에서 주관한 금혼 잔치 소식을 들은 기억이 어렴풋이 떠오르는데 회혼 축하연을 했다는 소식은 들어본 적이 없다. 다만 1년에 한 번 정도만 60세에 치르는 마을 회갑 잔치에 가서 국수를 얻어먹은 기억은 생생하다. 물론 당시는 평균수명이 50세 안팎이니 해로는 기대하기조차 어렵고 으레 60세 안팎이면 장례 준비를 하는 것도 자손들의 몫이었다.

격세지감이라 할 만큼 경로당 회원들의 연령도 점차 높아져 80세 이상이 50% 이상을 차지하는 등 노령화가 심화되고 있다. 춘천시노인회의 경우 관내 25개 분회장 가운데 60대는 단 1명이며 회원 4,000여명 가운데 11%인 1,500여명이 60대이고 나머지는 70, 80대 그리고 90대도 14%인 1,900여명에 이르지만 해로 기준이 몇 살부터 시작인지 또한 몇 쌍이나 되는지 조사한 적도 없고 밝혀진 바도 없다. 그래서 평균수명이 83세인 우리나라의 경우 어르신이 된 (만 65세) 이후를 해로 연령으로 잡아 죽을 때까지 동고동락하는 이들을 대상자로 정의할 수 있지 않을까?

요즘 일부 젊은 세대가 이혼을 쉽게 생각하는 현실을 볼 때 아쉽기 그지없다. 그렇다면 어떻게 하면 이혼을 줄일 수 있을까? 이 같은 생각에서 착안해 낸 것이 해로 부부의 일대기를 널리 알리는 것은 어떨까? 검은 머리가 파뿌리 되도록 이들은 어떻게 험난한 세월을 이겨내고 있으며 부부의 인연을 무슨 힘으로 지켜내고 있을까? 천신만고 끝에 '백년해로상(百年偕老賞)'을 제정하는 것으로 마침표를 찍고 올해부터 시행하기로 결정했다. 이 상은 관내 경로당 회원을 대상으로 홀로 장수하는 독신은 제외하고 반드시 부부가 회혼(결혼 60년) 이상을 함께 보내고 자녀를 훌륭히 키워 성공시킨 장한 어버이를 엄선하는 제도로 매년 노인의날 (10월2일)을 전후해 거행하는 기념식에서 시상을 하는 것이다.

춘천시노인회는 올해 10월 노인의날을 앞두고 대상자 선정을 위한 준비 작업에 들어갔는데 대상 어르신은 경로당과 분회가 해당 읍·면·동주민센터의 협조를 얻어 1차 선정한 다음 최종 선정은 춘천시 노인회 심사위원회에서 결정하게 될 것이다. 첫해인 올해는 5쌍을 선발해 시상하기로 했다. 특히 수상자는 해로를 통한 부부간의 사랑과 희생, 건강과 가정의 평화를 위해 함께 노력한 일대기를 널리 홍보해 젊은이들에게는 본보기가, 부부들에게는 귀감이 될 수 있도록 깨달음을 주게 할 것이다. 끝으로 해로하는 부부를 축복하고 위안을 주기위해 김광석의 노래 '어느 60대 노부부의 이야기' 한소절을 소개한다.

"인생은 그렇게 흘러 황혼에 기우는데 다시 못 올 그 먼 길을 어찌 혼자 가려 하오. 여기 날 홀로 두고 왜 한마디 말이 없오. 여보 안녕히 잘 가시게 안녕히 잘 가시게. 저승에서 다시 만나 행복을 기약하면서...."[118]

100. 타임머신 여행 '라떼는 말이야~'

"새 아침이 밝았네~♪" '새마을 노래'가 울리면 풀베기 작전이 시작됐다.

1970년대 퇴비증산 운동일제는 1910년 우리나라를 강제로 병합한 이후 식량 증산이라는 미명 아래 모두 세 차례에 걸쳐 '산미증식계획'을 추진한다. 이를 통해 생산된 쌀의 상당수는 일본으로 흘러들어 가거나 일제의 전쟁 수행을 위한 군량미로 반출됐다. 이러한 일제의 수탈정책이 이어지는 동안 정작 우리 국민들은 식량난에 허덕여야 했다. 당시에는 제대로 된 식량을 구하지 못해 보릿고개를 견뎌내며 '초근목피(草根木皮)'로 연명하는 사람들이 적지 않았다.광복을 거치고 6·25전쟁이 발발하는 등 혼란이 이어지면서 만성적인 쌀 부족 상황은 반복됐다. 당연히 정부의 지상 최대 목표는 국민들이 배 곯는 일을 해결하는 것이었다. 그래서 쌀을 안정적으로 공급하기 위한 '식량증산'은 전 국민적 운동으로 추진할 만큼 시급한 현안이자 중차대한 국가 시책으로 자리 잡게 됐다.1960년대에 접어들어 농촌진흥청이 발족되고, 다양한 시도가 이어지지만 식량 사정은 좀처럼 나아지지 않는다. 하지만 1970년대에 이르러 '주곡 자급'을 국정 주요 과제로 삼은 정부가 행정력을 총동원해 전면에 나서면서 쌀 생산량은 큰 폭으로 늘게 된다. 1977년 마침내 쌀생산 4,000만석을 달성하면서 주곡 자급 시대를 열게 된다. 이에 앞서 1973년에는 식량 증산의 컨트롤타워라고 할 수 있는 '식량증산기획실'이라는 것이 청와대 내에 설치됐을 정도니 당시 정부의 의지가 얼마나 강했는지를 알 수 있는 대목이다. 사회적인 분위기가 이러했으니 '쌀 생산 늘리기'

목표를 달성하기 위한 지역에서의 움직임은 '자율' 보다는 관(官)이 중심에 서서 계획을 수립해 '지시'를 내리고 '독려'하는 방식으로 진행됐다. 마감 시한을 미리 정해 놓고 목표 달성을 채근하는 이른바 '시한영농'을 실시하게 된 것이다. 작물별, 농작업별 이행 시한을 별도로 지정하는가 하면 상황실을 운영하고 비상근무제를 실시할 정도였다고 하니, 이를 제대로 작동시키기 위한 '신상필벌'은 필수였다. 재미있는 것은 시한영농의 특성상 농사 짓는 것을 작전이나 운동이라는 이름을 붙여 전쟁 치르듯이 했다는 것이다. 당시 실제 진행된 모내기 작전, 풀베기 작전, 물대기 작전, 벼농사 150일 작전 등이 그것이다. 사진 속 퇴비증산 운동도 마찬가지였다. '식량증산'과 '퇴비증산'의 표어가 시골 마을마다 나란히 붙어 있을 정도였다. '식량증산=퇴비증산'라는 수식이 성립될 정도로 중요하게 여긴 활동이었다. 게다가 추상같은 새마을운동의 하나로 진행됐고, 정부(농림부)가 나서 지역별로 퇴비생산 목표량을 정해 마을단위로 공동 풀베기 운동까지 벌이게 했기 때문에 이를 피해 가는 것은 쉽지 않았다. 그래서 어른, 아이 할 것 없이 때만 되면 지게를 짊어지고 들로, 산으로 풀을 베러 나가야 했다. 풀 베는 일은 여간 귀찮고 힘든 일이 아니었다. 심지어 초등학생까지 이 운동에 참여시키고 할당량을 정해주니 이를 지적하는 목소리도 여기저기에서 들려오기도 했다. 1973년을 기준으로 본다면 정부가 정한 퇴비생산 목표는 2,800만톤이었고, 강원도에는 173만4,000톤이 할당됐다. 이는 각 시·군으로 나뉘었고, 다시 마을별로 책임져야 할 양이 정해져 퇴비장을 채워야 했다. 풀이 무성하게 자라는 여름철이 되면 농촌마을은 새벽마다 "새벽종이 울렸네. 새 아침이 밝았네. 너도 나도 일어나 새마을을 가꾸세~"로 시작되는 새마을 노래가 쩌렁쩌렁 울리는 소리를 들으며 퇴비 만들기에 나서야 했다. 해도 해도 끝이 없는 것이 풀 베기였고, 또 퇴비 만드는 일이었다. "국가시책을 주민들이 잘 이행하고 있나"하고 지체 높은 분이 순시라도 나올라 치면 풀 베기 독려의 강도는 더 심해졌다. 퇴비증산 실적이 좋지 않은 농가에 읍·면장 명의의 경고장이 발부되기도 하고 해당 농가 대문에는 붉은색 통고문이 붙기까지 했다.

화학비료에 의해 땅의 산성도가 높아지는 것을 막고 지력(地力)을 좋게 하기 위해 퇴비증산을 독려한다고 했지만 실은 비료의 부족분을 메꾸기 위한 것이었기 때문에 이에 대한 비난의 목소리도 많았다. 심지어 퇴비생산 실적이 90%를 넘는 농가에는 필요한 화학비료를 전량 지급하고, 저조한 농가에는 화학비료를 적게 지급하는 일까지 벌어져 반발을 사기도 했다. 이처럼 정부가 나서 쌀 생산에 목숨(?) 걸고 매달리던 시절이 있었는데, 이제는 쌀 생산량을 감소시키기 위한 정책을 펼친다고 하니 이를 두고 세월의 아이러니라고 불러야 할까.

가. 최신식 의료장비 갖추고 개원…도민 건강 파수꾼 역할 톡톡

18일 강원대학교 병원이 개원 23주년을 맞는다. 도내 대표적인 의료기관으로 자리 잡은 강원대병원은 구한말 관립 자혜의원((慈惠醫院))으로 시작으로 현재 강원도의 대표적인 의료기관으로 성장했다. 자혜의원(慈惠醫院)은 대한제국 말기부터 일제강점기 전반에 걸쳐 한반도 전역에 설치된 관립 의료기관이다. 경성부를 제외한 지방 곳곳에 설치되어 지방 서민들의 기초적인 의료를 담당했다. 한국통감부에서 지방민들의 의료를 개선할 목적으로 1909년 8월 21일에 대한제국 칙령 제75호 「자혜의원관제(慈惠醫院官制)」를 공포했다. 이에 따라 1909년 12월 충청북도 청주와 전라북도 전주에 처음으로 자혜의원이 설치되어 개원하였고 이후 관제를 개정하면서 각 도에 최소 하나의 자혜의원을 두도록 했으며 1910년 9월, 13도에 모두 하나씩 자혜의원이 개원했다. 자혜의원의 숫자가 많아지고 각각의 규모도 커지면서, 운영하는 데 비용상의 어려움을 겪던 조선총독부는 1925년 4월 1일, 조선총독부 칙령 제75호 「조선도립의원관제(朝鮮道立醫院官制)」를 공포하면서 소록도자혜의원을 제외한 나머지 자혜의원들을 각 도 산하의 도립의원으로 개편했다. 관립 춘천자혜의원으로 시작된 춘천 도립의원은 1910년 9월9일 춘천시 중앙로에 설립돼 도민들의 건강을 지켜왔다. 6.25의 재난을 피할 길 없어 완전 소실된 것을 1954년 4월29일 미8군의 원조로 같은 장소에 목조 단층 건물로 신축했다. 1955년 7월1일 도립마약중독자 수용소를 병설했고 동년 12월 9일 전염병 격리병원을 신설, 명실공히 도민의 건강을 지키는 파수꾼 역할을 해왔다. 1967년 10월16일 도민들의 염원을 안고 착공한 도립병원은 만 5년 7개월 만인 1973년 5월 14일 개원했다. 강원일보는 당시 1면에 기사를 실었다. 내자 4억7백58만원과 시설 의료장비 65만불 등 모두 6억6천7백58만원 투입, 강원도립병원이 드디어 준공 14일 개원을 보았다. 시가지 변두리인 춘천시 효자동 산6번지의 1만2천9백85평의 부지 위에 건평 3천27평의 지하1층, 지상 5층 콘크리트로 건축된 이 매머드 의료원은 각종 최신식 의료장비를 갖춘 명실 상부한 도민의 종합의료센터로 군림케 된 것이다. 이날 하오 2시 신축된 의료원 정원에서 베풀어진 개원식에는 홍종관 보사부 차관, 정석모 지사를 비롯한 재춘 각급기관장과 권이혁 서울의대학장, 조동수 대한의학협회장 등 5백여 명의 내빈과 시민이 참석했다. 정 지사는 강원은 푸르고 우리는 건강하다는 슬로건 아래 출범하는 의료원 종사자들은 도민 보건을 책

임지며 도민의 여망에 부흥하는 자세와 사명이 막중하다고 강조했다. 개원 첫해
는 내과, 외과, 산부인과, 치과, 정형외과 소아과 등 6개만 시설하고 총병상 1백50
개 중 60개만 사용했다. 이후 도립 춘천의료원은 강원대학교 의과대학 설립인가
후 국립대학교 교육병원의 설립 필요성에 따라 2000년 5월18일, 정부로 인수된
후 강원대학교병원으로 명칭을 변경, 200병상 규모로 개원하게 됐다. 강원대병원
은 2022년 11월 기준, 34개 진료과에 732병상으로 강원지역 암센터, 권역 심뇌혈
관센터, 권역 호흡기전문질환센터 등 여러 전문센터가 설치되어있으며 춘천지역
에서는 가장 큰 공공병원으로 자리매김하고 있다(김남덕 기자).

나. 번듯한 간판도 없이 골목 골목 자리를 지킨 추억 가득 우리네 사랑방

먹거리가 풍족하지 않던 시절 다양한 간식 팔던 환상의 공간 어른들 위한 술·
안주도 있어 오랜 친구들과 추억팔이도 지금은 편의점이 자리 대체 점점 사라져
가는 정든 그곳구멍가게는 지역의 작은 공동체였다. 사랑방 역할을 자처하던 공
간이 변화하는 시대의 흐름에 밀려 사라지고 있다. 춘천시 후평동에 동해슈퍼라
는 작은 구멍가게가 있다. 묵호에서 시집온 주인은 40년 넘게 이곳에서 점포를
운영하고 있다. 음식, 과자, 술 중 옛 감성을 자극하는 가게는 빠르게 돌아가는
요즘 휴식 같은 존재다. 절친들과 가끔 들러 막걸리에 두부구이를 먹는 곳이다.
옛 감성을 불러일으키는 구멍가게는 주민들의 휴게시설이자 인사를 나누는 사랑
방이었다. 현재 춘천에 남아 있는 구멍가게는 민준이네, 동해슈퍼 등이 소수가 남
아 있어 겨우 명맥을 유지하고 있다. 몇 해 전 배우 조인성이 화천의 한 구멍가
게에서 TV프로그램을 촬영해 유명세를 탔다. 또한 이런 사라져가는 구멍가게에
대해 관심을 갖고 그림으로 남기는 화가도 있었다. 20여 년간 전국을 돌며 사라
져 가는 장소를 포착해, 그림으로 지나간 추억을 담아내 호평을 받고 있다. 어릴
적 늘 함께했던 골목길 입구나 한적한 길가에 위치한 구멍가게는 환상적인 공간
이었다. 현재의 구멍가게는 거의 사라져 멸종위기 상황이다. 물건을 파는 작은 가
게의 일종인 구멍가게는 농촌이나 동네 골목길에 있는 슈퍼나 상회, 드물게는 마
켓이라는 이름의 간판을 달고, 10평 이하의 좁은 공간에서 간단한 식료품이나 공
산품을 살 수 있는 곳이다. 슈퍼마켓의 축소판이다. 허름하거나 간판조차 영 없는
곳도 태반으로 점포 안팎에 먹고 마실 식품들이 진열되어 있거나 출입문에 담배
표지판이 붙었는지 살펴봐야 한다. 구멍가게는 이름처럼 가게의 크기는 작다. 그
리고 파는 물건의 개수도 제한적이다. 간혹 계란, 햄, 두부 정도의 간단한 음식

정도는 취급한다. 과거에는 '구멍가게'란 통칭과 다르게 어느 정도 규모가 되는 곳도 많았으며, 간단한 테이블과 의자를 놓고 술과 안주를 바로 마시게 해주는 가게들도 많았다. 시골의 버스정류장 근처 구멍가게에서는 시외버스 표를 팔기도 했다.오늘날에는 날이 갈수록 구멍가게의 수가 줄어가고 있다. 우선, 구멍가게보다 크고 아름다운 백화점, 대형마트, 슈퍼마켓, 편의점, 재래시장, 할인점 등이 곳곳에 포진해 있기 때문. 게다가 요즘 사람들의 주거 습관 역시 단독주택에서 공동주택 쪽으로 바뀌고 있는 추세라 구멍가게를 찾기란 더 어렵다. 재개발되면서 없어지거나 편의점으로 바뀌는 등 사라지고 있다. 골목상권으로 대기업이 진출하면서 점점 구멍가게의 설 자리가 없어지고 있다. 쇠퇴의 결정타를 날린 것은 편의점이다. 편의점이다. 예전엔 할인마트가 있더라도 라면과 담배를 사는 정도의 수요가 있었지만 그나마 골목에 편의점이 늘어나면서 그러한 수요를 전부 뺏어가버렸다. 그래서 어떻게든 먹고 살길을 찾으려고 편의점으로 바꾸는 경우도 많지만 편의점 시장 자체가 포화상태고 영세 업체에 지나지 않아 이나마도 오래가지 못했다. 이들을 지원하기 위해 2009년부터 정부에서 나들 가게 사업을 시행했지만 영 효과가 없었고 결국 2021년부로 사업이 사실상 중단됐다. 농촌에도 급격하게 구멍가게가 사라지고 그 자리를 농협 하나로마트가 대신하고 있다. 사진 속의 구멍가게는 초등학교 앞에 위치해 아이들로 북적인다. 길게 줄을 서서 차례를 기다리고 있다. 원하던 것은 무엇이든지 갖추고 있던 가게는 아이들의 알라딘 램프였다. 아이들의 사랑을 받던 구멍가게는 사람들의 편의를 따라 편의점, 할인마트로 간판을 빠르게 바꿔갔다.

다. 일상에서 답을 찾는 '골목 실험실'

'이웃 힘모아 골목 살린다' …골목상인에 주차장 내준 원룸 건물주들.

골목상인들과 주민들의 합의를 통해 낮시간대 원룸주차장을 개방, 골목상권을 살리고 주차난을 해결하기 위한 실험 '공유 주차장 조성 프로젝트'가 시작된다. 춘천 후평동 상인들은 골목을 살리자는 취지에 공감한 원룸 건물주들의 동참으로 8개 주차면을 확보했다. 춘천사회혁신센터와 후평동 상인·주민들은 주차공간 공유와 주차 통계 수집을 위한 센서를 설치하는 등 운영준비를 마쳤다. 최근 후평1동 20통에서 원룸을 운영 중인 건물주 3명은 골목상인들로 구성된 후평동뒤뜰팀의 요청을 흔쾌히 수락했다. 주차장 공유로 상권을 살릴 수 있다는 실험 목적과 낮 시간대에만 주차장을 공유해 세입자들의 불편을 최소화한다는 설득에 동의한 것이다. 원룸 사장인 이윤희씨는 "골목에 함께사는 주민들이 서로 도움을 주고 받는다는 취지가 이웃 간에 정이 있던 과거를 떠올리게 해 주차장 개방을 결정했다"고 말했다. 주민들의 협조로 주차면을 확보하자 실험은 일사천리로 속도를 냈다. 후평동뒤뜰팀은 지난달 17일 원룸의 공유주차장에 센서 설치 공사를 진행했다. 센서를 통해 이용자가 주차 가능 여부를 앱으로 확인할 수 있고 몇 대의 차량이, 언제, 얼마나 공유주차장을 사용했는지 정보를 수집할 수 있다. 센서 설치를 맡은 파킹프렌즈 관계자는 "주차 통계를 수집하고 어플을 통해 해당 주차공간의 실시간 사용여부도 확인할 수 있다"고 설명했다. 이날 후평동에는 실험참여에 동의한 원룸 3곳과 비어있는 마당 주차장을 내어준 주택 1곳을 포함, 총 8개 면에 센서가 설치됐다. 원룸에는 공유주차장임을 알리는 표지판이 붙었다. 주차공간을 공유해준 원룸 이름과 오전 11시부터 오후 4시까지만 이용이 가능하다는 안내 등이 담겼다. 센서가 부착된 주차면만 이용해달라는 문구와 장기주차 금지, 연락처 메모 등 배려를 요청하는 내용도 포함됐다. 실험 시작을 앞두고 강원일보 취재진은 김지영 후평동뒤뜰팀 대표(살루떼베이커리 대표)와 함께 센서, 표지판 설치까지 끝난 공유주차장을 둘러봤다. 마침 인근 상가에서 나오던 손님들이 표지판을 발견하고 호기심을 보였다. 표지판 내용을 찬찬히 읽던 손님들이 "다음부턴 식당에 올 때 주차가 좀 더 쉬워지겠다"는 반응을 보이자 김 대표는 뿌듯함을 감추지 못했다. 김지영 후평동뒤뜰팀 대표는 "수 년째 골머리를 앓던 주차문제가 주민들의 소통과 합의로 해결의 실마리를 보이기 시작했다"며 "일회성에 그치는 것이 아닌 이용자, 제공자 양 측에서 불편사항을 모니터링하고 개선해 공유주차장을 늘려가는 것이 최종 목표"라고 했다. 후평1동 공유주차장은 모든 준비를 끝내고 이달부터 시범 운영을 시작한다. 후평1동 19·20통 일대 상가를 방문하는 손님이라면 누구나 이용할 수 있다. 강원일보는 향후 시범운영을 통한 주차장 공유 실험의 결과를 소개할 예정이다.

라. 전국 최초 '폐지 수거용 전문 리어카' 만든다…성공 가능성은?

폐지 수거 노인들을 위해 보다 안전한 리어카를 만드는 사회적 실험 '리어카 프로젝트'를 진행중인 춘천사회혁신센터와 강원일보는 어르신들과 함께 시내 곳곳을 동행하며 수집한 데이터를 바탕으로 본격적인 제작에 들어갔다. 리어카 제작은 이번 프로젝트의 취지에 공감한 한국폴리텍III대학 춘천2캠퍼스에서 맡아주

기로 했다. 지난 20일 찾은 한국폴리텍Ⅲ대학 춘천2캠퍼스 자동차공학관에서는 대학 교수 등 10여명이 자원재생활동 리어카의 프로토타입을 만드는 작업에 열중하고 있었다. 춘천사회혁신센터와 강원일보 취재진, 이번 프로젝트에 참여한 시민들이 실제 폐지 수집에 종사하는 어르신들과 동행하며 수집한 데이터와 토론을 통해 머릿 속에 스케치, 구상만 했던 리어카가 눈앞에서 실제로 만들어지는 중이었다.이번 프로젝트를 위해 정호선 산업디자인과 교수를 비롯해 이강복·양승복 자동차과 교수, 김영수·임태훈·장명수 산업설비과 교수, 정배용 교양교수 등이 팔을 걷고 나섰다. 지역 주민이 공정 과정을 체험할 수 있도록 한국폴리텍Ⅲ대학이 구축한 '러닝팩토리 융복합 실습센터' 의 교수진이 모두 참여한 것이다. '자원재생활동 전문 리어카' 는 기존 리어카의 무게를 줄이고 안전한 작업을 돕도록 하는데 초점이 맞춰졌다. 우선 리어카의 폐지 받침대 역할을 수행할 '판넬' 은 산업디자인과에서 제작을 맡았다. 리어카의 앞면, 옆면은 가볍고 튼튼한 목조 판넬로 무게를 줄였다. 바닥면의 경우 기존의 나무판자 대신 메쉬망을 설치했다. 빗물 등에 폐지가 젖는 것을 막고 매일 반복되는 작업으로 인한 리어카 본체의 훼손도 최소화하기로 했다.

앞서 강원일보 취재진의 폐지 수집 동행 과정에서 리어카 위로 쌓이면서 폐지가 쏟아지거나 시야를 가려 사고 위험에 놓인 것이 가장 큰 문제였다. 이를 해결하기 위해 리어카 전면부에는 각도를 자유롭게 조절할 수 있는 경첩 방식의 판넬이 설치된다. 판넬설치는 산업설비과에서 맡았다. 또 어두운 골목에서 리어카가 운전자 등에게 잘 발견되지 않아 사고로 이어지는 일을 막기 위해 자동차과에서는 리어카 전체에 밝고 시인성이 높은 주황색 도색·도장 작업을 했다. 무게도 대폭 줄였다. 기존 리어카는 50~60kg 가량이었으나 새로 제작되는 리어카는 40kg 정도에 불과하다. 반대로 견고함은 더욱 강해져 몸무게 70kg 후반인 강원일보 기자가 직접 리어카에 올라타 여러 번 뛰어도 리어카는 꿈쩍도 하지 않을 정도로 튼튼했다.

정호선 한국폴리텍Ⅲ대학 산업디자인과 교수는 "리어카 프로젝트는 한국폴리텍3대학 춘천2캠퍼스 교수진들의 기술로 사회적 약자를 도울 수 있는 좋은 기회라고 생각했다" 라며 "기존 리어카를 사용해온 어르신들이 익숙함을 느낄 수 있는 모델을 만드는데 주력했고 실용성과 내구도를 모두 갖춘 리어카를 제작해낼 것" 이라고 각오를 밝혔다. 박광우 춘천사회혁신센터 리어카 프로젝트원은 "추후 프로젝트원들이 자원순환활동가들과 함께 제작 완료된 리어카 프로토타입을 거리로 직접 끌고 폐지를 수거하면서 보완점을 찾아나갈 것" 이라고 말했다.

마. 점자 오류 개선 위해 시각장애인들이 나선다

'점자'는 시각장애인들을 위한 한글이다. 그래서 1926년 국내에서 처음 창안한 한글점자를 '훈맹정음(訓盲正音)'이라고 부른다. 시각장애인이면 모두 점자를 읽을 수 있을 것이라고 생각하지만 국내에서 점자를 사용하는 시각장애인은 9% 정도에 불과한 실정이다. 시각장애인 중 10명 중 9명은 점자를 모르는 것이다. 문화체육관광부 국립국어원에서 2020년에 마지막으로 개정한 한국 점자 표준안이 존재하지만, 우리가 일상에서 마주하는 점자는 여전히 오류가 많은 실정이다. 이로 인해 오로지 점자에 의존하는 시각장애인에게 잘못된 정보를 전달해 위기상황에 빠뜨리기도 한다. 점자 자체가 어렵고 표준안도 없는데다 후천적 시각장애인 등에 대한 교육도 거의 이뤄지지 않기 때문이다. 더욱이 점자를 알 리 없는 일반인들은 이같은 문제를 인식할 수 조차 없다. 시각장애인 위주로 구성된 '스토리加(가):우리들의 이상한 이야기 모음' 팀은 '점자가 알려준 세상은 과연 안전할까?, 시각장애인이 직접 잘못된 점자 문제를 해결해야 한다'는 문제의식을 갖고 출발했다. 이들은 춘천사회혁신센터의 지원을 받아 점자교육을 받고 춘천의 공공기관과 다중이용시설 등을 찾아 점자를 읽어보고 오류나 문제점을 찾아낸다. 무심코 지나쳤던 점자를 일일이 읽으며 일반 시민과 시각장애인이 모두 안전한 새로운 점자 시스템의 도입방안을 모색하는 것이다. 강원일보는 스토리加 팀원들과 함께 점자를 배우고 이들의 현장 실험에 동참해 우리가 몰랐던 점자의 문제를 찾아낼 방침이다. 윤효주 춘천사회혁신센터 지역협력팀장은 "점자 실험 프로젝트는 장애당사자와 비장애당사자가 함께 일상의 이동데이터를 통해 점자의 문제점을 모으는 작업이라는 점에서 의미가 크다"며 "시각장애인들이 겪는 구체적인 문제와 필요를 실험을 통해 모두가 공감하고 개선해 모두에게 안전한 도시를 만드는 방법을 제시하는 것이 이번 프로젝트의 목표"라고 말했다.

101. '머릿속 폭탄' 뇌출혈 2차 손상 빨리 막아야

뇌출혈은 뇌혈관이 파열돼 뇌에 출혈이 생기는 질환으로 뇌내출혈, 뇌실내출혈, 지주막하출혈 등이 있다. 가장 흔한 것은 고혈압성 뇌내출혈이며, 주로 중요한 기능을 담당하는 뇌의 실질 조직 내 출혈이 발생해 반신마비, 언어장애, 감각이상, 보행장애 등 영구적 신경학적 장애가 남는 경우가 많다. 이 중 지주막하출혈은 주로 뇌동맥류 파열에 의해 발생하는데 응급 수술이 필요하며 파열 시 사망률이 50%에 육박할 만큼 매우 위험한 질환이다.

뇌출혈이 발생하게 되면 순간적 뇌압 상승으로 심한 두통 및 경부통, 구역, 구토, 어지럼증 등 증상이 나타난다. 출혈량이 많을 경우 의식 저하 및 혼수 상태에 빠지기도 한다. 갑자기 혈관이 파열돼 발생하는 뇌출혈은 신경외과 뇌혈관 전문의가 상주하는 병원 응급실로 빨리 가는 것이 목숨을 살리고 후유증을 줄이는 길이다. 또한 재파열을 막기 위한 신속한 치료가 필수적이다.

뇌내출혈이 일어났을 때는 재출혈과 뇌압으로 인한 주변 뇌조직의 2차적 손상을 최소화하기 위해 혈압 조절 및 뇌부종 조절이 빠른 시간 내에 이뤄져야 한다. 혈압 조절은 출혈 발생 뒤 2시간 이내에 시작하고, 1시간 내로 조절 목표치에 도달해야 한다. 만약 출혈량이 많다면 수술적 치료를 시행해 2차적 뇌손상을 예방해야 한다. 뇌동맥류 파열에 의한 지주막하출혈은 사망률이 50%에 육박하며, 역시 재출혈될 경우 그 위험성이 더욱 증가한다.

응급환자가 응급실에 도착했다고 상황이 끝나는 것은 아니다. 바로 골든타임 안에 정확한 원인을 파악해 수술이 진행돼야 한다. 현재 뇌동맥류의 능숙한 개두술이 가능한 전문의는 전국에 120명에 불과하다. 개두술이 가능한 전문의가 상시 대기하고 있는 병원으로 향하는 것이 좋다.

고혈압성 뇌내출혈이 일어났을 때 출혈량이 많고 환자의 신경학적 상태가 불량하다면 개두술을 통한 혈종 제거수술을 시행하게 된다. 머리뼈를 열고 뇌 안의 출혈을 직접 제거해 감압시켜 주거나, 깊은 부위에 발생할 경우 항법장치를 통해 정확한 위치에 카테터를 삽입해 혈종을 배액하는 수술을 하게 된다. 뇌동맥류 파열이라면 동맥류를 막아 재파열을 막는 것이 가장 중요하다. 머리를 열지 않는 코일색전술로 많이 치료하기도 하나 출혈량이 많고 코일색전술이 위험한 모양인 경우 개두술을 통한 클립결찰술을 진행하게 된다. 이는 머리뼈를 열고 뇌 안으로 직접 접근해 동맥류를 눈으로 보고 결찰한 후 동맥류 주변에 발생한 출혈을 최대한 제거하여 출혈에 의한 2차적인 뇌손상을 예방하기 위한 것이다.[119]

102. 100세 시대에 우리는 무엇을 준비하고 대처하며 살아야 하나?

불안한 노후에 완벽한 대비를 해야 한다.

앞으로 30년~40년 인생 후반기는 명료한 방향을 제시하고 목표를 설정하여 나

가야 변화하는 세상에 맞설 수 있다

코로나 19 이후 지속된 오랫동안 폐쇄된 생활로 힘든 생활을 견디어 왔고, 물가도 오른 상태에서 경기 침체로 인한 경제적 어려움으로 모두들 힘든 시기를 보내고 있다.

이제부터 확고한 자기신념과 결단을 내려 명료한 방향을 위해 도전해보는 것이 어떨까? 명확한 목표와 계획을 세워 목표 달성을 위해 필요한 절차, 방법 등의 항목, 기타 등...

학습과 업무 역량이 뛰어난 사람, 목표와 계획을 혼동하지 않는 특징을 구별하여 메타인지가 좋은 사람은 어느 길을 가든 방향이 뚜렷하기 때문이다.

메타인지는 자신을 보는 거울이다. 즉 자기 자신을 위해 더 정교하게 알아가는 과정이다. 자기 생각에 대한 믿음이 바로 메타인지이다. 내가 나를 보는 능력이고, 내가 정확하게 나를 보는 인지이다.

메타인지란 자신의 인지 과정에 대하여 한 차원 높은 시각에서 관찰, 발견, 통제하는 정신작용이다.

최근에 가장 '화젯거리인' 주제는 바로 'OpenAI가 개발한 프로토타입 대화형 인공지능 챗봇'인 ChatGPT가 이슈가 되고 있다.

위키백과에 따르면 ChatGPT는 OpenAI가 개발한 프로토타입 대화형 인공지능 챗봇이다. ChatGPT는 대형 언어 모델 GPT-3의 개선판인 GPT-3.5를 기반으로 만들어졌으며, 지도학습과 강화학습을 모두 사용해 파인 개조되었다.

ChatGPT는 Generative Pre-trained Transformer(GPT)와 Chat의 합성어이다. ChatGPT는 2022년 11월 프로토타입으로 시작되었으며, 다양한 지식 분야에서 상세한 응답과 정교한 답변으로 인해 집중 받았다. 다만, 정보의 정확도는 중요한 결점으로 지적되고 있다.

더 구체적이고 현실적인 이슈는 사람이 하는 일들을 대신 해주는 **빠른** 정보에 우리는 어떤 식으로 대쳐해야 되는가?

필자가 지금까지 영재교육에 대한 수업이나 교수 강의를 들었을 때 강조하는 부분이 21세기는 지식과 정보의 시대가 아니라 아이디어(창의성)의 시대라는 사실이었다.

그런데도 불구하고 요즘 어머니들은 학업열에 불타 자기 자녀들을 3세 이후부터 영어 교육을 시키고 자녀교육에 열정을 퍼붓는다.

그렇다면 인공지능이 아무리 발달해도 인간만이 할 수 있는 영역은 무엇인가? 필자가 고민해보고 내린 결론은 바로 인성과 감성과 창의성이다.

그러므로 인공지능은 아무리 발달해도 인간이 뜨거운 피와 감성을 가진 인간이 될 수 없으므로 인공지능과 육체적으로 사랑을 할 수는 있겠지만, 감성적으로 영적으로는 사랑할 수가 없다.

결국, 기계가 답이 되는 세상은 올 수가 없다 아직은. 그래서 이 지구상에 사람이 존재하는 한 사람이 답이 될 수밖에 없는 것이다.

아직은 분명하게 어떤 이야기를 할 정도의 상황은 아니지만, 하루하루 현기증이 날 정도로 바뀌는 상황에 대해서 어느 정도 기준을 가져야 하고 예측이나 고민을 해야 할 상황이 되었다고 본다.

100세 시대에 미래을 위한 대처 방법을 먼저 고려해야 한다.

첫째, 앞으로 내 삶에서 가장 소중한 것이 무엇이며, 그것의 가치가 미래의 내 삶에 어떤 영향을 줄까도 생각해 보아야 한다.

둘째, 강화된 나의 능력과 기술, 필요 없어질 능력과 기술은 무엇일까? 앞으로 어떻게 준비하며 대처해야 할까?

셋째, 내가 가진 가능성은 무엇이며, 가능성을 실현하기 위한 첫 단계는 무엇일까 고민해 보는 것이다.

레빈 (Levinson, 1978)은 우리의 인생을 사계절에 비유하면서 중년기를 '가을'로 보았다. 가을은 풍성한 수확이 이루어지지는 시기이다. 또한, 추수가 끝난 뒤 겨울을 기다리는 논처럼 지금까지 삶을 잘 정리하면서 앞으로 다가올 겨울, 즉 인생의 노년기를 맞이할 준비와 대처를 해야 하는 시기이다.

따라서 풍성한 수확이 이루어지는 중년기에는 '나는 다음 세대에게 무엇을 줄 수 있는가'를 고민해야 한다. 이 시기는 우리 사회에서 중추적 위치를 차지하는 단계인 만큼 자신에게만 몰두하기보다, 보다 더 생산적인 일을 이끌어 나가야 한다.

그러므로 100세 시대에 무엇을 준비하며 앞으로 좀 더 생산적인 일에 대해 대처해 나가야 하나? 우리 모두 고민해 보아야 한다.[120]

103. 별 볼 일 있는 어른

긴 머리를 빨래하듯 벅벅 감고 있노라면 한숨이 절로 새어 나온다. 칼바람 부는 겨울에야 목도리 대신 두를 수 있으니 그런대로 유용했으나 반팔을 입느니 마느니 하는 지금 날씨에 이깟 머리털이 다 무슨 소용인가 싶다. 초여름을 앞두고 온몸의 털을 시원하게 밀어버린 언니네 강아지처럼 쇼트커트를 하고 싶은 마음이 굴뚝같지만 차마 미용실로 향하지 못하는 이유는, 머리카락을 잘라냄과 동시에 내 청춘도 함께 날아가 버릴 것만 같은 두려움 때문이다. 긴 생머리에 반해 졸졸 쫓아갔던 여인의 정체가 알고 보니 록밴드 부활의 리더 김태원이었다는 이야기만 보아도 머리카락이 지닌 힘을 알 수 있지 않은가.

하지만 긴 머리카락으로 아무리 위장을 해도 마음가짐이 낡아 가는 것까지 막을 순 없는 노릇이다. 책장에 꽂혀 있던 '어린 왕자'를 꺼내 촉촉한 눈으로 읽다가, 비행기가 사막에 추락한 상황에서 양 한 마리만 그려 달라고 떼를 쓰는 어린 왕자의 언행에 열불이 터진다든지. 청년들은 쓰지 않는다는 MZ세대라는 단어를 남발하며, 아슬아슬하긴 하지만 스스로가 그 세대에 속한다는 사실을 내심 기뻐하는 걸 보면 나도 아줌마가 다 됐구나 싶다. 그럼에도 시간을 되돌리고 싶지는 않다. 그 많은 방황과, 그 많은 바람둥이와, 그 많은 오해와 시기와 질투를 무슨 수로 또다시 겪어 낸단 말인가. 단 하루도 과거로 돌아가고 싶지 않은 걸 보면 지금의 삶이 나쁘지는 않은 모양이다.

이왕 이렇게 된 거, 쓸데없는 신세 한탄은 이제 그만 거두고 괜찮은 어른으로 자리매김하고 싶다. 그러나 지금껏 별 볼 일 없는 인간으로 살아왔기에 이대로라면 미래에는 별 볼 일 없는 늙은 인간밖에는 되지 못할 것이다. 어떻게 하면 별 볼 일 있는 어른이 될 수 있을까. '어려운 이웃을 위해 기부를 해야 하나? 아냐, 내 코가 석 자인데 기부는 무슨 기부. 그래, 돈 대신 몸으로 봉사가 좋겠다! 보자, 보자. 어디에서 무슨 봉사를 해야 하나….' 기부든 봉사든 어느 하나라도 행동으로 옮길 기미 전혀 없이, 꼼짝없이 드러누운 채 휴대폰만 만지작거리던 나를 벌떡 일으킨 건 현미 선생님의 별세를 알리는 뉴스였다.

갑작스러운 비보에 놀란 건 나뿐만이 아니었는지 그녀의 명복을 비는 댓글이 줄을 이었다. 황망함을 감출 길 없어 말을 잇지 못하는 문장과 힘찬 노래를 더는 듣지 못해 아쉬워하는 문장 사이에서 그녀와의 짤막한 추억을 이야기하는 댓글들에 유독 눈이 머물렀다. 아르바이트를 하고 있는 편의점에 종종 들르셨는데 매번 구운 계란과 바나나 우유를 사 주셔서 고마운 마음이 들었다. 같은 동네에 살아오다가 마주치곤 했는데 항상 밝은 표정으로 인사해 주셔서 덩달아 기분이 좋았다. 기차에서 옆자리에 앉았던 일이 있는데 두런두런 이야기를 나누며 즐거운 시간을 보낸 일이 잊히지 않는다. 그러고는 모두가 입을 모아 말했다. 좋은 분이셨다고 말이다.

당신은 잊었을지도 모를 작은 친절이 하나하나 모여 좋은 사람으로 회자되는 모습이 가슴을 울렸다. 그동안 나는 스치는 인연을 어찌 대해 왔을까. 내가 만일 세상을 떠난다면 그들은 나를 어떠한 사람으로 기억해 줄까. 편의점 아르바이트생과 눈이 마주치면 입이라도 맞춘 듯 어색하며 시선을 피하는, 함께 수련하는 요가원 사람들에게 단 한 번도 먼저 인사를 건넨 적 없는, 저 멀리에서 사람이 걸어오는 걸 분명 보았음에도 엘리베이터 닫힘 버튼을 눌러 버리는 내 모습이 차례로 떠올라 얼굴이 화끈 달아올랐다. 지금부터라도 작은 친절을 모아가다 보면 나도 좋은 어른이 될 수 있으려나. 그래, 해 보자. 어려운 일도 아니잖아.

안녕히 가시라고 인사하는 편의점 아르바이트생에게 좋은 하루 보내시라며 눈인사를 했다. 나보다 그가 더 겸연쩍어하는 것 같았지만 어쨌건 성공! 친절 도장 한 개 적립이다. 요가 수업이 끝난 후 사방으로 고개를 숙여가며 나마스테를 연발했다. 이 여자가 웬일이래, 하는 눈빛을 받기는 했으나 하여튼 성공! 친절 도장 또 한 개 적립이다. 집으로 올라가는 엘리베이터 안, 한 손에는 장바구니를 들고 또 다른 손으로는 아이의 손을 맞잡은 엄마에게 몇 층에 가시느냐 물었다. 대답을 들은 내가 버튼을 누르자 돌아오는 건 감사하다는 인사가 아닌 아이의 울음소리였다. "내가 누를 건데!" 이건 성공일까 실패일까. 에라, 모르겠다. 친절 도장 반 개 적립이다![121]

104. 세대 갈등

적의 입장에서 생각해야 적의 행위를 이해하고, 그 행위의 스텝이 어디로 향하는지 알 수 있다. '적'이라고 썼으니 그 이해는 공격을 위한 것이지만 그럼에도 '이해'하다 보면 최소한의 연민이 생기기 마련이다. 그것은 우리 안의 적개심을 인간애로 바꾸는 연습이기도 하다.

적도 아닌데 적이 되어 버린 세대와 세대가 있다. 청년 세대와 노년 세대, 이 세대 갈등은 우리 사회에서 엄청난 분열의 에너지로 작동하고 있다. 부모 세대가 청년 세대를 낳았건만 고령화 사회가 되면서 청년 세대는 부모 세대를 생존의 부담, 나아가서는 걸림돌로까지 생각하는 듯하다. 반대로 부모를 봉양하고 가족을 지키는 일이 자신을 지키는 일이라 생각해 온 부모 세대는 끝없는 경쟁에 지치고 지친 청년 세대의 한숨과 화를 공격으로만 느끼며 함께 화를 내고만 있는 것 같다.

수치상으로는 분명히 해야 하는 것이 연금개혁이다. 평균수명이 70세였을 때 기획한 연금을 평균수명이 84세가 되어도 똑같이 받는다면 그것은 분명 미래 세대의 부담일 수밖에 없다. 그러니 젊은 세대는 부모 세대가 안정적으로 받는 연금을 자신들의 미래를 훔치는 것이라고 생각한다. 반면 이제 자식에의 의존을 꿈꿀 수도 없이 각자도생해야 하는 부모 세대는 연금개혁을 최소한의 안정성을 도둑맞는 일이라 생각하는 것이다.

세대 갈등은 가족 내에서도 만만치 않다. 가족을 위해 살았던 부모 세대는 '효도'라고는 1도 없는 청년 세대에게 섭섭하고, 부모의 기대에 부응하는 일이 불가능하거나 갑갑한 청년 세대는 부모를 밀어내거나 저항하는 일이 자연스럽다. 이제 더 이상 늙은 부모는 울타리가 아니고, 성장한 자식은 미래가 아니다. 우리는 불통의 사회를 살고 있는 것이다. 함께 살아도 함께 살지 않고, 관계가 있어도 관계의 의미가 갈등인 힘든 사회를. 어디서부터 꼬인 것일까. 어디서부터 풀어야 하나.

프란치스코 교황이 했던 말 중에 마음속에 새긴 말이 있다. "자기 방식으로 세상을 살되 타인을 존중하라." 실제로 자기 방식으로 살지 못하는 사람은 타인을 존중할 줄도 모른다. 자기 방식으로 사는 일도 쉽지 않은데 왜 우리는 남의 방식을 틀렸다고 공격하다 미움으로 얽혀 에너지를 낭비하는 것일까?

세상은 정말 빠르게 변해 가고 있다. 이제 더 이상 부모 세대가 청년 세대였을 때의 방식은 통하지 않는다. 교육관, 직업관, 성 역할, 가족관 등 많은 면에서 청년 세대와 부모 세대는 완전히 다른 방식으로 살고 있다. 더 이상 우리 사회는 아버지의 방식, 어머니의 방식을 배우는 것이 힘이었던 전근대 사회가 아니다.

얼마 전 세상을 떠난 밀란 쿤데리는 그런 의미에서 선구자다. '참을 수 없는 존재의 가벼움'에서 '우연'의 의미에 천착한 그는 역사란 내일이면 사라질 그 무엇처럼 가벼운 것이라고 했다. 그 역사 위에 집을 짓고 있는 삶도 지극히 가벼운 시대인데, 그런데 대한민국의 '성공'을 이끈 부모 세대는 '성공 신화'의 무게를 왕관으로 삼고, 그 방식이 이미 콤플렉스가 된 줄도 모른 채 청년 세대를 그 잣대로 가르치고, 재단하고, 충고하고, 통제하려 하면서 스스로 벽을 만들고 있는 것 같다.

그대는 먹은 맘 없이 자주 아이들과 밥상을 함께하는가? 마음을 나누는 가장 좋은 방법은 먹은 맘 없이 함께 밥을 먹는 일이다. 그런데 현실은 부모의 잔소리 때문에 되도록 부모와 함께 밥을 먹지 않는다는 학생들이 제법 있다. 밥이 아니라 잔소리를 먹게 해서는 안 된다. 밥상머리에서는 취업 얘기, 성적 얘기, 잘잘못을 따지는 얘기 말고 공감의 말, 축복의 말, 감사의 말이 많았으면 좋겠다.

어디로 가고 있는지 모른 채 빛의 속도로 변하고 있는 세상에서 지금 우리의 청년 세대는 이정표까지 스스로 마련하며 세상과 부딪쳐 자신의 길을 개척해야 하는 세대다. 그들이 묻지 않는 이상 모르는 척, 못 본 척, 못 들은 척하면서 우리가 할 수 있는 것은 청년 세대가 듣도 보도 못한 세상에서 자기 이야기를 잘 만들어 갈 수 있도록 축복해 주는 일일 뿐이다. 그래야 마음이 열리고 소통이 가능해지지 않을까.[122]

105. 新청년 60대 '젊은 노인' 활용에 미래 달렸다

新청년 60대 '젊은 노인' 활용에 미래 달렸다. 저출산과 고령화는 저성장 한국의 아킬레스건이다. 아쉽게도 사회적 논의나 정책은 계속 저출산에 집중된다. 이제 고령화의 다면성에도 주목할 때가 됐다. 고령화까지 더 걱정하자는 게 아니라 고령인구 활용 방안을 적극 찾자는 것이다. 잘하면 현실적인 저출산 타개책이 된다. 한국의 60세 이상 인구는 1366만 명(6월 말)이다. 퇴장하는 베이비부머들로 60세 이상은 무섭게 늘어난다. 2003년 581만 명에서 2013년 834만 명으로 증가한 데 이어 10년 만에 532만 명 급증했다. 이 연령대 취업자도 꾸준히 늘어 통계청 기준 취업자가 644만 명에 달한다. 1년 새 35만 명 증가했다.

저출산의 큰 문제점은 산업인력 부족에 따른 경제·사회 활력저하, 생산가능인구 감소에 따른 국가의 쇠락이다. 20년간 힘써도 결과가 신통찮다는 데 문제의 심각성이 있다. 재정 지출로는 한계가 드러났고 그나마 쓸 돈도 없다면 방향을 전환해야 한다. 많아서 문제, 급증해서 더 걱정인 60대 이상 인구를 경제활동인구로 무리 없이 잘 활용해야 한다. 가야 할 길이다. 세대 간 일자리 경쟁 우려가 있지만 타협점이 있다.

고무적인 것은 몇 건의 실태조사 결과다. 전국경제인연합회 조사를 보면 올해 중장년 채용계획이 있다는 기업이 70%에 달한다. 중장년을 40세 이상으로 잡았지만, 50~60대로 봐도 긍정 답변은 결코 적지 않을 것이다. 중장년 채용이 경영성과에 도움 된다는 응답이 70%에 이른 다른 조사도 있다. 55세 이상 채용공고가 늘었다는 통계도 있다. 고용의 경직성이 문제일 뿐, 시장에서 고령자가 기피 대상이 아니라는 얘기다.

그렇다면 고령자 취업은 어떤 식이 좋을까. 먼저 제도적 정년 연장이 있다. 하지만 법제화는 부작용이 적지 않다. 사회적 갈등도 뒤따른다. 프랑스가 연금개혁의 재원 확충 차원에서 62세인 법적 정년을 2030년까지 64세로 올리기로 했는데, 노동계 반대가 심하다. 반대 이유는 쉽게 말해 "늙어서까지 왜 일해야 하나"다. 반면 한국 금속노조 같은 데서 주장하는 정년 연장은 정규직의 기득권 확장이다. 고령 근로에 '혜택과 애환' 양면이 있다면 프랑스의 저항은 후자 관점이고, 한국 귀족노조는 전자의 입장이다. 다른 대안은 적어도 60세 이상 고용에서는 철저히 당사자 간 자율로 가는 것이다. 고용·임금·근로제도의 이원화. 한국경영자총협회 조사는 이와 관련해 의미 있는 시사점을 보여준다. 고령자 고용에서 어떤 방식이 좋은가를 기업에 물었더니 68%가 그냥 '재고용'을 선호했다. 제도적 정년 연장(25%)보다 월등히 높다. 정부가 인센티브를 내건 일본식 권고형 연장도, 대통령이 나서 "더 일해야 한다"고 윽박지른 프랑스식 법제화도 한국에선 해법이 아니다.

결론은 명백해진다. 논란이 많지만 일단 60세까지는 현행 정년제도의 틀을 유지하되, 60세가 넘는 근로 희망자에 대해서는 고용 유연성을 제도로 보장하는 것이다. 이 연령대는 고용 형태, 임금 수준, 근로의 시간·방식 모두 당사자 자율로 가면 된다. 고용현장도 그런 추세인 만큼 제도적 뒷받침이 필요하다.

그렇게 취업자를 늘려야 세수 증대와 복지 다이어트에 도움 된다. 논의만 길어지는 연금개혁에도 크게 기여한다. 건강·고용보험 재정에도 당연히 좋다. 프랑스 정년 연장도 요지는 '어떻든 일을 더 해 생활비 벌며 세금 내고 연금은 늦춰 받으라'다.

부담은 세대 간 일자리 마찰이다. 무인공장이 늘어나고 금융회사도 창구를 줄이며 IT 회사로 변모한다. 60대가 현업에 버티면 청년취업난이 가중될 수 있다.

60대 고용이 건전재정에 기여하고, 세대 착취 구조라는 국민연금의 지출을 줄인다는 신뢰를 주는 게 그래서 중요하다. 자연스러운 임금피크제로 아예 다른 고용시장을 형성하면 청년세대도 수긍할 것이고 경제성장에도 좋다.

이런 게 사회적 합의 거리다. 김문수 경제사회노동위원장은 함께 가기 싫다는 민노총은 잊고 MZ(밀레니얼+Z) 노조와 판을 펼쳐야 한다. 고령자 재고용에 가장 필요한 게 '임금유연성 확보를 위한 취업규칙 개선'(47%)이고, 파견법·기간제법도 고쳐야 한다는 조사가 나와 있다. 적은 임금에도 문제없는 유연 고용을 위한 법적 근거가 절실해졌다.

인구절벽을 극복하려면 고령 인적자원을 잘 활용해야 한다. '장수 리스크'에 개인도 일을 더 해야 한다. 다행히 지식·경륜·의지·건강 등 네 요소를 갖춘 고령자가 많다. 이런 '젊은 노인' 활용에 나라 미래가 달렸다.[123]

106. 노년 괴롭히는 퇴행성 무릎 관절염

최근 고령 인구가 증가하면서 퇴행성 관절염 환자가 늘고 있다. 퇴행성 관절염은 모든 관절에서 발생할 수 있지만, 특히 체중을 지탱하는 중요한 관절인 무릎에서 흔하다. 무릎 관절의 연골은 위아래 두 개의 뼈 사이에 위치해 관절의 충격을 흡수하고 부하를 아래로 전달하여 관절 간의 마찰을 감소시키고 관절이 흔들거리지 않게 고정하는 역할을 한다.

노화로 인한 퇴행성 변화나 반복적인 사용으로 연골의 표면이 거칠어지고 닳아지면 관절면이 불규칙해지면서 관절의 마찰이 커져 통증, 압통, 부종, 움직임 제한이 생기게 되는데 이를 퇴행성 관절염이라 한다. 무릎의 퇴행성 관절염이 심해지면 걷기, 계단 오르기 등의 간단한 일상적인 활동을 수행하는 것조차 어려워진다. 또한 지속적인 통증과 움직임 제한은 불안감, 우울증, 사회적 고립감 등 정신건강에도 영향을 미칠 수 있기 때문에 조기에 치료가 필요하다.

무릎 퇴행성 관절염의 가장 흔한 증상은 통증이다. 휴식 후 활동하려 할 때나 체중을 견디는 활동을 할 때 통증이 발생하고, 아침보다 저녁이나 운동 후 관절이 붓고 열이 나면서 아프다. 계단 오르거나 앉았다 일어나는 활동이 어려워지고 무릎 관절이 붓거나 뻣뻣해져 무릎을 완전히 구부리거나 펴는 것이 힘들며, 움직이는 동안 무릎에서 삐걱거리거나 걸리는 느낌이 든다. 증상은 보통 좋아졌다 나빠졌다를 반복하고 비가 오거나 날이 흐리면 통증이 더 심해지기도 한다.

이러한 관절염의 위험을 증가시키는 요인에는 여러 가지가 있다. 나이가 들수록 퇴행성 변화로 관절의 마모가 더 심해지므로 관절염의 위험이 증가하고, 이전에 운동이나 외부적 충격으로 관절이 손상을 받은 경우도 관절염으로 진행되기 쉽다.

관절의 무리한 사용과 반복된 육체노동 또한 연골의 손상을 가속화시키고, 과체중의 경우 관절과 연골에 가해지는 압박이 커지고 염증 반응을 유발하여 관절염을 악화시킨다. 과체중 여성은 정상 여성에 비해 네 배, 과체중 남성은 정상 남성에 비해 다섯 배나 발생 위험이 높다.

증상이 있는 경우 전문 기관을 찾아 진료를 받아 보는 것이 좋다. 무릎의 형태 및 정렬을 확인한 후 쪼그려 앉기, 애플리 압박 검사(Apley compression test), 맥머레이 검사(Mcmurray test) 등을 시행한다. 엑스레이(X-RAY) 검사는 관절 간격과 골극의 유무에 따라 관절염을 1-4단계로 나눌 수 있다. 1단계는 관절 간격이 좁아진 것이 의심되는 정도로, 연골 손상 정도는 양호한 편이다. 2단계는 관절 간격이 명확히 좁아져 있고 비정상적 뼈 증식인 골극이 관찰된다. 3단계는 관절 간격이 현저하게 좁아져 있고 뚜렷한 골극과 골 형태의 변형이 관찰된다. 4단계는 관절의 파괴와 변형이 관찰된다.

치료의 목적은 통증을 줄이고 기능 제한을 회복시켜 관절의 운동 능력을 개선하는 데 있다. 초기 단계에는 통증 관리 및 염증 감소에 도움을 주는 소염 진통제, 관절강 내 주사제 등이 활용되고 통증과 기능 제한이 심하거나 보존적 치료가 효과가 없는 경우 관절경, 근위 경골 절골술, 인공 관절 치환술과 같은 수술을 하기도 한다.

한의학에서 관절염은 풍습(風濕)을 제거하고 기혈과 영위를 순행시키는 방법으로 치료한다. 침은 경직된 근육과 무릎 주변의 경혈을 침으로 자극해 기혈을 순환시키고 통증을 줄여준다. 계지가출부탕, 강활제통음 등의 한약은 염증 관련 인자를 억제하고 연골을 보호하는 효과가 있고, 그 외에도 부항, 뜸, 약침, 추나 치료를 종합적으로 시행해 치료한다.

퇴행성 관절염은 단기간에 치료하기 어려우므로 균형 잡힌 식사를 통해 건강한 체중을 유지하고 수영, 자전거 타기와 같은 충격이 적은 운동을 통해 관절의 유연성을 향상시키고 주변 근육을 강화시키는 것이 중요하다. 또한 통증이 있는 경우 무릎의 안정성을 높여주고 기능을 보조해 주는 보호대를 착용하는 것이 도움이 되고 평소 생활 시 바닥에 앉거나 쪼그려 앉기, 무릎 꿇기와 같은 무릎 관절에 과도한 부담을 주는 활동을 피해야 한다.[124]

107. 장수(長壽)에 대한 다른 생각

장수(長壽)는 오래도록 삶으로, 비슷한 단어로는 만수가 있다. 장수는 고대부터 이어져온 인류의 숙원 중 하나이며 현재까지도 오래 사는 것을 행운으로 여기는 사람들이 많지만, 정작 오래 산 사람은 싫어하는 것처럼 보인다. 현실에서는 동서고금을 막론하고 여성의 기대 수명이 더 높은 편이다.[125]

1870년생 146세, 인도네시아에 거주하고 있는 음바 고토 할아버지, 자식들도 다 죽고 손주와 고조 손주들과 살고 있다. 고토 할아버지 소원은 죽는 것, 그래야 자신을 돌보는 손주들이 자유로울 수 있다는 걱정이다. 이는 비공식 기록이지만 7년 전 국내 유력일간지에 실렸던 기사 내용이다.

'100세 시대'다. 우리나라의 100세 이상 인구는 2만 명을 넘겼다. 꿈같은 현실이 눈앞에 펼쳐지고 있다. 그러나 100세 고지는 만만찮다. 사람들도 기대와 불안이 반반이다. 20년 전부터 죽음을 준비해 왔다는 고토 할아버지, 죽고 싶어도 죽지 못하는 신세, 그게 장수의 대가라면 어쩔 것인가.

시간은 상대적이다. 24시간은 누구한테나 절대적인 시간이지만 누구도 다른 사람과 똑같이 사용하지 않는다. 여기서 24시간은 누구한테나 주어지는 절대적 시간이라면 사람마다 시간을 다르게 사용하는 것은 상대적 시간이다.

사실 우리의 삶에서 더 피부로 와닿는 것은 규정된 절대적 시간보다 상대적 시간일 것이다. 하지만 우리는 여전히 절대적 시간의 굴레를 벗어나지 못한다. 절대적인 시간은 여전히 우리 삶을 지배하고 있기 때문이다. 그러나 절대적 시간을 상대적으로 쪼개 쓰는 사람들이 성공확률이 높은 건 왜일까.

장수는 절대적인 시간의 결과다. 주어진 시간에 후회 없이 열심히 살았느냐는 별개다. 예컨대 100년을 그럭저럭 산 사람과 90년을 후회 없이 산 사람 중 어느 편이 행복할까. 사람들은 어느 쪽을 택할까. 인생은 오래 살려고 태어나는 것이 아니라 사람답게 살려고 태어나는 것이 아닐까.

세상 모든 일은 상대적인 관계로 이뤄진다. 학교도 직장도 상대적 관계에서 자유로울 수가 없다. 남보다 사회적으로 인정받고 싶은 욕구는 누구나의 본능이다. 그러나 은퇴한 이후는 달라져야 한다. 남과의 상대적인 관계에서 시간과의 상대적 관계로 전환해야 한다. 시간을 유용하게 상대하는 노년이 행복한 것이다.

올해 초 100세의 철학자로 불리는 김형석 교수는 어떻게 하면 오래 사느냐는 기자의 질문에 이렇게 대답했다.

"건강한 사람이 오래 사는 게 아닙니다. 조심조심 사는 사람이 오래 사는 것 같아요. 친구 중에 건강하다고 주말마다 등산 다니고, 새벽마다 조기축구 하던 친구들은 다 세상을 뜨고 없어요"

옛사람들은 장수를 입에 달고 살지 않았다. 천수(天壽)를 다하는 것이 소원이었다. 불의의 사고를 당하지 않고 사는 것만으로 만족했다.

"상대적으로 약하게 태어났기 때문에 조심조심 살다 보니까 지금까지 살아있는 것 같다" 는 노교수의 겸손한 태도가 그것이다.

노년은 하늘이 준 선물이 아니라 자신이 만드는 예술이다. 조심조심, 그러나 아끼지 말고 자신의 시간을 꾸며가는 것이다. 자식들이 저의 삶이 있다면 나 또한 내 삶에 무게를 둬야 한다. 이건 누구의 책임도 아니다. 어쩌면 문명의 책임일지 모른다. 분명한 건 누구든 점점 늙어가고 있다는 것이다.

어차피 사람마다 천수가 있다. 운동이 장수의 전부는 아니다. 나이 들면서는 정신적 건강, 즉 마음가짐이 더 중요하다. '세상만사 마음먹기에 달려 있다', 허튼 말이 아니다. 부산 떨지 말자. 예나 지금이나 천수를 이길 수는 없다. '안분지족(安分知足)', 편한 마음으로 자기 분수에 맞게 만족할 줄 아는 삶이 천수의 길이다.[126]

108. 생활체육으로 건강한 삶, 즐거운 삶 100세

생활체육은 건강 및 체력증진과 여가선용을 위하여 행하는 체육활동으로서 운동의 기회와 혜택을 균등하게 누릴 권리를 제공하는 '모든 사람을 위한 체육(Sport for All) 또는 평생체육(Sport for Lifetime)' 으로 알려져 있다.

생활체육은 국민의 건강을 유지하는데 필수적일 뿐만 아니라 삶의 질 향상에 기여해야 한다. 대한민국은 과거 1960년대 2,500만명 중 65세 이상의 고령인구가 2.9%에서 2023년 현재 5,100만명 중 18.4%를 차지하고 있다. 인구가 두배 증가하는 동안 고령 인구비율은 6배나 증가하였다.

최근 대한민국의 고독사 비율이 높아지고 있다는 뉴스를 보았다. 보건복지부에 따르면 최근 5년간 고독사 발생현황은 2019년 2,949명에서 2021년 3,378명으로 매년 증가하는 것으로 나타났다고 한다. 뉴스를 보며 가장 큰 충격으로 다가왔던 사실은 이들이 신체적 고독사 이전에 사회적 고독사를 먼저 경험한다는 것이었다.

나이가 들어감에 따라 사회활동의 기회가 적어지고 소통이 줄어들며 사회적으로 고립이 시작된다. 이것은 노년 우울증으로 이어지고 신체적, 심리적 약화를 초래해 결국 고독사라는 큰 사회적인 문제가 된다. 여러 지역단체에서 이를 해결하기 위한 다양한 사업과 정책들을 수립하는 것을 보며 체육이 할 수 있는 역할에 대해 고민해보았다.

노인의 사회체육활동과 사회적지지 및 고독감의 관계(한국콘텐츠학회논문지:강호정, 김경식)에 따르면 노인의 사회체육활동과 고독감은 반비례 관계라고 한다. 이는 노인에게 적합한 생활체육프로그램 제공을 통해 어르신들의 건강증진뿐만 아니라 심리적 안정감과 소속감을 줄 수 있다는 이야기이다.

논문을 찾다 생각해보니 실제 사례는 내 주변에 있다는 생각이 들었다. 매일 아침 출근하며 보는 풍경은 검색한 논문을 뒷받침하는 아주 좋은 사례이다. 충청북도체육회가 있는 이곳 충청북도체육회관은 지하 수영장과 2층 에어로빅 장을 운영하고 있다.

아침 수영을 마치고 나온 어르신들은 1층 로비에서 챙겨온 간식을 나눠 먹으며 서로 소통하고 웃음꽃을 피운다. 그들을 지나 엘리베이터에 올라타면 에어로빅을 하러 온 어르신들이 서로의 안부를 묻는 모습을 볼 수 있다. 생활체육은 체육 활동 시간 전후로도 어르신들의 삶에 큰 영향을 미친다. 누군가에겐 짧은 시간일지도 모르지만 찰나의 관심이 하루를 살아가는 힘을 주기도 한다.

나이가 들어감에 따라 조금씩 좁아지는 행동반경을 억지로 늘리는 것은 어렵다. "무작정 나와 운동하세요!" 라는 말은 어르신 생활체육 참여에 큰 도움이 되지 못한다. 생활체육은 그들의 삶 가까이에 있어야 한다. 길을 걷다 더위를 피해 들어온 건물에 체력측정&운동처방 시설이 있어야 하고, 식사 후 소화를 위해 걷는 길에 체육시설이 있어야 한다. 생활체육이 말 그대로 생활이 될 수 있도록 여건을 조성해야한다.

여건이 조성되기 위해서는 많은 예산이 필요한 것은 사실이다. 그러나 생활체육에 대한 투자는 곧 의료비 절감으로 이어진다. 한국스포츠정책과학원 연구결과에 따르면 생활체육 참여자의 1인당 연간 의료비는 약 26만7800원 수준이며 이는 비참여자 55만6000원의 절반 수준이다.

생활체육의 투자는 다른 사회적 복지비용을 줄이는데 도움이 된다. 생활체육시설에 대한 예산 확충으로 모든 사람이 체육활동에 대한 균등한 기회와 혜택을 받을 수 있다면 그것이 체육인으로서 고령화 사회를 대비하는 최선의 방법이라고 생각한다. 더 많은 체육시설과 생활체육프로그램들이 보급되어 모두가 건강한 평생체육인이 되는 그날을 꿈꿔본다.[127]

109. 고령자는 디지털이 불편하다

얼마 전 음식점에 갔다가 테이블에 설치된 소형 키오스크로 주문하느라 애를 먹었던 적이 있다. 사람과 눈을 마주치며 하던 작업이 기계로 대체될 때 우리가 흔히 경험하는 어색함이 넘을 수 없는 큰 벽처럼 다가왔다. 디지털 기술의 발전과 함께 코로나 이후 사람과 기계가 마주하는 비대면 서비스가 일상다반사가 됐다. 보험 등 금융서비스 분야에도 디지털 기술을 접목한 비대면 서비스가 늘어나고 있고, 대면 서비스를 제공하는 금융회사 점포 수는 줄어들고 있다. 이제 소비자는 지리적 거리에 상관없이 언제 어디서나 금융서비스를 이용할 수 있게 됐다.

그러나 디지털 환경에 접근하기 어렵거나 접근할 수 있더라도 비대면 금융서비스에 익숙하지 않은 소비자가 활동하는 공간은 줄어들고 있다. 특히 디지털 정보 활용 수준이 일반 소비자의 70%에도 미치지 못하는 고령층은 비대면 금융서비스의 혜택을 받지 못할 가능성이 가장 큰 소비자군에 속한다. 금융 당국이 '은행 점포 폐쇄 내실화 방안' 등 다양한 대응 방안을 내놓고 있지만 대면 서비스 감소는 거스르기 어려운 현실이 되고 있다. 따라서 고령층 소비자들이 디지털 비대면 금융서비스에서 소외되지 않도록 하는 보다 체계적인 대응이 필요하다.

고령층의 금융 역량 제고 측면에서 생각해 볼 일은 먼저 디지털 금융서비스에 접근하는 통로인 금융앱을 단순하고 직관적으로 설계해 고령층의 접근성을 높이는 것이다. 단순하고 직관적인 화면은 실수할 여지를 줄이고, 실수가 있더라도 원래 화면으로 쉽게 돌아가도록 해 고령층도 쉽게 사용할 수 있어야 한다.

둘째, 고령자가 충분한 시간을 가지고 디지털기기 사용에 익숙해지도록 반복학습을 제공하는 대면 교육프로그램을 확충해야 한다. 홍보를 통해 더 많은 고령자가 교육에 참여할 수 있도록 유도하는 것도 필요하다. 이와 관련해 청소년 자원봉사자들이 고령자에게 디지털 교육을 제공하는 호주의 '영 멘토스(Young Mentors)' 사례는 국내 고령자 교육프로그램에도 참고할 만하다.

마지막으로, 디지털 사고에 대한 두려움은 고령자의 비대면 금융서비스 이용을 더욱 어렵게 하므로 사전 교육과 보안프로그램 제공도 필요하다. 빈번하게 일어나고 있는 대출 보이스피싱, 신기술 투자를 빙자한 금융사기, 피싱 이메일을 통한 정보 유출 사고 등에 대한 대처 방법을 고령층에 적극 알리고, 모바일기기 보안 도구를 제공할 필요가 있다.

컴퓨터가 도입된 초창기, 나는 양손 검지만으로 키보드를 치는 이른바 '독수리 타법'으로 적응했다. 그러나 어느 정도 손에 익어 딱히 자판을 보지 않아도 될 정도가 됐어도 숫자나 기호 같은 건 여전히 자판을 보면서 쳐야 하는 데다 손목에 피로가 쉽게 쌓이면서 제대로 된 타자법을 배워야만 했다. 돌이켜보니 그 모든 걸 니 스스로 해결해야만 했다.

그러나 디지털이 일상다반사가 된 환경에서 개인에게 모든 적응의 책임을 지울 수는 없는 노릇이다. 비대면 서비스에 적응하는 일이 누군가에게는 차 마시고 밥 먹듯이 그렇게 쉽고 당연한 게 아닐 수 있다. 패스트푸드점에서 키오스크로 주문하다가 결국 포기한 아버지, 어머니의 이야기가 우리 자신의 머지않은 미래일 수도 있다.

어떤 이들에게 비대면 디지털 금융 환경은 여전히 어색하다. 고령층일수록 특히 그렇다. 어색함에는 늘 불안과 어려움이 따라온다. 지금 금융산업이 해야 할 일은 고령층의 도무지 익숙해지지 않을 것 같은 불안을 완화해주는 것이다. 사람들의 어려움을 포용하는 사회일수록 그 사회의 안정성과 복원력도 더 높아진다. 우리 사회가 그런 사회가 되도록 모두의 노력이 필요하다.[128]

110. 기초수급자 40%가 노인, 정년연장·재고용 속도 내야

노인 일자리 종합계획 발표 기초생활수급자 10명중 4명이 노인일 정도로 노인 빈곤이 갈수록 심화하고 있다. 사진은 지난 달 27일 이기일 보건복지부 제1차관이 정부서울청사에서 제3차 노인일자리 종합계획을 발표하는 모습. 연합뉴스클릭하시면 원본 보기가 가능합니다.

기초생활수급자 10명중 4명이 노인일 정도로 노인 빈곤이 갈수록 심화하고 있다. 사진은 지난 달 27일 이기일 보건복지부 제1차관이 정부서울청사에서 제3차 노인일자리 종합계획을 발표하는 모습(연합뉴스).

보건복지부가 어제 발간한 '2022년 국민기초생활보장 수급자 현황'에 따르면 지난해 일반수급자 10명 중 4명이 65세 이상 노인이라고 한다. 기초수급자 생계급여의 경우 중위소득(2022년 1인가구 기준 195만원)의 30% 이하가 대상인 점을 고려하면 노인들이 월수입 60만원 이하 빈곤층의 절반 가까이를 차지하고 있다는 의미다. 많은 중장년층이 별다른 노후 준비 없이 은퇴에 내몰리고 있어 노인의 빈곤층 편입도 갈수록 심화될 전망이다. 정부의 보다 근본적이고 현실적인 대책이 필요하다.

현재 소득 인정액이 중위소득의 일정 비율 이하이면서 부양할 사람이 없으면 기초수급자로 선정돼 생계·주거·의료·교육 급여 혜택을 받는다. 그런데 수급자 중 노인이 차지하는 비율이 2017년 28.9%에서 2020년 35.4%, 지난해 39.7%로 가파르게 상승 중이다. 이로 인해 노인인구의 상대적 빈곤율은 2021년 기준 37.6%로, 경제협력개발기구(OECD) 내 최고 수준이다. 앞으로가 더 문제다. 1955~1963년생 베이비부머들이 2020년 이후 대거 노인인구에 편입되기 시작하면서 고령층의 빈곤층 전락이 가속화되고 있다. 이런 추세를 방치한다면 노인 빈곤 문제가 손댈 수 없는 상황으로까지 악화될 가능성이 크다.

정부도 심각성을 인식하고 있긴 하다. 복지부는 지난달 27일 재정을 투입하는 노인 일자리를 현재 88만개에서 120만개로 확대하는 내용의 노인 일자리 종합계획을 발표했다. 베이비붐세대에 맞춰 공익형은 줄이고 사회서비스·민간형 비중을 확대하겠다고 했다. 필요한 대책들이다. 하지만 정년연장이나 재고용 확대 같은 보다 근본적인 대책이 필요하다. 재정 투입형 단기 일자리로는 급증하는 '노인실업자'를 감당할 수 없기 때문이다.

노동계 일각에선 일자리 충돌로 인한 청년층과의 갈등을 우려하기도 한다. 시나친 기우다. 산업연구원 연구보고서에 따르면 우리나라 청년층과 고령층의 일자리는 서로 다른 직군을 형성해 크게 겹치지 않는다. 정년연장은 세계적인 추세다. 노인 일자리 문제뿐만 아니라 저출산 시대의 인력 부족을 타개하기 위해서다. 윤석열 정부도 지난 1월 실업급여를 줄이면서 정년을 연장하는 쪽으로 큰 방향을 잡았다. 문제는 속도다. 산업계와 노동계의 다른 목소리, 세대 갈등 우려 등에 막혀 지금처럼 검토 수준에 맴돌다간 윤 대통령 임기가 성과 없이 지나갈 수 있음을 명심해야 한다.[129]

111. 치주염, 씹고 뜯고 오래 즐기려면…치주관리부터

구강 관리를 소홀히 하면 나이가 들수록 씹고 맛보는 일이 힘겨워진다. 국민건강보험공단 통계에 따르면 2022년 노인 진료 환자 수 1위는 '치주질환(치은염·치주염)'으로 나타났다. 환자 수도 2017년 대비 40% 정도 증가했다. 잇몸병 중하나인 치주염의 치료와 예방법에 대해 이지현 울산대학교병원 치과 교수와 함께 자세히 알아본다.

◇ 초기 증상이 없는 치주염

구강은 크게 치아와 잇몸으로 구성돼 있다. 충치는 치아에, 풍치는 잇몸에 발생하는 질환이다. 풍치는 염증의 정도에 따라 치은염과 치주염으로 구분한다. 단순히 잇몸에 생긴 염증은 '치은염'으로 비교적 가볍고 회복이 빠르다. 하지만 잇몸뿐만 아니라 잇몸뼈까지 염증이 진행된 상태라면 '치주염'으로 진단한다.

치은염 단계에서는 잇몸의 염증으로 일반적인 염증의 증상과 같이 잇몸이 빨갛게 붓고 출혈이 있을 수 있다. 대표적으로 가장 빠르게 해당 단계를 알아차릴 수 있는 증상이 바로 양치질할 때마다 잇몸에서 피가 난다.

하지만 치주염으로까지 진행된 경우에는 계속해서 구취가 나며, 치아와 잇몸 사이에서 고름이 나오거나 치아가 흔들거리기 시작할 뿐만 아니라 저작 시에 강한 잇몸 시림 증상을 느끼는 등 다양한 불편감을 호소하게 된다. 심할 경우 치주인대에 염증이 생기게 되고 골소실이 일어나 치아에도 문제가 생긴다.

치주질환의 원인은 입안의 세균이다. 세균이 독소를 뿜어내고 염증 반응을 일으키면서 입안이 전쟁터로 변하는 것이다. 잇몸이 붓고 망가져서 치아를 지탱하는 뼛속까지 세균이 침식하면 잇몸뼈 손실을 동반한 치주염이 발생한다. 정도가 심하면 발치, 즉 치아를 뽑아야 한다.

문제는 치통은 잠을 이루지 못할 정도로 통증이 심하지만, 잇몸에 발생하는 염증인 치주질환은 통증이 거의 없다는 데 있다. 잇몸은 치아보다 상대적으로 통증에 둔하기 때문이다. 그 탓에 치료 시기를 미루거나 놓치는 경우가 충치보다 상대적으로 많다. 병원을 방문했을 때 이미 잇몸질환 초기 단계인 치은염을 넘어 치주염이 상당히 진행된 환자를 쉽게 만날 수 있다.

◇ 영양부족 유발할 수도

잇몸질환은 섭식 기능과도 직결된다. 노인의 치아 부실은 저작 능력과 소화 흡수 기능 저하로 이어져 결과적으로 영양부족 상태를 유발하기도 한다. 입은 1차 소화기관이다. 음식물을 잘게 씹어서 삼키면 위에서 화학 작용을 일으켜 신진대사를 원활하게 한다. 그런데 잇몸에 이상이 생기면 소화 기능, 즉 음식물 섭취가 어려워지면서 영양공급에 빨간불이 켜진다. 또 치아가 많고 저작 기능이 잘 유지되면 치매 예방에도 도움이 된다.

이지현 울산대학교병원 치과 교수는 "세균에 의한 감염성 질환은 영양 상태와 면역력, 호르몬 변화에 쉽게 영향을 받는다. 치주질환은 입안에 발생하는 염증 반응이기 때문에 식습관도 중요하다"며 "원인과 결과의 문제는 아니지만, 젊은 층에서 예전보다 당뇨 환자가 늘어나고 또 잇몸질환으로 병원을 찾는 경우가 많아진 것은 단 음식에 많이 노출된 현 상황과 무관하지 않다. 이는 균형 잡힌 영양소 섭취가 이뤄지지 않는, 과일 대신 음료에 익숙해진 환경만 보더라도 쉽게 알 수 있으며 치주염은 당뇨 합병증 중 하나다" 고 설명했다.

◇ 만성질환처럼 꾸준히 관리

치주염 치료는 크게 3단계로 나뉜다. 흔히 아는 스케일링, 즉 치석 제거술을 가장 먼저 한다. 이는 잇몸 위의 치석을 제거하는 기초 치료에 해당한다. 치주염이 상대적으로 더 진행되면 마취하고 잇몸 아래 치석과 염증조직을 긁어내는 치주소파술, 흔히 표현하는 잇몸치료를 2단계로 진행한다. 마지막으로 치주소파술로도 해결할 수 없을 정도로 깊이 있는 치석을 제거하거나 뼈이식이 필요한 경우 3단계인 치은박리소파술, 즉 잇몸수술을 시행한다.

감기는 약을 처방받아 복용하거나 주사를 맞는 등 즉각적인 치료로 해결할 수 있다. 하지만, 당뇨·고혈압·비만 등 만성질환처럼 치주염은 지속적이고 꾸준하게 관리해야 예방할 수 있다.

이 교수는 "치주염을 만성질환으로 생각하고 관리와 치료를 게을리하지 말아야 한다. 또 치주염이 발병하더라도 악화되지 않도록 하는 것이 중요하다" 며 "치석 제거를 위해 기본적인 스케일링은 6개월마다 하는 것이 좋고, 1년에 최소 1회는 치과를 방문해서 구강 상태를 점검하는 한편, 올바른 양치 방법을 익히고 실천해야 한다" 고 강조했다.[130]

112. 고독사 줄이려면 사회적 고립층에 더 신경 써야

고독사(孤獨死)란 사람이 주위에 아무도 없는 상태에서 혼자 죽는 것을 말한다.

대한민국의 고독사 예방 및 관리에 관한 법률 제2항에 의하면 "고독사" 란 가족, 친척 등 주변 사람들과 단절된 채 홀로 사는 사람이 자살·병사 등으로 혼자

임종을 맞고, 시신이 일정한 시간이 흐른 뒤에 발견되는 죽음을 말한다.

1인 가구 중심으로의 가족구조 변화와 코로나19 장기화 등 사회환경 변화가 급속히 진행되면서 우리 사회도 개인들의 사회적 고립 현상이 심화하고 있다. 이에 비례해 홀로 살다가 홀로 죽는 고독사도 이젠 낯설지 않은 내 주변의 일이 될 정도로 매년 증가세를 보이고 있다. 고독사는 오랜 시간 지속되는 사회적 고립이 그 출발점이라 할 수 있다. 그래서 고독사는 사회적 고립 문제와 함께 다뤄져야 제대로 된 대책이 나올 수 있다.

정부와 지자체가 최근 고독사를 약자 복지 차원에서 보고 예방 기본 계획을 수립하기로 했다. 목표는 2027년까지 인구 10만 명당 고독사 발생 수를 지금보다 20% 줄이는 것이다. 지자체별로 우선 1인가구 실태조사를 진행하고 이를 기초로 한 맞춤형 대책을 세운다.

대구시도 50~64세 1인가구 11만7천여 가구와 20~39세 3천여 가구에 대해 올해 실태조사에 착수한다. 시에 따르면 2021년 대구에서 발생한 고독사는 124명으로, 2017년 85명에 비해 5년 사이 45.8%나 증가했다. 또 대구의 연평균 고독사 증가율은 9.9%로 전국 평균(8.8%)보다 높은 수준이었다. 그러나 대구에서 고독사에 관한 사례 분석 등은 아직 시 차원에서는 없고 기초지자체 사회복지 공무원들이 관련 기관·단체와 공동작업한 것이 있을 뿐이다. 여기에 나타난 지역의 고독사 사례 분석 결과에 따르면, 50~60대 남성 고독사 비율이 가장 높았으며, 이들 중에는 공공이나 민간의 지원 손길이 전혀 닿지 않은 경우도 적지 않았던 것으로 나타났다.

고독사를 줄이려면 결국 사회적 고립층에 대한 정확한 실태파악이 선행돼야 한다. 이를 위해서는 주기적 실태조사가 이뤄져야 하고 이를 데이터베이스화하는 것도 필요하다. 이번에 정부에서 발표한 '고독사 예방 기본계획'을 보면 사전 실태파악을 바탕으로 1인가구의 사회참여 유도 프로그램이 여럿 들어있어 다행스럽다. 더불어 청년층·중장년층·노인층 등 연령대별로 지원 대책을 더 세분화하는 것도 실효성 측면에서 필요해 보인다.

또 이들이 의도적이든 그렇지 않든 인간관계 형성을 기피하는 특성을 감안해 대면접촉 관리방안을 적극 강구할 필요가 있다. 여기에는 정보통신기술인 AI나 스마트기기 등이 보조수단으로 활용될 수 있을 것이다. 고독사나 사회적 고립이 늘어나는 공동체가 건강하지 않다는 사실에는 대다수가 동의할 것이다. 그런 점에서 정부나 지자체의 역할도 중요하지만 시민 각자가 내 이웃에 대해 더 관심을 두는 것도 중요한 일이다.[131]

113. 서로의 '다움'으로 함께 성장하기를

"엄마는 흙 밟고 흙 만지고 사는 게 꿈이야"

팔순을 앞두신 친정 어머니는 고향으로 돌아가는 게 꿈이셨다. 서울로 시집와 남매를 억척스레 키우시고 출가시키고 나니, 맞벌이하는 딸이 아이들을 키우는 게 안쓰러워 돕다 환갑에는 돌아가겠다던 계획이 10여 년이 늦춰져 지난 해에야 꿈에도 그리던 고향에서 3도(都)4촌(村)을 하고 계신다. 서울에서 건강이 하루하루 안좋아지시던 친정 어머니는 고향에 가서 흙도 밟고 농작물도 키우고, 산으로 들로 다니시며 5년은 더 젊어지신 얼굴로 웃는 날이 더 많아지셨다. 하루하루 나이가 들어 체력은 약해졌지만, 정신은 더 맑아지셨고, 얼굴은 더 환해지셨다.

도시에서 태어나 도시에서 성장하고, 도시에서 늙어가고 있는 나에게 '농촌'은 어쩐지 간질간질한 향수를 자극하는 숨겨둔 꿈 같기도 하고 모성본능을 자극하는 회귀의 공간 같기도 하다.

농업과 관련된 회사에서 내인생의 2/3의 시간을 근무하면서 농업과 농촌은 끊임없는 공부의 대상이기도 했고, 추구하는 목표이기도 했다. 어쩌면 도시에서 나고 자란 나와 비슷한 중년들에게 농촌이란 가깝고도 먼 친척같은 느낌일 수 있을 것 같다. 자주 만나지는 못하지만 만나면 반갑고 정겹고, 헤어지기 아쉬워 돌아보고 또 돌아보게 되는 오랜 지인처럼. '도시인'에게 '농촌'은 친숙한 타인일 것 같다.

친숙한 타인이란 낯선 사람이 아니라 나와 같은, 그러나 다른 사람이란 뜻이라고 생각한다. 내가 너와 같지 않은 다름과 인간적 공통점 때문에 톱니바퀴처럼 들고 나는 아귀가 꼭 맞아 함께 돌 수 있는 것. '도시'와 '농촌'도 그와 같지 않을까 생각한다. 도시는 도시다운 발전 방향과 사람들의 삶의 방식이 있고, 농촌에는 농촌다운 발전의 지향점과 인생 살이가 있다. 도시의 발전 방향과 삶의 방식을 농촌에 그대로 도입할 수 없고, 농촌의 지향점을 도시와 모서리 맞추기할 수 없다. 연인들이 서로의 다름을 인정하면서 가족이 되어가는 것처럼.

서로 다르기에 특별한, 도시와 농촌. 바쁜 일상을 마치고 돌아갈 수 있는 따뜻한 가족이 하루를 버티는 힘을 주듯, 은퇴 후 귀농귀촌을 꿈꾸는 이들의 마음 속에는 고생한 나를 위한 따뜻한 가족의 품이 우리 농촌이 아닐까 생각한다. 고향으로 돌아가서 소녀처럼 웃게 된 팔순을 앞둔 나의 어머니처럼.

도시의 편리함과 다양함과 견주면 농촌은 적적하고 불편한 곳임에 틀림이 없다. 그러나 도시에는 없는 다양한 자연경관과 농촌만의 느리게 흐르는 시간의 여유로움, 내 손을 거쳐야만 완성되는 생활의 구석구석이 젊은 귀농귀촌인들에게도 힐링으로 다가오고 있다.

도시에는 '도시경관계획'이 있고, 농촌에는 '농촌경관계획'이 있어 서로 다른 각자의 장점에 맞춰 성장을 도모한다. 올해 3월 입법된 '농촌공간계획법'도 도시와는 다른 농촌다운 개발을 위한 것이라 생각된다. 도시가 농촌에 악수하는 '고향사랑기부제'와 농촌과 도시가 어우러지는 '귀농귀촌'도 서로의 다름을 인정하고 함께 성장하는 길을 모색하는 또 다른 '한가족'의 모습이 아닐까.

흙을 사랑하는 어머니의 딸이며, 농업 농촌 관련 회사에서 평생을 보내고 있는 나도 은퇴 후에는 레디메이드 된 편리한 도시를 떠나 구석 구석 내 손길의 수고로움을 기다리는 농촌을 꿈꾸게 될 것 같다. 지역소멸이라는 단절된 단어가 농촌 앞에 붙지 않도록 나도 나의 자리에서 작은 힘을 보태며 도시와 농촌이 서로의 '다움'으로 함께 따뜻하게 성장하는 내일을 꿈꾸어 본다.[132]

114. 나를 부끄럽게 한 것

어제 아침이었다. 아들의 도움을 받아 재산세를 내려고 신용카드를 꺼낼 요량으로 지갑을 찾으니 없다. 지방세인 재산세는 카드로 내면 수수료도 없이 3개월 무이자 할부 혜택도 있다는 말에 혹한 터였다. 그런데 신용카드에 교통카드, 주민등록증 그리고 적지 않은 현금까지 들어있는 지갑을 아무리 찾아도 찾을 수 없었다. 먼저 신용카드사에 연락해서 사용 정지를 신청하고 기억을 더듬어 보았다. 마지막으로 카드를 꺼냈다 싶은 곳은 현대백화점이었다. 현대백화점이 문을 여는 대로 혹 분실물 신고가 되어 있지는 않은지 확인하기 위하여 달려갈 참이었다. 이 지갑을 찾지 못하면 각종 카드 재발급은 물론 주민등록증까지 새로 발급받아야 해서 속을 끓이며 집을 나섰다. 한참을 걸어갔나 싶은데, 휴대전화로 문자 알림 소리가 났다. "지갑 찾았어요. 현대백화점에서 보관중이래요." 나의 충실한 파트너이자 보호자인 아내가 혹 분실물 신고가 되어있는지 확인하고 보낸 문자이다. 엽엽한 아내가 아직 문도 열지 않은 현대백화점에 전화해서 알아본게다.

오후에 집에 들어와 되찾은 지갑을 전해 받고 안도의 숨을 쉬며 제일 먼저 한 일은 지갑을 열어 현금이 그대로 있는지 살핀 일이다. 하지만 이제 와 생각하니 참으로 부끄럽기 짝이 없는 처사였다. 현금보다는 신용카드와 교통카드를, 아니

그보다 먼저 주민등록증, 사무실 출입증을 우선하여 챙겨봐야 하지 않았을까? 물론 비록 입바른 소리가 될지 모르겠지만, 무엇보다 먼저 했어야 한 일은, 지갑을 발견하여 백화점에 맡겨준 이와 그것을 고이 보관하였다가 돌려준 백화점 관계자에게 고맙다는 인사를 했어야하지 않았을까? 생각이 여기까지 미치자, "이놈도 별거 아니네." 하는 생각을 떨칠 수가 없다.

나보다 상대가 먼저다. 세상에는 나의 이익보다 먼저 챙겨야 하는 것이 있는 법이다. 지갑과 같은 작은 일에도 그와 같은 세상 사는 이치가 있는데, 국가의 대사는 두말할 필요도 없다. 나를 먼저 챙기느냐 상대를 먼저 챙기느냐에 따라 대소사의 의사 결정이 성공하기도 하고 실패로 돌아가기도 한다. 특히 '선택과 타협'의 예술이라고 불리는 정치는 더욱 그러하다. 나보다 상대를 먼저 챙기는 선택을 해야만 타협이라는 예술이 이루어지는 것이 정치 행위의 핵심이다. 상대보다는 나의 이익을 먼저 챙기는 타협은 아름다운 예술이 아니라 졸렬한 야합이라고 부른다.

최근 들어서 우리 정치판이 시끄럽다. 정치도 사람 사는 일에 다름 없다는 점을 감안하면 시끌시끌한 것이 꼭 나쁘지는 않은 것일테다. 이와 같은 과정을 거쳐서 사회적 합의가 도출될 것이기 때문이다. 그러나 최근의 시끄러움은 다소간 도를 넘은 측면이 없지 않아 걱정이다. 특히 상대를 인정하지 않는 정치가 너무 오래 지속되고 있다. 정치는 상대가 있어야 할 수 있는 행위이다. 상대를 인정하지 않고 나 혼자 결정해버리는 것은 정치가 아니라 차마 입에 담기 힘든 이름으로 불린다.

여의도 서식자들이 정치의 상대로 보이지 않을 수 있다는 점은 충분히 이해한다. 온갖 부정과 비리로 매일 같이 언론을 도배하는 것이 그들일진대, 그들은 기소와 처벌의 대상이지 대화와 타협의 대상으로 보이지 않을 것이다. 그럼에도 불구하고 정치는 그들을 상대로 인정하는 데에서부터 출발한다. 그들이 어떤 사람으로 보이던 간에, 투표에 의해서 선출된 국민의 대표이다. 그들을 상대로 인정하지 않는 것은 그들은 뽑아준 국민을 인정하지 않는 것에 다름 아니다. 더구나 현실적인 존재로서 그들을 인정하는 것에서 정치는 시작한다. 맘에 들던 맘에 들지 않던 그들이 선택과 타협의 상대일테니까 말이다.

칠칠치 못해 지갑 하나 제대로 간수하지 못함을 이제는 어쩔 수 없이 나이 탓으로 돌리면서, 지갑을 발견하여 맡겨준 이와 현대백화점 관계자에게 늦은 감사의 인사를 전한다. "감사합니다. 지갑을 찾아주셔서 감사하고, 뒤늦게나마 무엇이 먼저인지 다시 생각할 계기를 갖게 해주셔서 더욱 감사합니다." [133]

115. 나이를 먹는다는 것

'나이를 먹는다는 것은 시대에 뒤떨어지는 것은 물론이요 중요한 것들을 하나씩 잃어버린다는 의미란 생각이 든다. 시력은 침침해지고 노래방에서는 고음 부분 처리가 하루가 다르게 힘들어진다. 호기롭게 대여섯 잔을 사양 않던 폭탄주는 한두 잔에 손사래를 치게 된다. 세월은 헛헛하게 흐르고, 산타클로스를 믿다가, 믿지 않다가, 스스로 산타가 되었다가, 그마저도 옛 이야기로 남게 된다.'

서강대학교 김동률 교수의 글입니다. 정말 그렇습니다. 한때는 직장동료들과 몰려다니지 않으면 금방이라도 하늘이 무너져 내릴 것처럼 거의 매일 끼리끼리 모여 대수롭지도 않은 화제를 가지고 술병이 탁자를 가득 메우도록 늦은 밤까지 갑론을박을 펼쳤지만, 이제는 그때의 그들과 만나게 되면 폭탄주는 고사하고 소주 몇 잔에도 고개를 절레절레 젓게 됩니다. 나이를 먹는다는 게 그런 것인가 봅니다. 김동률 교수의 지적처럼 세월이 흐름에 따라 '산타클로스를 믿다가, 믿지 않다가, 스스로 산타가 되었다가, 더 나이가 들면 그마저도 옛 이야기'로 남게 되니까요.

세계 3대 문학상 중 하나인 맨부커상을 받은 '다비드 그로스만'이라는 작가의 동화에 '모든 주름에는 스토리가 있다'라는 작품이 있습니다. 이 동화는 할아버지와 귀여운 손자의 대화로 시작해 할아버지의 웃음으로 끝이 납니다.

"할아버지, 그런데 주름은 어쩌다 생긴 거예요?"

할아버지는 '너도 크면 다 알게 될 거'라는 뻔한 대답 대신 거울을 통해 자신의 주름을 하나씩 꼼꼼히 들여다보며 설명을 합니다.

"어떤 주름은 나이가 들어 생기지. 또 어떤 주름은 사는 동안 일어나는 온갖 행복한 일과 슬픈 일 때문에 생긴단다."

"슬픈 일이라면 할머니가 돌아가셨을 때처럼요?"

"그래, 그때 주름이 참 많이 생겼지. 사랑하는 개 파파야가 죽었을 때도 이 주름이 생겼어."

파파야의 꼬리를 꼭 빼닮은 자신의 턱 주름을 가리키며 할아버지는 말합니다.

"기쁠 때도 주름이 생긴단다. 나의 첫 손자, 네가 태어났을 때, 나는 이 세상에서 가장 행복한 사람이었다. 그땐 걷다가도, 자다가도 웃음이 나왔지. 그 웃음이 보조개처럼 입가에 주름으로 바뀐 거란다."

그렇습니다. 주름에도 스토리가 있기 마련입니다. 요즘 필자는 삶터에서 조금 비켜 서 있긴 하지만 자손의 근황에 지속적으로 관심을 쏟으며 주름을 보탭니다.

한창 직장에 매달리며 치열하게 살아가고 있는 자식들과, 그러한 생활을 준비하기 위해 어린 나이에도 시간을 쪼개며 바삐 뛰는 손주들에게 아낌없는 성원과 기구, 걱정, 근심을 한 조각씩 보태며 꾸준히 주름을 늘리고 있는 것입니다.

나이가 들면 음주에 고개 숙이고 주름을 얼굴 전체에 친친 감는 것은 숙명입니다. 하지만 부지런히 활동하면 노인의 건강한 뇌는 젊은이의 뇌가 할 수 있는 거의 모든 일을 해낼 수 있다고 합니다. 의지와 노력만 있다면 각종 제약을 가뿐히 뛰어넘을 수 있다는 것이죠. 가수 노사연의 노랫말처럼 나이가 든다는 것은 '손에 잡은 것이 많고, 등에 짊어진 삶의 무게' 때문에 온 몸이 아프지만 '늙어가는 것이 아니라 조금씩 익어가는 것' 인지도 모릅니다.[134]

116. 황혼육아를 보상하라

'오면 반갑고 가면 더 반갑다.' 이 말의 의미를 모르는 사람은 거의 없을 것이다. 손주를 두고 나온 말이다. 어느 작가가 손주는 노후의 축복이라고 말할 정도로 눈에 넣어도 안 아플 존재다. 금방 보고 돌아섰는데 또 보고 싶고, '하비' '함미' 하며 말이 트이기 시작하면 더욱 심해진다.

세상의 모든 것을 가진 것처럼 노후의 감성을 자극한다. 가끔 들르는 손주이기에 그렇다. 그럼에도 가면 더 반갑다는 말이 나온 이유는 왜일까? 얼굴은 보고 싶지만 막상 오게 되면 힘에 부치는 상황의 연속이기 때문이다.

놀이터에서 손주와 시간을 보내는 할머니, 할아버지의 모습은 이제 낯선 모습이 아니다. 황혼육아의 익숙한 풍경이다. 육아는 물론이고 살림까지 도맡아 하기 일쑤다. 노후의 편안한 삶을 꿈꾸던 어르신들은 사실상 '육아 근로' 에 시달리고 있는 셈이다. 조부모에게 육아를 맡기는 이유는 기관에 비해 경제적 부담이 줄고 아이들의 정서적 측면에서도 장점이 많기 때문이다.

보건복지부의 보육실태조사에서 가정에서 영유아를 돌보는 사람의 84%는 조부모로 나타났다. 또 다른 조사에서는 조부모의 손주 양육일수는 주당 5.25일, 시간은 42시간 이상이라는 분석 결과가 나왔다.

일반 근로자의 근로 시간과 맞먹는 노동 강도. 이들은 팔다리 통증은 기본이고 우울증까지 호소하는 경우가 많다. 다시 말해 손주병이다.

자식 키워 놓고 여행도 다니면서 편히 쉴 꿈에 젖어 있던 그들에게 이제는 작은 보상이라도 해 줘야 한다.

조부모 손주 돌봄 수당을 지원해야 한다. 이 제도는 주민등록상 주소가 같은 조부모를 대상으로 영유아 보육에 필요한 교육을 시행한 후 손자녀 돌봄 시간에 따라 수당을 지급하는 것이다.

2022년 춘천시 사회조사 보고서에 따르면 부모님 생활비는 부모님 스스로 해결한다는 응답이 71.7%로 높게 나타났다. 영유아 보육 지원은 시설 확충이나 서비스 향상보다 보육비 지원 확대를 원하는 응답자가 38%로 가장 높았다. 스스로 생활비를 해결하고 계신 부모님께 손자녀 돌봄의 보람과 자부심을 느끼게 해 드리기 위해서는 돌봄 비용을 지원하는 것이 효율적이라는 것을 확인할 수 있는 자료다.

이는 조부모의 노동 가치를 인정함으로써 노인 복지 수준을 끌어 올리고, 부모들에게는 육아 스트레스의 해방을, 아이에게는 정서적으로 안정된 돌봄을 받을 수 있어 3세대가 행복해질 수 있는 것이다.

현재 조부모 돌봄 수당은 서울시와 광주광역시가 실시하고 있다. 서울시는 지난해 9월부터 만 24~36개월 이하 영유아를 월 40시간 이상 돌볼 경우, 중위소득 150%인 가정에 영아 1인당 월 30만원씩 지원한다. 광주광역시는 올해 보건복지부와 사회보장제도 변경을 협의해 지난해보다 사업비를 두 배 늘린 6억원을 책정하는 적극 행정을 펼치고 있다. 경상남도는 중위소득 150% 이하 가구를 대상으로 손주를 돌보는 조부모를 지원하는 경남형 손주돌봄 지원사업을 내년부터 시행한다.

황혼육아 스트레스는 자녀와의 갈등, 부부간의 스트레스로 커지는 경우도 많다. 조부모의 육아는 이제 사회 문제로까지 대두되고 있다. 가족 간의 이해와 배려로 해결하기에는 한계에 이른 것이다. 이제는 개인 가정사로 치부할 것이 아니라 사회적 책임이 요구되고 있다.

'오면 반갑고 가면 더 반갑다' 는 조부모들의 읊조림을 푸념이 아닌 절규로 받아들여야 한다.[135]

117. 나의 일흔 번째 생일

지난해 1월 생일을 맞았다. 일흔 번째 나의 생일. 하루가 다르게 확진자가 늘어가고 방역 수칙이 엄격해 외식하는 것도 모이는 일도 불가능했다. 멀리서 사는 딸 둘과 아들은, 이번에는 모이지 말고 다음 기회로 미루자는 우리 부부의 만류에도 그럴 수는 없다고 우긴다. 유치원에서 5학년까지 다섯 명의 손주와 자식들을 만나는 일이 반갑지 않을 리 없지만, 대식구의 식사 준비가 만만치 않으니 더럭 걱정부터 앞섰다.

47년간 대가족의 맏며느리로 매해 다섯 번의 제사와 명절, 생신, 두 분 어른의 회갑과 칠순, 시동생 시누이의 결혼… 아이들의 백일 돌잔치... 외식문화가 없던 시절, 수많은 행사는 먹는 일로 시작해 먹는 일로 끝이 났다. 시어머니 돌아가시고 삼 년. 이제 그 많던 일도 끝이 났다. 언제나 그 모든 일의 구심은 내 몫이었기에 새 달력이 나오면 제일 먼저 하는 일은 집안 행사를 달력에다 메모하는 일이었다. 집안 대소사에 세 남매 기르며 그저 그게 사는 일이거니 앞만 보고 달려온 시간이 47년이었다. 시부모님 두 분은 아흔둘, 아흔하나로 세상을 떠나셨다. 내 나이 예순일곱에 비로소 안주인이 된 것이다.

1974년 4월 11일. 스물넷의 신부는 사범대학를 졸업하고 단 일 년, 교단에서 학생들 가르치다 결혼과 동시에 대가족의 맏며느리가 되었다. 자그마한 사업을 하고 있던 시댁에는 부모님과 우리 부부, 시누이, 고등학생 막내 시동생과 합숙하던 종업원까지 많을 때는 열세 명의 식구가 있었다. 가업을 돕는 시어머니를 대신해 맏며느리인 내게 주어진 가장 큰 과제는 대식구의 식사 준비였다. 도와주는 언니가 있었지만, 번거로운 집안일에 자주 사람이 바뀌었다. 명절에 고향에 다니러 갔다 온다는 언니들은 소식도 없이 돌아오지 않기 일쑤였다. 그해 초겨울, 김장하기 위해 시어머님이 배추를 사서 수돗가에 부려 놓으셨다. 오십 포기의 배추를 쪼개언 손을 뜨거운 물바가지에 넣어 녹여가며 쪼그리고 앉아 배추를 절이고 일어서는데 아랫배가 뭉클하며 하혈이 있었다. 첫 아이의 유산이었다. 그렇게 통과의례를 치르며 딸에서 며느리로 정체성이 바뀌어 갔다.

시댁의 가풍은 소박한 가정에서 조촐하게 살던 친정과는 아주 달랐다. 아버님 두 형제분이 무척이나 가까이 지내셨다. 규모가 큰 사업을 하시던 큰댁은 드나드는 사람들로 붐볐다. 대청마루 앞에는 늘 신발이 그득했다. 일 년이면 다섯 번의 제사와 설 추석 차례에 큰아버님의 생신까지 대소가의 가족이 모이는 행사가 잦았다. 큰일이 있을 때면 큰댁 동서 다섯에 작은집 며느리인 나까지 모두 여섯의 며느리들은 부엌에 함께 모여 음식 준비로 북새통을 이뤘다. 삼사십 명의 식사를 준비하는 일은 아무리 손이 많아도 만만한 일이 아니었다. 큰형님의 진두지휘 아래 해결사 둘째 형님, 묵묵한 셋째 동서, 애교 넘치는 넷째, 늘씬하고 쿨한 막내. 일 년이면 열 번 가까이 만나 함께 부대끼던 사촌 동서들은 친자매보다 가까운 사이였다.

키 높은 제상에 차려지던 제수들은 음복이 끝나고 둘러친 병풍이 걷히면 주방으로 들어온다. 동서들은 각자 밥과 국을 퍼 나르고 음식을 내간다. 젊은이들은 왁자하게 대청마루에 차려진 상에 둘러앉고, 남자 어른들은 사랑방에, 큰어머님과 어머님, 고모님은 안방 차지다. 주방 식탁에서는 동서들이 둘러앉아 허겁지겁 밥을 먹는다. 종일 음식하고 상 차려내고 치우고 먹는 밥은 꿀맛이다. 음식들과 제기들이 제자리로 찾아들고, 대청마루에 걸레질이라도 할라치면 어린 녀석들은 아랫목 할머니 옆에 웅크리고 잠이 든다. 앞치마와 외투를 챙기고 잠이 든 녀석들을 둘러업고 집으로 돌아가면 머지않아 부우웅하고 통금 사이렌이 울렸다. 한밤중에 지내던 제사는 차츰 초저녁 제사로 바뀌었다. 1993년 뜰앞에 모란이 흐드러지던 봄날, 일흔아홉의 나이로 큰아버님이 세상을 뜨셨다. 아버님은 다섯 위의 제사를 우리 집에서 모시자 하셨다. 젊은이들은 중년이 되었고, 미국으로 이민을 떠난 사촌 형제도 있고, 세상을 떠난 분도 있으며, 남아 있는 이들도 각자 살아가는 일에 골몰했다. 제사는 우리 가족만의 일이 되었다. 지금은 시어른 두 분 제사와 명절 차례만 아들네 가족과 지내고 있다. 평생을 해오던 일들이 이제는 힘에 부치기 시작한다.

뜻하지 않게 찾아온 코로나 대유행은 모든 걸 바꿔 놓았다. 주말도 없이 늘 일에 치여 살던 아들은 비로소 퇴근 시간과 주말을 찾았다고 환하다. 그 행복한 여가에 유튜브로 요리를 배워 특식을 마련해 들고 오거나, 아예 집으로 초대해서 함께 요리를 즐기기도 했다. 엄마 칠순에도 음식 걱정하지 말라고, 자기가 다 책임진다고 큰소리다. 주말 오후 멀리서 딸네 가족들이 들이닥쳤다. 꽃바구니, 비누화환, 풍선에 플래카드까지 유리창에 나붙고, 손주들은 준비해 온 수성펜을 들고 그림을 그리기 시작했다. 유리창은 삽시간에 커다란 공연 무대가 되었다. 딸과 며느리는 식탁을 차리고 오늘의 쉐프 아들은 보랭 백에서 식재료들을 꺼내놓고 코스 요리를 시작했다. 오래된 식탁엔 여덟 식구의 자리가 마련되고 손주들을 위해 거실에 따로 상이 펼쳐졌다. 먼저 집에서 만들어 공수해 온 단호박 수프가 나오고, 야채 샐러드에 다양한 연어 요리의 변주가 시작됐다. 그동안 제철 가리비가 찜통에서 쪄지고 '감바스 알 아히요'와 '알리오 올리오'란 이름조차 현란한 파스타가 등장하고 식탁에서는 온갖 감탄과 품평과 웃음이 오갔다. 케이크과 꽃바구니, 비누 화환에 둘러싸여 고깔모자까지 쓴 할머니가 너무 귀엽다고 온 가족이 놀려댔다. 우렁찬 생일축하 노래와 박수가 터지고 손주들의 공연이 시작된다. 유튜브 음악에 맞춰 몸을 흔들며 현란한 개인기가 펼쳐졌다. 오랜만에 온 가족이 함께 모여 맛있는 음식을 나눠 먹고 웃고 떠들며 맘껏 놀아보는 이 시간, 이 평범한 일상의 시간이 축복처럼 느껴졌다. 바쁘고 힘들다는 핑계로 음식점에 모여 맛있는 식사로 행사를 치르는 것도 근사하지만, 이렇게 온 식구가 용광로처럼 끓어 넘쳐보는 시간이 얼마나 소중하고 귀한지 모르겠다. 남녀가 유별하다고 늘 말씀하시던 시아버님이 이 장면을 보시더라도 "마 다 괜찮다"하고 함박웃음 지으셨을까.

생전 처음 맞아보는 팬데믹이라는 세상의 봉인 과정을 거치며 일상은 무너지고 때로 거꾸로 가기도 하는가 보았다. 시어른들이 그토록 귀해 하던 아들은 땀을 뻘뻘 흘리며 요리해다 나르고 오늘의 행사를 주도해 나가야 할 며느리는 시누이들과 육아와 세태에 대한 수다에 정신이 팔려 주방의 2인자가 되었다. 오래된 위계질서가 무너지고 잠깐 혼돈과 무질서가 지나가자 그 자리가 뜻밖의 '축제의 장'이 되었다. 대소가 며느리들이 한복 입고 큰절하던 시대가 지나고 K-팝에 빠진 손주 녀석들이 자발적으로 풀어내는 즉석 공연에 모두가 열광했다. 열 맞춰 찍던 기념사진 대신 스마트폰이 매 순간을 잡아냈다. 한 시대가 저물고 새 물결이 넘실댔다. 다만 새로운 시간에 저항 없이 흘러드는 일만이 우리들의 필살기일 것이었다.[136]

118. 여행

휴가철이다. 코로나19 때문에 여행하기 힘들었던 지난 수년간에 비해서 올해는 많은 사람들이 국내외 여행을 하고 있다. 우리 삶과 일상을 구성하는 많은 요소들은 대부분 한 개인의 생애보다 훨씬 더 긴 역사를 갖는다. 그것들은 우리가 태어나기 전부터 있었고, 우리가 사망한 후에도 계속된다. '여행'도 그중 하나이다.

우리는 전통시대에 살았던 사람들이 여행과 무관한 삶을 살았으리라 지레짐작하기 쉽지만 실제로는 그렇지 않다. 그들 역시 처한 형편에 따라 다양한 방식으

로 여행했다. 조선시대에 쓰였고 지금까지 전해지는 많은 여행일기가 그 증거이
다. 대부분 한자로 기록된 것에서 알 수 있듯 여행기 필자 대다수는 양반이다. 하
지만 양반이라 해도 대개는 자기 동네에서나 알아주는 한가한 시골양반들이 대부
분이다. 그때나 지금이나 바쁘면 여행하기 어렵다.

선호된 여행지는 다양했다. 고려의 수도 개성, 조선의 수도 한양은 각광받는 여
행지였다. 오늘날 우리가 유럽의 유서 깊은 도시를 방문하듯이 당시 조선인도 그
랬다. 도시뿐 아니라 멋진 자연도 여행의 목적지여서 지리산, 설악산, 속리산 등
도 선호되는 여행지였다. 무엇보다 가장 선호되는 여행지는 역시 금강산이었다.
'금강산도 식후경'이라는 말은 그냥 나온 말이 아니다. 금강산 여행의 코스도
다양했다.

안동에 살았던 이시선(1625~1715)은 1686년 8~9월 62세 나이로 한 달간 아들과
손자를 동행하여 금강산을 여행했다. 이들은 죽령을 넘고 강원도 김화를 거쳐 이
제는 북한이 된 회양을 지나 단발령을 넘어 내금강의 관문인 장안사에 도달했다.
표훈사를 거쳐 만폭동과 비로봉을 관람하고 고성 해산정, 영랑호, 의상대, 경포호
를 거쳐 삼척의 진주관, 죽서루까지 내려갔다고 기록했다.

현재의 경북 칠곡군 왜관읍에 살았던 이동항(1736~1804)은 친구들 몇명과 55세
되던 1790년 3~5월 해금강과 내금강, 외금강을 여행했다. 그들은 일단 한양에 올
라와서 여행을 준비했다. 그런 다음 포천을 거쳐 현 북한의 강원도 김화군 창도
리에서 금강산 장안사로 들어갔다. 이어서 내금강, 외금강, 해금강을 두루 둘러보
고,   낙산사→신흥사→백담사→오세암→인제→청평→춘천→안보역→황사곡→망우
리로 돌아왔다. 두 달 가까운 여행이었다.

여행기 필자들에게 그 여행은 특별했다. 지금처럼 여행하기가 쉽지 않은 시대
였다. 대개는 거의 평생을, 최소한 수년을 벼른 여행이었다. 여행일기 속에는 드
물지 않게 여행일기를 작성한 이유가 나온다. 그들은 훗날의 '와유(臥遊)'를 위
해서 기록을 남긴다고 썼다. '누워서 유람(遊覽)한다'는 뜻이다. 즉 집에서 느긋
하게 누워 여행일기를 들춰보며 그때의 기분을 다시 느끼려고 기록한다는 말이
다. 오늘날 우리가 여행하며 사진을 찍고, 브이로그(VLOG)를 작성하며, 유튜브를
찍는 이유와 다르지 않다. 우리의 여행이 그들의 여행과 다르다면, 국외여행을 그
들보다는 비교할 수 없이 자유롭게 할 수 있다는 정도일 것이다.

아! 1898년

매해 엄청난 수의 사람들이 국외로 여행을 하는 것에서 볼 수 있듯 현재를 사
는 한국인들은 한 세대 전과는 비교할 수 없이 좋은 조건에서 여행을 할 수 있

다. 좋은 일인지 아닌지 좀 헷갈리지만, 무엇보다 한국의 물가가 높아져서 몇몇 곳을 제외하면 세계 어디나 국내보다 물가가 비싸다는 느낌 없이 여행할 수 있게 되었다.

자신의 현실이 쾌적한 사람은 많지 않을 것이다. 기쁜 일보다는 언짢고 번거로운 일들이 훨씬 더 많이 그리고 자주 일어난다. 하지만 영양, 건강, 안전, 교육 등 우리 삶의 구체적 조건들은 객관적인 지표로 볼 때 과거보다 크게 개선되었다. 더 많은 사람이 더 자주 더 편리하고 안전하게 여행을 할 수 있게 된 것도 여기에 포함이 될 것이다. 예나 지금이나 일상을 벗어나는 여행은 우리의 삶을 위로받을 수 있는 수단이다.[137]

119. 눈떠보니 '의료 후진국'

"대한민국이 선진국 맞냐" 라는 비판이 새만금 세계스카우트잼버리에 쏟아지고 있다. K팝, K드라마, K방역 같은 일부 영역에서의 성공 신화에 취한 정부가 평소 하던 대로 하면 성공할 수 있다는 착각에 빠진 것은 아닌가 싶다. 우리 반에 공부 잘하는 학생 몇명 있다고 나도 덩달아 공부 잘하는 학생인 줄 착각에 빠져 공부 안 하고 시험을 망친 학생이 대한민국 정부가 아닌가 하는 생각이 든다.

그런데 새만금 잼버리 파행은 '응급실 뺑뺑이'와 '소아 진료 대란' '원정 분만' 같은 말이 더 이상 낯설지 않은 우리 의료체계의 붕괴 위기와 비슷한 점이 많다. 한때는 버락 오바마 미국 대통령이 부러워했다는 한국 의료체계가 붕괴하고 있는 배경에는 '한국은 의료선진국'이란 환상이 자리 잡고 있기 때문이다.

경제협력개발기구(OECD) 통계 같은 객관적인 지표를 봐도, 언론에 연일 등장하는 의료 관련 기사를 봐도, 한국을 의료선진국이라고 하기 어렵다. OECD 국가 중 한국의 의료체계 성적표는 중하위권이다.

OECD 통계에서 의료체계 평가지표 12개 중 우리나라가 평균 이상인 것은 1개에 불과한 반면 평균 이하인 것이 4개로 훨씬 더 많다. 여러 선진국 의료체계를 비교하는 다른 평가에서도 우리나라 의료체계는 중위권 성적에 머무르고 있다.

흔히 우리나라처럼 동네 병·의원에서 전문의 진료를 쉽게 받을 수 있는 나라가 없다고 하지만, 큰 병으로 대학병원에 입원하려면 몇달을 기다려야 하고, 심장병·뇌졸중 같은 중증 응급환자의 전원율은 외국의 2~3배에 달한다. 암 진료는 세계적인 수준이지만, 심장병 환자 사망률은 중하위권이고, 고혈압·당뇨병 진료나 정신과 진료의 성적표는 OECD 국가 중 꼴찌에서 순위를 세는 것이 빠르다.

지역 및 병원 간 의료 질 격차도 극심하다. 수도권과 대도시에 살면 큰 병이 나도 걱정이 없지만 지방이나 시골에서는 제대로 된 진료를 받을 수 없는 곳이 적지 않다. 경북 안동과 포항, 강원 춘천, 충북 청주, 전남 진료권의 중증환자 사망률은 서울에 비해 1.5배 높다.

우리나라는 병원 간 의료 질 격차도 외국에 비해 훨씬 크다. 우리나라는 대학병원급의 큰 종합병원 간 입원환자의 사망률도 4배가량 차이가 나지만 영국은 작은 병원들까지 포함해도 병원 간 사망률이 2배 정도밖에 차이가 나지 않는다.

병원비도 싸지 않다. 우리 국민은 OECD 국가에 비해 병원비를 1.7배 더 많이 낸다. OECD 국가의 병원비 본인 부담률은 약 20% 수준인 반면 우리나라는 35.5%로 더 높다. 우리나라 국내총생산(GDP) 대비 의료비도 2021년 OECD 평균 수준에 이르렀으니 이제 병원비 총액도 적지 않다. 암과 심장병 같은 중증질환의 병원비 부담이 OECD 평균 수준인 것은 그나마 다행이다. 미국에서 의료보험 없이 응급실에 갔다가 병원비가 수억원 나왔다더라 같은 극단적인 사례와 비교해 우리나라 병원비가 싸다고 주장하는 것은 괴담에 가까운 이야기다.

의료 질이 전반적으로 좋은 것도 아니고, 병원비도 싸지 않고, 어디 사느냐에 따라 받는 의료 수준이 천차만별인데 어쩌다가 우리 국민은 한국이 의료선진국이라고 생각하게 됐을까? 한국 국민으로 자부심을 갖고 살아갈 수 있게 해주는 '국뽕'으로 시작된 얘기일 수는 있다.

하지만 한국이 의료선진국이라는 담론은 응급실 뺑뺑이 같은 문제가 생길 때마다 의료체계를 근본적으로 뜯어고쳐야 한다는 주장을 잠재우는 데 활용됐다. 공무원들은 '국민들이 한국을 의료선진국이라고 생각하는데' 뭐 그렇게까지 의료체계를 고칠 필요가 있냐고 반문하고, 의사와 병원을 비판하는 목소리에 한국을 의료선진국으로 만든 자신들의 공로를 폄하한다고 했다.

한국은 예전에도 의료선진국이 아니었고 응급실 뺑뺑이와 소아진료 대란, 원정분만이라는 말이 일상화된 지금은 더더욱 아니다. 일부 대학병원의 의료 수준이 좋다고 해서, 동네 병·의원에서 쉽게 외래진료를 받을 수 있다고 해서 의료선진국이 될 수는 없다.

한국이 의료선진국이라는 환상은 정부의 복지부동과 의사와 병원의 기득권을 정당화하는 도구로 활용돼 왔다. 그 결과 20여년 전에 시작됐어야 할 의료체계를 개혁해야 하는 과제가 미뤄졌다. 이로 인해 의료체계는 붕괴의 위기를 맞고 있다.

새만금 잼버리와 같은 파행을 맞지 않으려면 계속해서 붕괴 신호를 보내고 있는 의료체계를 근본적으로 개혁해야 한다. 그 시작은 한국이 의료선진국이란 환상에서 벗어나는 것이다.[138]

120. 인생의 태풍을 만났을 때

기억해 보면 어느 한해도 태풍 없이 지나간 여름은 없었다. 한해 평균 3개 정도의 태풍이 한반도에 상륙한다고 하니, 태풍은 반드시 만나고 겪어내야 할 한반도의 숙명 같은 것이었다. 인생에도 피할 수 없는 태풍이 있다. <맹자>는 인생의 여정에서 만나는 태풍의 이름을 '우환(憂患)'이라고 하였다. 나를 힘들게 하고 어렵게 만드는 근심(憂)과 고통(患)은 누구도 피해갈 수 없는 인생의 태풍이라는 것이다. 하늘이 인간에게 생명을 부여할 때 옵션으로 넣어 준 것이 우환이다. 부귀한 자는 부귀한 자로서의 우환을 만나야 하며, 빈천한 자는 빈천한 자로서의 우환을 겪어야 한다. 맹자는 인생에서 만나는 우환의 태풍은 3가지 종류가 있다고 한다.

첫 번째는 고풍(苦風)이다. 마음(心)과 뜻(志)을 고통스럽게(苦) 하는 정신적인 우환이다. 고풍의 우환은 돈과 지위를 모두 가진 사람도 피해갈 수 없는 우환이다. 고풍의 발생원인은 다양하다. 바라던 기대와 다른 결과에 실망하여 올 수도 있고, 관계의 파탄에서 일어나기도 한다. 어느 날 허무함과 고독감을 느끼면서 발생하기도 하고, 아무 이유 없이 다가오기도 한다.

두 번째는 노풍(勞風)이다. 근육(筋)과 뼈(骨)를 수고롭게(勞) 하는 육체적 우환이다. 건강에 문제가 생기면 만나는 우환이다. 그토록 원하던 목표를 이루고 성공하였지만 노풍을 만나 한 순간 무너지기도 한다. 평소에 건강관리에 소홀하여 오기도 하고, 육체가 보내는 이상 신호를 감지하지 못하고 방치하여 발생하기도 한다. 과도한 정신적인 스트레스가 원인이 되어 발생한다고도 하니, 육체적 우환의 발생원인은 한두 가지가 아니다.

세 번째는 아풍(餓風)이다. 몸(體)과 피부(膚)를 굶주리게(餓) 하는 재정적 우환이다. 인생에 가장 자주 만나는 견뎌내기 힘든 우환이다. 사람을 잘못 만나 가진 돈을 모두 날리기도 하고, 잘못된 투자로 원금도 회수하지 못하여 발생하기도 한다. 때로는 게으름과 나태함으로 만나기도 하는데, 이런 경우는 어디 가서 하소연

할 곳도 없다. 일반 사람이 아풍을 만나면 자유를 잃고 속박당하기도 한다.

맹자는 인생에서 만나는 우환의 태풍을 정신(mentality), 육체(health), 재정(finance) 세 가지로 정리히면서 반전의 한마디를 던진다. 어쩌면 인생에서 만나는 태풍 덕분에 더욱 생명력을 얻을 수 있고, 더 높은 단계의 성장을 할 수 있다는 것이다. 우환 없이 사는 인생이 반드시 행복하지만은 않다는 논리다. '네가 만나는 근심과 고통이 너를 살릴 것이오(生於憂患, 생어우환), 네가 만나는 편안함과 즐거움이 너를 죽일 것이다(死於安樂, 사어안락).' 그렇다 태풍은 인생에 틈을 만들고, 공기를 불어넣어 더욱 큰 생명 에너지 만들어낸다. 태풍이 지나간 자리는 더욱 단단해진다. 폭풍이 몰고 온 바람은 대기를 순환시키고, 폭우가 내린 곳은 대지를 더욱 굳게 만든다. 태풍을 대비하고 겪어내고 정리하는 과정에서 성장하고, 성숙하고, 성찰하게 된다. 인생의 태풍은 하늘이 인간을 더욱 크게 만들고자 하는 축복일 수 있다는 것이 맹자의 인생 태풍 이론이다.

사마천은 궁형(宮刑)이라는 예상치 못한 태풍을 만나 〈사기(史記)〉를 완성하였고, 베토벤은 귀가 안 들리는 태풍을 만나 악성(樂聖)이 되었다. 대한민국은 전쟁과 몇 번의 재정 위기를 견뎌내며 선진국 대열에 들어설 수 있었다. 태풍은 당장 힘들게 하고 고통스럽게 하지만, 견뎌만 낸다면 축복이 되고 전설이 된다. 오늘 대한민국은 각종 태풍들을 만나고 있다. 길거리 흉기 난동, 세계대회의 부실한 준비와 처리, 학부형들의 교권침해에 따른 교사들의 아픔 같은 사회적 태풍에서부터, 강대국들의 무역전쟁에 따른 여파, 북한의 군사적 긴장, 불확실한 세계경제 같은 대외적 태풍에 이르기까지 어느 하루도 그냥 지나가는 날이 없다. 그러나 다행인 것은 태풍도 형성, 발달, 극성, 소멸이라는 주기가 있다는 것이다. 작게는 5일, 길어야 10일이면 결국 태풍은 소멸된다. 인생에서 만나는 태풍도 역시 수명이 있다. 시간이 지나면 모든 것은 지나간다. 문제는 태풍을 통해 더욱 강해지느냐, 아니면 태풍의 눈에 빠져 태풍과 함께 사라지느냐이다. 태풍 카눈이 몰고 온 빗물이 눈물이 되지 않기를 바라면서 올여름에도 태풍을 기꺼이 만난다.[139]

121. 고령층 고용 확대 위한 사회적 논의 내실있게 진행해야

정부가 초고령사회에 대비해 만 55~64세 근로자를 핵심 인적자원으로 활용하는 '계속고용' 논의에 착수했다. 가파른 저출산과 고령화로 줄어드는 노동인구를 늘리자면 계속고용이 필요하다는 것이 정부 입장이다. 고용노동부는 지난 27일

올해 첫 고용정책심의회를 열고 이 같은 내용의 제4차 고령자 고용촉진 기본계획 (2023~2027년)을 심의·의결했다. 계속고용은 만 60세 정년이 지난 직원도 계속 일할 수 있게 하자는 것으로 정년 연장·폐지, 재고용 등을 포괄하는 개념이다.

계속고용은 노동 공급을 늘리고 연금 고갈 시기를 늦출 수 있다는 장점이 있다. 국민연금은 개혁 없이 현행 제도대로 유지될 경우 2041년부터 수지 적자가 발생해 2055년엔 기금이 바닥날 것으로 전망됐다. 저출산·고령화 심화와 경기 둔화로 5년 전 추계보다도 소진 시점이 2년 앞당겨진 것이다. 이에 따라 보험료율, 의무가입 연령, 수급개시 연령 등을 놓고 국민연금 개혁 논의가 본격화해야 한다는 목소리가 높다. 국민연금 수급 연령 변화를 감안하면 노령층의 고용 연장 논의를 미룰 수 없는 셈이다.

지금 우리 사회는 고령화 시대로 빠르게 전환되고 있다. 출산율 하락 속에 전체 인구 감소 추세가 두드러지고 있다. 수명이 늘어나면서 고령층 생계나 일상 생활 보장이 중요한 사회 이슈가 되고 있다. 정부가 고령층 고용 확대 논의를 서두르는 데는 경험이 풍부하고 숙련된 고령층, 특히 만 55~64세 장년층의 고용률을 끌어올려야 한다고 보고 있기 때문이다. 한국의 65세 이상 고용률은 2021년 기준 34.9%로 경제협력개발기구(OECD) 1위다. 연금 소득이 부족해 경제 활동을 이어가는 고령층이 많다. 하지만 55~64세는 일자리 부족으로 2021년 기준 66.3%로 일본(76.9%) 독일(71.8%) 등 다른 주요 국가보다 낮다.

계속고용을 확대하려면 청년층 피해와 기업 부담 최소화 대책이 필요하다. 기업들은 고령층 고용에 대해 인건비 증가를 가장 부담스럽게 느끼고 있다. 고령 인력의 생산성 저하, 조직 내 인사적체도 우려하고 있다. 고용부가 고령자 계속 고용이 확대되려면 근속연수가 길수록 임금을 더 받는 연공급 위주의 임금 체계를 각 근로자의 직무와 성과를 기반으로 하는 직무·성과급 위주로 바꾸어야 한다고 판단하는 이유다.

고령자라고 해서 무조건 임금을 더 많이 줘야 하는 임금 체계에서는 기업들이 고령자 고용을 꺼릴 수밖에 없기 때문이다. 고령층 고용 확대는 우리보다 앞서 저출산·고령화 현상을 겪은 선진국들이 선택한 방식이다.

연금 개혁은 연금 자체의 손질과 함께 노동 개혁과 연계되어야만 성공할 수 있다. 이들 정책은 함께 고려할 사안이 한두 가지가 아니어서 합의에 이르기까지 험난한 시간을 거쳐야 한다. 그렇다고 계속 뒤로 미룬다고 해법이 나오지 않는다. 정부와 여야 정치권은 정치적 유·불리를 따지지 말고 연금과 노동 개혁에 대한 논의에 나서야 하겠다.[140]

122. 노래진 눈 흰자위…췌장·담관암 '신호' 놓치지 마세요

담낭에서 소장으로 담즙이 이동하는 통로인 담관이 췌장에 생긴 종양 때문에 막혀 담즙이 정체되고 있다. 황달이 나타난 췌장암 환자의 담관을 열기 위해 넣은 금속 스텐트를 촬영한 내시경 사진(한림대 동탄성심병원 제공)

담낭에서 소장으로 담즙이 이동하는 통로인 담관이 췌장에 생긴 종양 때문에 막혀 담즙이 정체되고 있다(왼쪽 그림). 황달이 나타난 췌장암 환자의 담관을 열기 위해 넣은 금속 스텐트를 촬영한 내시경 사진(한림대 동탄성심병원 제공).

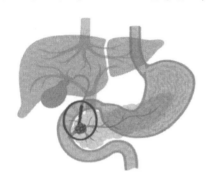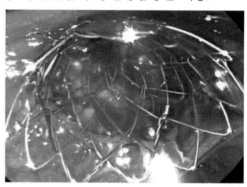

김모씨(70)는 한 달 전부터 눈의 흰자위가 점점 노랗게 변했다. 그러나 일시적으로 생긴 증상이라 생각하고 대수롭지 않게 여겼다. 최근 몸의 다른 부위까지도 노랗게 변하자 만나는 사람들마다 얼굴빛이 안 좋으니 병원에 가보라고 말했다. 뒤늦게 병원에서 여러 검사를 받은 김씨는 의사로부터 췌장암이라는 진단과 함께 이미 암이 너무 진행돼 수술이 어렵다는 얘기를 들었다.

얼굴색이 노랗게 변하는 황달은 다양한 질병의 신호일 수 있다. 지방의 소화작용을 돕는 담즙은 간에서 만들어져서 담낭(쓸개)에 저장된다. 식사하면 저장돼 있던 담즙이 담관을 통해 소장으로 이동해 소화를 돕는다. 황달은 이 과정에서 정상적으로 배출되지 못한 담즙 때문에 그 속의 빌리루빈 색소가 몸에 과다하게 쌓여 나타나는 증상이다.

대표적인 원인으로는 용혈성 빈혈처럼 지나치게 빌리루빈이 형성되는 경우나, 간 손상으로 빌리루빈을 제대로 처리하지 못하는 경우 등이 꼽힌다.

황달에 특히 주의해야 하는 이유는 소화기암인 췌장암과 담관암의 신호일 수도 있기 때문이다. 이들 암이 발생한 때도 담관이 막혀 흐르지 못하는 담즙 때문에 황달이 생길 수 있다. 또 황달이 있는 상태에서 수술이나 항암치료를 받으면 이미 몸의 면역력이 떨어진 상태여서 합병증이 발생할 가능성이 크다. 치료 과정에서 담관염, 간부전이나 심하면 패혈증까지 나타날 수 있다.

이경주 한림대 동탄성심병원 소화기내과 교수는 "암에 의해 황달이 생긴 경우 황달 증상이 호전될 때까지 적극적인 암 치료를 못하는 경우가 많아 신속히 황달부터 치료하는 것이 중요하다"고 말했다.

암이 담관을 막아 황달이 생긴 것으로 밝혀지면 '내시경적 역행성 담췌관조영술(ERCP)'로 해당 부위의 병변을 먼저 검사·치료한다. 이 조영술은 내시경을 십이지장까지 삽입한 뒤 십이지장 유두부라는 작은 구멍을 통해 담관과 췌관에 조영제를 주입하는 시술이다. 병변을 살펴보는 동시에 담즙이 정상적으로 내려올 수 있도록 막혀 있는 담관을 뚫고 스텐트를 삽입한다.

하지만 이 시술을 받더라도 고여 있는 담즙이 빠져나오고 황달이 호전되려면 길게는 2~4주까지도 걸릴 수 있다. 그 때문에 황달의 치료가 늦어져 암의 결정적인 치료 시기를 놓칠 우려도 있다.

황달을 통해 몸의 이상 신호를 재빨리 알아채려면 눈을 유심히 살피는 것이 도움이 된다. 황달은 눈의 흰자위(공막)부터 노랗게 변하기 시작해 점차 몸의 아래쪽으로 퍼지며 결국 온몸으로 번진다. 황달로 인한 몸의 변화는 서서히 나타나기 때문에 의외로 본인이나 가족들도 바로 알아차리지 못하는 경우가 많다. 그 때문에 얼굴이 노랗게 변하는 증상과 함께 몸의 다른 변화도 유심히 관찰해야 한다.

황달이 발생했을 때 함께 나타나는 증상은 소변의 색이 진해지는 것이다. 막혀 있는 담즙의 성분이 소변으로 배설되기 때문이다. 또 황달이 암 때문에 유발된 경우 입맛이 떨어지고 소화불량이 나타나 체중이 줄어들 수 있다.

황달로 병원을 방문했다가 뜻하지 않은 암 진단을 받게 된다면 절망적인 감정이 들 수 있다. 그러나 다른 시각에서 보면 오히려 황달이 생겨 암을 조기에 진단할 수 있게 된 것을 다행이라 볼 수도 있다. 췌장암과 담관암은 '침묵의 암'으로 불리며 초기 증상이 거의 없는 대표적인 암들이다. 특히 췌장암은 췌장이 몸속 깊숙이 위치해 있어 암을 발견했을 때 수술이 가능한 환자의 비율이 20%에 불과하다.

췌장암으로 황달이 발생하는 이유는 종양이 담관과 가까운 췌장의 머리 쪽에 있기 때문이다. 암이 담관과 보다 멀리 떨어져 있는 췌장의 몸통이나 꼬리 쪽에 생겼다면 증상이 늦게 나타나 발견이 어려울 수밖에 없다.

이경주 교수는 "암으로 황달이 나타난 환자가 관련 증상을 유심히 관찰하지 않거나 대수롭지 않게 생각해 결정적인 암 치료 시기를 놓치는 경우가 많아 안타깝다"며 "황달은 오히려 암을 조기에 발견해 치료할 수 있는 증상이기 때문에 황달이 의심된다면 즉시 병원을 방문해 전문의에게 검사를 받는 것이 중요하다"
고 말했다.[141]

123. 여러분, 국가검진 잘 받읍시다

올해도 가을 바람이 선선해지기 시작했으니 건강검진센터가 더 바빠지는 시기
가 돌아오고 있다. 20~30대 젊은 세대들의 국가검진 수검률이 낮은 것이 걱정이
라는 1~2년 전 기사를 읽은 뒤부터 나는 우리 의료기관에 내원하는 20~30대들이
국가검진을 잘 받고 있는지 열심히 챙기기 시작했다.

우리 의료기관을 찾아오는 20~30대 환자들 중에서는 트랜스젠더들이 많다. 자
연스레 젊은 트랜스젠더들의 국가검진을 챙기고 있다. 그런데 자신이 올해 국가
검진 대상자라는 사실은 둘째치고, 국가검진이라는 게 존재하는지조차 모르는 분
들도 많다.

어차피 트랜스젠더 성별 확정을 위한 호르몬 치료를 받기 시작하면, 호르몬 수
치가 안정적인 궤도에 올라가기 전까지는 3개월에 한 번씩, 안정적이 된 후에도
최소 6개월이나 1년에 한 번씩은 전반적인 신체검진을 포함해 혈액검사를 해야
한다. 그런 검사를 위해 내원한 분들에게 국가검진을 권하는 경우가 많다.

"오늘 혈액검사 중 일부를 국가검진으로 돌려서 하십시다. 원래 혈액검사 해
야 하는 때인데, 마침 홀수년 출생자시니 올해 국가검진 대상이 되시거든요. 일부
라도 국가검진으로 하면 비용도 절약되고, 같은 검사를 이중으로 하지 않아도 되
니 의료자원 낭비도 없고, 국가검진 수검률도 높아지니, 개인적으로나 사회적으로
나 좋은 일이지요."

하지만 트랜스젠더 국가검진이 말처럼 쉬운 건 아니다. 트랜스젠더들의 건강검
진을 위해서는 여러 가지 조건이 필요하다. 소변 검사를 해야 되니까 성중립 화
장실이 있어야 하고, 탈의를 위해 성중립 탈의실이나 1인용 탈의실이 있어야 한
다.

트랜스젠더 검진의 원칙은 현재 지니고 있는 장기에 대해서는 검진을 하고, 수
술도 절제된 장기에 대해서는 검진하지 않는다는 것이다. 그러니 이에 맞춰 건강
검진 항목을 잘 짤 수 있어야 한다. 호르몬 치료를 해왔던 기간이나 어떤 수술을
받아왔는지에 따라 건강검진 항목을 개인별로 맞춰 주어야 하는 것이다. 주민등
록번호로는 남성이지만 자궁경부암 검사가 필요한 분들께 적절한 검사를 추천할

수 있는 기본 지식이 있어야 가능한 일이다.

건강검진 결과를 해석하고 판독할 때도 수검자가 트랜스젠더임을 고려하는 것이 필요하다. 주민등록번호로는 여성이지만, 트랜스남성으로 정체화한 이후 남성 호르몬을 꾸준히 맞아왔기에 생리적으로는 남성에 훨씬 가까운 상태라면, 혈색소 수치나 간 수치, 신장 기능까지 모두 남성의 기준에 맞춰 해석해야 한다. 여성의 기준에서 보면 정상적인 혈색소 수치이지만 남성 기준에서는 빈혈일 수도 있고, 남성 기준에서는 정상적인 신장기능이지만 여성 기준으로는 신장기능 저하일 수도 있다. 성별에 따라 다른 참고치를 보이는 대표적인 검사들이 혈색소(빈혈), 간 기능, 신장기능 등이니, 최소한 이런 항목들만이라도 잘 해석해야 한다. 그러니까 이런 조건들을 잘 갖추기가 쉽지 않은 것이다.

호르몬 치료를 시작하기 위해 우리 의료기관에 처음으로 방문하는 트랜스젠더들에게 나는 구구절절 설명을 한다. 40세, 50세, 60세에는 어떤 건강검진을 해야 되는지, 종이에 밑줄을 그어가며 설명한다. 대부분 20~30대 분들이라 너무 먼 일이라고 생각하시는 것 같기는 하지만, 그래도 열심히 들어주신다. 잘 알려져 있지 않은 트랜스젠더에게 건강검진과 관련한 정보 자체를 전달하는 것도 중요하지만, 내 입장에서는 강조하는 지점이 좀 다르기도 하다. 내가 에너지를 실어서 전달하고 싶은 말은 '우리의 삶은 중장년, 노년에 이르기까지 계속 이어진다'는 얘기이다.

우리 삶은 40세, 50세, 60세가 되도록 이어지고 있을 것이니, 모쪼록 잘 삽시다. 그 나이가 될 때까지 국가검진 받으며 건강하게 지냅시다, 쉬이 죽지 맙시다.[142]

124. 초고령사회와 시니어케어

2025년이면 우리나라도 초고령사회에 진입한다. 65세 이상 인구의 비중이 전체 인구의 20%를 넘어서는 것이다. 고령화 이슈는 비단 어제오늘 일도 아니고, 우리나라만의 문제도 아니다. 일본은 2003년, 독일은 2008년, 프랑스는 2018년에 이미 초고령사회로 진입했고, 미국은 2030년, 중국은 2033년이면 초고령사회에 진입할 것으로 전망된다. 전 세계 65세 이상 인구는 2020년 7억명에서 2050년 15억명으로 증가할 것이라고 한다.

초고령사회에 대한 대응은 소위 고령친화산업 육성이라는 산업적 측면과 함께 사회안전망 구축이라고 하는 사회보험적 측면이 함께 고려되어야 한다. 우리나라는 2006년 고령친화산업 진흥법 제정을 기점으로 초고령사회 대응을 위한 다양한 정책을 추진해오고 있다.

한국보건산업진흥원의 실태조사에 따르면, 우리나라의 고령친화산업 시장 규모는 2021년 기준 총 73조원이다. 기존 고령층에 비해 높은 경제력과 다양한 선호를 보유한 베이비붐 세대(1955~1963년생)가 이제 본격적으로 고령층에 진입하기 시작했기 때문에 고령친화산업의 성장 잠재력은 매우 높다. 하지만 이 분야에 종사하는 사업자들 중 매출액 10억원 미만이 73.6%, 종사자 수 10인 미만이 78.4%로 대부분 영세기업 위주로 형성되어 있어 아직 성장 초기 단계에서 벗어나지 못하고 있다.

한편, 사회보험 측면에서 2008년에 도입된 노인장기요양보험제도가 중요한 역할을 하고 있다. 개인과 가족의 책임에 의지해 온 노인 돌봄 문제를 사회적 지원 과제로 전환하여 노인부양비 증가에 따른 세대 간 갈등과 과중한 부담 문제 해소에 기여하고 있기 때문이다.

얼마 전 정부는 제3차 장기요양기본계획을 발표했다. 이 계획은 2023~2027년 장기요양보험제도 중장기 발전 방안을 담고 있다. 특히 눈에 띄는 점은 방문요양·목욕·간호·주야간보호 등의 재가서비스를 복합 제공하는 통합재가서비스를 확대하는 한편, 장기요양시설을 30년까지 5000곳 확충한다는 계획이다.

이 시점에 우리는 우리보다 앞서 초고령사회에 직면했던 일본의 사례에 주목할 필요가 있다. 2000년에 개호보험(우리나라의 장기요양보험)을 도입한 일본은 2022년 고령자 수가 3600만명이며, 이 중 장기요양 인정자는 690만명으로 고령자의 19%를 차지한다. 일본 국토교통성에 따르면, 일본의 요양 및 고령자 주거시설은 2020년 기준 5만6600여개가 운영 중이다. 특히 민간이 주도하는 중산층 대상 고령자 돌봄주택이 핵심적인 역할을 하고 있다.

주목할 점은 이들은 고령친화 주거공간, 생활지원 서비스, 장기요양 및 의료서비스를 종합적으로 제공한다는 것이다. 시니어타운으로 대표되는 주거시설과 요양시설이 분리되어 있는 우리나라와 다른 점이다.

우리나라의 경우 장기요양기관의 83.6%는 개인사업자가 운영하고, 30인 이하 소규모 시설이 55.3%나 되기 때문에 장기요양시설의 수나 규모의 확충이 시급한 게 사실이다. 그런데 더 나아가 일본처럼 주거와 요양이 결합된 형태의 고령자 돌봄주택 도입을 고려할 필요가 있다. 또한 주거 및 요양시설 공급 증대를 위해서는 민간기업의 진출 유도 혹은 민관 협력이 중요하다. 공공부문만으로는 재정적 한계가 명백하기 때문에 지자체와의 협력을 통한 민간 참여 유도가 절실하다.

끝으로 우수한 전문인력 확보와 돌봄서비스의 질적 향상을 도모하기 위해선 요양보호사에 대한 처우 개선과 함께 체계적 교육 프로그램이 필요하다. 정부는 현행 60만명인 요양보호사를 2027년까지 75만명으로 확충하겠다는 계획을 제시했는데 그 구체적인 방안을 시급히 마련해야 할 터이다.

일전에 세미나 자리에서 만난 한 일본 전문가가 던진 말이 생각난다. 그는 "한국도 서둘러야 한다. 고령화 문제는 쓰나미처럼 갑자기 몰려온다. 대비가 없다면 거의 재앙이 될 것"이라고 경고했다. 고령화는 누구에게나 예정된 미래이다. 산업적 육성과 사회적 안전망 구축이라는 양면적 특성을 고려하면서 현명하게 그러나 늦지 않게 대처해야 한다.[143]

식품업계 관계자는 "초고령사회로 빠르게 변화하고 있고 웰빙이 중요한 화두로 떠오르면서 환자와 고령층에 국한됐던 케어 푸드 소비층도 다이어터, 어린이, 산모 등으로 확대되고 있다"라며 "앞으로 케어 푸드 시장은 더욱 커질 것으로 전망되는 가운데 종류도 다양해지고 경쟁도 치열해질 것"이라고 말했다(브릿지경제, 2022. 03. 04, 양길모).

125. 부모의 역할이란 무엇인가

열 살, 일곱 살, 두 아이를 나는 "김대혼씨" "김린씨" 라고 부른다. 매번 그러는 것은 아니고 그들을 글로 써야 할 때만 그렇게 한다. 페이스북에 '부글부글 강릉일기' 라는 제목으로 종종 아이들과의 일들을 쓰다 보면 나를 만난 사람들이 묻는다. 김대혼씨와 김린씨는 잘 있느냐고. 그들은 왜 아이들을 그렇게 호칭하는지 궁금해하기도 한다. 웃기려고 그런다고 생각하는 사람도 있고, 아이들을 존중하기 위해 그러느냐는 사람도 있다. 사실 아이들과 멀어지고파서 일부러 쓰기 시작한 호칭이다.

아이들을 키우다 보니 볼 때마다 여러 욕망이 찾아왔다. 잘 크면 좋겠다, 건강하면 좋겠다, 한글을 빨리 떼면 좋겠다, 구구단을 외우면 좋겠다, 받아쓰기를 잘하면 좋겠다, 어휘력이 높으면 좋겠다 등등. 그러다 보니 기대와 실망이 번갈아가며 찾아오는 것이었다. 나는 왜 그들에게 그러한 기대를 하고 있는 것인가. 결국 부모와 아이는 가까워질 수밖에 없는 존재다. 한없이 가까워지다 못해 동일시하는 데까지 이르게 된다. 그러나 나의 욕망을 아이에게 대리시키는 게 괜찮은 것인가. 그건 서로를 불행하게 할 뿐이다. 나는 그들이 내 눈치를 보는 대신 무엇이 자신을 행복하게 하는지, 어울리게 하는지 스스로 선택해 나가며 한 개인으로서 자립하기를 바란다.

경제활동을 해 자신의 삶을 영위할 수 있게 되는 것을 경제적 자립, 물리적 자립이라고 할 수 있겠다. 그러나 그 이전에 정서적인 자립이 필요하다. 자신이 소중한 존재임을 인식하고 어떤 현상을 나로서 바라보고 사유할 수 있는 힘을 가진 사람. 그건 어린 시절부터 행복한 부모를 보고 그 길을 따라가는 아이들에게 길러지는 힘이다. 정서적 자립을 하지 못한 사람이 성인이 되고 부모가 된다고 해서, 그가 사회인이 되었다고 해서, 그가 자립한 사람이라고 하기는 어렵다.

사실 아이, 어린이, 아동의 발견이란 근대에 이르러 '개인' 의 발견과 함께 찾아온 것이다. 우리가 기억하는 어린이날의 탄생과 전후해, 그들 역시 하나의 인격체이며 일대일로 관계 맺을 수 있는 자아를 가진 존재라고 우리는 인식하게 됐다. 어린이날에 이르러 우리는 한 번 더 아이들을 돌아볼 기회를 가진다. 나의 아이가 아니라 한 개인으로서 어린이를 바라볼 수 있어야 하는 날이다.

그러면 부모의 역할이란 무엇일까. 그들에게 길을 가르쳐주는 건 나의 일이 아닐 것이다. 부모가 스스로 한 개인으로서 행복하고, 그래서 아이가 자연스럽게 그 길을 지향하게 만드는 것, 대신 아이가 따라올 그 길의 돌을 몇 개 골라두어 조금은 덜 넘어지게 하는 것, 부모가 마땅히 해야 할 일이란 그런 것이다. 아이의 몸과 마음을 돌보는 일. 그러나 그들의 마음을 있는 그대로 읽되 자신이 원하는 문법으로 빨간줄을 그어 교정하려 하지 않는 일. 부모도 아이도 저마다의 언어로 자신의 삶을 써 나갈 때, 그리고 그 언어가 자연스럽게 닮아갈 때, 그 어느 존재보다도 멀면서도 가까운 하나의 공동체가 탄생한다.

내 글에서는 두 아이를 계속 김대흔씨와 김린씨라고 호칭하려고 한다. 이러한 호칭이 옳다고 권하고 싶지는 않다. 집집마다 아이를 부르는 그 집만의 고유한 언어가 있을 것이다. 언젠가 나의 아이들도 나에게 김민섭씨라고 스스럼없이 쓸 수 있게 되면 좋겠다. 물론 얼굴을 보며 그렇게 말하면 이건 아닌데, 하는 마음이 될 것 같지만, 적어도 그들의 인식과 글 속에서는 그런 개인으로 발견되고프다.

이번 어린이날엔 두 아이와 강릉시 어린이날 축제에 다녀왔다. 나는 얼마 전 문을 연 서점의 부스를 운영하느라 바빴으나 수백명의 어린이들에게 김대흔씨와 김린씨가 주운 바다유리를 엽서에 넣어 선물했다. 어린이날을 잘 지낸 모든 어린이들의 행복을, 그리고 정서적인 자립을 응원한다. 나도 나의 아이들과 적당한 거리를 두기 위해 계속 노력할 것이다.[144]

126. 나가는 글-다목적 K-시니어타운의 실험을 제안한다-

지난달이었다. 지방의 유명 시니어 타운(또는 실버타운)에 거주하시는 80대 원로 한 분을 찾아 뵈었다. SRT에서 내려 가파른 고개를 넘어 30분 이상을 달려 도착했다. 왠지 입지가 아닐 것 같다는 선입관이 들었다. 현장에 도착해 보고 예감대로 내가 생각하던 시니어 타운이라고 보기에는 좀 거리가 있었다. 인접한 골프장 이외에는 이렇다 할 특징이 없었다. 결국 시니어 타운이라는 이름으로 포장한 아파트 분양에 불과한 것 아닌가 하는 의구심을 떨치기가 어려웠다.

지금 시중에는 시니어 타운에 대한 관심이 계속 올라가고 있다. 롯데그룹이 마곡지구에 초고급 실버타운을 짓기로 했다는 보도도 있었다. 국회의원들도 시니어 타운 해외현지 시찰을 다녀왔다고 할 정도이다. 서울시도 고덕지구에 세대융합형 시니어타운을 짓기로 했단다. 필자는 수년 전부터 농경사회에서 산업화 사회로 옮겨가게 됨으로써 부모와 자식 간의 관계도 바뀌어야 한다고 생각해 오고 있다. 특히, 세대 대결, 착취가 아닌 세대 연결, 융합을 고민해야 한다고 주창해 오고 있다. 그런 차원에서 바람직한 시니어타운의 대중적인 보급을 고민해오고 있다.

후계 세대에게 조기에 자산의 일부를 양도, 자활의 계기를 만들어 주어야 한다는 인식, 어른들이 수도권을 좀 비워 주어야 하는 것 아닌가 하는 소박한 생각, 그리고 시니어들도 자기책임 하에 후속세대에게 부담을 덜어주어야 한다는 인식 하에서이다. 몇몇 시니어 타운과, 조합 주택 등을 관심 있게 지켜보아 왔다. 주도적으로 추진하는 인사들과의 면담도 여러 번 가졌다. 시니어타운에 대한 개념정립과 대중화된 한국형 시니어 타운의 모델 정립이 필요하다고 본다.

가. 시니어 타운 논란 배경

위키피디어(Wikipedia)는 비영리 단체인 위키미디어재단이 운영한다. 위키피디어의 영어판은 2001년에 시작되었다. 무료 온라인 백과사전인 누피디어닷컴(Nupedia.com)을 주축으로 하여 상용화했으나 자문위원회의 반대에 부딪쳐 다시 독립적인 웹사이트로 상용화했다.

시니어 타운(또는 실버타운)이 뭘 뜻하는 것일까. 개념 파악을 위해 위키피디어와 네이버 검색을 해보았다. 위키피디어에는 이렇다 할 개념 소개가 없었다. 네이버에는 "미국의 남부지역을 중심으로 1960년대부터 형성된 것으로 노후생활을 하는 데 필요한 의료시설, 오락시설, 체력단련시설 등을 갖추고 식사 관리, 생활 편의, 건강 의료 등의 서비스를 제공하는 노인들의 주거단지" 로 정의하고 있었다. 결국, 국가의 발전에 따라 자생적으로 생겨 역사가 오래지 않고, 살만하게 된 선진국에서 시작되었으며, 노인이라는 특정연령계층을 수용하는 주거시설이라고 판단 되었다.

우리나라에서는 그동안 두 단계를 거친 것 같다. 지금 시중에 출시된 시니어타운은 대체로 1% 이내의 최상위층의 75세 이상의 베이비부머 이전 세대인 산업화 세대용으로 판단 되고 있다. 극소수의 성공한 세대의 노후복지시설 개념인 듯하다. 물론, 그 후속세대가 현재 사회의 핵심을 이루고 있는 40~55세들로서 부모 세대들을 모시기 위한 맥락에서 가세한 측면도 있다. 따라서 요양원 개념이나, 의료시설이 훨씬 강조되고 있는 듯하다. 소위 성공한 인사들은 앞에서 지적했듯이 주로 수도권에 집중해 있을 것으로 판단 된다. 자연히 실버타운도 도심형이 될 수밖에 없다.

지금의 2세대 시니어타운의 새로운 관심은 인생 100세 시대의 은퇴 후의 자립적이고 건강한 인생을 보내고자 하는 취지가 강한 것 같다. 좀 더 자립적이고, 인생의 마지막을 요양원이 아닌 자가에서 맞겠다는 보다 적극적인 시니어타운 개념인 것 같다.

왜, 지금에야 이런 시니어타운에 대한 논의가 다시 나왔을까? 일반적으로 몇 가지 요인이 있는 것 같다.

제일 먼저 우리가 살만하게 되었다는 표시이다. 물론 인구 고령화의 진전과 함께, 나온 것이기는 하다. 일본이 급속하게 고령화되면서 실버산업이 한때 각광을 받았기도 했고 이것이 어느 정도 영향을 끼친 것은 사실일 것이다. 더 중요한 것은 우리가 과거의 먹고사는 문제에서 탈피, 인간다운 생활을 영위한다는 것이 더욱 더 중요해졌다는 것이 동기였을 것이라고 본다.

이에 더해서 우리의 경우, 인구구성 구조상, 시니어타운에 대한 수요가 자연히 생겼다고 판단된다. 왜 일까? 지금의 대거 은퇴세대가 베이비부머 (1955년~1963년 출생자)이고, 이들은 독특한 특징을 지니고 있기 때문이다.

우리나라 인구 중 처음으로 동년배 10% 대학졸업세대이다. 인간 사회에서 샘플의 10%는 의미 있는 숫자라고 확신하고 있다. 너무 주관적인 판단이긴 하지만. 10%가 주도해 준다면 동년배 전체의 여론을 어느 정도 수렴할 수 있다.

또한, 인당소득 1만 달러에서 3만 달러로 끌어올릴 때 실무에서 주역을 맡아온 세대다. 전문성을 가졌다는 상당한 자부심을 갖고 있다. 또 50% 이상이 이촌향도 세대로 지방거주에 대해 여건만 갖추어지면 거부감이 상대적으로 옅은 마지막 세대라고 보여진다.

가구당 적어도 월 100만 원 이상의 국민연금을 받는 본격적인 국민연금 수급세대이다. 그만큼, 자산이 있는 것이다. 수도권 주택소유자의 대부분이 700만 베이비부머 세대아닐까 추정해 본다. 결국, 자금력도 좀 있고, 배울 만큼 배우고, 세상 물정도 이해하면서 전 세계를 돌아본 집합정보가 소통되고 있다. 이것이 은퇴의 핵심에 서 있는 700만 베이비 부머에게 시니어타운에 대한 관심을 높인 것으로 판단해 본다.

또 하나가 인류의 지향목표가 바뀌고 있기 때문일지도 모른다. 세계 2차대전 종전 이후 세계의 각국들이 부국강병에 몰두, 고비라고 할 수 있는 인류 전체의 인당소득 1만 달러를 달성하였다.

2011년 전후의 일이다. 아직도 냉전은 끝나지 않았지만, 지나친 국가주의가 아니라, 인류의 행복이 가장 중요한 목표가 된 것이 아닐까? 단순히 부국강병이라는 전체주의적인 사고로부터의 탈피이다. 국가가 아니라, 나부터가 우아하게 지내다 자식세대에게 부담주지 않고 보다 자주적으로 살다 갔으면 하는 바람이 있다. 배운 만큼, 생을 주도적으로 살겠다는 의지가 강하다고 본다. 그 이전 세대들이 먹고사는데 몰입했던 것과는 상이하다.

이것이 복합적으로 어우러져서, 시니어 타운에 대한 관심을 높이고 있다고 본다. 결국 베이비부머에 대한 세대 정책의 일환으로 파악해야 하지 않을까 싶다.

나. 시니어타운 특징

사회생활에서 은퇴한 고령자들이 집단적 또는 단독적으로 거주가 가능하도록 노인들에게 필요한 주거 및 서비스 기능을 갖춘 노인주거단지를 말한다. 실버타운이란 고령화 사회의 도래로 고령자를 위한 주거 수요의 증가와 함께 생겨난 노인 주거단지로, 각종 휴양·여가 시설, 노인용 병원, 커뮤니티 센터 등 노인들을 대상으로 하는 다양한 서비스 기능의 시설이 갖추어진 곳을 말한다.

시니어타운(silver town)은 기존 주택과 달리 입지와 주택구조가 어떤 형태가 되어야 좋을까? 인터넷을 통해서 시니어타운(또는 실버타운)에 대한 소개를 검색해 보았다. 30개 지역이 소개되었다. 각 지역당 세대수가 생략되어 총 몇 세대 수용 가능한지는 미지수였다. 하지만 몇 개의 특징은 추출해 낼 수 있었다. 거의 대부분이 영업이익을 추구하는 비즈니스 차원에서 시작되었다는 점이다. 주로 병원 그룹과 연계되어 있다. 평균적으로 25평형 전후로 보증금이 2억 원대이고, 일인당 월 100만 원 정도의 경비가 드는 것으로 집계되었다. 대체로 이들은 수도권에 배치되어있는 도심형이 주축이었다. 앞에서 지적한 1세대 시니어 타운의 전형이라고 볼 수 있겠다.

① 지리적 입지

필자가 이상향으로 생각하는 2세대 실버타운의 개념은 대체로 다음과 같다. 앞에서 거론한 역사가 오래지 않고, 선진국에서 시작되었으며, 노인이라는 특정 연령계층을 수용하는 주거시설이라는 점을 재인식, '한국형 K-시니어타운'의 도입이 필요할 것으로 보인다. 즉, 거주자 자활형 시니어타운 개념의 도입이 필요하다. 우선, 시니어용 주택단지는 입지와 주택 특징이 일반 주택과는 확연히 달라야 한다고 본다. 지리적 입지다. 구태여 수도권이 아니더라도 고속철 (KTX, SRT)로 연결이 가능해 교통 편의성이 높은 지방이 좋겠다는 생각이다. 실버타운 수요층인 베이비부머의 상당수가 이촌향도세대이다. 따라서 베이비부머가 부분적으로 지방에서 생활하면서 지방소멸을 막아보자는 취지이기도 하다.

고속철 주변에 입지한다면 수도권의 교통체증 지역보다 훨씬 소통이 원활할 수 있다. 이 모델이 베이비부머의 주도로 정착된다면 우리 후계 세대도 좀 더 나은 생활을 할 수 있지 않을까 기대해 본다. 지금은 고속철이 경부·전라 뿐 아니라, 경남관통, 강원도 관통선 등이 이어지고 있다. 입지가 과거에 비해 훨씬 다양해 질 수 있다. 베이비부머의 지방거주로 청년층들에게도 일자리 창출이 가능하지 않을까 기대해 본다. 한때 유행했다가 시들해진 도심과 격리된 전원형 실버타운의 실패는 교통입지 선정의 실패에 기인한 측면도 있다는 점도 염두에 둘 필요가 있다.

② 거주 형태

두 번째가 거주형태이다. 층고에 있어서도 저층으로 자연과의 조화가 이루어져야 한다고 본다. 한때 유행했던 전원 주택의 효용가치도 부분적으로 흡수해야 한다. 사실, 전원주택이 실버세대의 로망이기는 하지만 현실적이지는 않다. 실버세대가 떠날 때까지 거주하기에는 관리상의 한계가 있다. 나중에 처리하는 게 그리 쉽지 않을 것이다. 결국 고층아파트를 지양하고 5층 정도의 저층공동 주택으로 텃밭과 인근의 산책로가 어느 정도 딸린 단지가 어떨까 생각해 본다. 이 입지와 관련, 지역 보건소 또는 보건지소와의 연계가 이어졌으면 한다. 응급조치가 가능한 종합병원이 30분 이내 거리에 있었으면 한다.

이런 주거환경이 될라치면 공동주택 단지의 규모가 100세대 이상은 되어야 부대시설과 설비가 들어올 수도 있겠구나 싶어졌다. 결국 부지로 5천평 정도가 확보되면 5층의 저층 엘리베이터 있는 텃밭까지 구비된 괜찮은 100여세대 거주 가능한 저층공동주택 단지가 조성될 수 있을 것으로 판단되었다. 많은 지방자치단체들이 독자적으로 또는 LH 등과의 협업을 통해서 추진하고 있는 청년유치 주택단지는 20~30세대 규모다. 단독주택이 주종을 이루어 과연 실효성이 있을까 고개가 갸우뚱 거려진다. 또 최적규모로는 너무나 소규모이다.

③ 구성원

또 하나가 구성원들이다. 당장 구성원들이 공동주택 운영에 기여했으면 좋겠다. 가령 공동식당 운영과 셔틀버스이 운영이 필수적일 텐데 입주자들의 유·무급 참여를 유도할 수 있을 것이다. 동시에 청년세대에게 일거리를 일정 정도 주게 되는 것이다. 그들과의 공존모델을 창출할 수 있다. 시니어 타운을 운영할 수 있는 젊은 세대가 거주할 수 있도록 세대 연결형 공동주택을 같은 단지 내에 한 동(棟) 정도(고층이라도 무방) 지었으면 한다. 이 일반동을 청년입주자들에게 싸게 분양하는 방법을 강구해 볼 수 있을 것이다. 이곳 거주자들이 시니어들과 협동해서 공동체를 잘 운영해 나갈 수도 있지 않을까 생각해 보기도 한다. 시니어 타운의 운영은 보증금 형태의 목돈을 내고 영구임대주택으로 할 수 있을 것이다.

공동주택단지 내의 구체적인 구조 및 운영이다. 일단, 저층이라도 복도형 엘리베이터 식이면 좋겠다는 생각이다. 이웃과의 연계를 염두에 둔 것이다. 25평 정도의 구조로 방 2개 정도가 표준형이 될 수 있을 것이다. 동시에 현관을 정중앙에 배치하고 궁극적으로는 2세대가 거주할 수도 있는 2세대 분리형 배치도 관심을 두었으면 한다. 떠나갈 때는 부부가 따로 가기 때문이다. 가령 5층 한층 5세대형을 고려한다면 한 동 25세대 수용중 5세대 정도는 세대 분리형 배치가 어떨까 한다. 입주를 휠체어 조화형, 낙상피해 최소화를 위한 다양한 곡면구조 등등을 설계 전문가에게 의뢰, 아이디어를 얻어야 할 것이다.

지금 많은 시니어 타운에서 구비하고 있는 공동식당(F&B service제공), 독서실, 스포츠시설, 요가·명상, 등 다양한 기능의 공동시설을 한 가운데 배치한 5~6동 정도의 저층공동주택아파트 단지, 또는 중.고층 1동, 저층 5개동 등을 건축한다면 상당히 이상적인 시니어 타운이 되지않을까 상상해 본다. 필요하다면 공동시설은 지방자치단체에서 예산 사업으로 건축을 지원할 수도 있을 것이다. 아니면 앞에서 거론한 비시니어용 중·고층 일반동을 건축, 저층을 공동설비로 배치하고 중층 이상부터를 비시니어세대에게 분양하는 방식도 검토해 볼 수 있을 것이다. 결국 기본 한 단지를 100세대 전후 수용의 4개 입주동, 1개 입주공용시설동, 1개 비시니어거주동 등으로 다양화 한다면 100~150세대 거주의 기본 단지를 설계할 수 있을 것으로 보인다.

다. 정부의 조치 기대

이번 시니어 타운 구상과 관련, 가장 큰 관심은 귀촌형 시니어 타운을 성공, 정착 시킬 수 있느냐였다. 정부 예산안에는 농촌소멸 방지를 위한 다양한 예산이 책정되어 있다. 농촌 지역에 3년 이상 거주해온 필자에게는 현실성이 없는 무늬만의 정책으로 비춰진다. 농촌소멸 방지기금이 흩뿌려지고 있다. 금년에도 1조원이란다. 출산장려기금처럼 청년들에게 돈을 나누어 주는 것이 주류를 이루고 있다. 게다가 현지 정부 인사의 주도가 아니라, 제안서(proposal)작성 전담 회사의 문서작업의 완성도에 따라서 배분된다는 기막힌 사연이다. 농촌 빈집개조 프로젝트도 그렇다. 베이비부머 세대가 세상을 뜨고 나면 빈집으로 덩그렇게 남게 될 것이고 결국은 예산 낭비일 것이다.

그런데, 귀촌형 시니어 타운의 문제는 3가지다. 부인의 반대, 놀이 부족(친구 부족), 그리고 건강관련 부대시설 미비 등 3가지로 요약된다. 따라서 정부는 이를 감안, 필요하다면 LH등과 연계해 대중화될 수 있는 주거모델을 실험 해 보아야 한다. 가령, 정착·정주형이 아닌, 일주일에 이틀은 도시에 닷새는 농촌주택에서 지내는 이른바 '2도5촌 주거' 등 세컨드하우스 개념의 농촌주거형, 공동주택단지의 역할도 기대되고 있는 실정이다. 이를 감안, 정부의 정책이 들어설 여지가 충분히 있다.

첫째가 탈 도시화를 어느 정도 달성할 수 있는 모델을 구축할 수 있으면 한다. 앞으로 지방의 소멸이 불 보듯 빠히 이루어질 것이다. 특히 읍면리의 경우, 읍만 남게 되고 면과 리는 시차를 두고 없어져 갈 것이다. 그렇다고 본다면 주거지를 집합 시켜줄 필요가 있다. 동시에 많은 폐교 등 공공시설의 활용도 문제가 될 것 같다. 다행히도 폐교 부지가 충분히 넓지는 않지만, 주변 환경에 따라서는 100~150세대 정도의 저층공동 주택 단지를 수용할 기반은 되는 것 같다. 이를 면밀하게 검토 전국적으로 보급형 공동주택 단지를 시도해 보는 것은 어떨까 한다.

지방에도 단독주택보다 생활이 편리한 아파트 수요가 늘어나서, 읍 단위로 30층이 넘는 고층 아파트를 짓고 있다. 어쩌면 나중에 (지금도?) 흉물이 되지 않으리라는 보장이 없다. 군·면 단위에서는 하루빨리 저층 공동주택 건축으로 방향을 정해 줄 필요가 있을 것으로 보인다. 결국 입지상, 수도권은 민간인에게 비즈니스 차원에서 맡겨 두도록 하고, 비수도권에서는 베이비 부머의 귀촌을 유도하는 K-시니어타운을 실험해 보는 것이다. 궁극적으로 후세에게 남겨줄 주거환경의 미관에도 관심을 가져야 한다. 그래야 후속세대인 차세대 먹거리 산업인 관광과도 연계시킬 수 있을 것이다.

둘째가 PPP의 접목 가능성 검토이다. 폐교. 폐보건소 등 공공시설의 주택부지를 제공한다든지, 시니어 주택단지의 공동시설 건축을 보조한다든지, 시니어 타운 내에 보건소나 지소를 개설, 건강한 노년생활을 할 수 있도록 유도해 보는 것이다. 동시에 노인회나 사회단체 등과 연계, 소일거리를 알선해 주는 것이다. 물론 농협의 역할도 기대되고 있었다. 지방을 가장 잘 이해하는 조직이 농협이다. 그 차원에서 지방활성화에 가장 나은 대안을 제시할 수도 있을 것이다. 공무원연금관리공단도 협업의 대상이 될 수 있다. '지방살아 보기' 프로젝트를 시행하고 있기 때문이다. 정부는 시니어 타운의 대중화와 함께, 지방소멸 방지대책을 결합시킨 새로운 모델을 창출해야 한다.

이제는 산업화만이 아닌, 탈도시화까지도 고민해 보아야 할 시점이다. 일부에서 거론되고 있는 청년 공공복무 의무제와도 연계되면 훨씬 시너지효과도 내겠다 싶었다. 한국형 발전(K-Development) 모델의 한 축이 되었으면 한다.[145]

(부록 1) 생애사 연구를 통한 노년기 삶의 이해

이 글에서는 노년기 삶에 대한 연구방법으로서 최근 학문적 관심과 적용이 급증하고 있는 생애사(life history) 방법 및 생애사 자료분석에 유용한 이론적 관점으로 생애과정 관점(Life course perspective)에 대해 소개하고, 한국노인의 삶을 이해하는데 적용가능성을 탐색하고자 하였다. 생애사 방법은 노인들의 과거 삶의 과정에서의 구체적 선택과 행동이 현재의 삶의 질 및 삶에 대한 해석에 어떻게 반영되고 있는지 이해하는데 유용한 연구방법인 것으로 주목받으면서, 최근 서구 및 일본의 노년학 분야에서 그 적용이 급증하고 있는 연구방법이다. 반면 한국에는 노년학 연구방법으로서의 생애사 연구 및 이론적 분석들로서 생애과정 관점에 대한 소개조차 체계적으로 이루어지지 않은 상태이다. 이러한 국내연구의 제한점에 주목하여 이 글에서는 생애사 방법의 적용에 있어 중요한 몇 가지 방법론적 이슈들과 노년기 현재의 삶을 이해하는데 있어서 생애사 자료가 어떻게 활용될 수 있는가를 제시해 보았다. 나아가서 생애사 방법을 적용하여 수행된 연구의 예를 통하여 노인들이 과거에 경험한 전환점적 사건의 경험이 아직도 진행형의 형태로 현재 삶의 질에 영향을 미치고 있음을 보여줌으로서, 노년기 삶의 질에 대한 심층적 이해를 위해서 생애과정 전체의 맥락에서 노인들의 삶을 접근해야 할 필요성 및 생애사적 연구의 유용성을 제시하였다.

1. 문제제기

우리의 삶의 궤적, 생애사는 살아가면서 경험하는 위기나 생애사건 등에 대한 반응과 선택의 과정이며 결과이다. 지속적 과정으로서의 노화에 주목한다면, 노인의 현재 삶을 심층적으로 이해하는데 있어 과거 생애경험에 대한 이해가 필수적이다. 이런 맥락에서 최근 노인의 삶의 질 및 노년기 삶에 대한 연구방법으로서 생애사(life history) 방법에 대한 관심이 급증하고 있다.

생애사 방법은 과거 삶의 과정에서의 구체적 선택과 행동이 노인들의 현재의 삶의 모습과 삶의 질, 그리고 자신들의 삶에 대한 해석에 어떻게 반영되고 있는지 이해하는데 유용한 연구방법인 것으로 주목받고 있다. 특히 한국노인들은 역사적 격동기에 한평생을 지내온 세대로서 이들 노인들의 생애사에는 이러한 역사적 배경이 내포되어 있다. 따라서 한국노인들의 생애사를 탐색하는 작업은 한국 사회라는 구체적 공간 및 역사적 시간의 접점에서 이들 노인들의 생애경로 및 노년기 모습이 형성된 과정에 대한 심층적 이해를 하는데 필수적이라고 할 수 있겠다. 서구의 이론틀에 기초하여 구조화된 질문 목록을 이용한 계량적 실증조사에서 파악하기 어려운 한국노인들의 노화과정 및 경험에 대한 이해가 심층적 생애사 연구를 통하여 가능할 것이다.

그러나 국내의 노인관련 연구들은 노인이 현재 보유하고 있는 자원이나 상황적 특성변수들의 영향력에 주로 초점을 맞추고 있어, 노인들의 현재의 삶의 질이 과거의 다양한 생애과정의 축적된 결과물일 수 있다는 점을 간과하고 있다. 노년기가 개인이 살아온 생애경험 및 환경의 차이가 축적되어 개인차가 극대화되는 시기라는 점을 감안한다면, 기존연구들의 이러한 제한점은 한국노인의 삶을 이해하는데 있어 매우 심각한 걸림돌로 작용할 수 있다고 하겠다.

반면 서구에서는 최근들어 노년기 삶에 대한 이해를 노인이 살아온 생애과정 전체까지 확장, 연계하여 탐색하는데 유용한 연구방법으로서 생애사 연구에 대한 관심이 급증하고 있다. 생애사 연구방법을 적용하여 노인 및 가족의 삶을 탐색하는 체계적 연구들이 축적되고 있으며 생애사의 방법론적 이슈들에 대한 논의도 활발하다. 노년학 분야에서의 생애사 연구의 양적, 질적 성장은 또한 이론적 분석틀로서 생애과정 관점(Life course perspective)의 발달과 연계되어 더욱 활성화되고 있다. 생애과정 관점은 출생에서 사망에 이르는 개인의 일생이 사회적으로 구조화되는 과정에 초점을 맞추면서, 이 과정을 개인시간, 가족시간, 그리고 역사적 시간이라는 서로 다른 차원의 시간의 역동적 상호작용으로 개념화하여 접근하는 이론적 관점이다. 인간발달 및 노화과정의 역사성, 다차원성을 파악하기에 적절하고 거시구조와 개인발달의 연계를 탐색하는데 탁월한 이론적 관점이라는 인식이 높아지면서 서구 및 일본에서는 생애과정 관점을 적용하는 연구들이 폭발적으로 증가하였다. 그러나 국내 노년학 분야에는 생애과정 관점의 소개조차 제대로 이루어지지 않은 실정이며, 실제 연구에 생애과정관점을 적용하는 작업도 극히 부족하다.

이 글에서는 국내 노년학연구에서의 이러한 제한점에 주목하여 생애사 연구방법 및 생애사 자료의 유용한 해석틀로서 주목받고 있는 생애과정 관점에 대하여 살펴보고자 한다. 나아가서 생애사 방법을 적용하여 수행된 연구의 예를 통하여 노년기 현재의 삶을 이해하는 데 있어서 생애사 자료가 어떻게 활용될 수 있는가를 논의해 보고자 한다.

2. 생애사 방법의 특징 및 노년학 연구에서의 유용성

협의의 의미에서 생애사는 한 개인이 지나온 삶을 자신의 말로 이야기한 기록
으로[1] 생애사 수집은 주로 심층면접을 통하여 이루어진다.[2] 연구대상자는 자신의
살아온 경험에 대하여 질문하고 듣고 기록하는 연구자에 의하여 과거 경험에 대
한 이야기를 시작하게 되므로 이렇게 하여 만들어진 생애사 자료는 연구자와 연
구대상자간의 상호작용의 결과물이며, 어찌 보면 공동작업의 성격을 가진다. 그래
서 혹자는 생애사 자료를 '함께 쓰는 일대기(co-authored biography)'라고 칭하
기도 한다. 생애사는 이야기하는 현재의 입장에서, 자신의 과거 경험 중에서 선택
적으로 뽑아낸 내용을 통하여 자기 자신을 다른 사람에게 설명하는 작업(유철인,
1995)이므로, 이야기를 듣는 사람인 연구자는 생애사 내용 구성작업에 매우 큰 영
향을 미치게 된다. 개인은 자신의 생애사에 대해 다양한 버전을 가지고 있으며
어떤 대상에게, 어떤 맥락에서 자신의 생에 대해 이야기를 하는가에 따라 상이한
버전을 제공하게 되기 때문이다. 연구대상으로부터 생애사를 끄집어내는 순간 이
미 생애사에 대한 해석 작업이 시작된다는 지적은 생애사의 이러한 특성에 주목
한 것이다. 그리고 생애사 자료에 대한 해석 및 결과를 논의할 때, 어떤 맥락에서
생애사 수집이 이루어졌는지에 대한 충실한 보고가 필요한 것도 이러한 점에 기
인한다. 연령, 성(gender)등 연구자의 개인적, 사회적 특성 또한 생애사의 의미 재
구성 작업에 영향을 미치게 되므로 이에 대한 성찰적 민감성이 요구되고, 연구자
가 생애사 자료를 해석하는 과정에서도 이에 대한 고려가 필요하다.

일반적으로 생애사의 본질적 특징으로 이야기(narrativity), 주관성(subjectivity),
시간성(temporality)을 지적한다. 생애사는 하나의 이야기 서술이며, 과거와 현재와
미래라는 시간을 담고 있으며, 주관적 관점을 보여주는 방법이다(유철인, 1995).
생애사의 기본적 특징 중에서 노년기 삶의 이해에 특히 중요한 특성으로는 '주관
성과' '시간성'을 들 수 있겠다.

주관성은 자신의 경험을 의미로 만들어 가는 과정에서 나타난다. 생애사는 현
재 시점에서 과거의 생활경험에 대하여 이야기 하는 것이기 때문에, 과거 경험에

---

1) 생애사 방법은 개인 뿐 아니라 가족과 같은 집단, 혹은 조직체를 대상으로 하여서도 적용할 수 있는 방법이다. 또한 '말로
이야기한' 기록 이외에 일기, 자서전, 편지 등의 '글로 쓰여진' 개인기록이나 2차적 문헌자료 등도 생애사 방법의 자료를
구성한다. 이 글에서는 '개인의 구술된 생애사 자료'를 중심으로 하는 협의의 생애사 방법에 초점을 맞추어 논의하고자 한
다.
2) 생애사 방법은 심층적, 질적 자료수집에 의한 접근 뿐 아니라 계량적 자료의 수집을 통해서도 이루어진다. 두 방법은 아주
상이한 연구논리에 기초하여 수행되어 왔으나 최근 들어 심층적, 질적 생애사 자료에 대한 양적 분석도 시도되는 등 그 경계
가 많이 완화되면서 상호보완적으로 쓰이고 있다. 이 글에서는 질적 방법에 의해 수집되는 생애사에 초점을 맞추어 논의를 하
였다.

대한 의미 부여이다. 경험이란, 행동과 그에 따르는 감정 뿐 아니라 행동과 감정에 대한 개인적 성찰을 포함하는 개념이고 따라서 주관적일 수밖에 없다. 또한 개인의 회상을 통해 말하여 진다는 점에서 이야기하는 사람이 삶에 대하여 부여하는 주관적 의미, 주관적 해석이 포함된다. 어떤 내용으로 생애사를 채우는가 하는 점도 또한 생애사의 주관성의 반영이다. 예를 들어 어떤 사회적 관계가 삶의 주요영역을 구성해 왔는가, 무엇이 자아정체성을 구성하는 핵심요소인가, 혹은 생애과정의 어떤 경험이 삶의 전환점으로 인식되는가 하는 등의 다양한 측면에서 어떤 내용을 중요시하여 생애사 이야기의 내용으로 삼는가 하는 점은 개인의 주관적 선택이기 때문이다.[3]

연구대상자의 주관적 해석에 초점을 맞춘다는 점에서 생애사는 일반적인 질적 방법과 동일한 성격을 가진다. 노인들의 삶과 생애과정에 대한 이해를 목표로 하는 노년학 연구에서 노인들의 삶의 경험에 대한 내재적 접근이 극히 부족해왔고, 노인을 대상화해왔다는 점을 고려한다면, 노인들 스스로 노화과정 및 노년기 삶에 대해 어떤 해석과 의미를 부여하는가를 탐색하는 작업이 요구된다.

생애사는 연구대상자들이 자신의 삶의 경험을 해석하고 설명할 때 적용하는 고유의 이해의 틀과 과거로부터 현재, 그리고 미래의 삶에 일관성을 부여하기 위해 동원하는 의미를 드러내준다는 점에서 특히 노인들의 관점, 시각을 파악하기에 적합한 방법이다. '노인의 목소리에 대한 관심'을 가져야 할 필요성은, 연구자나 다른 연령집단에게 별로 주목받지 못하는 삶의 측면이라 하더라도, 노인 자신에게는 매우 중요할 수 있다는 점에서도 생각해 볼 수 있다. Myerhoff(1978)는 히틀러의 대학살에서 살아남은 유태인 생존자들이 자신들의 경험을 들어줄 '적절한 청취자(proper listener)'를 '필요'로 하였음을 관찰한 바 있는데, 이는 반드시 이러한 역사적 사건이나 큰 생애사건을 경험한 노인들만의 필요는 아닐 것이다. 보통 노인들에게 있어서도 자신의 삶을 현재의 시점에서 돌아보고 의미를 찾는 작업이 자아정체성 유지 및 건강한 삶의 질 유지에 매우 중요하다는 점은 많은 학자들 간에 동의가 이루어진 바 있다.

한편, 생애사 방법이 다른 질적 연구방법과 구별되는 중요한 특징은 그 '시간성'의 강조에 있다. 특정 시점에 초점을 맞추는 질적 방법은 삶의 흐름, 단계에

---

3) 생애사 자료수집이 연구자의 의도, 질문에 의해 주도되고 영향 받을 수밖에 없다는 점에서 이야기하는 사람의 주관성, 선택성은 일정정도 제한받는다. 그러나 연구자의 질문에 대하여 생애사를 이야기하는 사람이 나름대로 해석하고 반응하여 이야기를 구성한다는 점에서 역시 주관성을 생각해 볼 수 있다. 생애사 자료수집과정에서 자녀들에 대한 이야기로 면접시간의 대부분을 쓰는 응답자에게 연구자가 '자녀에 대한 이야기가 아니라 당신 자신에 대한 이야기를 듣고 싶다'고 요청을 하였을 때, '내 자녀가 바로 나이며, 내 자녀에 대한 이야기가 바로 나에 대한 이야기'라고 응답하였다는 잘 알려진 일화(Frand & Vanderburgh, 1980)는 생애사의 주관성을 잘 보여주는 예라고 할 수 있겠다.

따라 나타나는 '변화'와 생의 전반을 관통하는 '연속성'이라는 축을 조망권 밖에 두게 된다는 제한점이 있다(이재인, 2004). 그런 면에서 과거의 회상을 통한 생애사 연구는 노인의 삶의 과정 동안의 내적 역동 및 생애변화의 차원을 과거, 현재, 미래라는 시간축 상에서 살펴보기에 가장 적합한 방법이다. 또한 노인이 적극적 행위자로서 생애과정 동안 주변 환경과 상호작용을 하면서 구성해온 세밀한 '생의 직조(life threads)'를 심층적으로 이해하는데 유용한 방법이 된다. 살아오면서 직면한 사회적 제약, 삶의 기회와 전환점 등 일련의 생애사건 등에 어떻게 반응하고 어떤 선택을 하였는지, 그리고 그러한 삶의 선택과 의사결정, 사회구조 내의 각 개인의 위치와 이들의 행동 간의 상호작용이 현재 노년기 삶에 어떻게 반영되고 삶의 질에 연관 되는지 하는 중요한 질문들에 대한 답을 탐색할 수 있다. 생애사는 특정의 시간적 공간적 현재에서 과거의 삶과 생애과정을 바라보며 이야기되기 때문에, 자신의 생애사에 대한 이야기는 현재 자기 모습에 대한 위치 점검, 평가, 살아온 삶에 대한 정당화와 일관성 창출을 위한 의미부여의 성격을 가진다. 미래에 대한 전망과 기대 또한 현재의 관점에서 바라보는 생애사의 구성에 영향을 미치게 된다. 삶 자체는 항상 현재에 이루어지지만, 생애사는 이렇게 과거, 현재, 미래가 상호작용하는 시간의 고리 속에서 구성되므로 생애사는 시간성을 그 기본적 특징으로 하는 것이다. 생애사 자료는 또한 생애전반에 걸친 이야기를 수집하므로 삶의 '과정(process)'에 대한 정보가 풍부하며 수집되는 자료의 폭이 넓다는 장점이 있고, 따라서 노인의 현재의 삶의 질을 이해하는 데 중요한 맥락적 정보를 제공해준다.

3. 생애사 자료의 수집

생애사는 수집하는 자료의 범위에 따라 일반적 의미의 생애사와 '주제 중심적 생애사(topical life history)'로 나눌 수 있다. 일반적으로 생애사는 삶의 전반영역에 대한 정보를 수집하는데 비하여, 주제 중심적 생애사는 연구자가 관심을 가지는 특정한 주제를 중심으로 하여 자료를 수집하게 된다.

생애사 자료는 일대 일 심층면접을 통하여 수집할 수도 있고 집단을 대상으로 하여 수집하는 방법도 있다. 두 방법은 각각 장단점이 있다. 개인을 심층 면접하는 방법은 연구자와 연구대상자간의 라포 형성이 중요하고, 둘 간의 관계 역동성에 의해 수집되는 자료의 질적 양적 수준이 영향 받는 정도가 매우 큰 것으로 지적된다. 타인에게 털어놓기 어려운 개인적인 경험에 관한 이야기를 할 가능성이 집단면접보다 높은 것으로 여겨진다. 그러나 집단면접에서 오히려 구성원들 간의 상호작용의 과정에서 아주 개인적인 이야기가 자연스럽게 제공되기도 한다. 집단면접은 집단의 크기 및 연령, 성 등의 집단구성원들의 특성의 조합에 따라 집단 역동성이 달라지게 된다. 노인들 집단을 대상으로 생애사 자료를 수집하면, 유사한 역사적 경험을 공유하는 동년배로서 서로 호응하면서 과거경험에 대한 이야기들이 나오게 되므로 연구자가 질문을 가지고 개입하는 것을 최소화할 수 있다. 집단 구성원들 간의 상호작용 자체도 분석의 대상이 되면서, 개인면접보다 우리사회 구성원들이 내재화한 문화적 가치, 사회적 담론의 영향을 탐색하기에 적합하다.

어떤 방법이든 자료수집의 초기에는 사회의 표준담론에 걸리지 않을 무난한 이야기가 가치중립적인 언어로 주로 제공되는 경향이 있다. 면접의 횟수가 늘어나고 면접자와의 라포가 형성되면서 1-2차 면접에서 노출하지 않았던 이야기를 하는 경향이 증가하게 되고, 또한 삶의 맥락에 대한 정보가 쌓이면서 그 전의 면접에서 나왔던 이야기의 의미가 구체화되기도 한다. 따라서 어떤 방법으로 면접을 하는가 하는 점보다 면접횟수가 중요하다고 보는데, 최소한 2회 이상의 만남을 통하여 자료를 수집하는 것이 바람직하다. 면접시간에 대해서 Frank(1980)은 생애사 자료 수집을 위해서 한 사람당 최소한 4시간 정도의 시간을 투자하는 것이 적합하다고 하였다.

면접을 위한 준비로 중요한 질문 내용이나 순서를 정리한 목록을 만들어 가는 것은 면접에 도움이 되지만 이는 일종의 지침일 뿐, 연구대상자가 자신의 삶에 있어 중요하다고 생각하는 삶의 경험들을 자신이 편한 순서대로 풀어놓을 수 있도록 하는 것이 바람직하다. 그 순서 자체가 중요한 의미를 가지는 경우도 있으며[4] 연구자와 대상자간의 상호작용을 부드럽게 하는 효과도 있기 때문이다. 때로는 회상하기 괴로운 사건에 대한 이야기를 하게 되는 경우가 있을 수 있는데, 이때 특히 연구자의 민감성과 배려가 요구된다.[5] 연구대상자가 그만 말하기를 원하는지 혹은 괴로운 경험에 대하여 털어놓는 과정에서 연구자의 동조가 필요한 상황인지를 잘 파악하여야 한다.

---

4) 연구대상자가 면접 초기에 이야기하는 사항이 종종 그 사람의 생애사 전반을 이해하는데 매우 중요한 정보가 되는 경우가 많은 것으로 지적된다.

5) 부정적 사건에 대한 회상이 노인의 정서나 삶의 질에 부정적 영향을 미칠 가능성에 대하여, 생애사 방법을 사용하는 연구자들 간에 많은 논의가 이루어진 바 있다. 그러나 1980년대부터 집중적으로 행해진 실증연구결과에 의하면, 부정적인 사건에 대한 회상도 과거 경험에 대하여 타당성을 부여하고 합리화를 할 수 있는 기회를 제공하여 부정적인 감정을 극복하는데 도움이 되는 등(엄명용, 2000) 전반적으로 긍정적 영향을 미치는 것으로 나타난다. 그렇지만 극단적인 부정적 사건의 회상이 노인에게 괴로운 경험이 될 수 있을 가능성에 대하여 연구자는 항상 민감하게 배려하여야 한다.

4. 생애사 자료의 분석

생애사를 분석하는데 있어 다양한 방식의 접근이 가능한데, Lieblich, Tuval-Mashiach, & Zilber(1998)는 생애사 자료 분석방식을 크게 4가지로 범주화하였다. 첫째, '통합적인 내용분석(holistic-content approach)' 접근으로, 개별 생애사를 분석의 초점으로 하여 각 생애사의 주요한 테마를 찾아내는 방법이다. 각 생애사의 고유성을 살리면서 사례분석의 대상으로 삼는 방법이라고 하겠다. 반면, '범주적 내용분석(categorical-content approach)' 방법은 여러 개의 생애사로부터 공통의 테마를 도출하는 방식이다. 개별 생애사의 전체성은 훼손되지만 생애과정의 유형을 파악하고 다양한 유형과 사회문화적 요소와의 관련성을 탐색하는데 유용한 방법이다. 컴퓨터를 이용하는 다양한 코딩 프로그램이 보급되면서 이러한 방식의 분석 작업이 용이해지고 활성화되었다. 세 번째로, 생애사의 내용적 측면보다 각 생애사의 전체적 구조를 분석의 초점으로 삼는 '통합적 형태(holistic-form)방식'이 있다. 생애과정에서 가장 행복했던 시점과 불행했던 시점의 위치를 중심으로 하여 삶의 질 변화를 표시하게 하는 생애도표 구성방식이나 생애전이가 가장 빈번하게 경험되는 생애단계의 위치를 탐색해 보는 작업등이 이에 속한다. 네 째, '담론분석(discourse analysis)'은 '왜 그런 식으로 말하는가' 하는 이야기의 조직 원리에 초점을 맞추어 생애사 서술의 서사구조를 탐색하는 접근이다.[6] 이들 네 접근법이든 구술된 생애사 자료의 분석에 있어 초점을 어디에 두는가 하는 구체적 방식에는 차이가 있으나, 삶의 진행과정 속에서 개인들이 어떻게 자아의 연속성을 유지하고 정체감을 구성하며 일관성 있는 생의 의미를 창출해나가는가 하는 과정 및 방법을 밝히는 작업이라는 공통점을 갖는다.

어떤 방식으로 생애사 자료에 접근하던, 생애사 연구의 분석과정은 생애사를 통해 드러나는 개인의 주관적 의미 세계를 연구자가 다시 재해석하는 '해석과정'이라고 볼 수 있다. 그런 면에서 생애사에 대한 해석 작업, 즉 '이야기된 삶'에서 다른 사람의 '경험된 삶'을 이해하려는 작업은 두 가지 종류의 이해가 포함 된다(유철인, 1995). 하나는 자신의 생을 이야기한 연구대상이 자신의 경험과 삶을 스스로 이해하는 것이고 다른 하나는 생애사 이야기를 통해 연구대상의 삶을 이해하려는 연구자의 노력이 그것이다. 자신의 경험과 삶에 대한 연구대

---

6) 앞의 세 가지 분석 방식이 생애사를 '삶의 경험에 대한 반영'으로 보고 생애사의 내용에 초점을 맞춘다면, 서사분석은 생애사를 텍스트로 보고 그 조직원리에 초점을 맞추는 방법이다. 생애사에 대한 서사분석 또한 노년기 삶의 이해에 많은 흥미로운 시사점을 제공해 줄 수 있으나 그 분석논리나 분석방법에 대한 논의가 워낙 방대하므로 이 글에서는 생애사의 서사분석에 대한 소개 및 논의는 생략하기로 한다.

상 자신의 이해는 '지나간 자기의 경험을 개념화/재구성하는 작업'이므로, '실제로 산 삶'과 '경험된 삶' 그리고 '이야기된 삶' 사이에는 거리가 존재한다(Bruner, 1984)는 점을 간과하지 말아야 한다. 의미란 삶을 살 때 주어지는 것이 아니라 삶이 경험될 때 구성되는 것이며, 삶을 이야기할 때 의미는 재구성되기 때문이다.

노인에 의하여 이야기된 생애사 자료를 통하여 노인/노년기의 삶을 이해하기 위해 연구자는 연구대상 노인의 경험과 삶의 이야기에 대해 다시 한 번 개념화하고 선택하는 작업을 하게 된다. 그리고 연구자의 관심, 연구대상에 대한 선입견, 면접상황 등이 수집된 이야기의 내용에 영향을 미친다. 그런 의미에서 경험에 대한 해석은 이야기를 수집하는 과정에서 이미 시작된다.

자료의 의미를 파악하고 패턴을 찾거나 유형화하며 전체 상황 안에서의 의미와 연결 지으려는 노력은 자료수집과 동시에 시작된다고 하겠다.

5. 생애사 자료 분석의 개념틀

Mandelbaum(1973)은 이미 30여 년 전에 생애사 연구가 서술적 연구의 수준이 머물지 말고, 분석적인 수준으로 발전되어야 할 필요성을 강력히 주장한 바 있다. 그는 당시에 생애사에 대한 분석 및 해석 작업이 제한적 수준에서만 이루어지고 있는 가장 중요한 이유를 적절한 분석적 개념틀이 부재하였기 때문이라고 보았다. 이런 문제의식에서 Mandelbaum은 생애과정을 단순히 순서에 따라 정리하는 방식으로 생애사를 서술하는 방식에서 벗어나서, '삶의 영역(dimensions)', '전환점(turnings)' 그리고 '적응(adaptation)'이라는 세 개념을 기본틀로 하여, 첫째, 개인의 삶을 구성하는 몇 가지 차원이나 측면으로 나누어 볼 것, 둘째, 삶의 주요 전환점 및 이들 전환점 전후의 생활조건들을 살펴볼 것, 셋째, 개인의 고유한 적응양식을 살펴볼 것을 제안하였다. 그는 영역 개념은 삶에 영향을 미치는 주된 원동력들(forcs)을 이해하기 위한 범주를 제공하게 될 것이고, 전환점 개념은 개인이 경험하고 주도하는 주요 변화로서 생의 기간들을 구획하는 지표를 제공할 것으로 보았다. 또한 개인의 적응에 초점을 맞추는 분석은 개인이 경험하고 주도하는 '변화'와 생애과정을 통해 유지하는 '연속성'의 두 측면을 이해하는데 유용할 것으로 제안하였다. Mandelbaum이 제안한 이들 개념들은 여전히 생애사 분석 및 해석에 매우 유용한 분석틀로서 받아들여지고 있으나(Frank & Vanderburgh, 1980)노년학 분야에서의 그 활용정도는 극히 제한적이다.

노년학 분야에서는 최근 생애과정 관점(Life course perspective)을 분석틀로 하여 생애사를 해석하는 작업들이 활성화되고 있다. 생애과정 관점은 개인의 일생을 연령에 의해 분화된 일련의 역할 전이(transition)들에 의해 구획되어지는 것으로 본다. 생애과정 관점은 이러한 전이들이 사회적으로 구조화되는 과정에 초점을 맞추면서, 이 과정을 개인시간, 가족시간, 그리고 역사적 시간이라는 서로 다른 차원의 시간의 역동적 상호작용으로 개념화하여 접근하는 이론적 관점이다(한경혜, 1990). 개인 시간(individual time)이란 생애단계에서의 진행정도를 나타내주는 지표인 개인의 역연령을 의미하며, 가족 시간(family time)은 가족의 자원과 필요를 반영하는 가족의 상황과 역할조합 형태를 의미한다. 역사시간(historical time)은 가족의 자원과 필요를 반영하는 가족의 상황과 역할조합 형태를 의미한다. 역사시간((historical time)은 개인의 특정 역할전이를 경험할 당시의 역사상의 위치를 지칭하며, 경제적, 인구학적, 사회적 상황을 나타내는 지표라고 하겠다. 생애과정 관점에서는 인간발달의 궤적 및 노화가 일어나는 과정 자체가 이들 상호 연결되어 있는 세 차원의 시간의 상호작용의 결과물로 보고 있다. 다시 말해서 개인의 생애사를 이해하기 위해서는 그 삶이 진행되어진 역사적 시점에 대한 이해가 필요하며, 미시적 개인사와 거시적 역사적 상황을 연결 짓는 중간단계로서의 가족발달에 대한 이해도 필수적이라는 관점(한경혜, 1991)이다.

생애과정 관점은 또한 개인의 전 생애기간 동안의 경로에 초점을 둔 접근으로 현재의 행동을 설명하고 미래의 상황을 예측하는데 과거 경험의 중요성을 강조한다. 생애과정 관점에서 볼 때 노년기 삶은 생애전반기, 중반기 삶의 경험과 그에 대한 반응이 축적되어 나타난 결과이다. 또한 '생의 다양한 측면의 상호조건성(inter-contingent lives)' 에 주목하는데, 즉 개인의 삶의 경로를 형성하는데 있어 가족영역에서의 요구와 필요, 자원 등이 직업영역에서의 요구, 상황과 서로 영향을 미치면서 개인의 생애과정을 구성하는가, 혹은 개인의 역할경로가 다른 가족 구성원들의 삶의 경로나 진행속도 등에 의해 영향 받는가 하는 점을 중요시(한경혜·노영주, 2000)한다. 그리고 이러한 상호 조건성이 거시 사회구조 내에서 개인이 차지하는 위치 및 시대적 상황에 의해 어떻게 달라지는가를 보여주는 이론적 틀을 제공(한경혜, 1993)한다. 따라서 노년기 삶을 결과가 아닌 '과정'으로서 파악하는데 유용하다.

앞에서 이미 지적한대로 생애과정 관점이 인간 발달 및 노화과정의 역사성, 다차원성을 파악하기에 적절하고 거시구조와 개인발달의 연계를 탐색하는데 탁월한 이론적 관점이라는 인식이 높아지면서 서구 및 일본에서는 생애사와 생애과정 관점을 연계하는 연구들이 급증하고 있다. 그러나 국내 노년학 분야에는 생애과정 관점의 소개조차 제대로 이루어지지 않은 실정이며, 실제 연구에 생애과정관점을 적용하는 작업도 극히 부족하다.

6. 생애사 연구의 예

다음은 이상에서 간략히 논의한 생애사 방법의 제반 특성과 생애자 자료의 수집부터 해석까지의 과정이 구체적으로 드러나는 한 예로서 필자가 최근에 행한 생애사 연구의 일부분을 제시하고자 한다.[7]

연구제목 : 생애사에서 나타난 생애전환점과 노년기 삶의 질

연구목적 : 이 연구에서는 노인이 과거 생애사를 재구성하는데 있어 자신의 생의 전환점(turning point)으로 인식하는 생애사건, 생애경험에 주목하였다. 현재 삶은 과거 경험했던 여러 중요한 전환점들의 결과이며, 노인들의 이야기 속에 나타나는 과거 삶의 굴곡들은 현재 노인이 살고 있는 삶의 방식의 배경이 된다. 이런 관점에서, 현재 노년기 삶의 질을 표현하는 테마가 무엇이며 이것이 과거 생의 경험과 연결되어 어떻게 해석될 수 있는가 탐색을 위하여 전환점 개념을 분석의 중심축으로 하였다.

이론적 관점 : 생애과정 관점을 이론적 틀로 하였다. '전환점'은 생애과정 관점의 중요 개념의 하나이다. 생애과정 관점은 전 생애동안 환경과 상호작용을 통해 형성되는 노인의 삶을 심층적으로 조망하는데 유용한 분석틀인 것으로 지적된다. 생애과정의 외현적 경력(가족사, 직업사 등)연구에 비하여 내면적 경력(삶의 과정에 대한 주관적 의미부여)에 관한 연구가 부족하다는(오오꾸보 고지, 1988) 점에 주목하여 본 연구는 노인들 스스로의 관점에 기초한 생의 전환점 탐색에 초점 맞추고자 한다.

연구진행 과정 및 참여자 특성 : **시 **노인복지관에서 살아온 이야기 회상 프로그램에 참여한 6명의 노인들의(남 3명, 여 3명) 생애사를 분석하는 방식으로 연구를 진행하였다. 총 7회에 걸쳐 수행된 집단 이야기 프로그램을 통하여 참여 노인들은 life line graph를 작성하면서 생애단계별로 과거 살아온 이야기 뿐 아니라 현재의 삶, 즉 노인으로서 살아가기, 나이 들어 좋은 점, 그리고 자신들의 미

---

7) 이 연구를 표준석으로 모범적 사례로서 예시하는 것이 아니라, 앞에서 다분히 추상적으로 소개된 생애사 방법에 대한 구체적 실례를 보여 생애사 방법에 대한 독자들의 이해를 돕고 한국노인의 생애과정에 대한 이해를 위해 생애사가 적용되는 방식을 구체적으로 보여주고자 하는 의도에서 제시하고자 한다.

래에 대한 이야기 등의 주제를 가지고 함께 이야기를 나누었다. 매 회기마다 연구에 참여하는 교수 2-3인이 함께 하여 프로그램의 진행자의 역할을 하면서 자료를 수집하였다. 연구자들은 자신의 과거에 대해 집단모임에서 이야기하는 프로그램 참여가 노인들에게 자신의 삶에 대한 성찰적 회고의 기회를 제공하며, 자아정체성 모색 및 확인 작업에 도움이 될 것이라는 기대를 가지고 이 프로그램을 진행하였다. 회기별로 평균 2시간-3시간 정도의 시간이 소요되었다. 참여노인들의 양해를 얻어 전 과정을 녹음을 하였으며, 이를 필사하여 텍스트로 전환시켰다. 텍스트로 전환된 자료를 여러 차례 읽으면서 연구자는 다음과 같은 질문에 초점을 맞추어 분석을 진행하였다. 이들 노인들은 자신의 인생의 중요 전환점으로 어떤 경험들을 주목하는가? 노인들의 과거 경험을 전환점의 개념으로 재구성하여 볼 때, 얼마나 다양한 전환점들이 이들의 삶의 과정에서 나타나며 어떻게 공동의 의미를 갖는 유형들로 분류될 수 있겠는가? 현재 삶의 모습과 삶의 질에 과거의 인생경험들은 어떻게 반영되고 있는가?

참여 노인들은 모두 건강상태가 양호하고, 1개 이상의 복지관 프로그램에 상당히 오랜 기간 동안 적극적으로 참여하고 있는 노인들로서, 경제적 수준에 있어 약간의 개인차는 있지만 특별히 경제적으로 궁핍한 노인은 없어서, 일견 보기에 상당히 동질적인 집단인 것으로 보였다. **복지관이 **시에서도 경제수준이 높은 것으로 일반적으로 인식되는 지역에 위치한 것도 한 원인일 것으로 생각했으며, 프로그램 진행에는 긍정적 측면이 있으나 수집되는 생애사가 너무 동질적인 성격을 가지는 것은 아닐가 우려 섞인 예상을 하게 되었다.

생애사 자료의 수집 과정 : 총 7회의 모임을 통하여 각 참여노인의 생애과정에 대하여 상당한 정도의 자료를 수집하는 것이 가능하였다. 첫모임에서는, 여럿이 모인 자리에서 진솔한, 자기 성찰적 이야기가 가능하겠는가 하는 의구심이 참여노인들에게서(예: "축소, 과장으로 진실성 있는 이야기 나오기 어렵지 않겠는가"라는 박 할아버지의 이야기) 관찰되었다. 복지관이 상호작용의 장을 제공하지만, 그 상호작용은 '현재 보여 지는 모습'에 국한된 것이고 '과거'에 대한 이야기는 꺼내지 않는 것이 '적당한' 상호작용의 방식이라는 암묵의 동의가 복지관 노인들 사이에 존재함을 아래와 같은 노인들의 반응에서 알 수 있었다.

고 : 노인만 모인 곳에는 룰이 있습니다. 쓸데없는 옛날이야기는 말자... 대부분 거짓말이고 자기자랑만 하니까...그런 룰이 있어서 암암리에 압력이 들어옵니다.

박 : (룰을 지키지 않으면)그 왕따 있잖아요.

그러나 모임이 거듭될수록 참여노인들이 '조금씩 마음을 여는' 과정을 볼 수 있었다. 모임의 초기에는 연구자들의 존재가 이들 노인들에게 안전상치의 역할을 한 것으로 보인다. 이야기를 할 때 노인들의 시선이 줄곧 진행자인 교수를 향하곤 했는데, 이는 이들의 이야기의 심리적 지향점을 보여주고, 이때 교수들의 존재는 자신들의 지난 삶에 대한 매우 개인적인 이야기가 교수들의 요청에 의한 것이라는 변명의 제공자임을 상기시킨듯하다. 개인적 이야기를 하면서 7차례에 걸쳐 만나는 과정에서 점차 심리적 경계심이 완화된 측면도 관찰할 수 있었다. 모임 횟수가 많아지면서 참여노인들 간의 상호작용이 조금씩 활발해졌고, 그전 모임에서 이야기하지 않았던 새로운 정보를 추가하기도 하면서, "살면서 이제까지 아직 아무에게도 하지 않았던" "남편도 모르는" 이야기를 털어놓기도 하였다.

상견례를 하고 모임의 성격에 대해 설명하는 시간으로 가진 첫 번째 모임에 이어, 두 번째 모임은 참여 노인 중 한 명의 의견을 쫓아 '나의 생의 노력기'라는 주제로 진행되었는데, 주제의 성격상 젊어서 고생한 이야기가 주를 이루었다. '고생경험을 공유하는 세대'적 특징을 가진 이들 노인들에게 있어 이 주제는 개인적 체면손상의 위험이 적은 비교적 안전한 주제이므로 편하게 이야기가 진행되었고, 아직 모임에 익숙치 않은 노인들의 마음을 여는 효과가 있었던 듯하다. 박 할아버지는 대학교 때 고생한 이야기를 하다가 울먹이기까지 했는데, 남성이 공개된 자리에서 흔히 하지 않는 정서표출 행동을 보인 것이 다른 노인들의 참여를 활발하게 하는(혹은 조금 더 마음을 열도록 하는)계기가 되지 않았나 싶다.

두 번째 모임에서는 주제의 성격상 젊어서 고생한 이야기가 주를 이루었음에도 불구하고, 이미 이들 각 노인들의 삶의 핵심주제가 떠오르기 시작하였다. 예를 들어 고 할아버지는 자신의 젊은 날의 고생을 초기 군대생활의 어려움, 월남전 참전 등 군 생활 경험에 초점을 맞추어 서술하였는데, '군인으로서의 삶'은 이후의 모임에서도 계속 고 할아버지의 삶을 설명하는 가장 중요한 테마를 이룬다. 최 할머니의 생애 서술에는 '시아버지'가 중요한 타자의 위치를 차지하는데, 최 할머니는 '인생의 노력기'라는 그 시간의 주제와는 별 관련성이 없는 것으로 보이는(연구자의 관점에서 볼 때는)시아버지 이야기를 자신에게 주어진 이야기 기회의 시작점으로 삼았다. 남편에 대한 이야기가 최소화된 최 할머니의 생애진술에서 시아버지에 대한 이야기는 상이한 주제를 다루는 7번의 모임에서 계속 언급이 된다. 오 할머니는 자신의 고생과 억척스러운 돈벌이 과정에 대한 이야기를 통하여 '자식에는 내가 한 고생을 물려주지 않기 위해 악착스럽게 참아내고 열심히 일한 어머니의 삶'이라는 자신의 삶의 테마를 두 번째 모임에서부터 비교적 명확하게 드러냈다. 가장 특이한 사례가 조 할머니였는데, 모든 참여자가 주제

에 맞추어 젊은 시절 고생한 이야기를 풀어 놓은 반면, 조 할머니는 젊은 시절에
대한 서술은 간단히 넘어가고, 현재 노년기 삶의 허무함, 쓸쓸함을 중심으로 하여
자신의 젊은 시절을 '철없었음'으로 회고하는 방식으로 이야기를 전개하였다.
추후 모임이 진행되면서, '철없었음'은 조 할머니의 과거 자신의 삶에 대한 평
가와 변명의 기제로서 그리고 과거의 삶의 경험, 선택들이 현재 삶에 계속 영향
미침을 보여주는 방식으로서 중요한 의미를 가진다는 것을 발견하게 된다. 첫 번
째 모임 이후 6회의 모임은 매 시간마다 노인됨의 의미, 현재 일상의 모습, 미래
에 대한 계획 등 한 가지씩 주제를 가지고 진행되었는데, 본 연구의 핵심 주제인
'생의 전환점'에 관한 이야기는 6번째 모임의 주제였다.

　참여노인들의 생애사와 현재 삶의 만족도 : 과거의 전환점 경험이 현재 삶의
모습과 어떻게 연결되는지 파악하기 위하여 참여노인들의 생애사와 현재 삶의 만
족도를 간단히 살펴보는 것이 필요하다. 고 할아버지는 군에서 24년, 전역 후 우
리나라의 대표적 대기업에서 24년 직장생활을 한 후 퇴직하였다. 군 생활에 대한
자부심이 강하고 전역 후 직장생활도 그가 가치를 두는 군대정신의 실현이라는
차원에서 의미를 둔다. 가난한 가정형편 때문에 서울대학교 합격하고도 육사를
가야만 했고, 그래서 접어든 군인생활이지만 지휘, 통솔을 좋아하는 자신의 적성
과 맞아 능력을 인정받는 만족스러운 군 생활을 하였으나 정치적 이유로 '별을
달지 못하고' 전역을 하게 된다. 전역 후 들어간 회사에서도 지휘자, 관리자, 통
솔자로서의 군대에서의 삶의 방식을 성공적으로 접목하여 협력대에서의 삶의 방
식을 성공적으로 접목하여 협력사 사장까지 지내고 퇴직을 한다. '별을 달아보
지 못하고 전역하였으므로 자신의 인생은 실패'라는 진술과는 달리 자신의 직업
적 성취에 강한 자부심을 가지고 있다. 군 생활에서 내재화된 "지휘자, 지도자,
통솔자가 평생의 내 역할"이라고 생각하는 고 할아버지는 복지관에 나오거나 사
회봉사를 하는 정도의 활동으로는 "성에 차지 않아서" 현재 생활에 만족을 느끼
지 못하고 있다. 건강, 경제적 형편, 가족 등 생활전반에 걸친 객관적 삶의 질이
상당히 양호함에도 불구하고 주관적으로 평가하는 생활만족도가 100점 만점에 40
점　대로 낮은 것은 이러한 맥락에서 해석이 가능하다.

　박 할아버지는 끼니 때우기가 어려울 정도의 극히 어려운 가정형편에도 불구하
고 "공부 안하면 죽는 줄 알고" 고학으로 대학을 마치고 공채 1기로 시멘트 회
사에 취직을 한다. 이때는 한국사회가 경제부흥과 재건의 시기로 "새마을운동에
도 세멘트가 없으면 안 되는 때라서 밤을 세 울 정도로" 일이 많았고, 박할아버
지에게는 "신이 나서 열심히 일하니 승진도 빨랐던" 성취의 시기였다. 이 시기

에 직업생활은 평탄하였던 반면 가족생활은 그렇지 못하여서, 결혼 후 1년 4개월 만에 부인이 암으로 사망하고, 갓 태어난 아기를 기를 수가 없어 박할아버지는 서둘러 재혼을 한다. 그 딸은 성장기를 대부분 외갓집에서 보냈고, 재혼한 부인과의 사이에서 태어난 자녀들은 모두 4년제 대학교육을 시킨 반면 이 딸은 전문학교까지 뿐이 교육을 시키지 않은 것이 지금도 박할아버지는 가슴이 아프다. 퇴직한 후 갑자기 노인이 된 것 같지만 "건강만 하면 꿈을 놓치지 않을" 자신이 있는 박 할아버지는 "아직도 뭔가 할 수 있다"는 생각에 중국어를 배우면서, 수영, 등산, 스포츠 댄스 등 건강을 지키기 위한 다양한 운동을 열심히 하고 있다. 말쑥하고 건강한 모습의 자신감 넘치는 노신사처럼 보이지만, 자신의 소득이 없는 상태에서 경제권을 부인이 가지고 있다는 점, 부인 중심으로 짜여진 가족관계 구조, 노인에 대한 대접을 제대로 하지 않으면서 자신을 노인네 취급하는 사회 등에 대한 불만으로 자신의 생활만족도를 40점이라는 낮은 점수로 평가하고 있다. 자녀들을 아직 다 결혼시키지 못한 것, 그리고 살아오면서 형제들과의 관계를 소홀히 한 것도 박할아버지가 현재 자신의 삶의 만족도를 낮게 평가하는 중요한 요인이다.

위의 두 할아버지와는 다르게 배 할아버지는 지금이 자신의 생에 최고의 시기라고 생각한다. 배 할아버지의 life line graph는 50-60대에 최정점에 달하여 계속 높은 수준을 유지하고 있다. 16세 때 일본에서 한국으로 가족이 옮겨오면서 시작된 고생과, 월남전까지 참전하여 죽을 고비를 넘기면서 모은 재산을 형님 사업실패로 다 잃고, 가족을 먹여 살리기 위해 오랜 외항선원생활을 해온 지난날에 비하면, 퇴직하고 "가족과 함께 쉬는" 지금이 비록 "10원 한 장 버는 것 없지만" 가장 행복하다. 해군에서 전역하여 39살에 시작한 외항선 기관사 생활이 "너무 힘들어 더 이상 배를 못 탈 것 같다"고 부인에게 하소연 하지만 "가족을 위해 참아 달라"는 부인의 말에 배 할아버지는 52세에 퇴직할 때까지 배를 탔고 돈을 벌만큼 벌었다. 외항선이었기 때문에 한번 배를 타면 오래 집을 비워야 했지만, "지금도 부인과 한 침대를 쓸 만큼" 사이가 좋고, 현재 자녀와의 관계에서도 그가 오랜 동안 집을 비웠던 흔적은 남아있지 않은 듯하다. 복지관에 매일 나와서 그리고 싶은 그림과 붓글씨를 쓰고 관심 있는 전시회 구경을 다니면서 소일하고 있는 현재의 생활에 90점의 높은 점수를 줄만큼 만족하고 있다.

여성노인들 중에서는 오할머니와 최할머니가 현재 생활에 대하여 높은 만족도 점수를 준 반면, 조할머니는 만족도가 아주 낮은 것으로 나타났다. 오할머니는 그 당시로는 높은 학력수준이라고 할 수 있는 고등학교 졸업자이다. 가난하였지만 봉급생활을 한 친정아버지 밑에서 별 고생 모르고 컸지만, 결혼과 함께 고생이 시작된다. 땅 많고 부유한 농사꾼 집인 줄 알고 시집은 시댁은 막상 결혼하고 보니 가진 땅이라고는 손바닥만 하고, 홀시아버지에 시동생, 시누이들의 박대와 무능한 남편이 기다리고 있어 "땅에 떨어지는 실망을 맛보게" 된다. 어려운 시골 생활 끝에 살 길을 찾아 문고리에 손가락이 쩍쩍 붙을 정도의 추운 겨울날 서울로 올라오게 되는데, 서울에 와서도 고생은 줄지 않아서 오할머니는 두 번이나 자살을 기도한다. 오할머니가 "살아야겠다"고 결심하게 된 것은 두 번째 자살 기도가 실패로 돌아간 후 석 달 만에 들어선 아이 때문이다. 그 후로 오할머니의 삶은 "자식들에게는 어떤 일이 있어도 내가 한 이런 고생을 물려주지 않으려는" 피나는 노력으로 엮어진다. 손이 갈라지도록 도라지를 까면서 돈이 되는 일이라면 안해 본 일 없이 고생하면서 살았지만 지금은 2남 1녀가 모두 전문직에 잘 자리 잡아서 오할머니는 삶의 목표를 완수한 셈이다. "어머니 말이라면 어기는 법이 없이 착하게 커준" 자녀들이 효성스러워서 더 바랄 것이 없다. 복지관에 나와서 예전에 그렇게 배우고 싶었던 영어를 배울 수 있고, 미국, 유럽 등 자녀들이 근무하는 외국에 여행도 몇 번씩이나 다녀올 수 있는 지금이 오할머니는 "너무 행복하다".

최할머니도 유복한 친정에서 친정아버지의 사랑을 받으며 귀하게, 별 고생 모르고 살다가 결혼을 하면서 고생을 시작한다. "이날 되도록 남편 밥은 한 숟갈도 못 얻어 먹어봤다"고 할 정도로 경제적으로 무능한 남편은 바람까지 피운다. 그래도 최할머니는 "신랑은 그런가보다.." 하면서 "부모님하고 생활이니까... 별로 상관 않는" 삶을 살았다고 한다. 연구자가 듣기에는 마음고생을 꽤나 했음직한 결혼생활이건만 최할머니는 심상한 어조로 남편에 대해 간단히 언급하고 넘어갔다. 개신, "아들에게 엄하고 아들이 무능함을 미워하고 며느리에게는 한없이 잘해주시던" 시아버지에 대하여 매번 모임마다 이야기를 하고 있다. 농사를 짓던 남편과는 달리 공무원으로 군의 사무과장을 하고 "봉급을 받아서 간쓰매같이 그 당시 귀한 것들은 사다주시던" 시아버지는 최할머니에게 자랑스러운 존재이고 할머니의 젊은 시절이 '고생으로만 점철된' 삶이 아님을 상징하는 듯하다. 현재 "없게는 살아도 애들이 잘해서 마음이 즐겁고 조금 더 살고 싶다"는 최할머니는 자신의 현재 생활에 대해 만족도 점수 최고점을 주고 있다. 단지 자신이 너무 오래 살면 건강이 나쁜 큰 아들을 혹시 앞세울까 하는 걱정은 된다.

조할머니는 일본에서 태어나 15살까지 일본에서 살다가 아버지 사망 후 가족이 이사를 하면서 한국생활을 시작한다. 이때부터 "흰밥만 먹던" 생활이 끝나고 메주콩 삶아먹고 쑥 캐서 죽 쑤어먹는 고생이 시작된다. 그래도 그 시절, 즉 성장기가 조할머니가 자신의 삶에서 '행복했던' 것으로 평가하는 유일한 시기이다. 첫 번째 결혼이 남편의 갑작스런 죽음으로 짧게 끝나고, 혼자서 미용일을 하면서 살던 조할머니는 40세에 주변 할머니의 강권에 의해 아이 다섯을 둔 두 번째 남편과 재혼을 한다. 와세다 대학을 나오고 고등학교 교사였던 남편은 무뚝뚝한 이복남자로, 다섯 아이의 생모 말고도 이북에 두고 온 전처가 있었다. "애를 한번 가져보지도 못하고 나아 보지도 못한" 조할머니가 다섯 아이 도시락 싸기, 빨래다 하면서 엄마노릇을 하느라고 했지만, 이제 생각하니 후회되는 바가 많다. 5명의 자녀 중 어리고 살갑게 굴던 끝의 두 딸과는 지금도 사이가 좋고, "시금치, 단무지 예쁘게 일본식 김밥을 소풍 때마다 싸주던" 조 할머니를 자신의 친어머니라고 여긴다는 딸의 말에 위안을 삼는다. 그래도 사이가 나쁜 끝에 소식을 끊은 큰 아들, 그럴 정도는 아니지만 좋은 관계가 아닌 둘째 아들과 큰 딸 생각에 맘이 편치 못하다. 가만히 누워서 생각하면 "그러지 말았더라면" 싶은 이런저런 일들이 생각나고, 그런 점에서 자신은 "철이 없었고, 60넘어서야 간신히 철이든" 것 같다. 지금 혼자 살고 있으며, "갑자기 아프거나 쓰러지기라도 하면 어떡하나" "더 늙으면 어떻게 살 것인가" 하는 생각을 할라치면 "대책이 안서고 갑갑하기만" 하다. "인생이 고해라는 말이 딱 정확해요" "솔직히 하나도 행복하지 않아요" "TV를 끄고 누우면 기가 막히지요" 라는 이야기들은 조할머니의 현재 생활만족도가 극히 낮음을 잘 보여준다.

　　생애 전환점과 노년기 삶의 질 : 참여노인들의 현재 삶에 대한 만족도를 가지고 이들의 삶의 질을 평가하자면 오, 최 할머니와 배 할아버지는 삶의 질이 높고, 고, 박할아버지와 조할머니는 삶의 질이 낮다고 분류할 수 있겠다. 그 중에서도 조할머니는 현재 삶에 대한 만족도가 특히 낮은 것으로 나타난다. 이들 노인들에게서 관찰되는 이러한 차이는 일반적으로 삶의 질을 예측하는 요인인 것으로 여겨지는 건강, 경제상태, 복지관이나 봉사활동 참여 등의 사회활동의 정도 등에서의 차이만으로는 설명하기가 쉽지 않다. 앞에서 언급한대로 참여노인들은 이런 면에서 그렇게 큰 차이가 없으며, 각 노인들의 생활만족도 수준과 이들 삶의 조건들과의 관련성의 방향도 예측되는 것과 별로 일치하지 않기 때문이다. 이들의 현재 삶의 질은 오히려 이들의 과거 삶의 모습들 삶의 중심테마, 전환점 등과 이에 대한 주관적 해석 및 현재의 평가와 더 관련성이 있는 것으로 보인다. 이러한 측면에 주목하여, 참여노인들의 현재 삶의 질을 생애사에서 나타나는 전환점 및 삶의 중심 테마와 연결하여 살펴보기로 한다.

먼저 현재 삶에 대한 만족도가 높은 오할머니와 배할아버지의 경우를 생각해보자.[8] 오할머니에게 있어 생의 전환점은 결혼과 첫아이 임신이다. 고등학교를 졸업한 오할머니는 소설 "테스"를 읽고, 가세가 기운 친정에 경제적 도움을 줄 수 있기를 기대하면서 시골의 땅 부자 집으로 시집을 간다. 그러나 앞에서 언급하였듯이 막상 결혼한 시집은 빈농이었고, 별 고생 모르던 도시 생활에서 농사일에 손등 갈라지는 생활로 급격한 일상의 변화를 겪게 된다. 힘든 시집살이 끝에 시아버지에게 쫓겨나 할 수 없이 친정이모가 살고 있는 서울로 내외가 한겨울에 이사를 하게 되면서 오할머니의 생활환경은 다시 한 번 크게 변화된다. 도시생활은 그러나 여전히 고생스러움의 연속이라는 면에서 변화가 없고, 자존심이 바닥을 친 상황에서 두 번이나 자살을 기도한다. 생의 의욕을 놓았던 오할머니가 "열심히 살기로 결심하는" 두 번째 전환점은 첫 아이의 임신이다. 임신사실을 안 후 할머니는 "자식에게는 내가 한 고생을 시키지 않겠다"는 목표를 세우게 되고, 그 목표를 이루기 위해 열심히 노력하는 새로운 억척스러움으로 그 후 삶은 특징지워진다. 과거에 대해 이야기하면서, 그 시절의 고생이 지독한 것으로 회상되면 될수록, "내 할 일을 다했다"는 오할머니의 현재 삶의 의미와 성취가 확인되고, 지나온 생의 '노력'이 값진 것이 되는 과정을 관찰할 수 있다. 현재 경제적으로 어려움 없고, 건강하다는 점도 물론 오할머니의 높은 생활 만족도의 근거가 되겠지만, 할머니의 '행복함'에는 자신의 삶의 결과물로서의 자녀들의 성취와 '목표완수'한 자의 만족감이 큰 몫을 차지한다.

배할아버지는 '일본에서 한국으로의 이사'와 '19년 해군생활을 끝내고 39살에 전역하여 외항선원이 된 것' 이렇게 두 가지 사건을 자신의 삶의 전환점이라고 응답하였다. 거주지 이전은 대부분의 생애전환점 연구에서 삶의 환경에 급격한 변화를 가져오는 중요한 구조적 요인으로 지적된 바 있는데, 배할아버지에게는 한국 땅에 첫발을 내딛으면서 바라본 밤의 부산항의 모습이 지금도 잊지 못하는 특별한 광경이다. 경제적으로 어려운 생활은 일본과 한국생활 사이에 별 차이가 없었지만, 일본에 계속 거주하였다면 그 후 삶의 경로가 매우 달라졌을 가능성 때문에 한국으로의 이주는 배할아버지에게 중요한 전환점의 의미를 가진다. 두 번째 전환점은 군 생활을 하면서 월남전까지 참전하여 죽을 고비를 넘기면서 모은 재산을 형님이 사업한다고 다 잃고 빚까지 지게 된 상황에서, 돈을 벌기 위해 선택한 외항선언으로의 취업이다. 막상 시작하고 보니 배를 오래 타야하는 외항선원 생활은 열대기후와 싸워야 하고 가족과 오래 헤어져 있어야 하는 등 너무 힘들어서 '도저히 못견디겠다'고 부인에게 편지를 쓸 정도로 힘든 것이었다. 그래도 '가족을 위해 참아 달라'는 부인의 편지에 어려움을 참고 52세까지 외항선원 생활을 하였던 것, 이것이 지금의 배할아버지의 삶에 대한 여유로움을 가능케 하는 힘인 듯하다. '가족을 위해 참고 견딘 힘든 외항선원 생활'은 '아버지, 남편으로서의 몫을 열심히 했음'과 등치되면서 "지금은 10원 한 장 못벌지만" 가족 내에서의 위치나 가족원과의 관계가 안정적인 그런 삶의 바탕이 되는 것 아닌가 싶다. 또한 가족과 물리적으로 함께 있지 않으면서, 편지 등을 통하여 서로에 대한 관심과 배려가 표현될 필요가 있었고, 이러한 과정이 심리적으로 가까운 부부관계 및 자녀와의 관계를 가능하게 했을 가능성을 생각해 볼 수 있겠다.

배할아버지는 이 프로그램에 참여한 다른 두 명의 남성노인과 달리 경제활동에 대한 미련이 전혀 없이 '나는 할 만큼 했다'는 모습을 보였고, 이 점이 배할아버지와 다른 두 할아버지의 현재 생활에 대한 만족감에 있어서의 큰 차이를 가져오는 중요한 요인이 되는 것으로 보인다.

다음으로, 현재 삶에 대한 만족도가 낮은 고할아버지, 박할아버지와 조할머니의 생애 전환점의 내용을 살펴보기로 한다.

고할아버지는 10대 후반의 갑작스런 아버지의 사망, 서울대에 합격하고도 경제적 형편 때문에 육사로 진학했던 것, 그리고 24년 동안의 군 생활을 끝내고 전역한 것, 이렇게 세 가지 사건을 자신의 삶의 전환점으로 들고 있다. 그러나 고할아버지의 과거의 삶의 모습이 현재 삶에 영향을 미치는 과정은 이러한 전환점들에 의한 '삶의 경로의 변화'와 그 과정에서의 자신의 선택에 대한 평가나 해석은 아닌 것으로 나타난다. 현재 삶에 대한 낮은 만족도는 전환점이나 변화보다는 오히려, 군 생활을 끝내고도 '변화하지 않는' 군인정신으로 무장한 삶, 여전히 자신을 '지휘자, 통솔자 역할'로 조망하는 생활자세 등, '변화 없음, 변화하지 못함'과 더 밀접한 관련이 있는 듯하다. 전역하여 대기업에 입사한 후에도 고할아버지는 군대식 운영방식과 철학을 기업경영에 적용하였고, 그러한 삶의 방식은 가족생활에도 예외가 아니며, 모든 현역에서 물러난 현재에도 가장 주요한 삶의 구성방식이다. 그의 지휘와 철학을 제대로 따라주지 않고 이해하지 못하는 사회에 불만이 없을 수 없다. 젊은 시절의 삶을 주도했던 주요 테마가 변하지 않고 여전히 노년기에도 중요한 위치를 차지한다는 점에 그에 적절한 사회적 역할을 갖지 못한 고할아버지의 객관적 현실과 필연적으로 충돌하게 되고, 생활만족도를 낮추는 방향으로 작용하게 된다. 그렇지만 고할아버지는 살아온 삶의 방식이나 과거 자신의 선택, 의사결정 등에 대해 되돌아보거나 이를 조절, 변화시킬 필요성은 별로 느끼고 있는 것 같지 않아 보인다.

박할아버지는 자신의 인생을 크게 바꾼 전환점으로 두 가지 생애사건을 기억한다. 하나는 결혼 1년 4개월 만에 닥친 부인의 갑작스런 죽음이다. 갓 난 아기였던 큰 딸을 키우기 위해 곧 재혼을 하는데, 새로 들어온 부인의 엄마노릇에 대하여 주위에서 "애기를 때리더라, 잘 한다 못한다 말들이 많아서" 이럴 바에는 "다른 데로 뜨자, 거기 가서는(재혼사실을) 쉬쉬 하자"고 생각하고 거주지와 함께 잘 다니던 직장까지 옮겨 버린다. 그렇지만 딸아이를 키우는 문제는 재혼한 부인과의 사이에 계속 긴장요인으로 작용하게 된다. "애를 대하는게 자기가 낳은 애하고 같을 수는 없고, 그건 어쩔 수 없다"고 생각하기는 하지만 박할아버지는 "말 못하는 심적 갈등"을 겪는다. 그 때문에 재혼한 부인에게 "아주 100% 잘할 수가 없었고 그건 우리 집 사람도 마찬가지"라는 이야기는 박할아버지의 부부관계가 아주 만족할만한 관계는 아니었음을 짐작하게 한다. 지금도 "그 뭐랄까 항상 뭐가 이렇게 인생에 걸려있는" 마음이고, "그 여자가 살아 있었으면 지금 (내 삶이) 어떻게 되었을까" 생각이 든다. 그런 면에서 첫 부인의 죽음은 박할아버지에게 "운명의 전환점"이다.

첫 번째 전환점이 "어쩔 수 없이 닥쳐온 것"이었다면 박할아버지 삶의 두 번째 전환점은 "내 스스로가 저지른 것"이다. 친구의 보증을 섰다가 거의 전 재산을 날리는 정도의 큰 경제적 손실을 입게 된 사건인데, 이는 박할아버지의 가정생활을 어렵게 하는 또 하나의 요인이 된다. 광릉에 사두었던 땅을 팔아 "집 조그만거 하나 건졌지만" 이 부도사건과 함께 경제권은 부인에게 넘어가고, 가족 내에서 박할아버지는 "내가 진실하게 해도 불신으로" 되돌아오는 상황을 경험하게 된다. 가족원들의 그런 태도가 "자라보고 놀란 가슴 솥뚜껑보고 놀란다고, 당연한 것 아니냐"고 생각하기는 하지만, 부인위주로 구성된 가족관계에서 박할아버지가 느끼는 소외감은 7회의 모임 중간 중간에 여러 방식으로 표현되어 나타난다. 박할아버지에게 있어 과거에 경험한 두 번의 전환점적 사건은 아직도 진행형의 형태로 현재 삶의 모습에 영향을 미치고 있다.

마지막으로, 삶에 대한 만족도가 참여노인 중 가장 낮은 것으로 보이는 조할머니의 삶의 전환점에 대해 살펴보기로 한다. 조할머니의 생애사에 대해 앞에서 살펴보았을 때, 일본으로부터 한국으로의 거주이전, 첫 번 결혼과 남편의 죽음, 그리고 재혼이 조할머니의 삶의 경로에 큰 변화를 가져온 전환점을 이루는 것을 알 수 있었다. 그러나 조할머니가 자신의 과거의 삶에 대해 다시 생각하고 평가할 필요성과 함께, '나는 어떤 사람인가?' 하는 질문에 직면하게 되는 '심리적 전환점'을 구성하는 사건은 큰 며느리와 손자의 갑작스런 죽음인 것으로 보인다. 조할머니는 5명의 자녀들 중 두 딸들과는 비교적 좋은 관계를 유지해온 반면, 재혼할 때 이미 고등학교를 졸업한 나이였고 아버지의 재혼을 달가와 하지 않았던 큰 아들과 특히 사이가 좋지 않았다. 남편이 사망하자 큰 아들 부부가 조할머니 내외가 살던 아파트로 "이삿짐부터 부려 놓으면서 밀고 들어오는" 바람에 조할머니는 작은 집을 얻어 나가게 되는데, "울고불고 난리를 피우면서" 며느리에게 욕을 하는 등 큰소리를 내는 과정을 거치면서 이사를 하게 된다. 그리고 사흘 후 그 며느리가 비행기 추락사고로 손자아이와 함께 죽고, 그 소식을 들은 조할머니는 쓰러질 정도로 충격을 받는다. 그 후 큰 아들은 재혼을 하였지만 조 할머니와 왕래를 끊은 상태로 조할머니는 큰 아들 내외가 어디에서 어떻게 살고 있는지 알지 못한다. 딸들을 비롯하여 다른 자식들은 알고 있는 누치이지만 조할머니에게 알려주지 않고, 조할머니도 캐묻지 않고 있다.

　며느리의 갑작스런 죽음이 직접적인 원인이 되어 조할머니의 삶의 경로 자체가 크게 변화된 것은 없다. 조할머니 스스로도 며느리의 죽음을 자신의 삶의 전환점이라고 지목하여 언급하지 않고 있다. 그러나 며느리의 갑작스런 죽음은 '충격'이 되어 조할머니에게 자녀들과의 관계, 재혼 후 다섯 아이들의 '엄마'로서 살아온 과정에 대해 뒤돌아보게 한다. 나아가서는 "자신이 어떤 사람인가"의 문제까지 생각하게 되는 계기가 되었다는 의미에서 심리적 전환점을 이루는 사건이 된다. 심리적 전환점은 '자아에 관하여 좋든 나쁘든 주요한 변화를 경험하는 시기나 시점'을 일컫는(Wethington, 2000)개념이다. 조할머니가 생각하는 자신의 모습은 "남들이 다 나를 좋아하는 사람" "남에게 욕먹지 않는 사람"으로, 모임에서도 "날 나쁘다는 사람 아무도 없다"는 점을 여러 차례 강조한다. 그런데 유독 자녀와의 관계는 갈등적이다. "내가 죄지은 거는..내가 힘드니까.. 하나둘이라면 모르겠는데"라는 말로 다섯 아이의 엄마노릇이 "애를 가져보지도 못하고 나아보지도 못한" 자신에게 벅찬 일이었다고 변명을 해보지만 현재 돌이켜보면 후회되는 점이 많다. 그래서 "계모라는게 그런가보다"는 생각을 하게도 되고, 막내딸에게 "내가 너무 철없이 너희에게 섭섭한 일이 많았지?" 하고 묻기도 한다. 큰 아들 내외는 자녀들 중에서도 조할머니와 가장 갈등이 많았던 사이이고, 큰 며느리와의 마지막 만남도 서로 언성을 높인 만남이었다. 큰 며느리에게 할 이야기가 많을 것이나, 이제 막내딸에게 했었던 것과 같은 이런 질문을 할 수 없고 따라서 조할머니가 변명이나 사죄를 할 기회가 없다.

이 모임이 진행되는 동안 조 할머니는 큰 며느리와 관련된 이야기를 한 가지 더 한 적이 있다. 비행기 추락 사고로 죽은 손자가 태어났을 때, 큰 며느리는 그 해산뒷바라지와 아기양육을 조할머니에게 부탁했다. 큰 며느리의 친정어머니가 다른 딸들의 해산뒷바라지와 손자녀 키우기를 해주었던 것을 알던 조할머니는 자신은 운동도 배우러 다녀야 하고 바쁘다는 생각에 다른 딸들처럼 친정엄마에게 부탁하라면서 거절한다. 그런데 손자를 키우던 며느리의 친정어머니가 과로로 당뇨가 악화되어 입원을 하고, 결국은 세상을 뜨고 만다. 이 일이 큰 며느리와의 관계에 어떤 영향을 미쳤는가에 대해 조할머니가 자세한 이야기를 하지 않았지만, 이에 대한 이야기를 할 때 조할머니의 설명에는 현재의 후회가 묻어 있었다. "사돈댁의 병실로 잣죽, 깨죽, 녹두죽... 쒀다 드리면 통 다른 것을 못드시던 분이 맛있다고 잘 드셨다"는 이야기를 자세히 한다든지 "나는 그때도 철이 없었다. 이제 비로소 철이 드는 것 같다"는 이야기를 하는 모습은 조할머니가 스스로에게 하는 후회와, "자신이 나쁜 사람이 아니다"는 변명을 담고 있다. 변명을 들어줄 주된 대상자인 큰 며느리가 없는 상황에서 조할머니는 과거와의 불편한 만남을 계속하고 있으며, 자신의 과거에 대한 타협이 되지 않아 지금 행복하지 않다. Wethington(2000)의 연구에서도 가족과 관련된 문제로 심리적 전환점을 경험한 응답자들은 후회, 죄의식과 자기비판 방식으로 반응하였다. 조할머니에게 있어 불편한 과거와의 화해는 자신의 삶에 대한 긍정적 평가와 포용을 위해 반드시 풀어야 할 숙제인 것으로 보인다.

7. 마치는 글

위에서 제시한 연구사례는 생애사 연구과정 및 생애사 자료를 통한 노년기 삶의 질 연구에 몇 가지 시사점을 구체적으로 보여주고 있다.

우선, 이 연구에 참여한 노인들의 현재의 삶의 질은 일반적으로 삶의 질을 예측하는 요인인 것으로 여겨지는 건강, 경제 상태와 같은 현재의 자원 요인이나 복지관이나 봉사활동 참여와 같은 사회적 통합성 정도 등의 요인에 의해 설명하기가 쉽지 않았다. 앞에서 언급한대로 참여노인들은 이런 삶의 객관적 여건 면에서 그렇게 큰 차이가 없으며, 각 노인들의 생활만족도 수준과 이들 삶의 조건들과의 관련성의 방향도 예측되는 것과 별로 일치하지 않았다. 이들 현재 삶의 질은 오히려 이들의 과거 삶의 모습들 삶의 중심테마, 전환점 등과 이에 대한 주관적 해석 및 현재의 평가와 더 관련성이 있는 것으로 나타난다. 과거에 경험한 전환점적 사건의 경험이 아직도 진행형의 형태로 현재 삶의 질에 영향을 미치고 있음을 볼 수 있었다. 노년기 삶의 질에 대한 심층적 이해를 위해서는 생애과정 전체의 맥락에서 노인들의 삶을 접근해야 할 필요성을 강하게 시사하며, 생애사적 연구의 가치를 보여준다.

두 번째 모임에서 대부분의 참여노인들에게 있어 이미 삶의 핵심 테마가 떠오르기 시작하였음에 주목할 필요가 있다. 그 모임 당시에는 알 수 없었으나 모임이 진행되고 생애사에 대한 정보가 축적되면서 모임초기에 언급되었던 내용들이 이들 노인들의 삶에 매우 중요한 의미를 가지는 것임을 확인할 수 있게 되었다. 젊은 시절에 대한 이야기를 하도록 마련된 모임에서, 젊은 시절에 대한 서술은 간단히 넘어가고, 현재 노년기 삶의 허무함, 쓸쓸함을 중심으로 하여 자신의 젊은 시절을 '철없었음'으로 회고하는 방식으로 이야기를 전개한 조할머니의 경우가 대표적이다. 추후 모임이 진행되면서, '철없었음'은 조할머니의 과거 자신의 삶에 대한 평가와 변명의 기제로서 그리고 과거의 삶의 경험, 선택들이 현재 삶에 계속 영향 미침을 보여주는 방식으로 중요한 의미를 가진다는 것이 들어나게 된다. 그리고 현재의 입장에서 바라본 과거에 대한 평가가 이렇게 부정적이라는 점은 조할머니의 미래에 대한 전망과 예측이 "더 늙으면 어떻게 살 것인가 하는 생각을 할라치면 대책이 안서고 갑갑하기만" 하는 정도로 부정적일 수밖에 없다는 것과 연관되어 나타난다. 노년기 삶에 있어 과거, 현재, 미래는 계속 상호 영향을 미치는 시간의 고리 속에서 존재하며 해석/재해석되면서 현재의 삶의 질에 영향을 미치고 있음을 보여준다.

지나온 삶에 대해 이야기하는 것을 꺼려하는 사회적 setting에서 행해진 집단면접임에도 불구하고, 모임 횟수가 많아지면서 참여 노인들 간의 상호작용이 활발해지자 매우 사적인, 그래서 "살면서 이제까지 아직 아무에게도 하지 않았던" 이야기를 털어놓기도 하였다. 특히 사적인 일이나 정서를 공적으로 표현하는 것에 익숙하지 않은 것으로 여겨지는 남성노인들도 매우 활발히, 열성적으로 표현을 하는 모습을 관찰할 수 있었다. 그런 면에서 집단면접도 잘 운영하면 생애사의 세밀하고 풍부한 서술을 이끌어 낼 수 있음을 보여준다. 이 글에서는 별로 언급하지 않았으나, 생애사 서술 방식에 있어서 남녀차이가 관찰되었는데, 생애사건을 기술하는데 있어 준거점(reference points)이 남성은 주로 직업경로 및 거시적 사건이라면 여성은 가족적 사건에 치중되는 등의 특성차이를 볼 수 있었다. 생애사 서사구조 및 전략에 있어서의 남녀차이에 대한 연구의 필요성을 시사한다.

과거에 대한 이야기가 노인들의 현재의 삶에 의미를 부여하는 기제 및 방식으로 쓰이고 있음을 이들 노인들이 젊은 시절 고생한 이야기 서술에서 관찰 할 수 있었다. 젊은 시절의 고생이 지독한 것으로 회상되면 될수록 "내 할 일을 다했다"는 현재 삶의 의미와 성취가 확인되고, 지나온 생의 '노력'이 값진 것이 되는 과정을 관찰할 수 있었다. 또한 현대 한국사회에서 별로 가치를 인정받지 못하는 '노인' 집단에 속하게 되었지만, 젊은이들이 지금 누리는 풍요는 노인세대들의 노력의 결과라는 점에서 스스로의 도덕적 위상을 확인하는 기제로서의 성격도 가지는 것으로 해석될 수 있다.

사람들이 자신의 생애사에 대한 다양한 버전을 가지고 있으며, 어떤 맥락에서 자신의 생애이야기를 하는가에 따라 무의식적/의식적으로 상이한 버전을 제공하게 된다는 점을 이 연구과정에서도 관찰할 수 있었다. 예를 들어 조할머니와 박할아버지는 6년째 모임에서 비로소 자신의 결혼생활이 재혼이라는 점을 밝혔는데, 그러자 그전 모임에서 이들 노인들이 했던 이야기들의 의미와 맥락이 분명해지는 것을 관찰할 수 있었다. 한 달을 넘게 만나면서 서로의 과거에 대해 이야기하면서 상당한 정도의 라포가 형성된 점, 그리고 자신의 이야기의 줄거리를 정확히 전달하고 싶은 기본적 욕구 등이 이러한 정보를 자진하여 제공하도록 작용한 것 같다. 1-2회의 면접에서 얻을 수 있는 생애사 자료의 한계점을 인식하고, 그러한 방식으로 수집된 자료를 해석할 때는 그 제한점에 대한 성찰적 논의가 필요함을 시사한다.

이상 간단히 생애사 방법에 대해 살펴보고, 노년기 삶의 연구에 생애사 방법이 유용할 수 있는 측면에 대해 논의해 보았다. 이 글이 생애사 연구가 활성화되어 노년학 연구 방법이 다양화해지고, 노년기 삶에 대한 심층적 이해에 도움이 되는 계기가 되었기를 희망해본다. 한편, 본 논문에서는 기존 생애사 연구에 대한 고찰이 생략되어 있는데, 주요 연구들의 흐름을 진단하는 작업이 후속연구로 필요하다고 본다. 인류학, 역사학, 여성학, 사회학 등 다양한 분야에서 생애사 방법을 적용한 연구들이 상당 정도 축적되었고, 이들 연구들은 노년기 삶의 이해라는 노년학적 관점에서 수행된 연구라기보다는(노인을 대상으로 하는 경우에도) 각각 문화의 이해, 잊혀진/소수의 역사, 여성연구 방법론으로서의 생애사 적용, 거시와 미시의 접점에서의 생애사 등 분야 나름대로의 주요 관심과 관점에서 접근되고 있지만, 방법론으로서 생애사 발달에 지대한 공헌을 하였고, 방법론적 주요한 특징과 쟁점들을 노년학 분야의 생애사 연구와 공유하고 있다. 그리고 이들 연구결과들이 노년기 삶의 이해와 완전히 별개의 무관한 것도 아니다. 따라서 그 주요 연구

결과들과 흐름을 고찰하는 작업이 중요하다고 본다. 이 작업 자체가 매우 방대한 것이기에 생애사 방법에 대한 소개를 일차적 목표로 한 본 논문에서는 생략하였으나, 후속연구로서의 그 필요성을 강조하고자 한다. 또한 최근 국내 노년학 분야에서 엄밀한 의미에서 생애사 방법은 아니지만 노인의 회상 자료를 활용, 분석하는 연구들이 시작되고 있는데, 체계적 생애사 방법의 활성화를 위하여 이들 연구들에 대한 분석적 고찰도 함께 병행하는 것이 필요할 것이다.146)147)

Abstract

The purpose of this study is to discuss the main characteristics of life history method as a useful methodological tool for studying the lives of old people. With the emergence of a life course perspective, there has been increased use of life history method in the area of gerontology in Japan and western countries, as researchers in the field became more aware of the importance of examining the relationship between socio-historical context, individual subjectivity and lived experience of old people. Yet, there are few studies applying the life history method for studying the lives of old people in Korea. In this study, employing the example from our own research, the ways in which life history method can be utilized to enhance the understanding the lives of Korean elderly are illustrated. Also, the key assumptions and characteristics of life course perspective as a conceptual means analyzing life history materials are discussed. It was shown that the quality of life and adaptation in later life reflect the ways in which elderly interpret their past experience-life events , transitions, and choices the elderly people make -in order to maintain a sense of personal coherence and continuity over time. In this regard, it was argued that the life history represents an exemplary method for studying how presently remembered past, experienced present, and anticipated future provide elderly with a continuing sense of personal integrity.

참고문헌

엄명용(2000). 뇌졸증 노인을 위한 회상그룹 운영과 평가 : 노인복지관을 중심으로. 한국노년학. 20(1), 21-35.

유철인(1995). "배우지 못한 고아" 의 생애이야기에 나타난 국제결혼여성의 삶. 한국문화인류학. 제28권.

유철인(1998). 생애사 연구방법 : 자료의 수집과 텍스트의 해석. 간호학 탐구. 7(10), 186-195.

이재인(2004). 한국 기혼 여성의 생애이야기에 나타난 서사유형과 결혼 생활. 서울대학교 대학원 박사학위 논문.

한경혜(1990). 산업화와 결혼 연령 변화에 관한 이론적 고찰- "가족전략" 의 관점에서. 한국사회학. 24(겨울호), 103-120.

한경혜(1991). 세대관계 측면에서 본 Life Coures 전이와 역연쇄전이의 시기-결혼 연령을 중심으로-. 한국노년학. 11(1), 36-49.

한경혜(1993). 사회적 시간과 한국 남성의 결혼 연령의 역사적 변화 - 생애과정 관점과 구술생활사 방법의 연계. 한국사회학. 27(겨울호), 295-317.

한경혜·노영주(2000). 중년여성의 40대 전환기 변화 경험과 대응에 관한 질적 연구. 가족과 문화. 12(1), 67-91.

Bruner, J. 1987. Life as Narrative. *Social Research* 54. 11-32.

Cohler, J. and Hostetler, A.(2003). Linking Life Course and Life History : Social Change and the Narrative Study of Lives over Time, Handbook of the Life Course. 560-561.

Frank, G. and Vanderburgh, R.(1980). Life Histories in Gerontology : The Subjective Side to Aging, In New Methods for Old Age Research : Anthropological Alternatives, ed. C. Fry and J. Keith. Chicago : Loyola University Center for Urban Policy. 155-171.

Heidegger(1962). Being and Time, New York : Harper & Row.

Lieblich, A., Truval-Mashiach, R., & Zilber, T.(1998).Narrative Research: Reading, analysis and interpretation. Thousand Oaks, CA: Sage Publications.

Mandelbaum, G.(1973). The Study of Life History : *Gandhi, Current Anthropology.*

14(3). 177-206.

Matthews, S. H.(1983). Analyzing Topical Oral Biographies of Old Persons : The Case of Friendship. Research on Aging. 5(4). 569-589.

Morin, F.(1982). Anthropological Praxis and Life History. *International Journal of Oral History.* Vol. 3(1).

Myerhoff.(1978). Number Our Days. New York : E. P. Dutton.

Pelto, Pertti J., and Gretel H. Pelto.(1978). Anthropological Research : The Structure of Inquiry, (2d ed.(, Cambridge : Cambridge University Press.

Schrager, S.(1983). What is social in oral history? *International Journal of Oral History.* 4(2). 76-98.

Wentowski, G. J.(1981). Reciprocity and the Coping Strategies of Older People : cultural dimension of network building. *The Gerontologist.* 21(6). 600-609.

(부록 2) 질병인가? 노화인가?

질병인가? 노화인가? 노화를 인체의 슬픈 과정으로 볼것인가? 영적 성숙의 과정으로 볼것인가? 데이비드 호킨스 스승님께 깊은 감사와 존경, 사랑을 보냅니다.

몸과 마음, 영혼의 관계는 노화과정과 어떤 상관관계가 있을까?

이 장에서는 우리의 실제 모습을 확인하고 비 실재적인 모습과의 동일시를 놓아버리는 방법을 알아보자.

인간의 경험이 이루어지는 자리는 어디일까? 연구를 통해 이 문제에 천착한 결과 세상에서 불가피하다고 주장하는 많은 것들에 사실은 우리가 지배받지 않음을 발견했다.

노화는 일련의 프로그램과 고정관념, 행동양식, 각본뿐 아니라 수많은 동일시의 결과이기도 하다. 하지만 삶을 경험하는 그것은 나이도 없고, 노화에 영향을 받지도 않는다. 그러므로 우리가 경험하는 대상이 '우리 자신인지 아니면 우리가 경험 자인지를 자문해 보아야' 한다.

중년에 대한 근거없는 사회적 통념과 건강상태, 성생활 양식, 체중문제처럼 중년에 발생할 것으로 여겨지는 문제 등 생각해보아야 할 점들이 많이 있다. 또 마음이 믿는대로 몸이 표현해낸다는 주장은 물론이고 이런 주장과 관련된 물리적 현상들도 있다.

몸은 원인이 아니라 결과이며 마음속 생각들에 영향을 받는다는 등의 여러 사실과 개념들도 있다. 또 이런 다양한 패턴들을 선택할 수 있는자유, 가족과 사회의 프로그램들을 받아들이는 문제, 이런 프로그램들이 장수에 대한 생각과 믿음에 미치는 영향들도 있다.

앞으로 이런 문제들을 살펴볼 것이다.

삶에서 어떤 기여나 나눔을 실천하고 있다는 느낌도 중요하다. 노화에 영향을 주기때문이다. 이런 맥락에서 조루증 같은 임상학적 실례들처럼 의학계에서 발견되고 있는 기이한 현상들과 최면실험을 되짚어 보면서 이것들이 던져주는 의미도 살펴볼 것이다. 또 노화를 계층적 현상의 측면에서 살펴보고 노화와 성과 나이도 생각해 볼것이다. 나아가 의식자체의 본질에 대한 지식을 활용해서 사실과 환상들을 다시 검토하고 정의내려 볼것이다.

누구나 나이가 들수록 노화의 전 영역에 관심을 기울이기 때문이다. 의식지도는 인간의 행동과 '나는 누구인가'하는 문제를 바르게 이해하도록 도와준다.

다시 살펴보면 의식지도는 하나의 수치모델로 각 의식단계의 에너지 장이 지닌 방향과 상대적인 힘을 보여준다. 이 상대적인 힘은 0(죽음)에서부터 시작해 지복(600)에까지 이르는데, 무감정(50)은 두려움(100)보다, 두려움은 용기(200)보다 훨씬 약한 에너지를 지닌다.

중립의 단계에서는 무엇이든 문제가 되지 않지만, 사랑(500)의 단계보다 에너지가 작다. 용기 즉 진실을 말할 수 있는 단계밑에서는 에너지 장이 부정적인 방향을 향한다. 반면에 이 결정적인 단계 이상에서는 모든 에너지 장이 위를 향한다.

긍정적인 에너지 장이 삶을 보살피고 지지해주며 삶을 가치있고 신성한 것으로 받아들이게 해주는 것이다.

200이하의 에너지 장들은 삶에 적대적이므로 삶을 지지해 주지 않는다. 실제로 맨 아랫부분의 에너지 장들은 삶에 아주 파괴적인 영향을 미친다. 에너지와 영혼의 상실, 낙담, 위축, 노예화, 팽창같은 부정적인 작용을 불러일으키고 세상을 부정적으로 보게 만든다. 또 신을 매우 부정적인 시각으로 보거나 신성을 부정하게 만든다.

　몸과 마음, 영혼의 관계가 갖는 진정한 의미를 이해하도록 이것들의 관계를 다시 설명해보자. 이 셋의 관계를 이해하는 것이 노화화정을 받아들이는데 아주 중요하기 때문이다.

　먼저 몸은 스스로를 경험할 수 없다는 점을 내면의 성찰과 사색을 통해 이해하고 깨달아야 한다. 이것은 아무리 되풀이해도 모자랄 만큼 중요하다. 몸은 자신을 경험할 능력이 몸과 몸안에서 일어나는 일에 대한 인식은 오감에서 비롯된다.

　하지만 오감자체도 자신을 경험할 능력은 없다. 몸이나 오감, 감각기관보다 더욱 큰 어떤 것속에서 경험되어야 한다. 이 어떤 것은 바로 마음이다. 마음 덕분에 우리는 오감안에서 일어나는 일들을 인식하고 오감은 몸안에서 일어나는 일들을 알려준다. 그러나 아주 기이하게 여겨지겠지만 마음에도 자신을 경험할 능력이 없다. 생각은 자신이 생각임을, 느낌은 자신이 느낌임을, 기억은 자신이 기억임을 경험하지 못한다.

　마음도 더욱 큰 어떤 것속에서 경험되어져야 한다. 마음보다 더욱 크고 포괄적인 의식(consciousness)의 에너지 장이 있어야 한다는 말이다.

　우리가 의식하는 것을 아는 방법과 의식자체는 자각(awareness)이라는 무한하고 제약없는 장에서 비롯된다. 이 자각 덕분에 우리는 의식안에서 일어나는 일을 알고, 의식덕분에 마음에서 일어나는 일을 알 수 있다. 그리고 마음 덕분에 오감의 차원에서 일어나는 일을 인식하고 오감덕분에 몸에서 일어나는 일을 알 수 있다.

　결과적으로 본래의 우리 즉 자각의 주체, 본원적인 나가 가리키는 것, 무한한 큰나, 의식자체는 몸에서 몇단계 떨어져 있다. 흥미로운 점은 몸이 마음속의 생각들을 그대로 표현하고 따른다는 것이다.

　의식적으로든 무의식적으로든 마음이 몸을 꼭두각시 인형처럼 조종하는 것이다. 그러나 마음이 몸에 이런 영향력을 행사한다는 것을 아는 사람은 드물다.

의식의 지도 / 지금 나의 의식이 머물러 있는 곳은?

의식의 밝기(Lux)	의식수준	감정	행동	말
700~1000	깨달음	언어이전	순수의식	
600	평화	하나	인류공헌	
540	기쁨	감사	축복	
500	사랑	존경	공존	
400	이성	이해	통찰력	
350	포용	책임감	용서	
310	자발성	낙관	친절	
250	중용	신뢰	유연함	
200	용기	긍정	힘을 주는	
175	자존심	경멸	과장	
150	분노	미움	공격	
125	욕망	갈망	집착	
100	두려움	근심	회피	
75	슬픔	후회	낙담	
50	무기력	절망	포기	
30	죄의식	비난	학대	
20	수치심	굴욕	잔인함	

POWER 긍정적인 에너지 / FORCE 부정적인 에너지

의식지도를 보면, 신체적인 몸의 상대적인 에너지는 마음은 400대 이상의 에너지를 갖고 있다. 또 몸의 에너지 장은 중립적이다. 긍정적이지도 부정적이지도 않은 것이다. 그 물리적 작용을 들여다보면 400의 에너지 장에서 품은 생각이 200밖에 안되는 에너지 장의 몸을 지배한다는 것을 알 수 있다. 이로인해 몸은 마음속의 믿음과 개념, 생각, 양식, 대본을 받아들여서 구체적인 외양속에 반영하기 시작한다. 이것은 다양한 병들을 내려놓는 방법에 대한 논의에서 이미 설명한 사실이다. 하지만 이 원리는 아주 중요하기 때문에 더욱 깊은 성찰이 필요하다.

이장의 뒷부분에 이 원리를 스스로 확인하는 방법들과 구체적인 예들을 소개한다.

중년에 대한 근거없는 통념들과 노년에 이르면 노쇠해지고 건강이 나빠질 것이라는 생각들, 사실은 마음에서 비롯되는 것인데도 이 모든 일들을 몸의 불가피하고 본질적인 작용으로 받아들이는 믿음체계를 지워버리는 방법들이 그 예다.

최면같은 간단한 임상학적 예로도이것을 확인할 수 있다.

예를들어 아주 허약한 노인이 최면을 받으러 사무실에 들어와 "여기 의자에 앉아도 될까요?"라고 묻는다. 그러고는 의자에 앉을 기운도 없는 사람처럼 털썩 주저 앉는다. 최면요법 전문가는 최면을 걸어 그에게 서른 다섯살밖에 안됐다고 말하고 이 암시를 기억하지 못하게 기억상실증을 유도한다. 그러고는 노인이 최면상태에서 깨어나면 "물한잔 마시겠어요?"라고 묻는다. 그러면 노인은 "네 한잔 마셔야겠네요"라고 말하고 분수식 식수대로 가서 물을 한컵 받아 자리에 앉는다. 허약하기 이를데 없던 노인의 모습은 온데간데 없이 말이다.

와들와들 떨어대던 모습은 어디로 간걸까? 그 허약하고 쇠잔했던 노인의 모습은 어디로 간걸까? 힘없던 노인에게 무슨일이 일어난 걸까? 노인은 완전히 사라져 버린 것 같다.이 임상학적 예는 몸이 최면상태에서 받아들인 믿음을 정확히 반영한다는 것을 보여준다. 서있는 자세부터 자신을 지탱하는 방식, 몸에 대한 태도에 이르기까지 마음속 생각들을 몸은 그대로 반영한다.

노인은 자신의 몸을 노쇠한 것처럼 생각했다. 어딘가에서 떨어져 엉덩이를 다칠지도 모른다는 생각에 사로잡혀 있었다. 계속 이런 생각을 갖고 있었다면 아마도 실제로 그런 일을 겪게 되었을것이다.

다른 예는 다중인격의 사례에서 볼 수 있다. 다중인격환자는 하나의 인격이 건강과 삶, 노화에 대해 다른 인격과 완전히 다른 시각을 갖고 있을 수 있다. 이런 경우 몸은 당시의 지배적인 다른 시각을 갖고 있을 수 있다. 이런 경우 몸은 낭시의 지배적인 인격이 지닌 믿음들을 반영한다.

몸에 들어와 있는 인격이 천식에 걸렸다는 믿음을 갖고 있으면 몸은 실제로 천식증세를 보인다. 그러다 한결 유쾌한 인격이 이 인격을 대체하면 천식은 사라지고 알레르기 증세도 나타나지 않는다. 신체적인 몸이 무의식적 믿음체계를 반영하는 것이다. 이런 믿음체계들이 생기게된 과정을 들여다보면 마음이 애초에 잘못된 판단을 내렸음을 알 수 있다.

자신에게는 어떤 선택권도 없으므로 몸과 시간의 흐름에 영향을 받을 수 밖에 없다고 생각한 것이다. 이때 마음은 자신의 힘을 달력에게 넘겨주고 만다. 그리고 세월의 흐름에 따라 몸도 필연적으로 늙어갈 수밖에 없다고 생각한다.

조로증이란 이것을 보여주는 아주 흥미로운 임상학적 예다. 조로증이라는 유전병에 걸리면 다섯살부터 아홉살까지 서서히 늙어간다. 그러다 어느 순간 극심하게 노쇠해서 열살에 완전히 쇠약한 노인의 모습으로 죽기도 한다. 불과 10년 사이에 진행된 노화가 실제로 죽음까지 불러오는 것이다. 그러나 물리적인 시간을 원인으로 보는 것과 신체적인 몸이 달력의 영향을 받는다는 생각을 놓아버리면 이런 일은 일어나지 않을 것이다. 이런 정보를 제공하는 이유는 마음의 문을 열고 선택권이 우리에게 있음을 이해하도록 돕기 위해서다.

지금까지 우리가 믿고 받아들인 것들이 근원과 프로그램, 각본이 되어 신체적인 차원에서 표출되기 시작한 것일 뿐임을 깨닫게 하기 위해서다. 그러나 신체적 차원에서 문제가 발생하면 마음은 그 순진함으로 인해 몸의 차원에 원인이 있다고 결론 내린다.

신체적 영역과 시간, 계절의 흐름속에서 A가 B를 읽으키고, B는 C를 일으킨다라는 식으로 신체적 차원에서 인과관계를 파악한다. 이로 인해 신체적 차원에서 실제로 몸의 노화과정이 일어난다. 그러나 사실은 더욱 높은 차원의 무언가가 연속적으로 A와 B 그리고 C를 모두 불러일으킨다.

A--> B --> C와 같이 이어진다는 개념을 우리는 물질계에서 먼저 A를 본다음에 B를, 그 다음에 C를 보게 될 것이다. 그러면 좌뇌는 선형적으로 생각하고 세상에서 일어나는 현상들에 자신의 개념을 투사하기 때문에 A가 B를, B가 C를 일으킨다고 주장한다.

A, B, C의 인과관계가 완전히 다른 차원에서 동시에 일어날 수 있을지도 모른다는 의문은 절대 품지 못한다. 원인의 차원 즉 힘을 지닌 차원은 마음이다. 물질계는 결과의 세계다. ABC를 창조해내는 것은 마음이라는 말이다. 예를들어 어린 시절에 본 노인들의 모습때문에 노인의 모습은 이러이러할 것이라는 생각을 마음속에 품으면 물질적 차원에서 실제로 ABC를 즉 노쇠한 사람의 모습을 창조해낸

다.

여든 살때의 모습은 어떠하리라는 생각을 분명하게 갖고 있으면 여든 살이 되었을때 실제로 그런 모습을 보게 된다. 그가 생각하는 노인의 모습을 확인해보면 지금 우리앞에 서 있는 노인의 모습과 똑같을 것이다.

그가 생각한 노인의 모습이 바로 그러하기 때문이다. 마음속의 믿음이 여성의 월경주기에도 영향을 미친다는 실험결과도 있다. 연구자들이 여성에게 가짜약을 주사하고 다음 월경을 건너뛸 것이라고 말했다. 그러자 약 85%의 여성들이 다음 월경을 건너뛰었고 15%는 월경 시작일이 많이 늦어졌다. 이런 예들은 결코 예외적인 현상이 아니다.

우리의 관심은 근본논리에 있으며 이런 현상은 늘 일어나고 있다. 마음속의 믿음과 양식들을 몸은 끊임없이 반영한다.

최면과 연구실험에서 나타난 임상학적 예들은 이것을 분명하게 보여주는 부분적인 예에 지나지 않는다. 최면상태에서 장미에 알레르기가 있다는 말을 들으면 최면에서 깨어난 후 피최면자의 코는 막혀버린다. 이런 식으로 그는 최면 요법가의 사무실에서 금방 꽃가루 알레르기나 천식발작을 일으킬 수 있다.

역사상 이런 실험은 수차례 실시되어 왔으며 정신분석 연보에 실리기도 했다. 이런 일은 언제나 일어나고 있다. 이제 지속적인 프로그래밍이 우리에게 영향을 미친다는 것을 잘 알았을 것이다.

중년과 노년에 대한 기대, 중년이나 노년에는 어떠어떠하리라고 예상하는 것은 우리 마음의 순진함때문이다. 앞에서 언급했듯이 의식의 근본원리들 가운데 하나는 의식의 본질적인 순진무구함에 있다. 마음을 주의깊게 살피고 지켜야 하는 이유도 이것 때문이다. 스스로 자기 마음의 어머니가 되어야 한다. 마음은 순진무구한 어린아이와 같아서 세상으로 나가 무엇이든 들리는대로 보이는대로 믿어버린다. 광고나 선전, 사람들의 말을 들리는대로 보이는대로 믿어버린다. 그것들을 평가할 방법도 모르고, 분별력도 없다. 그러므로 스스로 책임을 지고 이렇게 말할줄 알아야 한다.

"내 마음이 본질적으로 순진무구하다는 걸 알아. 아이같은 순진무구함이 평생 나와 함께할거야. 그러니까 이제 내 마음이 받아들인 것들을 잘 살펴봐야겠어"

창조적인 사람들의 삶을 살펴보면 특이하게도 구십대까지 건강하게 살았음을 종종 발견한다. 개중에는 여든다섯에 결혼을 하고 아흔살에 아이를 가진 이들도 있다.

존 다이어몬드 박사는 그의 저서 행동 신체운동학의 한장을 전부 할애해서 이

문제와 생명 에너지를 이야기했다.

그는 지휘자나 작곡가, 연주자처럼 고전음악에 헌신한 사람들의 삶의 양상을 연구해 모두가 아주 늙은 나이까지 생산적인 삶을 살았다는 점을 발견했다. 여든 여섯살까지 교향악단을 이끌었던 어느 지휘자는 서른 네살짜리 부인과 어린아이까지 두고 있었다. 이런 생활방식을 가진 사람들에게는 어느 정도 용인된 일이었다. 연구자나 물리학자, 배우, 작가들 중에도 장수를 누린사람들이 많았다. 조지 번즈와 프레드 아스테어 같은 배우들도 오래도록 생을 누렸다.

요컨대 생활연령 자체에는 아무런 힘이 없다. 정말로 위력을 발휘하는 것은 나이에 대한 우리의 믿음, 나이를 받아들이는 방식, 나이에 따라붙는 온갖 믿음체계를 대하는 방식, 오랜 세월 흡수한 믿음체계다. 그렇지 않다면 어떤 사람은 여든 살에 춤을 추고 공연을 하는데 어떤 사람은 고작 쉰아홉에 무덤으로 들어갈 준비를 하고 있는 이유를 어떻게 설명할 수 있겠는가?

내게도 쉰아홉살 밖에 안되었는데도 일흔 다섯살처럼 보이는 친구가 있다. 그는 마치 삶을 다 산 사람처럼 보인다. 심장동맥 바이패스 수술도 두번이나 받았다. 가만히 있을때 힘없어 보이는 모습과 몸의 전체적인 자세는 노년의 변화에 대한 그의 믿음을 그대로 보여준다. 그러나 우리에게는 선택권이 있다. 가장 먼저 깨달아야 할 점은 바로 이것이다. 누구나 자신의 선택에 따라 다른 모습으로 늙어갈 수 있다. 그러려면 가족으로 인해 생겨난 믿음체계를 내려놓아야 한다.

과거를 되짚어 보면 중년과 노화과정에 대한 믿음체계들이 어디서 생겨났는지 발견할 수 있다. 무엇이 이런 믿음체계를 만들어 냈을까? 어린 시절 부모님과의 관계를 되돌아보고, 조부모님이 중년시절 모습을 관찰해보면 마치 사진과 같은 분명한 양상을 발견할 것이다.

어떤 이들에게 중년은 맥주를 많이 마셔서 불룩하게 나온 배나 피곤하고 의기소침한 얼굴로 집안에 눌러앉아 있는 모습, 텔레비전을 보면서 "무슨 일에도 더이상 기운이 안나"라고 불평을 늘어놓는 모습을 의미할 것이다. 음 이미 한물갔어라고 생각하거나 서로 눈을 찡긋해보이며 '어이 조지 뭐라고?" 너도 지금 거기가 맛이 간거야'라고 묻는 모습을 의미할 수도 있다. 중년이 됐으니 이제 성생활 같은 것은 잊어야 한다고 생각하는 것이다.

이런 프로그램들은 전부 순진한 어린아이의 예민한 마음속으로 들어가 피곤에 찌든 얼굴에 지저분한 옷차림을 한 어머니와 같은 모습으로 늙어가게 만든다. 더이상 외모를 가꾸지 않고 미용사를 찾아가지도 않는다. 중년이 됐다면 삶에서 은퇴한 것과 마찬가지라고 생각하기 때문이다. 그런데 이런 은퇴를 기다리는 사람들도 있다. 이들이 삶으로부터 물러서는 것을 포함해서 이 은퇴를 어떻게 바라보는지 한번 살펴보자.

이들의 전체적인 태도는 다음과 같다. 이제 선셋 힐스에 가서 느긋하게 해가지기를 기다리는 거야. 느린 소멸을 위한 노인들의 클럽에 합류해 기운을 서서히 잃어 가면서 서로 떠나가는 모습을 지켜봐주는 거지.

그러나 이것도 하나의 선택일 뿐이다. 조지번즈는 이런 선택을 받아들이지 않았으며, 앨런 그린스펀이나 프레드 아스테어도 마찬가지였다. 세계를 지배했던 모든 위대한 권력자들과 정치가, 작가, 작곡가들도 마찬가지다. 이들은 육십, 칠십, 팔십대까지 건강하게 잘 살았다.

늙어갈수록 힘과 지혜, 세상에서의 능력이 악화되기는 커녕 더욱 강해졌다. 그러므로 몸에 일어나리라 여겨지는 변화들에 대한 모든 믿음과 사고체계들, 노화가 불러오리라는 예상하는 일들에 대한 모든 생각들을 잘 살펴보아야 한다.

먼저 자신이 그리는 노년의 모습과 부모님의 관계를 되돌아 본다. 여러분은 부모님을 정말로 사랑하는가? 흥미롭게도 동일시의 원인은 바로 사랑에 있다. 부모님을 사랑하기 때문에 그들을 모방하는 것이다. 예를들어 아버지를 존경하는데 아버지가 전형적인 중년 남자의 모습을 갖고 있다면, 우리도 이런 모습을 선택하고 동일시 하게 된다.

어떤 부정적인 이유 때문이 아니다. 아버지에 대한 존경과 사랑, 순진무구함과 가족애 때문에 모방하는 것이다. 조부모와의 관계에서도 똑같이 일어난다. 이들을 보면서 노년에 대한 상을 품는 것이다. 흥미롭게도 나는 중년에 대한 부정적인 시각을, 노년에 대해서는 상대적으로 긍정적인 시각을 갖고 있었다. 그래서 노년을 손꼽아 기다렸다.

할아버지는 예순여섯에도 지붕위에 올라가 새지붕을 얹었고, 할머니는 위엄있고 우아한 모습을 잃지 않았다. 그래서 나도 기대하며 노년을 기다렸다.

할아버지가 되면 최고급 각반에 최고로 멋진 모자, 가장 좋은 옷을 차려입고 귀족처럼 멋진 삶을 살수 있을것 같았다. 늙어서 만큼은 내 본연의 모습으로 존재할 수 있을테고 삶이 머지않아 끝날 것이므로 더이상 누구의 눈치도 볼 필요가 없을 듯 했다. 정말로 우아하고 사랑스러우며 멋진 사람이 되리라고 생각했다.

이처럼 내가 생각하는 노년은 비틀거리는 노쇠한 모습과는 거리가 멀었다. 다른 사람들은 노년을 노쇠하고 약한 모습으로 그리고 있는 듯하지만 우리에게는 선택권이 있다. 이 문제는 우리가 사랑하고 동일시 하는 사람과 관련이 있다. 텔레비전이나 영화를 통해 받아들이는 모든 프로그램과 노화가 불러일으키는 이미

지들도 문제다. 텔레비전의 상업광고들은 의도적으로 노화에 대한 두려움을 자극한다. 물론 두려움은 우리의 마음속에 있고, 마음속에 있는 것은 겉으로 드러나기 마련이다. 그러므로 노년에 대한 두려움, 우리가 두려워하는 바로 그 일들은 결국 겉으로 표면화된다. 이럴때 이런 심상들 가운데 어떤 것도 받아들이지 않을 선택권이 자신에게 있음을 깨달으면 매우 유용할 것이다.

어떤 상을 갖고 있든 이것은 기필코 삶속에서 구체화된다. 그러므로 자신이 자기 마음의 보호자가 되어야 한다는 의미다. 진실로 무엇을 믿고 있는지 잘살피고 파악한 다음, 마음이 오랜세월 무엇을 받아들였건 용서해주어야 한다.

마음이 자신의 순진무구함을 몰라서 온갖 프로그램과 이야기, 각본들을 그대로 받아들였고 우리는 자신도 모르는 사이에 이것들에 따라 행동했기 때문이다.

자신이 받아들인 삶의 각본을 알고 싶다면 지금의 삶과 신체모습을 살펴보기만 하면 된다. 자신의 신체야말로 우리가 받아들인 것들의 반영물이기 때문이다. 그러나 어린 시절에 머리위로 빗발쳤던 말들을 잊어버린 탓에 이런 것들을 받아들였다는 것조차 기억하지 못할수도 있다. 그래서 사람들은 기억을 들여다보고도 "이런 믿음을 갖고 있었다니 기억도 안나"라고 말한다. 사실 삶의 많은 부분을 우리는 의식하지 못한다. 넘쳐나는 기억들로 삶의 많은 부분을 잃어버린다. 예컨대 하루가 몇초로 이루어져있는지 깨닫지 못한다. 하물며 매일, 매순간 일어났던 일을 기억하는 사람이 있을까? 이제 아침에 먹은 음식이 기억난다면 운이 좋은 것이다. 즉시 기억해낼 수 없다는 의미에서 우리 삶에서 일어나는 많은 일들이 잊힌다.

하지만 몸을 살펴보면 우리가 받아들인 프로그램들이 어떤 것인지, 어떤 믿음체계를 갖고 있는지 우리가 가치있게 여기거나 사랑하는 것 혹은 그 반대의 것이 무엇인지, 마음속의 두려움으로 몸이 어떤 징후를 드러내게 되었는지 알 수 있다.

노화의 양상은 계층에 따라서도 분명하게 달라진다. 노년과 노화과정을 생각할 때 장수를 떠올리는 이들이 늘고 있다. 게다가 아주 늦은 나이까지 활동적으로 많은 역할을 다하기도 한다. 따라서 이제는 노년을 위상과 가치가 높아지는 시기로 본다. 이것은 힘과 가치가 신체에서 나온다고 보며 노화의 양상도 더욱 급속한 분야의

사회적 시각과 대조를 이룬다. 예를들어 서른둘이면 벌써 노장취급을 받는다. 마흔이면 노인으로 간주된다. 그런가 하면 어떤 계층의 노동자들은 예순다섯이 돼야 은퇴를 한다. 이 나이가 되면 이미 많은 것들이 끝나므로 선셋힐스로 옮겨가 힘도 흥미도 활력도 없이 나태한 생활을 지속한다.

직업에서의 은퇴가 삶에서의 은퇴라도 되는 양 삶을 포기해버린다. 삶에 가치와 의미를 부여해 주는 것이 일뿐이었는데 더이상 노동자로 분류되지 않으므로 세상에서 아무런 가치도 지닐수 없게 되었다고 생각한다.

이런 사람들은 더욱 전인적이고 전체적인 시각에서 자신을 바라보지 못한다. 또 직장에서의 생산성과 월마다 집에 월급을 가져다 줄 수 있는 능력말고는 다른 것에서 가치를 찾지 못한다.

아이들의 엄마가 부양자가 아닌 다른 존재로 자신을 바라볼 줄 모른다. 여성들은 아이들이 성장해 집을 떠나면서 본격적인 노화과정이 시작된다. 삶으로부터 갑자기 물러나 남편과 함께 은퇴자처럼 살아간다. 아버지는 직장에서 은퇴하고 어머니는 아이들을 기르는 일에서 물러나는 것이다. 이제 할일을 잃은 두 사람은 자신들의 가치가 줄어들었다고 생각한다.

사회에서 쓸모있는 존재가 되기위해 간간이 어떤 시도를 하기는 하지만, 스스로도 이것을 믿지 못한다. 이로 인해 노화속도가 서서히 빨라져 많은 사람들이 은퇴후 몇년도 안돼 죽음을 맞이 한다.

이런 믿음체계들을 일찍 확인하고 이것들에 지속적으로 도전하는 일이 중요하다. 그래야 삶에서 진정으로 가치있는 것을 발견할 수 있다. 그러면 직장에 다니든 안다니든 월급봉투를 집에 가져달 줄 수 있든 없든, 아이들을 기르고 있든 아니든, 중산층의 안정적인 삶의 양식을 유지하든 아니든 삶을 변함없이 가치있게 받아들인다. 세상에 영향을 미치고 있으며 자신의 삶에 의미가 있음을 확인할 수 있다. 타인들과 기꺼이 삶을 공유하고 스스로 열정의 원천이 되며, 주변사람들의 삶에 기여할수도 있다. 삶의 가치를 다시 평가하고 재맥락화해서 다른 삶의 방식과 지각을 받아들여야만, 스스로 삶에 새로운 가치를 부여해서 더욱 긍정적인 시각으로 자신의 에너지 형태를 향상시킬 수 있다. 마음속의 생각들에 영향을 받는다는 점은 앞으로 수차례 이야기했다.

자신의 믿음체계와 사고방식들을 확인하고 이것들을 바꿀 선택권이 자신에게 있음을 깨달아야 한다. 선택은 우리 개개인에게 달려있다. 선택에 따라 나이가 들어서도 적극적이고 활기찬 모습을 유지할 수 있으며 의미와 가치가 있는 즐거운 삶을 살아갈 수 있다. 마지막 순간까지 건강한 몸을 잃지 않을 수 있다.

누구나 다른 삶의 각본들에 환상을 가지고 있으며, 다른 프로그램들의 장점을 눈여겨본다. 이것들을 선택하는 이유도 여기에 있다. 그러나 이득이 되지 않는 프로그램들을 기꺼이 내려놓고 있는지 살펴야 다른 프로그램들이 주는 이득과 장점도 얻을 수 있다.

우리의 삶과 몸, 일상에서 일어나는 일들은 결국 마음속에 들어있는 생각의 투사물이다. 물질계에 대한 우리의 믿음체계가 경험을 낳는다는 말이다. 그러므로 마음속에 있는 것들이 겉으로 구체화되는 양상을 파악하면 긍정적인 선택을 할 수 있다.

우리의 경험이 생각의 결과물임을 인식하면, 생각을 바꿔 경험까지 스스로 변화시킬 수 있는 것이다. 따라서 잘못된 믿음체계를 버리고 진실을 받아들여야 한다. 이 진실은 바로 우리가 무한한 존재이며, 마음속에 품은 생각들만 실제로 우리에게 영향을 미친다는 것이다. 부정적인 믿음들이 드러날때마다 이것들을 지워버리고 진실을 강력히 주장해야 한다. 집단의식과 세상의 에너지 장에 끊임없이 반기를 들어야 한다.

세상이 우리를 다시금 집단의식으로 프로그래밍하려 들 것이기 때문이다. 우연한 말일지라도 한번 들으면 그것에 다시 영향을 받을 수 있다. 그러므로 마음속의 모든 부정적 믿음체계를 지워버리려면 경계심을 늦추지 말아야 한다. 시력과 안경을 쓰는 일에서도 똑같은 현상을 발견할 수 있다. 나는 50년 동안이나 이중초점안경을 썼다. 물론 우리사회에는 중년이 되면 시력이 나빠진다는 믿음체계가 있다. 그래서 많은 사람들이 중년이 되면 독서안경을 사용하기 시작한다.

그 결과 독서 안경을 쓴 모습이 중년의 한 전형이 되었다. 잡지에 나오는 은퇴자들도 거의 언제나 안경을 쓰고 있다. 잡지에 나오는 은퇴자들도 안경을 쓰고 있다. 확실한 증거도 없는데 중년이 되면 누구나 안경이 필요할 거라고 추측하기 때문이다. 안경 쓴 지적인 책벌레 이미지를 나도 이미 안경을 갖고 있었다.

청소년 시절 내 이미지의 한 부분에 안경을 쓰는 것도 포함되어 있었기 때문이다. 물론 이미 안경을 쓰고 있었다면 중년에 이르러서는 시력이 더욱 나빠져 결국엔 이중 초점안경이 필요하게 된다. 그러다 중년 후반에 이르면 분명히 삼중초점안경이 있어야 할 것이다.

내게는 의식본질을 탐구하는 연구에 전념하던 시기가 바로 삼중초점안경이 필요하던 때였다. 어느 날 수업중에 의식의 기법들을 이용해 온갖 신체적 질병들을 내려놓은 경험을 이야기 해주었다. 언급한 병명이 열다섯가지나 스무가지쯤 되었을 것이다.

그런데 어떤 학생이 물었다. '음 그런데 왜 여태 안경을 쓰고 계신 거죠?' 나는 이렇게 대답했다. 음 한번도 생각해보지 않은 문제입니다. 정말로 나는 안구자체와 안구의 보는 능력, 즉 시각의 전체 메커니즘도 이것에 대한 믿음체계의 재현물일 수 있음을 한번도 생각해본적이 없었다. 이후 나는 믿음체계를 들여다보고 부정적인 것들을 지워버리기 시작했다.

나는 무한한 존재이므로 안경이 필요하다는 믿음체계를 비롯한 어떤 제약도 받지 않는다고 자신에게 말했다. 이 과정을 6주간 계속했는데 그 기간동안에는 아무것도 볼수가 없었다. 안경을 아예 안썼기 때문이다. 그래도 안경을 다시 쓰지 않았다. 이 6주동안 몇미터 앞에 있는 것을 제외하고는 어떤것도 보이지 않아서 움직임에 제약을 받았다. 근시, 원시, 난시까지 있었기 때문에 읽기는 고사하고 멀리 떨어진 것도 전혀 볼 수 없었다. 그래도 6주동안 지속적으로 일관되게 부정적인 믿음체계를 내려놓는 훈련을 했다. 그 과정에서 드디어 그저 순응하고 믿음체계에 대한 저항까지 내려놓는 것이 이 기법의 한부분임을 깨달았다. 그래서 자신있게 이렇게 말해주었다.

하느님. 제가 다시는 볼수 없게 된다해도 그저 그러려니 할 것입니다. 모든 걸 내려놓고 고차원적인 힘에게 완전히 내맡긴 것이다. 당신의 뜻이 무엇이든 그 뜻에 따르겠습니다.

그런데 우리를 향한 신의 뜻이 무엇일까? 완전하고 완벽한 행복, 온전함, 하나됨이다. 신의 의지에 내맡기고 나자 갑자기 일순간에 시력이 돌아왔다. 오랜 세월 안경을 쓰고 살았는데도 시력이 완벽하게 회복된 것이다. 이처럼 어떤 믿음체계를 얼마나 오래 갖고 있었는지는 중요하지 않다. 내가 몇년전에 내려놓은 믿음체계도 평생 내 삶에 존재하면서 나의 시력을 제한하던 것이었다. 이 예는 의식자체의 차원에서 경험할 수 있는 원리를 잘 보여준다. 즉 몸은 우리의 믿음을 반영하므로 이 믿음체계들을, 마음자체를, 이마음이 경험되는 자리를 향해 직접 말을 걸면 믿음체계를 지워버릴 수 있다.

우리에게는 그럴 자유와 선택권이 있다. 중년과 노화, 노년에 대한 일반적인 믿음체계로 돌아가 보면, 두가지가 일어나고 있음을 알 수 있다. 먼저 노화가 불러오는 것들에 대한 믿음체계가 있고, 이것들을 받아들이는 방식과 입장이 있다. 사실 중요한 것은 삶에서 일어나는 사건들이 아니라 이것들이 우리에게 갖는 의미다.

사실이나 사건이 갖는 중요성은 이것들을 받아들이는 태도에서 생겨나며, 이런 태도가 환경을 만들어 내기도 한다. 이런 환경은 우리의 존재방식을 형성해주며, 사건이나 결정 혹은 사실에 대해서 어떻게 느낄지 미리 결정지어 버린다. 의식지도를 보면 다양한 에너지 장과 의식의 단계들이 있다. 지도의 맨 아랫부분의 무의식적인 단계로 진실에서 가장 먼 반면 죽음과는 가깝다. 위로 올라갈수록 진실이 강해지기 때문에 맨 꼭대기에서는 생명, 진실, 살아있음의 느낌에 감응한다.

지도의 꼭대기에는 신이 존재하는 것이다. 감정은 우리가 처해있는 단계의 에너지 장을 반영해주며 이 에너지 장에서 세상은 물론 신을 보는 특정한 시각이 생겨난다.

가장 저급한 에너지 단계들이 있는데 이런 에너지는 소극적 자살을 불러오기도 한다. 예를들어 노년의 죽음은 많은 경우 고령에 원인이 있는 게 아니다. 그보다는 소극적 자살의 양상을 띠고 있다. 희망의 상실로 인한 포기의 결과인 것이다. 죄책감도 한몫한다. 그래서 흔히들 고령과 노쇠, 병을 자신이 지은 죄나 삶의 실패에 대한 벌처럼 받아들인다. 이 모든 것을 받아 마땅하다고 생각하며 자기 혐오로 파멸을 선택한다. 이런 사람들은 삶과 세상을 죄와 고통의 장으로 본다. 그리고 실제로는 죽음을 두려워 한다. 죄책감때문에 신도 처벌을 일삼는 가혹한 존재로 여기기 때문이다.

또 노년을 파멸의 과정으로 보는 시각과 더불어 노년에 대한 두려움도 느낀다. 이런 두려움은 이들을 파괴적인 시각의 영역속으로 떨어뜨리는 믿음체계에서 비롯되는 것이다.

소극적인 자살을 불러오는 에너지 장에서 약간 위, 그러나 여전히 아주 가까이 존재하는 에너지 장에서는 자신을 충분히 돌보지 않는 식으로 죽음을 허용한다. 바로 일어나는 일이다. 여기서도 가망없음과 절망같은 부정적인 태도가 지배적이며 이로 인해 에너지를 잃어버린다.

노년을 이런 시각으로 바라보면 모든 상황이 가망없게 여겨진다. 낫을 든 해골 모습으로 말을 타고 달리는 죽음의 신이 우리를 지배하는 것 같고 노년과 노년의 모든 조건들, 신체적인 요소들이 절망적으로 느껴진다. 이런 시각은 자연히 에너지 상실을 불러온다. 가망없음과 절망에 빠져 제대로 살아낼 기운도 못낸다. 사적인 삶이든 공적인 삶이든 모두 가망없다고 보고 신도 무신경한 존재로 받아들인다.

다음의 한결 고차원적인 에너지 장에서는 중년이나 노년을 슬프게 받아들인다. 이것은 아주 일반적인 시각이다. 중년을 슬프게 인식하며, 젊음의 부재를 끔찍하고 커다란 상실로 받아들인다. 활력과 성생활, 신체적 매력, 유혹적인 성적 능력, 정신의 기민함, 세상의 지위와 힘을 잃어버리는 상태라 여기는 것이다. 상실했다고 인식하는 것들에 대한 끊임없는 슬픔은 후회의 감정을 야기하고 중년과 노년의 시기를 쇠퇴기로 바라보게 만든다.

그 결과 자신의 삶은 물론이고 인간의 삶 전반에 대해서도 의기소침해진다. 삶과 미래, 서서히 진행되는 노화를 슬픈 일로 받아들이고 신이 자신을 무시해서 노화과정에는 신경도 안쓴다고 여긴다.

다음은 두려움의 에너지 단계다. 두려움의 에너지는 긍정적으로 활용할 수도 있다. 우리가 정말로 두려워해야 할 것은 늙음이 아니라 부정적인 믿음체계가 불러오는 결과들이다. 위험은 나이 자체가 아니라 마음속에 품고 있는 부정적인 믿음체계에 있는 것이다. 그러나 보통 사람들은 노년 자체를 두려워해서 걱정과 근심이 가득하다. 슬픔은 과거와, 두려움은 미래와 연관되어 있다. 두려움으로 노년을 바라보며 미래에 대해서 근심과 걱정을 품는다. 그러므로 세상과 노화과정 전체를 두렵게 여긴다. 의지할 신도 전혀 없다고 생각한다.

다음은 욕망의 장이다. 욕망의 장에서는 이 모든 것을 바꾸고픈 강렬한 갈망과 바람이 생겨난다. 그 양상으로 젊음에 집착하고 젊음이 있는 곳에 삶이 있다고 생각한다. 나아가 젊음을 지나치게 찬양하기도 한다. 젊음을 붙잡으려는 광적인 욕망으로 노년에 대한 두려움을 표출하는 것이다. 또 부적절한 행동들에서 드러나듯 어떤 이들은 우아하게 늙어가지 못한다. 젊음을 삶으로 오인하는 태도와 젊음에 대한 욕망을 내려놓지 못하기 때문이다. 그러나 삶은 언제나 존재한다. 어린 시절에 갖고 있던 삶의 에너지는 노인에게도 똑같이 존재한다.

다음의 에너지 단계는 분노다. 이 단계에서는 점진적인 노화과정 전반에 영향과 지배를 받으며 희생자가 될 수밖에 없다고 생각한다. 또 세월이 자신의 삶을 마음대로 휘두른다고 느낀다. 그래서 분노를 느낄 수 밖에 없다.

이런 생각들은 모두 부정적인 에너지 장에 들어 있으며 실제로 이런 장은 보통 다른 장들과 뒤섞여 있다. 어느 하나의 단계만 존재하는 경우는 드물다. 예를들어 분노에는 약간의 슬픔과 약간의 가망없음, 약간의 죄책감이 섞여 있으며 이 모든 감정들은 함께 일어나는 경향이 있다.

노년에 대한 분노와 좌절감, 억울함이 같이 일어나는 것이다. 그래서 노화의 과정과 젊음의 상실에 혐오와 분노를 함께 느낀다. 또 조부모에 대한 기억이 좋지 않아서 노인들을 싫어하는 젊은이들도 많다. 이들은 노인들 주변에 있고 싶어하지 않는다. 이런 분노에서 갈등과 경쟁으로 얼룩진 세상이 만들어지며 신에게 투사된 분노는 무의식적인 죄책감과 신이 보복할지도 모른다는 두려움을 불러온다. 부정도 노화를 대하는 또 다른 방식이다.

위에서 언급한 선택권을 거부하고 노화과정에 약간은 오만하고 우쭐대는 입장을 취한다. 이런 태도는 우리를 완전히 부정적인 단계에 위치시킨다. 이 모든 것들은 진실과 관련이 깊다.

이것들을 들여다보기 시작하면 이 부정적인 입장들에서 벗어날 수 있다. 이것들에 저항하거나 집착하거나 가치를 부여하는 일을 내려놓으면 이 입장들에서 벗어나 중년과 피할수 없는 노화를 아무렇지 않게 받아들이게 된다. 그러면 신도 자유를 선사하는 존재로 보고 삶에서 일어나는 일들의 근원이 자신에게 있을지 모른다는 점도 기꺼이 받아들인다.

나아가 이제는 노화과정에 대한 진실을 발견하는 것이 목적이므로 그것에 동의한다고 말할 수도 있다. 그러면 중년과 노화, 세상 모두 호의적으로 보이기 시작한다. 이런 세상의 신은 희망을 주는 믿음직한 존재이다. 수용의 단계로 올라가면 이제 자신의 힘을 되찾기 시작한다. 진실을 받아들이려는 자발적인 의지가 에너지 장을 부정적인 것에서 긍정적인 것으로 바꿔주기 때문이다. 진실은 삶에서 일어나는 일들의 근원이 바로 자신이라는 점이다. 믿음체계들을 삶속에 흡수하고 받아들여 스스로 근원이 된 것이다.

그러나 우리에게는 선택권도 있다. 이 점을 깨닫고 받아들이는 순간 모든 것이 조화롭게 보이기 시작한다. 이런 세상에서는 신도 자비로운 존재로 여겨진다. 이제는 사랑의 상태로 옮겨가 책임있고 진실되게 자신을 사랑한다. 부정적인 사고방식들에 빠진 자신을 용서하고 지지하고 보살펴주는 것이다.

사람들이 부정적인 사고방식들에 빠지는 이유는 무엇일까?

천진함과 순진함때문이다. 상황이나 일을 원래 그런 것으로 받아들이고 의문을 제기할 생각조차 하지 못한다. 의식이 깨어있지 못한 것이다. 그래서 예를들어 설명해주어야 '와 선택권이 있는 것 같네요'라고 말한다. 음 저사람은 유전적으로 원래 저러거나 나도 저렇다면 아흔살에도 즐겁게 살아갈텐데 라고 말하기를 멈춘다. 사랑의 에너지 장에서는 변명을 멈추고, 부정적인 사고방식이 우리가 삶속에 끌어들인 믿음체계때문임을 진심으로 인정하기 시작한다.

마음이 갑자기 열리는 것같은 이런 경험은 거의 계시처럼 다가온다. 제한에서 벗어나는 길은 자발적인 의지와 열린 마음으로 선택사항들을 살펴보고, 자신에게 실제로 선택권이 있음을 깨닫는 것이다. 그러면 세상도 사랑이 가득한 곳으로 보인다.

중년과 노년의 장점들을 발견한 덕에 미래의 전망도 긍정적으로 바라보게 된다. 그러면 많은 이들이 지난날을 되돌아보며 이렇게 말한다.

솔직히 젊은 시절로 다시 돌아가고 싶지 않아요. 십대 시절의 불안과 여드름, 무지, 방황, 서투름, 사람들과 어울릴때의 끈임없는 걱정과 자의식을 다시 겪고 싶지 않습니다. 이십대도 마찬가지에요. 이 세상에서 어떤 존재가 될지몰라 내가 대학을 졸업할 수 있을까? 하며 하염없이 불안에 시달리고 싶지는 않아요. 삼십대로 돌아가 다시 고군분투하는 것도 싫습니다. 가정을 포함해서 온갖 것들을 안정적으로 다지기 위해 또 다시 싸우고 싶지 않거든요.

이제 과거가 현재보다 좋았다고 말하는 대신에 이렇게 선언한다. "이봐 바로 지금, 바로 여기 현재속에 멋진 선택사항들이 있어" 그러면 갑자기 온 세상이 새롭게 열리는 것같은 느낌이 든다.

예순살에도 다시 태어날 수 있어. 안될게 뭐가 있어? 부정적인 에너지 장에서 긍정적인 에너지 장으로 옮겨 가면 진실에 더욱 가까워진다. 그러면 자신이 경험자이며 삶에서 일어나는 일들이 실제로 경험자에게 영향을 미칠 수 없음을 서서히 깨닫는다.

우리가 컴퓨터의 하드웨어라면 경험은 소프트웨어와 같은 것이다. 하드웨어는 소프트웨어에 영향을 받지 않으며 경험하는 주체는 경험에 휘둘리지 않는다. 본래의 우리는 나이를 먹지 않고 그대로 존재하며 노화에 영향을 받지 않는 것이다.

내면의 경험자는 몸안에서 변화가 일어나고 있음을 인식하지 못한다. 그래서 때로는 이런 변화를 충격으로 받아들인다. 사람들이 이상한 눈으로 쳐다봐도 그 이유를 알아채지 못한다. 내면에서는 시간의 경과를 경험하지 않기 때문이다. 진정한 자기, 실제의 자기는 노화같은 것을 전혀 경험하지 않는다. 우리가 한 부분을 이루고 있는 진실안에서 늙는다는 일은 일어나지 않는다. 이 사실을 점진적으로 자각하면 선택의 자유는 물론이고 진정한 자기와 하나가 될 가능성도커진다.

한 예로 노년이 돼도 성욕이 전혀 감퇴되지 않으며, 때때로는 생이 끝나는 순간까지도 왕성하게 남아있음을 깨닫는다. 세계적으로 유명한 내 친구도 일흔여섯살에 성생활이 그 어느때보다도 황홀하고 젊었을때 상상도 못했을 정도로 질도 향상되었다는 말을 한 적이 있다.

젊은 시절 그는 유연체조나 곡예, 행위예술에 심취해 있었다. 하지만 나이들어 성숙하고 지혜로워지자 더욱 중요한 문제들에 관심이 쏠렸다. 은밀하게 털어놓기, 섹스가 어떤 것인지를 깨달았는데 정말로 믿기지 않으며, 섹스에 대해 발견한 것과 섹스의 질에 스스로도 놀랐다고 했다. 그의 이야기는 우리사회에 너무도 흔하게 퍼져있는 믿음체계들을 되돌아보게 한다. 남녀를 불문하고 믿음체계들은 갱년기에 발생하는 성적현상도 연관이 있다.

어느 임상실험에서 연구자들은 서른명의 여성들에게 가짜 약을 주사하면서 이 호르몬제로 인해 월경이 2주나 일찍 시작될거라고 말했다. 그러자 복부팽창, 몸무게 증가, 트림, 복통, 산통 등 많은 여성들이 고통스러워하는 월경전증후군이 2주나 일찍 나타났다. 이들의 마음속에 이런 고통이 생기리라는 믿음이 있었기 때문이다. 이 실험은 우리에게 강력한 피암시성이 있음을 보여준다. 또 중년기에 발생한다고 여겨지는 여러 증상들과 월경전 증후군을 전적으로 믿고 있다는 사실도 말해준다. 예를들어 열감처럼 폐경기가 일어난다고 알려져 있는 모든 증상들은 최면으로도 불러일으킬 수 있다. 이것은 수차례 입증된 사실이다.

젊은 여성을 최면상태로 유도하고 나서 단경을 겪게 될 것이라고 말해주는 실험을 했다. 그러고 나서 증상을 묻자, 그녀는 실제로 단경을 경험중인 여성들과 똑같은 증상들을 보고했다. 폐경기 증후군은 문화에 따라 같은 문화권 내에서도 계층에 따라 다르게 나타난다. 그러나 불가피하다고 믿는 것들이 어디서나 실제의 증상으로 이어진다는 점은 같다. 마음이 여성들을 희생자로 삼고 있는 것이다. 마치 마음이 원래 이럴땐 이런증상들이 나타나는 거야 라고 말하는 것 같다. 절망적인 상황이 아닐 수 없다. 이런 말에 굴곡하고 받아들이고 휘둘려서 결국은 자신의 힘을 내주고 있는 것이기 때문이다.

중년기 남성들도 마찬가지다. 수족냉증과 피로, 의기소침, 에너지와 리비도의 상실, 게실염이나 통풍같은 질환들을 포함해서 중년기와 관련된 온갖 현상들이 나타날 것이라고 생각한다. 이런 현상들이 일어나는 원인은 순진한 마음을 받아들인 믿음체계들에 있다. 순진무구함으로 인해 온갖 믿음체계를 받아들였기 때문이다. 그러나 자신의 인간적인 약점을 인정하면, 이런 믿음체계를 받아들인 자신을 용서하려는 자발적인 의지와 연민의 마음이 일어난다. 원인은 그저 그 어떤 것도 달리 인식할줄 몰랐던 것뿐이다.

이런 이야기를 하는 목적은 그 동안 발견한 사실들, 즉 우리에게는 선택과 선택권이 있으며 우리 스스로가 희생자가 아니라는 점을 나누기 위해서다. 이런 믿음체계들에서 벗어나는 길은 자신의 선택으로 의식지도 아랫부분에서 위로 올라가 상황이 절망적이지 않음을 깨닫는 것이다.

학습만으로도 이런 이야기를 듣고 이해하기만 해도 삶이 절망적이지 않음을 알게 된다. 마음은 여전히 자신의 책임에 변명을 늘어놓고 싶을 테지만 말이다. 의식지도를 약간 다른 시각으로 바라보면 의식의 단계가 낮은 사람들은 소유를 근거로 삶과 자신, 타인을 평가한다.

소유는 생존과 직결되어 있기 때문에 이들에게 중요하다. 그래서 소유를 근거로 자신과 타인의 가치를 평가한다. 어떤 이들은 스스로가 가치있는 존재라는 느낌을 갖기 위해 나이가 들수록 소유에 더욱 집착한다. 소유를 우선시하는 우리 문화에는 이런 하위집단들이 분명히 존재한다. 이들이 정말로 중요하게 여기는 것은 무엇을 소유하고 있는가, 타인보다 더 많은 돈을 갖고 있는가하는 점이다. 그렇기 때문에 누군가 갖고 있던 돈을 전부 잃어버리면 그 사람을 사회에서 따돌리기도 한다.

진실과 용기에 더 가까운 중간단계의 에너지 장에서는 삶을 기회로 본다. 개척자들이 아메리카 대륙에 정착해서 그 모든 거대산업체들을 일궈낸 것도 이런 태도 덕분이었다. 이 단계에서는 강력한 에너지 중심이 생겨나며 자신의 행위를 중시하게 된다. 이처럼 행함을 중시해, 자신이 하는 행위를 원인으로 여긴다. 자신이 하는 일 때문에 자신이 중요해질 수 있으므로 행함에 더욱 역점을 둔다. 그러나 행함은 원인이라기 보다는 결과다. 행위가 비롯되므로 행함은 원인이 아닌 결과인 것이다.

우리가 행복하거나 건강한 것은 테니스를 치기 때문이 아니다. 테니스를 통해 살아있는 기쁨을 표현하기 때문에 행복하고 건강한 것이다. 그러므로 의식의 단계에서위로 올라갈수록 그토록 중시하던 행함은 중요성을 잃어버린다. 본래의 모습을 자각하는 단계에 가까워질수록 우리는 누구이며 어떤 존재인가 하는 문제가 더욱 중요해진다. 삶에서 앞으로 나아갈수록 현재의 달라진 모습을 중시한다. 이것은 다른 문화집단에서도 마찬가지다. 본래의 모습, 지금의 달라진 모습, 우리가 지적하는 것, 우리의 존재를 중요하게 여긴다. 그러므로 영적으로 수준이 높은 집단에서는 소유에 관심을 갖지도 않고 신경을 쓰지도 않는다. 또 소유가 행함의 결과물이라는 것도 누구나 안다. 물론 누구든 열심히 일하면 원하는 소유물을 얻을 것이다. 그러나 행함은 선택권을 행사하는 문제일 뿐이다. 누구든 온갖 위원회에 가담해 녹초가 돼버릴 수 있다. 그러므로 행함도 더이상 지위나 가치를 가져다 주지는 않는다. 가치는 지금의 변화된 모습과 삶의 원칙들에서 비롯된다.

우리를 갈수록 의식있고 깨어있는 존재로 만들어 주는 원칙에 헌신하는 것, 덧없는 것들을 초월한 보편적인 것들과 영적인 원칙에 헌신하는 것, 덧없는 것들을 초월한 보편적인 것들과 영적인 원칙들에 전념해서 우리가 진실로 한부분을 이루는 점진적인 자각을 드디어 확인하는 것이 가치를 가져다 준다.

의식의 이런 점진적인 성장으로 우리는 더이상 세상에 휘둘리지 않는다. 존재의 의미를 깨닫기 위해 더이상 무언가를 소유할 필요도 없다. 우리가 이미 자각의 한 부분을 이루고 있기 때문이다. 이로인해 몸도 다른 입장에서 바라보게 된다. 이제는 몸과 우리의 본질적인 관계를 살피고 몸과 우리가 같지 않음을 몸은 그저 우리가 가진 것에 불과함을 깨닫는다.

몸을 우리에게 속한 어떤 것으로 보기 때문에 이제는 몸을 즐길 수 있으며, 우리에게 선택권이 있다는 것도 이해하기 시작한다. 몸을 우리에게 소속된 즐거운 문제로 보고 우리에게 기쁨을 선사하기 위해 몸이 존재한다는 것도 깨닫는다.

이렇게 몸과의 동일시를 내려놓고 몸이 우리가 아님을 깨달으면 몸을 경험하는 것이 우리 자신이라는 것도 이해할수 있다. 덕분에 선택권을 되찾아 선택을 한다.

몸을 즐기기로 마음먹거나 몸이 별 노력을 기울이지 않고도 늘상 하던 일을 하면서 행복하게 이리저리 움직이는 것을 바라본다. 병에 대한 모든 부정적인 믿음체계들을 지워버리면 이 모든 것들을 기꺼이 내려놓을 수 있으면 나이가 들수록 더 건강한 몸을 즐길수 있다.

현재의 몸이 30년전보다 훨씬 건강해진 듯하다. 세상이 말하는 노화과정을 점진적으로 겪으면서 몸이 갈수록 좋아졌다고 느낀다. 덕분에 마흔살이 었을때보다 예순살에 내 몸을 잘 즐기게 된다. 마흔살이었을때 나는 너무나 피곤했다. 편두통에 궤양, 게실염, 대장염, 치질, 부은 발목, 높은 콜레스테롤 수치, 통풍을 앓고 있었기 때문이다. 자동차 뒷자석에 지팡이를 싣고 다녀야 할 지경이었다. 이처럼 마흔살에도 내몸은 아주 노쇠했다. 그러나 나이가 훨씬 많은 지금은 모든 병들이 사라져 몸을 더욱 많이 즐기게 되었다.

모든 믿음체계들과 한계를 내려놓은 덕분에 몸을 만끽하면서 행복을 표현하는 도구 같은 것으로 몸을 바라보게 된 것이다. 시간이 흐르면 몸도 서서히 약화되는 것이 당연하다는 생각을 품고 있으면 이런 생각에 영향을 받는다.

반면 우리에게 성장과 의식자각의 자유를 주는 공간으로 시간을 인식하면 시간도 우리의 친구가 돼준다. 시간의 흐름과 더불어 중년과 노년의 몸이 갖고 있던 질병들도 사라져 버린다.

우리에게는 잘못된 믿음체계로 자신을 제한하는 태도를 버릴 수 있는 선택권을 탐구하고 자각할 시간이 아직은 있다. 이런 기본적인 전제들을 지속적으로 적용하면 많은 질병은 물론이고 개인적인 삶의 조건들에서도 벗어날 수있다. 그러나 인간의 조건자체에 내재해 있는 일반적인 상황들이 이런 가능성을 제한하기도 한다.

인간의 몸은 원형질적인 동시에 유전자들을 물려받고 있으며 카르마의 영향과 성향, 인류의 집단의식속에 내재되어 있는 프로그램들도 무시할 수 없기 때문이다.[148]

병원은 늘 사람들로 북적인다. 그런데, 병원에서 마주치는 사람들, 심지어 진료 대기실에서 기다리고 있는 사람들을 봐도 누가 아픈 사람인지, 어디가 아파서 온 것인지 가늠하는 것이 쉽지 않다. 상처에 붕대를 감고 있거나, 아파서 걷는 것이 불편하거나 잔뜩 인상을 쓴 경우가 아니라면 대부분은 겉으로는 멀쩡해 보이기 때문이다.

"아름다운 젊은이는 자연의 우연이지만, 아름다운 노인은 예술 작품이다."
- 엘리너 루스벨트

질병을 의미하는 영어 단어인 disease는 '아니다'라는 의미의 dis와 '편하다'는 의미의 ease가 합쳐진 단어다. 그러니까 질병을 뜻하는 disease는 편하지 않는 뜻에서 출발했을 것이다. 외상이나 감염이 주된 질병이던 시절, 질병은 불편한 것이었다. 현대의 질병은 조금 다르다. 지금 어느 병원 대기실에서 진료를 기다리고 있을 많은 환자들처럼 겉으로는 환자인지도 알기 어렵고, 심지어는 불편감조차 느끼지 못하는 경우도 많다. 최근에는 방치하면 문제가 될 수 있는 것들도 질병의 범주에 포함된다. 고혈압의 경우에는 그냥 두면 심뇌혈관질환이 더 잘 발생하는 수치부터 고혈압으로 정의한다. 불편감이나 증상은 전혀 상관이 없다. 골다공증도 마찬가지이다. 증상이 전혀 없지만, 그냥 두면 넘어졌을 때 더 잘 부러질 수 있는 정도로 골밀도가 낮은 경우를 골다공증이라고 한다.

증상이나 불편감과 상관없이 내 몸에서 측정할 수 있는 수치들이 일정한 기준, 보통 진단 기준이라고 하는 그 기준에 부합하게 되면 정식으로 질병으로 진단을 받게 된다. 반대로 아무리 불편해도 이런 기준에 부합하지 못하면 적절한 '병명'을 갖지 못하는 경우도 있다. 동시에 이것은 적절한 치료가 무엇인지 알 수 없다는 것을 의미하기도 한다. 가령, 환자는 너무너무 힘들어하는데 원인이나 적절한 진단명을 찾지 못하는 경우도 적지 않다. 어찌 되었건 과거와 비교하면, 아프거나 불편하지 않은 환자들이 많고, 반대로 불편한데도 원인을 찾기 힘든 환자들도 적지 않아서 의사의 입장에서는 조금 더 복잡해진 부분들이 있다.

노화는 나이가 들면서 신체의 기능이 감소하는 것이다. 문제는 노화로 인해 기능이 떨어지면서 질병에 취약하게 된다는 것이다. 예를 들면, 나이가 들면 피부에 주름이 지는 것처럼 혈관도 노화가 되어 탄력을 잃게 된다. 탄력이 없어져 딱딱하게 되면 혈압이 점점 높아지게 되는데, 앞서 본 것처럼 일정 기준을 넘어서게 되면 '고혈압'으로 진단을 받게 된다. 고혈압으로 처음 진단을 받게 되면, 대부분 전에는 괜찮았는데 병원 기계가 이상하다고 하는 사람들이 적지 않다. 사실 태어나면서부터 고혈압인 사람은 없다. 그런데 60대가 되면 10명 중 6명 이상에서 고혈압이 나타난다. 60대부터는 고혈압인 사람이 더 많다는 의미이다. 피부의 주름처럼 혈관이 노화되어 혈압이 높아지는 자연스러운 현상이므로 고혈압 환자가 된 것에 자책하거나 죄책감을 가질 필요도 없다. 자연스러운 현상이라고 해서 문제가 없는 것은 아니다. 아까 말한 것처럼 고혈압이 되면 심뇌혈관 질환의 발생이 증가하기 때문이다. 나이에 따라 반을 나눈다면, 반에서 등수보다 총점이 중요한 셈이다. 골다공증도 비슷하다. 골밀도가 또래 평균이라고 해도 젊은 친구들과 비교해 낮으면 골다공증에 해당이 된다. 골절이 발생할 가능성은 나이보다는 골밀도와 연관이 있기 때문이다. 물론 반등수가 의미 없는 것은 아니다. 또래에 비해 유난히 차이가 많이 난다면, 다른 문제가 없는지 확인해 볼 필요가 있다.

노화가 되면서 우리는 질병에 취약하게 되고, 또래 친구들 중에 혈압이나 당뇨병을 가진 친구들이 점점 많아지게 될 것이다. 노화는 자연스러운 일이고, 그에 따라 '병명'이 하나씩 늘어나는 것도 자연스러워 보이지만, 자연스럽다고 해서 그대로 두어서는 안 된다. 앞서 말한 것처럼 불편함이 전혀 없는 저런 숫자들에 질병이란 이름을 붙인 이유는 나중에 큰 사건을 초래할 가능성이 있기 때문이다. 그러므로 우리는 자연스러운 노화에 의해 병을 하나씩 더 갖게 되더라도 적극적으로 치료해야 한다.

게다가 생일이 똑같은 사람이라도 젊고 건강해 보이는 사람이 있는가 하면, 그렇지 않은 사람도 있다. 오랜만에 친구들을 만나면 몇 년 사이에 갑자기 노화가 온 친구들도 있고, 갑자기 젊어져서 나타나는 친구도 있다. 나이가 들수록 노화가 되는 것은 어쩔 수 없지만, 우리는 노력에 따라서 조금 더 젊고 건강하게 활기를 유지할 수도 있고 반대가 될 수도 있다. 이 책 '활력 되찾기 프로젝트'를 쓰기로 시작한 이유는 자연스럽게 노화와 질병을 받아들이기보다는 우리가 적극적으로 활력과 건강을 되찾기 위해 어떻게 하면 좋을지 안내하기 위해서다. 우리나라의 어쩔 수 없이 짧은 진료시간으로 인해 궁금해도 묻지 못했을 내용들, 말해줄 수 없었던 내용들을 책을 통해 전달해 드리고 싶었다.[149]

최근 노후의 건강에 관련해서 메디컬리제이션(medicalization)이란 새로운 사회학 용어가 등장했다. 오늘날 경제 성장과 생활수준 향상에 의한 의학의 발달로 고령화 사회가 되면서 사람들은 약과 병원에 집착하게 된다. 불편하면 무조건 좋은 의사, 대도시 종합병원만 찾는 건강 공포증으로 자기의 몸 상태를 실제보다 심각한 병에 걸려 있는 것처럼 생각한다는 것이다. 그래서 병원 의존형이 되어 모든 증상을 치료 대상으로 생각하고 자기도 모르게 환자로 살아가고 있다는 것이다. 이는 나이가 많아질수록 더해가는 심리적 현상으로, 오래 살아서 생기는 신체적 증상도 심각한 질병으로 받아들여 각종 검사와 치료 받기를 원하는 고령화 시대를 맞아 건강염려증이 만든 새로운 현상이다.

우리 모두 처음 늙어보기에 신체의 노화현상과 질병을 구별하지 못하는 것 또한 인정해야 한다.

대체로 은퇴시기인 60세를 기준으로 전후기 인생으로 구분한다면, 전기는 바쁘게 살고 은퇴(퇴직)로 일손을 놓게 되면서 제2의 후기인생이 시작된다. 처음엔 동창 각종인맥 등으로 심심찮게 시내나가 내제로 70이 넘으면서부터 건강문제가 조금씩 나타나기 시작하고, 이 병원 저 병원을 순례하며 쾌활하고 명랑하던 성격도 부정과 불안에 의한 짜증과 불평으로 변한다. 이것이 노령화되면서 보편적으로 볼 수 있는 심리현상이요, 일반화된 현상이라 할 수 있겠다.

그런데 인간은 소우주라고 할 정도로 복잡하고 정밀한 기계이지만 70~80년 사용하고 나면 어느 정도 고장은 감수를 해야 한다.

내 어릴 때 우리 할머니는 구름만 끼면 온몸 삭신 마디마디가 결리고 쑤시고 아프다고 했었다.

이를 질병이라고 해야 하는가?

가령 나이 들면 우선 호흡기관이 약해져서 산소흡수량이 적으니 숨이 찰 수밖에 없다. 소화기관 역시 약해져서 조금만 과식해도 힘들고 모든 관절이 닳아서 아프기 마련이요, 눈이 침침해져서 잘 보이지 않고, 귀도 어두워지고, 이도 빠지고 소변줄기가 약해지고 이런 현상은 당연한 노화에 따름이다. 물론 개인차도 있고 생활에 불편은 당연하지만, 이러한 신체적 현상을 질병과 혼돈 하고 있는 건 아닐까.

그래서 사고의 전환이 필요하다는 것이다.

불편을 무조건 치료의 대상으로 의사나 약 등에 의존하는데, 이제 늙었으니 노화로 인한 병이라 함께 갈 수밖에 없다는 마음가짐도 필요하다.

지금도 우리 어른들에겐 길거리 약장수가 대단한 인기를 얻고 있다.

　최근 지방 곳곳에서 동충하초, 장뇌삼, 건강식품설명회가 n차 감염에 의한 코로나 확진으로 이어져 우리 모두를 움츠러들게 하고 있지만 왜 건강보조식품과 영양제에 목을 매어야하는가. 시니어들이 건강비법이라면 무조건 맹목적으로 따르는 것에 문제점이 있지 않을까?

　이젠 노화로 인한 질병 한 두 개쯤은 친구처럼 다독이며 살아가야할 나이이다. 그래도 사는 건 즐거운 일이다. 한번 가면 다시 못 올 인생 희망을 갖고 열심히 몸을 움직여 건강관리를 하면서 행복하게 천수를 다하도록 노력하자.[150]

아름다운 노년생활

크림과 달걀은
오래되면
상하게 마련이고

20년이 넘은
자동차는 더 이상
세인의 관심을
끌기 어렵다.

그러나
치즈나 포도주는
오래 삭히면
그 맛이 더욱
깊어진다.

사람도
젊은 시절 보다는
노년에서 더
행복에
가까울 수 있다.

참고문헌

강동형(2016. 06. 16). 노인 학대 사회. 서울신문, 31면.

강유진(2003). 한국 여성노인들의 노년기 적응과 노년기 삶의 모습에 대한 질적 연구. 대한가정학회지. 41(3), 131-146.

강인(2003). 성공적 노화의 지각에 관한 연구. 노인복지연구. 20(2). 95-116.

강인희(2013. 10. 04). 우울증, 조울증 노인환자 급증, 노년층 정신건강 빨간불. 경향신문, 헬스경향.

강임철, 주재홍, 김범석, 양용대(2009). 실버 세대를 위한 체감형 3D 게이트 볼 게임 개발에 관한연구. 한국멀티미디어학회지. 12(4), 572-582.

강지애, 김진숙(2014). 노인의 스트레스와 성공적 노화의 관계에서 정서조절곤란 및 삶의 의미의 고찰. 한국노년학회지. 34(1), 151-168.

강진영(2008). 노인들의 운동 참여 빈도가 주관적 건강 인식 및 우울증에 미치는 영향. 미간행 석사학위논문. 서강대학교대학원.

강혜영, 진승모, 김원중(2015). 실버요가 스트레칭이 초고령 여성노인의 체력에 미치는 영향. 한국사회체육학회지. 제60호, 609-618.

건강보험심사평가원(2001). 의료보험통계연보. 서울: 건강보험심사평가원.

경기일보. 2015년 5월 27일자.

경상일보. 2006년 12월 26일자.

경향신문. 2013년 10월 2일자.

고미영(2010). 고령사회 노인 여가정책 모형개발. 미간행 박사학위논문. 제주대학교대학원.

고승덕(1996). 노인의 삶의 질을 결정하는 요인 추출에 관한 연구. 미간행 박사학위논문. 이화여자대학교대학원.

구창모(2006). 스포츠사회학의 학제적 연구 동향과 과제. 한국체육학회지. 45(6), 117-131.

구창모(2009). 현대의 고령화 사회와 스포츠의 역할 및 과제. 한국체육학회지. 48(2), 35-45.

국무조정실(2002). 노인보건복지 종합대책. 서울: 국무조정실.

국민건강보험공단(2007). 전국노인 체육종목별 운영 현황 실태조사. 서울: 국민건강보험공단.

국민건강보험공단(2008). 2008년 건강보험 주요 통계. 서울: 건강보험정책연구원.

국민건강보험공단(2013). 2012년 건강보험통계연보, 서울: 국민건강보험공단.

국민건강보험공단(2014). 국민건강보험 보도자료(2014. 03. 19), 서울: 국민건강보험
　　　공단.

국민건강통계(2010). 국민건강영양조사, 제5기 1차년도. 서울: 질병관리본부.

국민건강통계(2014). 2014 국민건강통계, 서울: 보건복지부.

국민복지기획단(1995). 삶의 질 세계화를 위한 국민복지의 기본구상. 서울: 국민복
　　　지기획단.

국민생활체육협의회(1989. 10). 생활체육 소식지.

국민생활체육협의회(1989). 생활스포츠소식지(10). 서울: 국민생활체육협의회.

국민생활체육협의회(2005). 노인시설 생활체육 실태조사. 서울: 국민생활체육협의
　　　회.

국민생활체육협의회(2006). 2006년도 단위사업 기본계획. 서울: 국민생활체육협의
　　　회.

국민생활체육협의회(2007a). 2007년도 어르신 체육활동지원 사업지침. 서울: 국민
　　　생활체육협의회.

국민생활체육협의회(2007b). 노인 전담지도자 현장 활동사례. 서울: 국민생활체육
　　　협의회.

국민생활체육협의회(2012). 국민생활스포츠 실태조사. 서울: 국민생활체육협의회.

국민일보. 2005년 4월 8일자.

국민일보. 2005년 4월 18일자.

국민일보. 2014년 9월 11일자.

국사편찬위원회(1982). 한국현대사. 서울: 심구당.

건강보험정책연구원(2013. 02. 12). 보도자료. 서울: 건강보험정책연구원.

곽선행(2010). 중년 여성의 스포츠참가와 LOHAS성향, 건강증진 생활양식 및 삶의
　　　질의 관계. 체육과학연구. 12(3), 1368-1383.

곽영승(2014. 02. 13). 100세 시대와 삶의 질. 강원일보, 7면.

권문배(2006). 노인 여가활동과 체육활동의 참여. 스포츠과학. 94, 28-37.

권중돈, 조학래, 윤경아, 이윤화, 이영미, 손의성, 오인근, 김동기(2016). 사회복지
　　　개론. 서울: 학지사.

권진숙(2010). 여가복지 시설 운동프로그램 이용 노인의 체력, 신체구성, 삶의 질

변화. 미간행 박사학위논문. 경기대학교대학원.

곽효문(1992). 한국 사회복지정책의 결정요인에 관한 실증적 연구. 미간행 박사학위논문, 한양대학교대학원.

권영민(2016. 04. 16). 늙어가는 사회, 노인들의 외침. 동아일보, A26.

권욱동(2005). 노인의 삶과 여가 스포츠 문화. 체육철학회지. 13(2), 41-61.

권욱동, 윤여탁(1994). 여가개념의 변천과 스포츠의 질적 요소 적용, 연세대학교 체육연구소. 1(1), 59-70.

기선경, 이미숙, 백진경(2015). U-헬스케어를 이용한 고령자의 건강관리에 대한 전망. 한국체육정책학회지. 13(2), 87-98.

기획예산처(2002). 고령화 진전과 예상되는 주요 정책과제. 서울: 기획예산처.

길윤형(2016. 12. 19). 일본, 노인 의료비 어찌 하오리까, 한겨레신문.

김경동(2007. 02. 20). 발등에 떨어진 고령화 재앙, 세계일보.

김경, 전선혜(2012). 수영 참가 노인들의 사회적 지지, 여가 만족, 심리적 행복감 및 참여행동의 관계. 한국체육학회지. 51(3), 53-62.

김경식, 이은주(2009). 노인의 여가스포츠 활동참가와 일상생활수행능력 및 성공적 노화의 관계. 한국콘텐츠학회논문지. 10(4), 425-432.

김경오(2015a). 혁신이론 관점에서 본 노인의 Wii Sports 수용기제. 한국체육학회지 54(4), 93-109.

김경오(2015b). 시골거주 노인들의 신체활동과 관련된 사회생태학적 의미, 문제, 그리고 개선 방안: 혼합연구. 한국체육학회지. 54(2), 41-57.

김경오, 박상일, 박재영(2013). 노인의 신체활동 촉진에 적합한 신기술 및 도구의 모색. 한국웰니스학회. 8(2), 1-15.

김경집(2013. 12. 21). 지금이 가장 젊은 때이다. 한국일보, 31면.

김경호, 김지훈(2009). 한국 노인의 성공적인 노화요인의 구조분석. 한국노년학. 29(1), 71-87.

김교성, 유재남(2012). 노년기 삶의 만족도와 소득 궤적에 관한 종단연구. 노인복지연구. 58, 163-188.

김귀봉, 송주호, 박주영(2000). 노인의 신체활동 참여가 고독감, 우울에 미치는 영향. 한국체육학회지. 39(4), 217-226.

김기범(2017. 09. 04). 한국 고령사회 진입 빨랐다. 경향신문, 13면.

김남진, 천영일(2003). 중년 여성들의 우울증상 및 건강상태와 운동 실천 정도의 관계. 한국체육학회지. 42(2), 83-92.

김동만(2001). 고령화 사회와 복지행정의 대응. 국가정책연구. 15(2), 215-230.

김동만(2002). 고령화 노인복지정책. 중앙행정논집. 16(1), 1-12.

김동섭(2013. 08. 26). 세금 더 낼까, 고약 수정(修正)을 받아들일까. 조선일보, A31.

김대권, 윤상영(2007). 노인의 여가스포츠 참여 정도와 사회적 지원, 운동 만족 그리고 고독감의 관계. 한국체육학회지. 46(6), 345-356.

김대훈(2009). 운동프로그램이 생리적 기능에 미치는 효과: 메타분석. 한국체육학회지. 48(1), 41-55.

김문기(2000). 대도시 성인의 사회 인구학적 특성에 따른 여가활동 효과에 관한연구. 한국여가 레크리에이션, 19(1), 37-54.

김미경, 정일호(2008). 노인의 댄스요가 참여에 따른 생활스트레스와 신체적 존중감의 관계. 한국스포츠리서치. 19(3), 13-22.

김미정(2014). 노인의 자아실현 예측모형. 미간행 박사학위논문. 경희대학교대학원.

김민철(2013. 10. 29). 기초연금 정부안의 최대 약점. 조선일보, A30.

김병일(2013. 09. 09). 늘어나는 장수 시대 어르신의 리더십. 서울신문, 31면.

김상대(2009). 노인의 활동성 여가참여가 사회적 역할상실감 및 삶의 질적 가치에 미치는 영향. 한국여가레크리에이션학회지. 33(2), 69-83.

김석기(2012). 노인여가 복지시설 생활체육 프로그램의 정책적 방향 연구. 한국체육정책학회지. 10(2), 147-165.

김석일(2012a). 신체활동 프로그램 참여노인의 사회적 지지와 활력 및 행복의 관계. 한국사회체육학회지. 49, 617-629.

김석일(2012b). 신체활동 참여 노인들의 사회적 지지 경험과 심리적 안녕감 및 우울의 관계. 한국체육학회지. 51(1), 333-344.

김석일, 이무연, 오현옥(2012). 여가스포츠 참가 노인의 활력이 사회지원과 사회지능에 미치는 영향. 한국사회체육학회지. 48, 629-642.

김설향(2003). 고령화 시대의 노인체조프로그램 개발. -비 건강노인을 중심으로-. 한국사회체육학회지. 20, 687-698.

김설향(2008). 고령화시대를 위한 노인생활체육 활성화 방안. 한국사회체육학회지. 32, 697-709.

김성순(1991). 고령 사회와 복지행정. 서울: 홍익제.

김성혁(1998). 현대사회와 여가. 서울: 형설판사.

김수언, 이재구(2014). 경도인지장애 노인의 움직임 기호 학습 프로그램 현장 적용성 탐색. 한국체육학회지. 53(4), 255-264.

김양례(2005). 노인의 생활체육 참가와 일상생활 수행능력의 관계. 한국스포츠사회
학회지. 18(2), 259-268.

김양례(2006a). 노인의 생활체육 참기와 건강평가 및 자아존중감에 관한 연구. 한
국체육학회지. 45(3), 187-197.

김양례(2006b). 노인의 생활체육 참가와 건강상태 및 의료비 지출의 관계. 스포츠
과학. 17(6), 125-137.

감양례(2007). 노인의 여가활동 유형과 인지기능 및 일상생활 수행능력의 관계. 체
육과학연구. 15(4), 84-96.

김양례, 유지곤, 이상철, 김경숙, 김혜자(2006). 노인체육진흥을 위한 전략 개발 연
구. 체육과학연구원.

김영권(2014. 02. 17). 늙어서도 자꾸 젊다고 우기지 마라. 미니투데이.

김영미(2011). 재가 노인의 운동 실천과 건강 지향 행동 및 웰다잉의 관계. 한국체
육학회지. 50(3), 87-106.

김영주(2017. 07. 04). 행복한 노후의 조건, 아시아경제.

김예성, 박채희(2012). 체육복지 활성화 방안 연구: 노인체육복지를 중심으로. 한국
체육정책학회지. 10(2), 167-181.

김옥주(2012). 노인복지관 스포츠 프로그램 참여자의 운동지속이 운동 몰입과 여
가 유능감에 미치는 영향. 한국체육학회지. 51(6), 343-355.

김옥주(2013). 노인여성 건강 증진 프로그램의 여가 경험이 운동몰입과 여가 만족
에 미치는 영향. 한국체육학회지. 52(1), 255-268.

김의수, 이형국, 임완기, 최승권(1995). 운동과 성인병. 태근문화사.

김정운(2013. 11. 12). 팔굽혀펴기 열다섯 번이면 다 해결된다. 조선일보, A35.

김종진(2001). 연구 인력의 이직 결정과정에 관한 실증적 연구: 이직표축 유형의
검증. 미간행 박사학위논문. 고려대학교대학원.

김창규(1986). 사회체육 프로그램 시리즈(5). 노인체육. 한국사회체육진흥회.

김창환, 이중원, 한상인, 김석원(2011). 지역사회 노인운동 정책수립. 서울: 보건복
지부.

김철수(2016. 02. 24). 100세 시대 행복 심신 건강에 달려 있다. 세계일보.

김철중(2013. 02. 12). 지하철에서 장년과 청년이 충돌하는 의학적 이유. 조선일보.

김태면(2005). 노인들의 사회적 지지가 건강형태 및 건강수준에 미치는 영향. 미간
행 박사학위논문. 충남대학교대학원.

김태우(2013. 12. 25). 인문학에서 배우는 은퇴 설계. 한국일보, 22면.

김태현, 김동배, 김미혜, 이영진, 김애순(1999). 노년기 삶의 질 향상에 관한 연구 (Ⅱ), 한국 노인복지학회. 19(1), 61-81.

김태훈(2011. 01. 13). 老年, 출판, 대박 드라마. 조선일보.

김학선(2014. 01. 08). 퇴직 보험금보다 건강한 체력 유지가 우선. 강원도민일보, 7면.

김홍록(2002). 노인의 여가활동을 위한 Recreation의 활성화 방안에 관한 연구, 한국여가 레크리에이션학회지, 제23권, pp.29-43.

김홍식, 안민주, 김공(2009). 노인전담 체육지도자의 직무특성과 직무만족 및 조직헌신도 관계에서의 인파워먼트 매개 효과. 한국체육학회지. 48(1), 301-312.

김홍식, 주재천, 김공, 정보윤(2009). 생활체육지도자의 見解를 통한 노인 생활체육 활성화 방안-Q 방법론적 연구. 한국체육학회지. 48(2), 309-319.

김현수(2013. 01. 21). 남성 갱년기 건강성한 극복법, 동아일보.

김현숙(2006) 노인여가복지 시설의 생활체육프로그램 참가가 심리적 복지에 미치는 영향. 미간행 박사학위논문. 건국대학교대학원.

김현숙, 강효민(2006). 노인여가복지시설의 생활체육프로그램 참가가 심리적 복지에 미치는 영향. 한국체육학회지. 45(6), 91-104.

김형석, 신인숙(2003). 여성의 신체적 여가활동 참가가 사회적 문제 해결력 및 우울에 미치는 영향. 한국체육학회지. 42(6), 447-455.

김형수(2017. 01. 16). 노익장 젊은 노인. 인천일보.

김형오(2002). 한국 노인여가복지정책에 관한 연구. 미간행 박사학위논문. 충북대학교대학원.

김희은(2017, 03. 22). 노년 그 아름다운 빛깔, 매일경제.

나상진(2002). 노인 학교 프로그램 참여자들의 여가활동에 관한 문화 기술적 연구. 미간행 석사학위논문. 중앙대학교대학원.

나재철(2004). 건강과 체력을 위한 운동 처방학. 서울: 대경북스

남기민(2003). 현대 노인 교육론. 서울: 현학사.

남석인, 최권호(2014). 당뇨병환자의 주관적 건강인식이 자살행동에 미치는 영향과 우울의 매개효과. 사회복지연구. 45(1), 231-254.

남연희, 남지란(2011). 노인의 주관적 건강상태에 영향을 미치는 요인에 관한 연구. 한국가족복지학. 16(4), 145-162.

남일호(2013). 생활체육 정책의 방향과 과제, 제51회 체육주간기념. 제32회 국민체육진흥세미나 박근혜정부의 국민체육진흥정책은 무엇인가?, 50-76.

노용구(2000). 노인 여가 교육 프로그램이 여가태도와 여가만족에 미치는 효과. 한
　　　국사회체육학회지. 13(1), 351-361.

노용구(2002). 노인 여기 교육 프로그램 개발에 관한 연구. 미간행 박사학위논문.
　　　고려대학교대학원.

노은이(2009). 서울시 노인 여가 스포츠, 어떻게 활성화 할 것인가?, 서울시 정책
　　　개발 연구원 SDI 정책리포트. 42, 1-20.

노은이, 김선자(2009). 서울시 노인 여가스포츠 활성화 방안. 서울도시연구. 10(3),
　　　53-68.

노인복지법(1989). 법률 제4178호

노인복지법(1993). 법률 제4633호.

네이버 지식백과(2015). http://terms.naver.com.

뉴 타임즈코리아(2013. 4. 21). 치매, 6년간 노인환자 3배나 늘었다.

도기현, 원영신, 이민규(2015). 노인체육지도자들의 감정 노동과 감정 부조화 그리
　　　고 직무 소진의 관계. 한국사회체육학회지. 제61호, 483-492.

대구신문. 2007년 09월 19일자.

동아일보. 2001년 10월 5일자.

동아일보(2006). 한국의 인구학적 변화: OECD보고서. 서울: 동아일보.

동아일보. 2006년 9월 19일자.

동아일보. 2007년 2월 22일자.

동아일보. 2011년 3월 29일자.

동아일보. 2014년 7월 19, A27.

매일신문. 2001년 8월 2일자.

문화체육부(1993). 국민체육진흥5개년계획. 서울: 문화체육부.

문화체육부(1995). 국민 체육참여 실태. 서울: 문화체육부.

문화관광부(1998). 국민체육진흥 5개년계획. 서울: 문화관광부.

문화관광부(2003). 국민체육진흥 5개년계획. 서울: 문화관광부.

문화관광부(2005). 2005 체육정책 통계 자료집. 서울: 문화관광부.

문화관광부(2006). 2006 체육백서. 서울: 문화관광부.

문화관광부(2007). 노인체육 활성화 정책 현황보고서. 서울: 문화관광부.

문화관광부(2008). 참여정부 문화관광정책백서, 체육편. 서울: 문화관광부.

문화체육관광부(2009). 스포츠 참여활동 추이. 서울: 문화체육관광부.

문화체육관광부(2010). 여가백서. 서울: 문화체육관광부.

문화체육관광부(2012). 노인의 스포츠활동 참가율. 서울: 문화체육관광부.

문화체육부(1993). 국민체육진흥5개년계획. 서울: 문화체육부.

미국스포츠의학회(2003). 운동검사·운동처방 지침(6th ed.). 서울: 현문사.

민기채, 이정화(2008). 비공식적 관계망에 대한 지원 제공이 노인의 정신건강에 미치는 영향: 성차를 중심으로. 한국노년학. 28(3). 515-533.

박경혜, 이윤환(2006). 노인의 사회활동이 신체 기능에 미치는 영향. 한국노년학회지. 26(2), 275-289.

박선영, 임수원, 이혁기(2015). 노인 게이트볼 동호회와 Goffman의 상호 작용 의례. 한국사회체육학회지. 제62호, 767-782.

박성연, 이유경(2006). 브랜드개성과 자아이미지 일치성이 소비자만족, 소비자-브랜드 관계 및 브랜드 충성도에 미치는 영향: 한국 소비자들의 브랜드 개성과 스비자-브랜드 관계유형 인식을 중심으로. 한국광고학회지. 17(1), 7-24.

박귀영(2007). 노인 복지시설 이용실태와 생활 만족도에 관한 연구. 미간행 박사학위논문. 한영신학대학교대학원.

박순천(2005). 노인의 자살생각에 미치는 요인에 관한 연구. 미간행 석사학위논문. 이화여자대학교대학원.

박승미, 박연환(2010). 재가 노인의 신체활동 예측: 도시노인과 시골노인의 차이. 한국간호과학회지. 40(2), 191-201.

박영례, 권혜진, 김경희, 최미혜, 한승의(2005). 노인의 자아존중감, 자가효능과 삶의 질에 관한 연구. 한국노인복지학회지. 29((9), 237-258.

박영옥, 손귀령(2013). 재가노인의 우울 예측요인. 노인간호학회지. 15(2), 155-164.

박영주, 정혜경, 안옥희, 신행우(2004). 노인의 외로움과 건강행위 및 자아존중감의 관계. 노인간호학회지. 61(1), 91-98.

박옥임(2009). 농촌지역의 노인 학대 위험 요인과 사회 지원 체제. 한국지역사회생활과학지. 20(3). 369-384.

박용범, 김학선(2003). 노인 여가활동의 발전 방안. 한국사회체육학회지. 20(1), 695-706.

박응희(2009). 노인 교육 시장 분석을 위한 노인 학습자 연구. 평생교육학연구. 15(3), 137-158.

박장근, 차선동(2010).노인들의 인구사회학적 특성에 따른 스포츠브랜드 선호도 및 충성도 차이분석. 한국체육학회지. 49(4), 305-313.

박정훈(2014. 01. 17). 80세 시작해 세계 참피온이 된 99세 이야기. 조선일보, A34.

박정희(2015). 노인의 걷기 운동에 따른 참여만족과 주관적 웰빙에 관한 연구. 한
　　국사회체육학회. 제60호, 585-596.

박주환(2010). 신체운동의 새로운 가치 탐색. 한국체육철학회지. 18(3), 93-106.

박준동(2006. 11월 7일). 웰빙의 마침표 웰다잉, 위클리 조선.

박준수(2014. 12. 16). 생활체육진흥법 제정은 국민의 기본권. 경상일보.

박영옥, 손귀령(2013). 재가 노인의 우울 예측 요인. 노인간호학회지. 15(2),
　　115-164.

박옥임(2009). 농촌지역의 노인 학대 위험 요인과 사회지원 체제. 한국지역사회생
　　활과학지. 20(3), 369-384.

박응희(2009). 노인 교육 시장 분석을 위한 노인 학습자 연구. 평생교육학연구.
　　15(3), 137-158.

박익열(2016. 01. 14). 운동하는 습관 길러 노화 늦추자. 경남일보.

박인환, 김철(1999). 노인의 생활체육 참여와 여가만족 및 생활만족과의 관계, 한
　　국사회체육학회지. 12(1), 357-369.

박철홍(2004). 노인종합복지관 참여 노인의 사회체육활동 실태 및 운영자의 인식
　　에 관한 연구. 미간행 박사학위논문. 연세대학교대학원.

박풍규(2007). 인구 고령화에 따른 노인복지 정책연구. 청주대학교 우암논총 29,
　　61-81.

박풍규(2009). 우리나라 노인의 서비스정책 개선방안. 청주대학교 우암논총 32,
　　1-29.

박풍규(2010). 우리나라 노인의 소득 보장정책에 관한 연구. 한국사회과학연구.
　　32(1), 17-46.

박풍규(2014). 노인의 여가활동에 관한연구. 한국사회과학연구. 36(1).

박현(2014. 02. 10). 핑퐁 외교와 농구 외교. 한겨레신문, 30면.

박현철(2013. 11. 19). 노년은 독립과 행복의 시기. 강원도민일보, 6면.

박형민(2007). 한국의 자살 실태와 대책. 한국형사정책연구원.

박용범, 김학신(2003). 노인 여가 활동의 발전 방안. 한국사회체육학회지. 제20권,
　　697-708.

방열(2000). 최신 사회체육 프로그램론. 서울: 대경북스.

배규식(2013. 11. 22). 수명을 다한 우리 고용 시스템. 한국일보, 31면.

배지연, 김원형, 윤경아(2005). 노인의 우울 및 자살 생각에 있어서 사회적 지지의

완충효과. 한국노년학회지. 25(3), 59-73.

변재관(2001). 21세기 노인복지정책의 전망과 과제. 노인복지연구. 14(1). 251-274.

변재관(2002). 21세기 노인복지정책의 전망과 과제. 국토. 254.

변해심(2013). 고령자 댄스스포츠 참가동기와 여가기능 및 참가 지속의도간의 인과관계 연구. 한국체육학회지. 52(4), 361-375.

배종진, 박현철(2014). 운동이 노인의 우울증에 미치는 영향. 한국체육학회지, 53(3), 549-557.

백경숙, 권용신(2003). 노인 복지 연구동향 분석. 한국가족복지학. 8(2), 23-38.

백경숙, 권용신(2007). 노년기의 경제활동과 여가활동 유형에 따른 심리적 복지감 연구. 노인복지연구. 35, 87-106.

백현(2010). 여가스포츠 참여자의 여가경험과 여가기능, 몰입경험 및 운동지속의사와의 관계. 미간행 박사학위논문. 단국대학교대학원.

보건복지부(2005). 노인인구 현황. 서울: 보건복지부.

보건복지부(2006). 노인복지시설 현황. 서울: 보건복지부.

보건복지부(2007). 제1회 전국 어르신생활스포츠대회. 서울: 보건복지부.

보건복지부(2008). 2008년도 노인실태조사. 서울: 보건복지부.

보건복지부(2011). 노인복지시설현황. 서울: 보건복지부.

보건복지부(2012). 통계연보. 서울: 보건복지부.

보건복지부(2012). 치매노인 유병율 조사. 서울: 보건복지부.

보건복지가족부 홈페이지. www.mw.go.kr.

보건사회부(1989). 노인복지법. 법률 제4178호.

보건사회부(1993). 노인복지법. 법률 제4633호.

보건사회부(1994). 보건복지과 및 노인복지대책위원회 신설.

보건사회부(1995). 정책 과제 협의.

부산일보. 2007년 4월 18일자.

변재관(1998). 노인보건복지정책의 현황 및 정책 방향. 보건복지포럼 25, 6-13.

변재관(1999). 老人人力 活用의 活性化 方案. 노인복지연구 99, 91-131.

변재관(2001). 21세기 노인복지정책의 전망과 과제. 노인복지연구. 14(1), 251-274.

배영직(2005). 청소년 지도자의 리더십 유형과 구성원 만족도가 청소년 단체 활동 효과에 미치는 영향. 미간행 박사학위논문. 홍익대학교대학원.

배재남(2006). 노인자살 해결책은 있는가? 제12회 고령화 포럼자료집, 1-14.

백경숙, 권용신(2003). 노인복지 연구동향 분석. 한국가족복지학. 8(2), pp.23-38.

백지은(2010). 남성노인과 여성노인의 사회적지지 경험이 심리적 건강에 미치는
    영향. 한국심리학회지. 15(3), 425-445.

시동균(2008). 대학생의 여가스포츠에 대한 의사결정균형과 여가기능, 여가몰입,
    여가유능감 관계의 구조모형분석. 미간행 박사학위논문. 경기대학교대학
    원.

서동우(2006). 노인자살 해결책은 있는가? 제12회 고령화 포럼자료집, 15-16.

서울신문. 2007년 2월 20일자.

서울신문. 2014년 3월 10일자.

서은국, 구재선(2011). 단축형 행복척도 개발 및 타당도. 한국심리학회지. 25(1),
    95-113.

성기월(1999). 시설노인과 재가노인의 일상생활활동정도와 생활만족 정도의 비교.
    한국노년학. 19(1), 105-117.

손석정(2013). 노인생활체육 진흥을 위한 정책 과제. 한국체육정책학회지. 11(3),
    21-36.

손성진(2013. 11. 28). 노인을 춤추게 하라. 서울신문, 31면.

손정남(2013). 지역사회 거주 노인의 우울증상에 영향하는 요인. 정신간호학회지.
    22(2), 107-116.

송라윤, 서영옥, 엄영란, 전경자, Robert, B. L.(1977). 저강도 운동프로그램이 입원
    노인의 일상생활 기능회복에 미치는 영향. 대한간호학회지. 27(4), 807-819.

신경숙(2013. 11. 20). 人生, 마지막 10년, 우리를 찾아 온 거대한 질문. 조선일보,
    A35.

신동민(2003). 사회변화와 정부의 역할. 김대중 정부의 생상과 복지와 노무현 정부
    의 참여복지. Kapa@포럼. 101.

신영석, 운세호(2013. 03. 18). 갈수록 돈이 없다. 누구에게 어떻게 걷을까. Doctors
    NEWS.

신치영(2015. 02. 03). 다모클레스의 칼, 그리고 중세. 동아일보 A30.

심규성(2012). 스포츠의 사회적 기능 변화와 스포츠복지 개념 형성: 푸코의 담론
    이론적 분석. 미간행 박사학위논문. 한국체육대학교대학원.

심성섭(2015). 어르신 생활체육 참가자의 자본 유형과 건강 증진 생활양식 및 성
    공적 노화 간의 인과관계. 한국사회체육학회지. 제61호, 493-508.

안주엽(2013. 12. 14). 세대 간 일자리 상생을 위한 과제. 한국일보, 30면.

엄영진((2013. 11. 06). 복지의 틀을 사회보험으로 다시 짜라. 조선일보. A35.

여인성(2010). 노인들의 운동 참여가 사회적 지지에 미치는 영향. 한국체육학회지. (49)6, 499-509.

연병길(2004). 공적 노인 요양제도의 평가. 임상노인의학회지. 제17권, 159-163.

염병화(2008). 댄스스포츠 교실에 참여하는 노인들의 라이프 스트레스와 신체적 존중감 및 사회적 행복감의 인과관계. 한국스포츠리서치. 19(4), 3-11.

연합뉴스(2013. 1. 31). 한국고령자 고용률 세계 최고, 일본 웃돌아.

연합뉴스(2013. 2. 27). 한국, 노인복지지출 OECD 꼴찌, 노인 빈곤율은 단연 1위.

연합뉴스(2007. 10월 10일). 잘 살아야 잘 죽는다.

염지혜(2013). 도시노인과 농촌노인의 주관적 건강상태 궤적에 대한 비교 연구: 잠재성장모형을 이용하여. 농촌사회. 23(1), 193-239.

오건호(2013. 11. 20). 복지 재정, 이젠 지역 주민이 나서야. 경향신문.

오윤선, 박주영, 강성구(2003). 한·중·일 노인들의 신체활동 참여가 고독감 우울감에 미치는 영향. 한국스포츠심리학회지. 14(3), 1-13.

오은택(2011). 건강운동 참여가 체력수준과 건강 위기감 및 건강증진 행위에 미치는 효과. 미간행 박사학위논문. 중앙대학교대학원.

오은택, 김성주, 윤영구(2012). 여가스포츠활동 참여자의 사회적지지, 생활만족 및 건강증진행위의 관계. 한국체육학회지. 51(2), 179-188.

오종윤(2004). 20년 벌어 50년 먹고사는 인생 설계. 서울: 더난출판사.

오진숙(2007). 중년여성의 생활 무용 참가 만족과 죽음 수용 태도의 인과 모형 분석. 미간행 박사학위논문. 동덕여자대학교대학원.

오태진(2014. 01. 09). 결혼을 지탱하는 힘. 조선일보, A34.

오현옥(2011). 레크리에이션 프로그램 참여 여성노인들의 사회 지능, 활력 및 행복의 관계모형 분석. 한국체육학회지. 50(4), 239-250.

오현옥(2012). 신체활동 참여 노인들의 사회적 지원활동이 건강 증진에 미치는 영향. 한국체육학회지. 51(6), 357-366.

오현옥(2014). 신체활동 참여 노인들의 사회 자본과 우울 및 삶의 질. 한국체육학회지. 54(3), 535-547.

우효섭(2012. 09. 18). 고령화 사회 맞춤형 건축 필요하다. 세계일보, 30면.

옥정석(1995). 운동과 건강. 서울: 태근문화사.

온채은(2007). 노인의 운동정서가 자기효능감에 미치는 영향. 한국체육학회지. 46(1), 319-331.

원영신(1997). 여가교육으로 행해지는 노인체육활동에 관한 연구. 한국노년학회지.

17(3), 36-52.

원영신(2006a). 노인체육활성화를 위한 여가복지 서비스와 산업화 추구. 스포츠과
학. 94.

원영신(2006b). 노인관련법 고찰을 통한 노인 체육의 법제화. 스포츠와 법. 제8권,
163-198.

원영신(2012. 02. 08). 고령화 지진에 대비한 전담부서 만들어야. 조선일보.

위성식(2001). 최신 사회체육 프로그램론. 서울: 대경북스,

유대현, 여인성(2013). 노인의 주관성 건강, 일상생활 및 운동 능력, 사회적 관계의
인과 관계. 한국체육학회지. 52(1), 351-361.

유석재(2006. 06. 20. 웰빙을 넘어 웰다잉을 논하다. 조선일보.

유인영, 최정현(2007). 경로당 이용 노인의 낙상경험과 낙상 예측요인. 지역사회간
호학회지. 18(1), 14-22.

유진, 임정숙(2011). 노인 운동참가자의 사회지원과 활력 및 자기조절의 관계. 한
국사회체육학회지. 44, 519-529.

윤대영・요코야마 히데코(2016. 06. 16). 노후엔 정신활동이 더욱 소중하다. 세계일
보, A20.

윤대희(2014. 08. 13. 노인 요양. 파이낸셜 뉴스, 27면.

윤성빈(2001). 고령화 사회의 노인 평생교육체제 연구. 미간행 석사학위논문. 단국
대학교대학원.

윤상영, 김학권(2015). 대도시 노인들의 여가스포츠 참가자 자아실현 및 고독감에
미치는 영향. 한국사회체육학회지. 제60호, 597-608.

윤운상(1995). 학습과 동기 전략. 서울: 문음사.

윤종완(2013. 01. 11). 건강한 삶 9988을 위해 하루 한 번 심장운동을 하자. 조선일
보.

윤현주(2016. 03. 28). 초황혼 이혼. 부산일보, 30면.

이강백(2007. 04. 14). 노인이 미래다. 경향신문.

이권(2005). 고령 노인을 위한 노인 복지 정책의 방안. 한국복지행정학회지. 15(2),
191-220.

이경미(2017. 01. 31). 뜨거운 안녕. 국제신문, 30면.

이경훈(2010). 노인의 생활체육참가 제약요인에 관한 연구. 한국체육학회지. 49(1),
47-56.

이경희(2004). 노인 학습자들의 교육참여 실태조사 분석. 평생교육학연구. 10(2),

49-77.

이동수(2004). 노인의 여가활동 참여가 인지된 삶의 질에 미치는 영향. 미간행 박사학위논문. 경상대학교대학원.

이문재(2015. 01. 10). 노인을 위한 나라는 어디에 있는가. 경향신문.

이미란(2005). 고령화 사회에서 여성노인과 복지에 관한 고찰. 한국가정과학회지. 8(4), 57-69.

이미숙(2004a). 생활양식으로서 웰빙: 이론과 적용의 뿌리찾기. 한국생활과학회 하계학술대회.

이미숙(2004b). 생활양식으로서의 웰빙(well-being) : 이론과 적용의 뿌리찾기. 한국생활과학지. 13(3), 477-484.

이상덕(2003a). 노년기 생활체육참여가 삶의 질에 미치는 영향. 한국사회체육학회지, 20(1), 707-718.

이상덕(2003b). 노년기 여가활동과 스트레스, 삶의 질에 관한 연구. 미간행 박사학위논문, 고려대학교대학원.

이상윤(2003). 21세기 수도권 노인교육 프로그램 활성화 방안. 중앙대학교 국가정책연구소.

이상일, 유현순(2004). 스포츠프로그램 노인 소비자의 참여특성에 따른 만족도 분석. 한국스포츠경영학회지. 19(1), 121-144.

이상희, 원영신, 배재윤(2014). 노인 체육지도자가 체험하는 생활체조 수업 제약 및 극복요소에 관한 연구. 한국체육학회지. 53(1), 267-280.

이상희, 원영신, 이민규(2015). 어르신전담 생활체육지도자의 직무소진, 직무착근도 및 이직 의도의 구조적 관계 분석. 한국사회체육학회지, 제60권, 619-629.

이성철(1996). 노인의 사회체육활동과 생활 민족의 관계. 미간행 박사학위논문. 서울대학교대학원.

이성훈, 이유리(2004). 한국노인의 여가장애 극복을 위한 여가정책 방안. 복지행정연구. 20.

이세영, 김수연(2015. 04. 01). 노인 10명 중 7명 자녀와 떨어져 살아. 동아일보, A46.

이수미, 이숙현(2010). 취업모의 다중역할의 질과 심리적 건강. 한국가족관계학회지. 15(3), 67-90.

이숙현(2014). 음악 중심 통합예술치료가 장기요양시설거주 노인의 고독감, 우울, 생활만족와 Cortisol 및 NK-cell에 미치는 영향. 미간행 박사학위논문. 원

광대학교대학원.

이승국(2011. 2. 9). 2026년 초고령 사회, 일할 사람이 없다. 이투데이 경제신문.

이승범(2003). 노인종합복지관의 운동프로그램이 노화, 체력 및 삶의 질에 미치는 영향: 노인 여성을 중심으로. 미간행 박사학위논문. 연세대학교대학원.

이승연(2014). 2015년 시행에 대비한 노인스포츠지도자 자격제도의 재검토. 미간행 석사학위논문. 연세대학교대학원.

이연종(2009). 보건소 운동 프로그램 참여 노인의 주관적 건강 인지에 따른 삶의 질과 생활 만족도의 관계. 한국체육학회지. 48(2), 321-330.

이영(2013. 03. 27). 복지 축소 않으면 공약 실천 어렵다. 조선일보.

이영욱(2017. 07. 03). 저출산 유독 심각한 한국……결혼·양육·취업 올인원 처방 필요. 조선일보, B11.

이유종(2017. 09. 04). 한국 고령사회 진입, 65세 이상 14%. 동아일보, A18.

이은석(2009a). 현대사회 노인의 생활스트레스와 우울의 관계에 있어서 여가스포츠활동의 완충효과 검증. 한국사회체육학회지. 36, 647-660.

이은석(2009b). 고령화시대의 노인복지 증진을 위한 여가활동 프로그램의 프로토콜 개발: 지역사회 노인복지관 및 문화센터를 중심으로. 한국체육학회지. 43(3), 113-130.

이은석(2009c). 현대사회의 노인의 자살행동과 관련한 여가활동의 완충효과 검증. 한국학술진흥재단 연구결과보고서, 1-73.

이은석, 신규성(2010). 노인체육지도자의 감정노동과 직무애착도 및 직무만족의 관계. 한국사회체육학회지. 제40호, 443-452.

이은석, 안찬우(2010). 노인의 여가 스포츠활동 참가가 성공적 노화에 미치는 영향: 회복탄력성의 매개 효과를 중심으로. 한국체육학회지. 49(4), 325-337.

이은석, 이선장(2009). 농촌지역 노인의 스트레스, 우울 및 자살생각에 있어서 신체적 여가활동의 완충효과. 한국스포츠사회학회지. 22(2), 35-53.

이은석, 이희완, 이영익, 남재화, 정정현, 권대근(2010). 현대사회 노인의 자살예방을 위한 여가활동 프로그램의 프로토콜 개발: 응용스포츠사회학적 접근. 한국체육학회지. 49(3), 81-102.

이은진, 배숙경, 엄태영(2010). 독거노인의 자살 시도에 대한 우울과 여가활동 참여의 영향에 관한 연구: 서울특별시 노원구를 중심으로. 한국노년학. 30(2), 615-628.

이정필(2016. 11. 10). 이젠 자신의 선택이다. 제민일보.

이정학(2006). 스포츠와 사회복지. 서울: 대한미디어.

이정학, 이경훈(2005). 노련화에 따른 사회복지적 측면에서의 체육활동. 한국체육철학회지. 13(3). 249-265.

이종경, 이은주(2010). 노인의 여가스포츠 활동참가와 스트레스 및 자살 생각 감소의 관계. 한국여가레크리에이션학회지. 34(3), 17-27.

이주엽(2013. 12. 14). 세대 간 일자리 상생을 위한 과제. 한국일보, 3면.

이지항(2015). 노인들의 대뇌 보조운동영역에 적용된 반복적 경두개 자기자극이 의도적 운동 적응에 미치는 영향. 한국사회체육학회지 제61호, 509-519.

이진경(2013. 08. 30). 무능력을 증명하려는 복지, 한국일보, 27면.

이진희, 이성택(2017. 05. 03). 2030년엔 노인의료비 4배 이상 폭증한다. 한국일보, 12면.

이채은(2011). 실버세대 생활체육 특성화 프로그램 탐색. 미간행 석사학위논문. 영남대학교 스포츠과학대학원.

이창환, 이중인, 한상인, 김석원(2011). 지역사회 노인운동 정책 수립. 보선복지무, 1-120.

이향숙(2009). 가정 예배가 가족 기능성에 미치는 영향. 성결심리상담. 1, 157-178.

이홍구(2003). 청소년의 스포츠 참가와 스트레스 및 사회적 지지의 관계. 한국체육학회지. 42(5), 147-157.

이홍구, 송형석(2010). 한국사회의 제문제와 태권도의 기여 가능성 제고. 대한무도학회지. 12(1), 235-247.

이현석, 유정애(2012). 노인 평생 학습자를 위한 스크린 실버존의 개발과 교육적 의미 탐색. 한국체육학회. 51(4), 171-183.

이형국(2007). 노인체육학의 학문적 특성 정립을 위한 제안. 코칭능력개발지. 9(2), 29-37.

이희진, 박진경(2015). 노인 신체활동 서비스 주체 및 참여 특성과 서비스 만족도 관계. 한국사회체육학회지. 제62호, 755-766.

임경희(2006). 스포츠참여가 노인의 보지 만족 및 여가 만족에 미치는 영향. 한국체육학회지. 45(1), 185-192.

임란희(2007). 노인의 신체적, 심리적, 사회적 건강 변화를 위한 실버스트레칭 프로그램 개발과 효과 분석. 미간행 박사학위논문. 명지대학교대학원.

이묘숙(2012). 노인의 사회참여활동은 사회적 고립감과 자살생각 간의 관개를 매개하는가? 정신보건과 사회사업. 40(3), 231-259.

임수원(2008). 생활무용 참가를 통한 노인의 자아정체성 재확립. 한국체육학회지. 47(2), 81-93.

임영삼, 이상덕(2010). 노년기 스포츠여가로서 자전거 참가 동기가 여가 몰입과 심리적 행복감에 미치는 영향. 한국사회체육학회지. 20(6), 685-693.

임춘식, 강원돈, 강호성, 고수현, 김기덕(2007). 사회복지론. 경기: 공동체.

임태성, 박현욱(2006). 고령화시대의 노인체육 활성화 정책. 한국체육정책학회지. 제8호, 121-138.

임춘식(1999). 노인 여가활동 활성화 방안. 한남대학교 사회과학연구. 9호.

임호남, 임란희(2008). 요가 수련이 여성노인의 신체조성에 미치는 효과. 한국여성체육학회지. 22(2), 57-66.

장인협, 최성재(2006). 노인복지학. 서울: 서울대학교출판부.

장재옥(2007). 스포츠 복지 국가 실현을 위한 법정책적 과제: 장애인, 노인, 청소년 스포츠 정책을 중심으로. 스포츠와 법. 10(1), 95-120.

장하성(2017. 07. 18). 행복한 삶을 위하여. 금강일보.

장학만(2013. 10. 12). 고령사회의 그늘. 한국일보.

정계순(2009). 운동프로그램 참가노인의 신체적 자아개념이 심리적 행복감 및 생활 만족에 미치는 영향. 미간행 박사학위논문 명지대학교대학원.

정경자(2010). 노인 여가스포츠 프로그램에 관한 국제비교 연구. 미간행 박사학위논문. 호서대학교벤처전문대학원.

정경자, 박정근, 김성문(2014). 효과적인 노인 여가 스포츠 프로그램을 위한 질적 탐색. 한국체육학회지. 53(6), 151-166.

정경희, 조애저, 오영희 변재관, 변용환, 문현황(1998). 1998년도 전국노인생활실태 및 복지욕구조사. 한국보건사회연구원.

정낙수, 최규환(2001). 노인낙상의 원인과 예방. 한국전문물리치료학회지. 8(3), 107-115.

정다운, 한광령, 김우석, 김기섭(2011). 시니어러빅 참여 동기와 여가활동 만족 및 성공적 노화의 관계. 한국체육학회지. 50(3), 179-188.

정성희(2015. 05. 27). 몇 살부터 노인일까. 동아일보, A31.

정원미(2008). 경증치매환자의 인지 기능 증진을 위한 집단작업치료 프로그램의 효과. 고령자치매작업치료학회지. 1(1), 46-55.

정종진(2001). 하교 학습과 동기. 서울: 교육과학사.

정진성, 김영식(2014). 신체활동에 참여하는 노인들의 사회지원이 사회적 고립감과 행복감에 미치는 영향. 한국체육학회지. 53(3), 525-533.

정진오(2008). 여가스포츠활동에 참가하는 노인의 지각된 자아존중감이 스트레스와 우울에 관계에 미치는 매개효과. 한국사회체육학회지. 33(1), 715-724.

정영린(1997). 여가만족의 인과 모형 설정을 위한 연구. 한국스포츠 사회학회지 제8호, pp.115-132.

정영린(1997). 생활체육 참가와 여가 만족의 관계. 미간행 박사학위논문. 서울대학교대학원.

정영만(2014. 01. 15). 건강 100세 시대 맑은 공기로부터. 한국일보, 30면.

정원미(2008). 경증치매환자의 인지기능 증진을 위한 집단작업치료 프로그램의 효과. 고령자치매작업치료학회지. 1(1), 46-55.

정원오(2017. 07. 01) 노인 일자리, 건강한 100세 시대를 만든다. 아시아 경제.

조경욱, 이동기, 이중섭(2011). 100세 시대 도래, 노인의 삶의 질 필요하다: 노년기의 여가 문화 조성, 무엇을 어떻게 할 것인가. 전주: 전북발전연구원.

조근종(2000). 노인의 사회활동 참여와 사회적지지 및 일상생활 수행능력의 관계. 한국체육학회지. 39(3), 198-207.

조만태, 김상대(2008). 은퇴노인의 스포츠활동 참가 동기가 재사회화에 미치는 영향. 한국사회체육학회지. 제32권, 637-649.

조명수(2013. 01. 25). 공동체 정신 회복이 절실하다. 강원도민일보, 9면.

조선일보. 2013년 11월 15일, A35.

조선일보. 2014년 2월 11일, A35.

조소희(2012). 실버라인댄스 참여자의 신체 이미지가 재미 요인, 여가 만족 및 자아실현에 미치는 영향. 미간행 박사학위논문. 목포대학교 대학원.

조승현, 김인형(2012). 생활체육 참여 노인의 운동행동 변화과정이 자아통합감에 미치는 영향. 한국체육학회지. 51(1), 47-59.

조연철, 박영옥(2001). 노인들의 생활체육 참여가 여가만족도와 정신건강과의 관계. 한국사회 체육 학회지. 15(1), 281-298.

조희금(2004). 시니어 웰빙과 여가취미생활. 대구대학교 사회복지연구소 2004년 학술대회.

조희숙(2014. 06. 30) 어르신 건강 카드 효과 극대화 하자. 강원일보, 7면.

중도신문. 2016년 6월 14일, 23면.

중앙일보. 2001년 3월 21일자.

중앙일보. 2005년 7월 11일자.

중앙일보. 2014년 9월 6일자.

지병태(2009). 노인들의 라이프스타일에 따른 노인 건강운동과 건강 증진 방안. 미간행 박사학위논문. 대구한의대학교대학원.

지용석(2001). 노인의 주당 운동 참여에 따른 신체부위별 골밀도 분석. 대한노인병학회지. 5(2), 185-198.

차지원(2008). 노인의 여가활동 참여와 자긍심, 고독감, 무력감, 주관적 안녕의 관계. 미간행 박사학위논문. 목포대학교대학원.

체육청소년부(1992). 체육청소년행정 10년사. 서울: 체육청소년부.

체육과학연구원(2003). 노인의 체육활동 실태 분석 및 활성화 방안. 서울: 국민체육진흥공단 체육과학연구원.

체육과학연구원(2006). 노인체육진흥을 위한 전략 개발 연구. 서울: 체육과학연구원.

최미리, 이양출(2012). 노인의 여가스포츠 활동 참가에 따른 생활스트레스와 우울의 관계에서 회복탄력성의 완충효과. 한국체육학회지. 51(1), 75-90.

최병호(2013. 09. 03). 증세 없는 복지는 가능하다. 한국일보, 29면.

최병호(2014. 01. 06). 습관이 당신 미래 바꾼다, 서울경제.

최연혁(2013. 10. 10). 기초연금제도, 처음부터 다시 짜라. 동아일보. A34.

최영희(1999). 노인과 건강. 서울: 현문사.

최운실, 김현철, 변종임, 최윤선, 김효선(2005). 평생교육 참여 실태 분석 연구. 한국교육개발원 연구보고서.

최종혁, 이연, 안태숙, 유영주(2009). 문화복지 개념 정립을 위한 질적연구. -휴먼서비스 실천가들의 인식을 중심으로-. 사회복지연구. 40(2), 145-182.

최종환, 이규문, 김현주, 서주원(2004). 노인들의 성별과 신체활동 수준이 신체적 기능, 심리적 기능, 그리고 건강관련 삶의 질에 미치는 영향. 한국체육학회지. 43(6), 975-983.

최재현(2015, 01. 09). 100세 시대, 앉는 습관을 줄이고 신체활동 늘려라. 국제신문, 29면.

통계청(1991). 장래 인구추계. 서울: 통계청.

통계청(2000). 2000년도 보건복지 통계연보. 서울: 통계청.

통계청(2001). 한국의 사회지표. 2000년도 인구주택총조사. 서울: 통계청.

통계청(2002a). 장래 인구추계 결과. 서울: 통계청.

통계청(2002b). 2002년도 보건복지 통계연보. 서울: 통계청.

통계청(2003). 2001년 생명표 결과. 서울: 통계청.

통계청(2004). 고령자 통계. 서울: 통계청.

통계청(2005a). 2005 고령자 통계. 한국의 인구 변화. 서울: 통계청.

통계청(2005b). 장래 인구추계. 서울: 통계청.

통계청(2006). 장래 인구추계. 2006 고령자 통계. 서울: 통계청.

통계청(2007). 사회통계조사보고서. 서울: 통계청.

통계청(2008). 2008 고령자 통계. 장래 인구추계. 2008년 사망원인 통계결과. 서울: 통계청.

통계청(2009). 2009 고령자 통계. 한국인의 사회지표. 서울: 통계청.

통계청(2010). 2010 고령자 통계. 2010 인구조사 통계. 서울: 통계청.

통계청(2011). 2011 고령자 통계: 고령인구 및 구성비. 서울: 통계청.

통계청(2012). 2012 고령자 통계. 서울: 통계청.

통계청(2013). 2013 고령자 통계. 서울: 통계청.

통계청(2014). 2014 고령자 통계. 서울: 통계청.

통계청(2015). 2015 고령자 통계. 서울: 통계청.

하능식(2013. 10. 07). 사회 복지 확대, 재정 책임성 확보가 중요. 강원도민일보, 7면.

하웅용(2002). 근·현대 한국 체육문화 변천사. 한국체육사학회. 7(1), 40-54.

하웅용, 이소윤(2008). 국가정책적 맥락에서 본 한국노인체육정책의 형성과 추진과정. 한국체육사학회지. 13(2), 99-113.

한겨레신문. 2011년 6. 13일자.

한국노인과학학술단체연합회(2007). 고령사회의 밝은 미래. 서울: 아카넷.

한국보건사회연구원(2005). 2004년도 전국노인생활 실태 및 복지 욕구 조사. 서울: 한국보건사회연구원.

한국보건사회연구원(2006). 2005년도 전국노인생활 실태 및 복지 욕구 조사. 서울: 한국보건사회연구원.

한국보건사회연구원(2007). 2006년도 전국노인생활 실태 및 욕구조사. 한국인의 건강 관련 삶의 질과 기대 여명. 한국보건사회연구원 보고서. 서울: 한국보건사회연구원

한국사회체육진흥회 홈페이지. www. kasfa.or. kr.

한국일보. 2005년 12월 30일자.

한국일보. 2012년 5월 12일자.

한국일보. 2013년 9월 2일, 31면.

한국일보. 2013년 10월 3일, 23면.

한국임상사회사업학회(2004). 노인복지론. 경기: 양서원.

한혜경(2013. 02. 07). 퇴직이 더 행복한 50대 남자들. 동아일보, A28.

한혜경(2013. 07. 09). 너도 내 나이 돼 봐라. 동아일보, A28.

한혜경(2013. 08. 20). 늙어가는 것의 불안 노리는 사회. 동아일보, A28.

한혜경(2013. 10. 01). 내가 만난 영국의 노인들. 동아일보, A28.

한혜경(2013. 11. 14). 100 시대 출발은 사소한 일에 목숨 거는 일부터 버리는 것.
        동아일보, A28.

한혜경, 이유리(2009). 독거노인의 정신건강 수준과 영향요인. 한국노년학. 29(3),
        805-822.

한혜원(2008). 여성 노인의 여가활동 참여 형태가 여가 만족도에 미치는 영향. 한
        국여성체육학회지. 22(3), 47-58.

한혜원, 이유한(2001). 노년기 여가참여형태와 삶의 질 인지와의 관계. 한국체육학
        회지. 40(3), 309-319.

홍용(2007). 여성노인들의 연령대별 건강 및 체력수준 상태와 태극기공운동이 활
        동체력, 혈중 지질에 미치는 영향. 한국생활환경학회지. 47(5), 189-199.

황용찬, 이성국, 예민혜, 천병렬, 정진욱(2003). 일부 농촌지역 노인들의 수단적 일
        상생활 동작 능력과 그에 관련된 요인. 한국노년학. 13(2), 84-97.

황인옥(2007). 노인복지시설 생활노인의 거주만족도 수준 및 영향요인. 미간행 박
        사학위논문. 대전대학교대학원.

허정식(2003). 노인의 운동 참여의 주관적 건강인지에 따른 심리적 안녕감. 한국스
        포츠심리학회지. 14(2), 111-128.

허정훈, 임승길, 이동현(2010). 한국형 노인 낙상효능감 척도(FES-K)의 타당화. 한
        국체육학회지. 49(3), 193-201.

허철무, 안상현(2014). 신체활동 참여 노인의 주관적 건강 상태와 심리적 안녕감
        및 성공적 노화의 관계. 한국체육학회지. 53(6), 357-369.

홍미화(2012). 노인체육지도자의 지도유형이 임파워먼트 및 만족에 미치는 영향.
        한국체육학회지. 51(5), 467-477.

홍성희(2000). 중 노년기 여가 프로그램 개발을 위한 기초연구. 대한가정학회지.
        제38권. 10-22.

현외성(1982). 한국노인복지정책의 형성과정과 그 특징에 관한 연구. 한국노년학.

2.

현외성(1994). 한국과 일본의 노인복지정책 형성과정. 서울: 유풍출판사.

현외성(2002a). 사회복지 강론. 서울: 양서원.

현외성(2002b). 한국의 정치와 노인복지정책. 노인복지연구. 17.

SBS(2009). 그것이 알고 싶다 704회, 나는 행운이다-절망을 이겨낸 사람들의 7가
지 비밀.

Acree, L. S., Longfor, J., A. S., Fjeldstad, C., Shchank, B., Nickel, K. J., &
Garchner, A. W.(2006). Physical activity is related to quality of life in
older adults. *Health and quality of life outcomes, 4(1)*, 37.

Austin, D. R.(1999). *Therapeutic Recreation: Processes and Techniques*(4theds.).
Champaign, IL: Sagamore publishing.

Barefoot, J. C.(1993). Age differences in hostility among middle-aged and older
adults. *Psychology and Aging, 8(1)*, 3-9.

Beard, J., & Ragheb, M. G.(1980). Measuring leisure satisfaction. *Journal of
Leisure Research, 12(10)*, 20-33.

Beaver, M. L.(1983). *Human service practice with the elderly*, Englewood Cliffs,
N. J. Prentice-Hall.

Benson, H.(1975). *The Relaxation Response*. New York. Avon.

Berger, B. G.(1986). Use of jogging and swimming as stress reduction techniques.
In j. H. Human Stress. l, 169-190.

Bolger, N. & Eckenrode, J.(1991). Social relationships, personality, and anxiety
during a major stressful event. *Journal of Personality and Social
Psychology*, 61.

Bowling, A.(2007). Aspirations for older age in the 21st century: what is
successful aging? *The International Journal of Aging and Human
Develoment, 64(3)*, 263-297.

Brown, B. A., & Frankel, B. G.(1993). Activity through the years: Leisure, leisure
satisfaction, and life satisfaction. *Sociology of Sport Journal, 10*, 1-17.

Campbell, A.(1981). *The sense of well being in America*. New York: McGraw-Hill.

Carter, M. J., Van Andel, G.E., & Robb, G.M. (1985). *Therapeutic recreation-A
practical approach*. Prospect Heigets, IL: Waveland Press, Inc.

Cavanaugh, J., & Blanchard-Field, F.(2014). *Adult development and aging*.

Cengage Learning.

Chaddock, L. (2013). *The effect of physical activity on the brain and cognition during childhood.* University of Illinois at Urbana Champaign.

Coleman, D. & Iso-Ahola, S. E.(1993). Leisure and health: the role of social support and self-determination. *Journal of Leisure Research, 25,* 111-128.

Cox, R. H.(1991). Exercise training and response to stress insights from animal model. *Medicine and Science in Sports Exercise. 23(7),* 653-859.

Crilly, R. G., Willems, D. A., Trenholm, K. J.(1989). Effect of exercise on postural way in the elderly. *Gerontology, 35,* 127-143.

Davis(1936). Principles and practices of recreational therapy. New York.

Dick, A, Chakravart, D., & Biehal, G.(1990). Memory-based inference during consumer choice. *Journal of Consumer Research. 17(June),* 82-93.

Flatten, K. Wilhite, B. Reyes-Watson, E.(1988). *Exercise Activities for the Elderly,* Spring Publishing Co.

Erik Van Ingen., Koen Van Eijck.(2009). Leisure and social capital, *Leisure Science, 31(2),* 192-206.

Everard, M, Lach, W, Fisher, B, Baum, C. (2000). Relationship of activity and social support to the functional health of *older adults. Journal of Gerontology, 55B(4),* S208-S212.

Flanagan, J. C.(1978). A research approach to improving our quality of life. *American Psychologist, 33,* 138-147.

Fye, V., & Peters, M.(1972). *Therapeutic Recreation: Its theory, philosophy and practice.* Harrisburg, PA: Stackpole Books.

Gibson, R.C.(1995). Promoting sucessful aging and productive aging in minority population. In L. A.,Cultler S. J., and Grams, A.(eds). *Promoting Sucessful Aging and Productive Aging.* 279-288. Thousand Oaks, CA: Sage.

Greecy, R. F., Berg, W. F., & Wright, R. W.(1986). Loneliness among the elderly. A causal approach. *Journal of Gerontology,* 40(4), 487-493.

Hargreaves. J.(1986). *Sport, Power and Culture.* Oxford: Polity Press.

Harper, S.(2014). Economic and social implications of aging societies. *Science, 346(6209),* 587-591.

Heidrich, S. M.(1998). Health promotion in age. *Annual Review of Nursing*

Research, 16, 173-195.

Hong, M. H.(1983). The Elder and Health, *J. of the Kor. Assembly, vol. 201*, 65-70.

Iso-Ahola, S. E.(1980). *The social psychology of leisure and recreation.* Springfield, IL: Charles C. Thomas.

James, O. J.(1993). Balance improvements in older women Effects of exercise training. *physical Therapy. 73(4)*, 254-262.

Janssen, M. A.(2004). The Effects of Leisure Education on Quality of Life in Older Adults. *Therapeutic Recreation Journal, 38(3)*, 257-288.

Kaplan, G., Barell, V. & Lussy A.(1988). Subjective stste of health survival in elderly adults. *Journal of Gerontology, 43(4)*, 114-120.

Kobasa. S. C., Maddi. S. R., Puccetti, M. C.(1982). Personality and exercise as buffers in the stress-illness relationship. *Journal of Behavioral Medicine. 5*, 391-404.

Kraus, R.(2001). *Recreation and Leisure in Modern Society*(6th edition), Jones and Barlett Publishers. Sudbury: Massachusetts.

Leitner, M. J. & Leitner, S. F.(1985). *Leisure in Later Life.* New York : The Haworth Press.

Leitner, M J & S. F. Leitner.(1996). *Leisure in later life. Binghamton.* N.Y. Haworth Press.

Lenard, Z Breen.(1976). *Aging and the Field of Medicine*(N. Y. Wiley).

Leon, C. M., Glass, T. A., & Berkman, L. F.(2003). Social engagement and disability in a community population of older adults. *American Journal of Epidemiology, 157*, 633-642.

Maslach, C, & Jackson, S. F.(1981). *The Maslach Burnoul Inventory*, Research edition. a Consulting psychologists Press.

McAdams, Aubin, & Logan(1993). Generativity among young, midlife and older adults. *Psychology and Aging, 8*, 221-230.

Mcpherson, B. D.(1984). *Sport Participation Across the Life Cycle:* A Review of The Literature and Suggestions for Future.

Mcpherson, B. D.(1994). Sociocultural perspectivies. on aging and physical activity. *Journal of Aging and Physical Activity, 2(4)*, 9-359.

Menec, V.H.(2003). The relation between everyday activities and successful agiing: A 6-year longitudinal study. *Journal of Gerontlogy, 58(2)*, 74-82.

Michel, C., Pisella, L., Prablanc, C., Rode, G., & Rossetti Y.(2007). Enhancing visuomotor adaptation by reducing error signais: Single-step(aware) versus multiple-step(unaware)exposure to wedge prisms. *Journal of Cognitive Neuroscience. 19(2)*, 341-350.

Moore, E. H.(1959). *The nature of retirement*. Streib, G. F.(ed), New York, Macmillan Co.

Morris, J. A., & Feldman, D, C.(1996). The Dimension. Antecedent and Consequences of Emotiion Labor. *Academy of Management, 21(4)*, 986-1010.

North, T. C., McCullagh, P., & Tran, Z.(1990). Effect of exercise on depression. *exercise and sport Science Revieus*. New York : Macmillan. 18, 379-415.

Peterson. C. A. & Gunn.S. L.(1984). *Therapeutic recreation program design*. Englewood Cliffs. NJ: Prentice-Hall lnc.

Ragheb. M. G. & Griffith. C. A.(1982). The contribution of leisure participation and leisure satisfaction to life satisfaction of older person. *Journal of Leisure Research, 14(4)*, 295-306.

Reddiing, G. M. & Wallace, B.(1997). *Adaptive Spatial Alignment*. Mahwah NJ: Lawrence Erlbaum Associates.

Rejeski, W. J., Brewley, L. R. & Shumaker, S. A.(1966). Relationship between physical activity and health-related quality of life. *Exercise Sport Scirev, 24*, 71-108.

Robert(2007). Thirty year of research on the subjective well-being o elder Americans, *Journal of Gerontology, 33*, 109-125.

Romanyshin, J. M.(1971). S*ocial Welfare, Charity to Justice*. NY: Random House.

Rossman, J. R.(1998). Development of a Leisure program theory. *Journal of Park and Recreation administration, 16(4)*.

Rowe, J. W., & Kahn, R. L.(1997). Successful Aging. *The Gerontologist. 37(4)*, 433-440.

Ryan, M. C, & Patterson, J.(1987). Loneliness in the elderly. *Journal of Gerontological nursing, 13(5)*, 6-12.

Shephard, R. J.(1997). *Aging physical activity and health*. Human Kinetics, 250-253.

Spirduso, W.(1995). *Physical dimension of aging*. Champaign, Illinois: Human Kinetics.

Takata, Y., Ansai, T., Akifusa, S, & Sho, I(1007). Physical Fitness and 4-year Morality in 80-year-old population. *The Journal of Cerontology. 62(8)*, 851-858.

Thomas, R & Haumont. A & Levet. (1994). *Sociologie de sport*. Presses Universitaires de france.

Tideiksaar, R.(1998). *Falls in order persons: Prevention and management, 2nd ed*. Baltimore, Health Professions Press.

Tinetti, M. E., Ginter, S. F.(1988). Identifying mobility dysfunctions in elderly patients. Standard neuromuscular examination or direct assessment? *Journal of the American Medical Association, 259(8)*, 1190-1193.

Tinetti, M. E., Mendes de Leon, C. F., Doucette, J, T., & Baker, D. I.(1994). Fear of falling and fall-related efficacy in relationship to functioning among community-living elders. *Journal of Gerontology, 49*, M 140-147.

Tinetti, M. E., Richman, D., & Powell, L.(1990). Falls efficacy as a measure of fear of falling. *Journal of Gerontology: Psychological Science, 45*, 239-234.

Villareal, D. T., Chode, S. Parimi, N. Sinacore, D. R., Hilton, T., Armamento-Villareal, R., Napoli, N., Qualls, C., & Logan. (2011). Weight loss, exercise, or both and physical function in obese older adults. *The New England Journal of Medicine, 364*, 1218-1229.

Weiss, R. S.(1973). *Loneliness: The experence of emotional and social islation*. Cambridge, MA, US: The NTT Press.

Wenzel, K., Reilly, M., & Lee, Y.(2000). Outcome measurements a specialized day program. 2002 Annual National Therapeutic Recreation Society Institute, *National Recreation and Park Association ongress*. Tampa, FL.

Woo, H. W.(2003). Successful aging. *Journal of Korean Geriatric Psychiatry, 7(2)*, 99-1-4.

(주석)

1) 유정. 「마흔에서 아흔까지」, 『경기: 서해문집』, 2009: 22.
2) 손성진. 「노인이 춤추는 세상을 만들어야 한다」, 『서울신문』, 2013년 11월 28면, 31면.
3) 이것은 노인보다는 중장년 정도 혹은 꼰대스러운 사람들, 상사, 선배들을 지칭할 때 주로 쓴다. 종종 일베 용어로 오인받는 경우가 있으니 사용에 주의.
4) 사실 이건 영어의 관용어구인데, 소유격과 함께 써서 one's old man이라 하면 그 사람의 아버지란 뜻이 된다. 격식 차리지 않는 대화 등에서 쓴다. 예: My old man = 나의 아버지. 그래서 엘튼 존 노래를 들어보면 Goodbye Yellow Brick Road에서도 I should have listened to my old man이라는 구절이 있고 Saturday Night's Alright for Fighting에서도 My old man's drunker than a barrel full of monkeys and my old lady, she don't care라는 말이 나온다. old lady는 어머니라는 뜻이다.
5) 아예 안 쓰는 건 아니고 老人 앞에 접두어 ご를 붙여서 ご老人이라고 쓰기도 하지만 문어적인 느낌이 강한 표현이라 일상에서는 잘 쓰이지 않고, 대신 앞에 존경의 의미를 갖는 접두사 お를 붙인 'お年寄り'를 많이 사용한다.
6) 강동형. 「독일이 노인들의 취업」, 『서울신문』, 2016년 6월 16일, 31면.
7) 치매 검진, 치매 치료비 지원, 노인안검진, 개안수술 등 지원은 60세 이상이며, 국민연금은 63세 이상, 경로 우대나 기초연금장기요양수급, 노인돌봄서비스 등은 65세 이상으로 되어 있다.
8) 사실 이것은 노인보다는 중장년 정도 혹은 꼰대스러운 사람들, 상사, 선배들을 지칭할 때 주로 쓴다. 종종 일베 용어로 오인받는 경우가 있으니 사용에 주의.
9) 사실 이건 영어의 관용어구인데, 소유격과 함께 써서 one's old man이라 하면 그 사람의 아버지란 뜻이 된다. 격식 차리지 않는 대화 등에서 쓴다. 예: My old man = 나의 아버지. 그래서 엘튼 존 노래를 들어보면 Goodbye Yellow Brick Road에서도 I should have listened to my old man이라는 구절이 있고 Saturday Night's Alright for Fighting에서도 My old man's drunker than a barrel full of monkeys and my old lady, she don't care라는 말이 나온다. old lady는 어머니라는 뜻이다.
10) 아예 안 쓰는 건 아니고 老人 앞에 접두어 ご를 붙여서 ご老人이라고 쓰기도 하지만 문어적인 느낌이 강한 표현이라 일상에서는 잘 쓰이지 않고, 대신 앞에 존경의 의미를 갖는 접두사 お를 붙인 'お年寄り'를 많이 사용한다.
11) 특히 체력이 약한 노인은 이런 경우가 많다.
12) 50대 후반(57~58세)부터 외모는 할아버지에 가까워지기 시작한다.
13) 실제로 생산 가능 연령은 15세~64세이다. 2010년대 중반(2014년)부터 노인이 65세 기준으로 정착되어 중년들 중에서 50세~64세인 사람들을 50+ 세대(50플러스 세대)라는 신조어로 부르기도 한다.
14) 노인복지법, 노인장기요양보험법, 도로교통법, 장애인·고령자 등 주거약자 지원에 관한 법률 등이다. 실제로 형사변호를 해 보면 왜 법이 그 경우를 '필요적 국선변호' 사건으로 규정했는지를 실감할 수 있다.
15) 김준태. 「상대가 어떤 사람인지를 알려면」, 『경기일보』, 2023년 2월 2일.
16) 백영옥. 「나이듦의 기술」, 『조선일보』, 2023년 1월 28일.
17) 백영옥. 「나이듦의 기술」, 『조선일보』, 2023년 1월 28일.
18) 백영옥. 「행복의 조건」, 『조선일보』, 2023년 1월 7일.
19) 이혜미. 「1938년부터 85년 동안 개인의 인생을 추적했다... '행복의 조건'을 알아내기 위해」, 『한국일보』, 2023년 10월 28일, 10면.
20) 한정규. 「지혜의 눈이 곧 그의 삶」, 『경북일보』, 2023년 1월 30일, 18면.

21) 문가인. 「사람의 격을 높여라」, 『경북일보』, 2023년 1월 29일.
22) 김경모. 「투덜이 스머프」, 『경상일보』, 2023년 1월 30일, 14면.
23) 신승환. 「파멸의 위험」, 『경인일보』, 2023년 1월 29일.
24) 장석주. 「내 인생 사용법」, 2023년 1월 20일.
25) 진승현. 「퇴행성 무릎 관절염」, 『제민일보』, 2023년 2월 1일.
26) 현경철. 「삶의 질을 떨어뜨리는 허리 통증」, 『제민일보』, 2023년 1월 25일.
27) 오태익. 「다시 건강을 위하여」, 『제주일보』, 2023년 2월 1일.
28) 김대영. 「치매(癡呆)」, 『제주일보』, 2023년 1월 30일.
29) 양성광, 윤희진. 「나이 듦의 미학」, 『중도일보』, 2023년 1월 30일.
30) 홍석환. 「왜 늙지 않는가?」, 2023년 1월 30일, 19면.
31) 이규철. 「건강관리 습관 10가지 목표 세우자」, 『충청일보』, 2023년 1월 30.
32) 이규철. 「우린 몇 살까지 살까」, 『충청일보, 2023년 1월 26일.
33) 유강하. 「모호하고 선명한 사랑의 지리, “헤어질 결심”」, 『강원도민일보』, 2023년 1월 27일, 27면.
34) 김동수. 「늙어도 늙지 않는 노년의 삶」, 『전북도민일보』, 2023년 1월 30일.
35) 장은수. 「주의력, 삶을 바꾸는 초능력」, 『매일경제』, 2023년 1월 27일.
36) 양성필. 「한 번뿐인 인생, 어떻게 살 것인가?」, 『라이프점프』, 2023년 1월 25일.
37) 신견식. 「글쓰기는 가장 인간적인 행위다」, 『한국일보』, 2023년 1월 15일, 27면.
38) 장명희. 「마법, 말의 비밀」, 『시니어매일』, 2022년 10월 1일.
39) 허봉조. 「표정 관리가 중요해」, 『시니어매일』, 2022년 2월 28일.
40) 배소일. 「요양원 단상(斷想)」, 『시니어매일』, 2021년 8월 2일.
41) 이평복, 박효순「. “잘못된 통증치료법 넘쳐나…더 큰 병 키워”」, 『경향신문』, 2023년 2월 3일.
42) 황춘하. 「발기부전치료제의 뜻밖의 변신」, 『경향신문』, 2023년 2월 3일.
43) 김인. 「초고령사회 노인일자리와 시니어의 역할」, 『영암열린신문』, 2021년 12월 2일.
44) 이지혜. 「최근 중장년 취업자 늘며 수요 늘어」, 『브라보마이라이프머니』, 2023년 2월 9일.
45) Daum. 「행복」, 다음, 2023년 11월 3일.
46) 이지혜, 윤영란. 「“일하는 행복 선사하는 보람이 가장 커”」, 『브라보마이라이프머니』, 2023년 2월 9일.
47) 김미리. 「중학교 교장에서 퇴임한 뒤 보디빌더 된 서영갑씨」, 『조선일보』, 2011년 11월 10일.
48) 나무위키. 「행복전도사」, 다음, 2023년 11월 3일.
49) 오홍권. 「어느 60대 노부부의 병원 이야기」, 『한국일보』, 2023년 1월 2일, 27면.
50) 임국현. 「삶의 질」, 『세계일보』, 2009년 10월 7일.
51) 치매 검진, 치매 치료비 지원, 노인안검진, 개안수술 등 지원은 60세 이상이며, 국민연금은 63세 이상, 경로 우대나 기초연금장기요양수급, 노인돌봄서비스 등은 65세 이상으로 되어 있다.
52) 김창규, 강신영. 「노인의 나이」, 『시니어每日』, 2023년 1월 25일.
53) 울산신문. 「노인과 나이」, 2023년 11월 11일.
54) 곽인찬. 「노인 나이 70세로 올리자」, 『파이낸셜뉴스』, 2023년 3월 6일.
55) 황수연. 「홍준표 “70세부터 지하철 공짜”…일부선 “노인 기준도 올리자”」, 『중앙일보』, 2023년 2월 3일.
56) 홍기빈. 「50대에게 인공지능 교육을」, 『경향신문』, 2023년 2월 28일.
57) 홍기빈은 정치경제학자이다. 대안적 사회의 정치경제 질서를 설계하고 구축하는 데에 도움이 될 수 있는 연구와 활동을 병행해 왔다. (재)글로벌정치경제연구소 소장을 지냈으며, 국제칼폴라니연구협회의 자문위원을 맡고 있다. 저서로는 〈위기 이후의 경제학〉〈비그포르스, 잠정적 유토피아와 복지국가〉가 있으며, 역서로는 〈도넛 경제학〉〈21세기 기본소득〉〈균형재정은 틀렸다: 현대화폐이론 입문〉 등이 있다.
58) 부남철. 「노년의 인문학」, 『국제신문』, 2023년 3월 8, 19면.
59) 능인, 이연정. 「자기 얼굴에 대한 책임감」, 『매일신문』, 2023년 2월 28일.
60) 김혜남, 김대영. 「‘만일 내가 인생을 다시 산다면’」, 『시니어매일』, 2023년 3월 6일.
61) 서홍식. 「화목한 가정을 가화만사성이라 한다」, 『제주일보』, 2023년 3월 15일.
62) 이원후. 중년 우울증, 효과적으로 이겨내려면?」, 『제주일보』, 2023년 3월 6일.
63) 김태열, 이유나. 나이듦의 용기」, 『중도일보』, 2023년 3월 14일, 19면.
64) 안철경. 「100세 인생 번지점프」, 『국민일보』, 2023년 3월 15일.
65) 강경희. 「‘꼬부랑’은 사라지고 ‘선진국 할머니들’로」, 『조선일보』, 2023년 4월 7일.
66) 박은숙. 「노년기 삶의 질을 생각한다」, 『전북도민일보』, 2023년 4월 6일.
67) 이근후. 「인생은 변화의 연속이다」, 『농민신문』, 2023년 4월 5일.
68) 김교환. 「편견과 선입견이 꼰대로 만든다」, 『시니어매일』, 2023년 4월 20일.
69) 이재욱. 「건강 장수법」, 『시니어매일』, 2020년 10월 29일.
70) 안상준. 「뇌 건강과 음식」, 『경기일보』, 2023년 4월 19일.

71) 김정현. 「부족함 속에 감춰진 능력」, 『경북매일』. 2023년 4월 19일, 18면.
72) 김태훈, 정희원. 「66세 때 건강, 앞으로 10년 좌우한다」, 『경향신문』, 2023년 4월 21일.
73) 김희봉. 「나는 어떤 시간에 살고 있는가?」, 『경인일보』, 2023년 4월 19일.
74) 송혁기. 「어디에 살까, 누구와 살까」, 『광주일보』, 2023년 4월 4일.
75) 김병연. 「칠순기념 문집을 내고」, 『국제일보』, 2022년 4월 28일.
76) 정종민. 「인생의 반은 습관에 달렸다」, 『기호일보』, 2023년 4월 21일, 15면.
77) 오세재. 「부활을 꿈꾸는 사람들」, 『울산매일』, 2023년 4월 19일, 15면.
78) 김영준. 「알코올성 치매」, 『제민일보』, 2023년 4월 17일.
79) 노정희. 「봄철 면역력 높이는 음식」, 『시니어매일』, 2023년 4월 11일.
80) 조순정, 박경은. 「7만평 숲과 더불어 사는 삶」, 『경향신문』, 2023년 4월 28일.
81) 장은수. 「아버지의 삶을 생각하며」, 『국민일보』, 2023년 4월 19일.
82) 김정규. 「초고령 사회 눈앞…고령 운전자 대책 시급하다」, 『대전일보』, 2023년 4월 7일, 18면.
83) 매일신문. 「늘어나는 1인 가구 절반이 빈곤층, 일자리 소득 지원 필요」, 『대전일보』, 2023년 4월 11일.
84) 전북도민일보. 「경로당 응급상황 대비책 마련」, 2023년 4월 9일.
85) 고경순. 「플랜75」, 『제주일보』, 2023년 4월 11일.
86) 한상진. 「힘들면 쉬었다 건너는 횡단보도」, 『경향신문』, 2020년 10월 26일.
87) 신영전. 「"당신은 곧 늙고, 죽을 것이다"」, 『한겨레』, 2022년 7월 27일.
88) 김용재. 「어르신·장애인 위한 '급식 지원' 바람직」, 『세계일보』, 2023년 4월 13일.
89) 이상은. 「복지 사각지대의 사회안전망 '안심소득'」, 『세계일보』, 2023년 4월 17일.
90) 농민신문. 「고령화 탓에 비닐하우스마저 비어간다」, 2023년 4월 19일.
91) 조민정. 「변실금」, 『시니어每日』, 2021년 5월 10일.
92) 김혜경. 「당신의 관심이 노인학대를 예방합니다」, 『대구일보』, 2023년 4월 19일.
93) 장준영. 「어르신공원」, 『영남일보』, 2023년 4월 20일, 23면.
94) 서병진. 「만수유 공수거의 삶」, 『경북일보』, 2023년 4월 11일.
95) 이유근. 「고령화 사회를 대비하자」, 『제민일보』. 2023년 2월 16일.
96) 송정수. 「바람만 스쳐도 아프다는 '통풍' …방치 땐 관절을 넘어 온몸 침범」, 『경향신문』,
    2023년 3월 24일.
97) 강경희. 「"73세 돼야 노인"」, 『조선일보』, 2023년 2월 7일.
98) 최동군. 「소멸 위기의 지방, 젊은 노인이 필요하다」, 『경기일보』, 2023년 4월 10일.
99) 김한섭. 「목욕탕의 슬픈 추억」, 『경인일보』, 2023년 4월 6일.

102) 김대경. 「치매 어르신의 존엄한 노후 보장」, 『강원일보』, 2023년 3월 3일, 24면.
103) 다음백과. 「노인복지(老人福祉)」, Daum, 한국민족문화대백과사전, 2023년 11월 7일.
104) 박혜숙. 「인천의 고독사 증가 대처법」, 『아시아경제』, 2023년 3월 7일.
105) 주은선. 「초고령사회로의 전환이 재앙이 되지 않는 법」, 『경향신문』, 2023년 2월 28일.
106) 이현우. 「지하철 적자를 노인 탓으로 모는 나라」, 『부산일보』, 2023년 2월 19일.
107) 차은진. 「"행복한 노년의 삶"」, 『호남타임즈』, 2023년 4월 20일.
108) 김보미. 「내 마음 전할 '엔딩노트' 미리 쓰는 어르신들」, 『경향신문』, 2023년 5월 14일.
109) 장은수. 「아버지의 삶을 생각하며」, 『국민일보』, 2023년 4월 19일.
110) 김교환. 「미움 받지 않는 노년을」, 『시니어매일』, 2023년 5월 19일.
111) 윤성민. 「여든의 열정」, 『중앙일보』, 2023년 5월 24일.
112) 유수연. 「"은퇴 후에도 배움을 놓지 마세요"」, 『경남일보』, 2023년 5월 25일.
113) 황종환. 「행복은 경험의 축적이다」, 『충청일보』, 2023년 5월 25일.
114) 추혜인. 「사전연명의료의향서와 생활동반자법」, 『경향신문』, 2023년 5월 31일.
115) 남경아. 「'지역 데뷔' 넘어 '골목 데뷔'」, 『경향신문』, 2023년 6월 1일.
116) 유경선. 「올해 서울 고졸 검정고시 최고령 합격자 유인희씨」, 『경향신문』, 2023년 6월 7일.
117) 최상훈. 「그래도 행복했다」, 『강원일보』, 2023년 6월 19일, 18면.
118) 최승민. 「백년해로상 제정, 젊은 부부들에게 귀감」, 『강원일보』, 2023년 6월 30일, 24면.
119) 조동영. 「'머릿속 폭탄' 뇌출혈 2차 손상 빨리 막아야」, 『경향신문』, 2023년 6월 30일.
120) 신정란. 「100세 시대에 우리는 무엇을 준비하고 대처하며 살아야 하나?」, 『시니어매일』, 2023
     년 7월 6일.
121) 이주윤. 「별 볼 일 있는 어른」, 『국민일보』, 2023년 4월 15일.
122) 이주향. 「세대 갈등」, 『세계일보』, 2023년 7월 16일.
123) 허원순. 「新청년 60대 '젊은 노인' 활용에 미래 달렸다」, 『한국경제』, 2023년 7월 21일, A34.
124) 최지민. 「노년 괴롭히는 퇴행성 무릎 관절염」, 『광주일보』, 2023년 7월 20일.
125) 2023년 기준으로 남성은 1943년생, 여성은 1937년생에 해당한다. 20대~30대 초반들의 조부모
     연령대에 해당한다. 물론 몇몇 일부 가정은 조부모와 부모가 자녀를 일찍 낳아서 손주가 30대
     후반~40대 초중반인 경우도 있으며 반대로 늦게 낳으면 초등학생~중학생인 경우도 있다. 1980년

대만 해도 여성이 일찍 혼인을 해서 낳은 첫째가 딸이면 마찬가지로 딸도 혼인을 일찍 해서 40
대 후반에 외할머니가 되는 경우도 가끔 있었다. 반면 부모가 늦둥이일 경우 손자는 10대인데
조부모가 90대인 경우도 있다.

126) 양상식.「장수(長壽)에 대한 다른 생각」,『제민일보』, 2023년 7월 30일.
127) 방대웅.「생활체육으로 건강한 삶, 즐거운 삶 100세」,『충청일보』, 2023년 8월 2일.
128) 안철경.「고령자는 디지털이 불편하다」,『국민일보』, 2023년 8월 2일.
129) 서울신문.「기초수급자 40%가 노인, 정년연장·재고용 속도 내야」, 2023년8월 3일, 23면.
130) 전상헌, 이주연.「씹고 뜯고 오래 즐기려면⋯치주관리부터」,『경상일보』, 2023년 8월 9일, 11
    면.
131) 대구일보.「고독사 줄이려면 사회적 고립층에 더 신경 써야」, 2023년 8월 6일.
132) 오현주.「서로의 '다움'으로 함께 성장하기를」,『전남일보』, 2023년 8월 9일.
133) 이계안.「나를 부끄럽게 한 것」,『중부일보』, 2023년 8월 6일.
134) 최창중.「나이를 먹는다는 것」,『충북일보』, 2023년 8월 6일.
135) 이희자.「황혼육아를 보상하라」,『강원일보』, 2023년 8월 9일, 19면.
136) 강지윤.「나의 일흔 번째 생일」,『시니어매일』, 2023년 8월 7일.
137) 이정철.「여행」,『경향신문』, 2023년 8월 9일.
138) 김윤.「눈떠보니 '의료 후진국'」,『경향신문』, 2023년 8월 9일.
139) 박재희.「인생의 태풍을 만났을 때」,『강원일보』, 2023년 8월 10일, 19면.
140) 국제신문.「고령층 고용 확대 위한 사회적 논의 내실있게 진행해야」, 2023년 1월 29일.
141) 이경주, 김태훈.『경향신문』,「노래진 눈 흰자위⋯췌장·담관암 '신호' 놓치지 마세요」,
    2023년 9월 15일.
142) 추혜인.「여러분, 국가검진 잘 받읍시다」,『경향신문』, 2023년 9월 19일.
143) 정중호.「초고령사회와 시니어케어」,『경향신문』, 2023년 11월 8일.
144) 김민섭.「부모의 역할이란 무엇인가,『경향신문』, 2023년 5월 6일.
145) 정영록.「다목적 K-시니어타운의 실험을 제안한다」,『News Insight』, 2023년2월 9일.
146) 한경혜. 서울대학교 생활과학대학 아동가족학과 교수, 생활과학연구소 연구원.
147) 이 연구는 2003년도 유한킴벌리(Yuhan-Kimberly) 연구비 지원에 의해 수행되었으며, 韓國老年
    學誌 제24권 4호(2004)에 게재된 논문이다.
148) 비겐 저체온관리센터.「질병인가? 노화인가?」, 2022년 7월 22일.
149) 김기덕.「질병인가 노화인가?」,『비겐 체온센터』, 2022년 7월 22일.
150) 김교환.「질병인가 노화현상인가」,『시니어매일』, 2020년 9월 14일.

꿀벌이 꿀통에 꿀을 모으고 있다(시니어매일, 2023. 2. 3, 안영선 기자)

(イ751)　Eastern small gate, seoul　(門化惠)門小東城京　(景風鮮朝)

京 城 名 所　獨 立 門　The Dokuritsumon at Keijo.

西大門外義洲通りにあり明治廿七八年戰役の結果完全なる獨立國となり多く支那の羈絆を脫したるを以て記念の爲建設したる壯壯なるものなり

(京53)　DOKURITSUMON SEOUL　（迎恩門）獨立門 京城 （朝鮮名所）

市街に見る

夫牛島政治の中樞としてこゝに盤きをなす京城は、政治、經濟、軍事、教育、其の他の諸百機關をとゝに集め、また大會社大工場等をも數多包容して名實共に大都の風格をとゝに示してゐる。構は市街に見る百貨店和信。

『東城大觀』

THE CENTRE OF EDUCATION
AND POLITICS AT KOREA, KEIJYO.